Boeken van Marilyn French bij Meulenhoff

Het bloedend hart. Roman
Het boek als wereld. Een inleiding tot James Joyce's *Ulysses*
Macht als onmacht. Vrouwen, mannen, moraal. Essay
Haar moeders dochter. Roman
De oorlog tegen vrouwen
Onze vader. Roman
Dagboek van een slavin. Novelle
Een vrouwelijke geschiedenis van de wereld
De minnaar. Verhalen
Mijn zomer met George. Roman
Mijn seizoen in de hel. Een autobiografisch relaas

Marilyn French

Het bloedend hart

ROMAN

Vertaald door Molly van Gelder

MEULENHOFF AMSTERDAM

Eerste druk 1980, negentiende druk 2000
Oorspronkelijke titel *The Bleeding Heart*
Copyright © 1980 Marilyn French
Copyright Nederlandse vertaling © 1980 Molly van Gelder en
J.M. Meulenhoff bv, Amsterdam
Omslagfoto © 1963 Paul Caponigro
Vormgeving omslag Marten Jongema
Foto achterzijde omslag Chris van Houts

www.meulenhoff.nl
ISBN 90 290 6864 7 / NUGI 301

Voor Jamie en Rob

Een

Toen de droom was afgelopen werd zij wakker. (Geschud, geschommel, een treincoupé.) Ze bleef doodstil liggen, bijna zonder adem te halen, en probeerde weer in de droom terug te zinken. Ze hield haar ogen gesloten, de sensatie van de droom vasthoudend, de sensualiteit van het warme lichaam die zij daarginds tot in elke vezel had gevoeld. Terwijl het gevoel vervaagde probeerde ze het terug te halen, volgde het, liet het over het gehemelte van haar verbeelding rollen, zoog het leeg. (Roerloos, met rechte rug, ondanks het geschommel van de trein.) Zij kneep haar oogleden stijf toe en probeerde weer in slaap te vallen, hoewel ze wist dat dat niets uithaalde. Al viel je weer in slaap, al droomde je opnieuw, het was nooit dezelfde droom. En zij wilde die ene, dezelfde.

(Nee, een andere coupé nu, vierkant, als een doos. Geen vaste zitplaatsen. Man. Zit naar mij te staren. Staart. Ik voel zijn ogen priemen. Hij staat op, hij komt naar mij toe, waarom? Gaat langs mij heen, blijft achter mij staan. Hij drukt zijn lichaam tegen de leuning van de bank. Zijn lichaam ademt achter mijn hoofd.)

Zij voelde weer de spanning. Overweldigend, de intensiteit van stilzwijgende aanwezigheid, de kracht van een enkel lichaam, zoals hij daar achter haar stond liet hij zijn aanwezigheid voelen. Hij raakte haar niet aan.

(Toen werd het plotseling te veel. Te veel en zij moest zich laten gaan en legde, ah, haar hoofd in de nek, ontspande haar nekspieren, leunde met haar hoofd, ah, tegen zijn buik. Warm. Rust. Een zucht rimpelt door haar lichaam, een ongekend gevoel, rust. Warmte. Een ander.)

Vertrouwen. Daar ging het om, daarom wilde zij de droom terughalen. Haar lichaam was doorstroomd met warmte, vloeibaar, zacht. Ziek van verlangen lag zij in het hobbelige bed: haar lichaam wilde in een paar armen liggen, tegen een ander lichaam aan.

(Zacht maar stevig was zijn buik. Hij laat het toe, mijn hoofd mag daar rusten. Dan raakt hij mij aan, teder. Hij trekt me omhoog, we gaan samen weg en vlijen ons neer. We liggen in een uitgeholde boomstronk, of een grote wieg misschien. Met al onze kleren aan liggen wij in elkaars armen. De wieg schommelt zachtjes heen en weer, net als de trein. Wij bewegen niet zelf, wij worden bewogen. De lucht om ons heen is in beweging, elektrisch, trillend, geladen. Alles beweegt en wij bewegen mee, zonder weerstand. Schommelen, schommelen, heen weer.)

De droom en het gevoel van de droom ebden weg en lieten haar gestrand achter, uithollend, opdrogend. Haar lichaam tintelde, haar geslachtsorganen schrijnden. Een uitdrogend lichaam van zand. Haar jukbeenderen schreeuwden om water. Zij ging overeind zitten, een frons op haar voorhoofd. Haar lichaam stierf van de dorst en was bezig haar dat duidelijk te maken. Ze vond het idee onverdraaglijk, ongelooflijk. Haar lichaam was haar aan het ondermijnen! De brutaliteit!

Zoals een vrouw van de twintigste eeuw betaamt, nam zij haar toevlucht tot de analyse, in het bijgeloof dat wat het verstand kon vatten het hart niet meer kon raken, dat je alles in de hand had zodra je het onder woorden had gebracht.

Ging de droom soms daarover: over sensualiteit die na zoveel jaar weer ongemerkt was binnengeslopen? Die, tegen haar wil, op verraderlijke wijze bezit had genomen van haar lichaam, na zo'n lange tijd van kalme zelfbeheersing? Nee, toch niet, er zat meer achter. Ergens voelde ze dat er meer aan de hand was. Zij leunde met haar hoofd tegen het harde, houten hoofdeinde van het bed en sloot weer haar ogen.

(Een grote coupé, vol met mensen op pakkisten. Mannen op kisten zitten tegen de wand aangeleund, hun blik starend in het niets. Gebogen hoofden die niets zien. In het midden de vrouwen en kinderen, op kisten die hoek aan hoek tegen elkaar zijn geschoven, maar toch in een soort cirkel, zodat zij elkaar kunnen zien.

Waar is de man, mijn man? In de hoek tegen de wand, starend naar mij vanaf zijn kist. Een intense, strakke blik. Ik kijk hem aan. De vrouwen zitten te praten. 't Is wat, zeggen zij. Maar heb je gehoord van Anna? En die arme Rosalie! Zij hebben prettige, zangerige stemmen, ze klagen en zuchten, hun stemmen zwellen aan en zwakken af, ze fluisteren, ze lachen. Ze vertellen de verhalen van hun pijn. Elke vrouw heeft vele

8

verhalen: haar eigen verhaal, dat van haar moeder, van haar zusters. Ze hebben versleten schoenen aan en armoedige jassen over hun katoenen jurk. Sommigen hebben een hoofddoek om. Ze zitten met hun baby's op de arm en wiegen hen zachtjes tijdens het praten. Een vrouw neemt het woord. Zij is mooi, met een rond, blozend gezicht. Zij zegt dat haar pijn erger is. De vrouwen zwijgen en luisteren naar haar. Zij wijst naar de baby die op de kist naast mij ligt. Het is een meisje van ongeveer achttien maanden oud, blond en blozend, haar haar een dikke bos gouden krullen. Ze is heel tevreden, ze wiegt op haar kist heen en weer en ligt voor zich uit te brabbelen en te zingen. Zij kijkt ons met verbazing en plezier aan. Zij beseft denk ik niet dat wij er vermoeid en ineengedoken bijzitten met afgedragen kleren en versleten schoenen.

De vrouw wijst naar de baby en zegt dat het haar kind is. Zij vertelt over haar met een rustige, prettige stem – over de reizen die zij hebben gemaakt, zij en haar man en het kind. Zij hebben geen geld meer, ze zitten aan de grond. Zij zijn alle dokters van de wereld afgelopen. Totdat de laatste tenslotte met een definitieve diagnose kwam: het meisje heeft kanker. Zij is stervende.

De vrouwen doen er het zwijgen toe. Zij knuffelen hun baby's in stilte. De lijnen in hun gezicht huilen.

Ik kijk naar de baby, naar de vrouw. Ik laat mijn ogen over de man gaan, mijn man. Ze vormen een gezin. De baby is van hem. Ik sla mijn ogen neer.)

Ze keek op.

O God. Ja, een goederenwagen, dat moest het zijn, zoals zij die zich als klein kind had voorgesteld toen ze gelezen had hoe goederenwagens gebruikt werden om mensen naar de concentratiekampen te deporteren. Ja, ook zij, ook de mensen in haar droom waren op weg naar een of ander vreselijk oord, een laatste bestemming. Ieder van hen wist dat, allemaal waren ze bedroefd, maar de vrouwen beweenden hun leven, niet hun dood. Ja, zij waren gewoon op weg naar de dood, net als iedereen, terwijl zij zich warmden aan elkaars gezelschap. En aan de andere kant van de wagen, de man, haar man, de man tegen wie zij haar hoofd kon laten rusten, die zij kon vertrouwen. Helemaal niet haar man.

Zij wilde er niet meer aan denken.

Zij stapte uit bed en poetste haar tanden en kleedde zich aan en liep voorzichtig, vanwege de gevaarlijk gladgesleten loper, de drie trappen af naar de eetzaal met de vette eieren, koude geroosterde boterhammen en slappe koffie die bij de prijs van het hobbelige hotelbed waren inbegrepen. Maar juist nu zij er niet aan wilde denken bleef het beeld terugkomen. Zo'n wolk van een baby, lijdend aan kanker! En het gevoel van verlichting na het achteroverleunen, de wonderlijke behaaglijkheid van zijn lichaam. Wat was er met haar aan de hand? Ze had zich de laatste tijd wel vaker betrapt op vreemde gevoelens – het zich aangetrokken voelen tot invalide mannen, waarbij zij gefascineerd hun gezichten bestudeerde en dacht dat invalide mannen het net zo zwaar te verduren hadden als vrouwen, dat zij menselijker waren dan de rest. Of het aanknopen van een gesprek met een man in het vliegtuig of in de bus: dat had ze in jaren niet gedaan. Of haar geflirt met José, de ober uit Barcelona, die de vette eieren opdiende. Hij grijnsde naar haar terwijl hij haar koffie inschonk en ze wist dat de glimlach op haar gezicht meer te kennen gaf dan enkel vriendelijkheid, het was een beetje vette glimlach. Hij was een knappe jongen met een goudkleurige huid, ongetwijfeld wegkwijnend in de Londense grauwheid.

'U weg vandaag?' Hij glimlachte en zij knikte. 'U snel terug?' 'Ja. Over een maand of zo,' beloofde ze, niet zeker wat ze hem beloofde. Hij glimlachte tevreden, in de wetenschap dat hem iets beloofd was.

Zij liep weer naar boven; ze voelde zich een beetje duizelig, alles leek ver weg. Waren de eieren extra vet geweest, was haar maag van streek? Een oud gevoel, paniek, een gevoel alsof zij elk moment kon vallen, iets kwam vanuit haar maag naar boven, het duizelde haar. Alsof zij plotseling geen controle meer had over... wat? en barstte in een onbedaarlijke huilbui los.

Stom. Gewoon het slechte slapen op dat klerebed, het inferieure voedsel, die stomme droom. Ze voelde zich alsof ze elk moment uiteen kon vallen.

Netjes borg zij haar aantekeningen op in haar aktetas, ervoor oppassend dat niets door elkaar raakte, en deed haar pyjama in een klein linnen tasje. Ze staarde uit het raam. De hele wereld viel uiteen, werd grijs, waterig, wazig.

Zij deed haar regenjas aan, pakte de tassen op, liep naar beneden en stapte de druilerige Londense morgen in om de trein naar Oxford te halen.

2

De droom bleef terugkomen, wiste alles om haar heen uit. Ja, daarom wilde zij dat hij terugkwam, de droom was echt, echter dan de vieze straten van Londen, de schommelende metro, de grauwbruine mensen die zich aan de stangen vasthielden of die op de zitplaatsen heen en weer schudden, die meegaven met de beweging van de trein. Zij deed dat nooit. Zij bleef stijf rechtop zitten, verzette zich tegen de overheersende kracht. Altijd.

Oké, de droom was waar, maar wat was de waarheid ervan? Het meest levendige element erin was de staande man en het glorieuze moment van verlichting als ze haar hoofd in de nek legde, achteroverleunde en haar hoofd zijn lichaam aanraakte en daar veilig en vol vertrouwen bleef rusten, en zij zijn stevige, gewillige lichaam voelde, dat daar niet zo maar stond, maar speciaal op haar had staan wachten. Dat was natuurlijk absurd. Wie wacht er vandaag de dag nog op één speciaal iemand? Wie had dat ooit gedaan, behalve in boeken? En leunen tegen een volslagen vreemde – het was ondenkbaar dat zij zich in het werkelijke leven zo zou laten gaan. Uitgesloten, ook daarvoor al.

Daarvoor. Voor de tijd dat mijn gevoelens opdroogden, en ook mijn vagina. Geen vlinders meer in haar buik, geen bonzend hart dat haar onderscheidingsvermogen verblindde. Na al die roerige jaren, al dat geneuk, al die hartstochtelijke liefdesverklaringen, verschillende soorten houden van, het subtiele onderscheid tussen de ene liefde en de andere. Nu voelde ze walging bij het woord alleen al. Genoeg. Nooit meer een man in mijn leven, in mijn bed. 'Ik neuk niet meer, maar ik huil ook niet meer,' loog zij tegen haar beste vrienden. Het was een halve leugen: er kwamen wel tranen in haar ogen maar ze rolden nooit naar beneden, ze droogden meteen weer op. Een opgedroogde bron was zij.

Niet dat zij bewust *besloten* had om niet meer te neuken, dat dat vijf jaar geleden een van haar goede voornemens voor het nieuwe jaar was geweest waar zij zich koste wat het kost aan wilde houden, nee, het liep gewoon zo. De verhouding met Marsh, waar zij zo gekneusd uit was gekomen dat zij maanden

11

daarna niet normaal had kunnen ademen zonder een prop in haar slokdarm te voelen, ja, dat was het waarschijnlijk. Maar de kinderen hadden het prima gevonden. Geen vreemden meer in huis aan wie zij zich moesten aanpassen, tegen wie zij zich moesten afzetten, met wie zij een wankel emotioneel evenwicht opbouwden dat zij, als tussenpersoon, moest zien te handhaven. Geen verspilling meer van energie aan dingen die uiteindelijk toch zouden verzanden in vlakke verveling of knallende ruzies. Hartstocht: het was een verzinsel, je verzint het voorwerp, je verzint het gevoel. De voorbeelden haal je uit films en boeken die je vertellen hoe je je moet gedragen, wat je moet voelen. Dat heet leven. Je zegt: 'Ik leef tenminste,' om de pijn draaglijker te maken.

De dingen waren veel overzichtelijker sinds ze het niet meer deed. Alles was gemakkelijker. Je hoefde niet zo op te letten als je met een man praatte en je af te vragen welke signalen jij uitzond, welke signalen hij uitzond. Er worden door mij geen signalen uitgezonden of ontvangen. Overzichtelijk. Dit telegraafkantoor is tijdelijk gesloten. Zelfs toen de kinderen het huis uit waren was het leven in een stil en opgeruimd huis nog steeds goed, net als het leven op de vlakte, geen emotionele moerassen of mijnen, geen stekelige dorens en struiken in het bos, geen strikken en valkuilen, geen bergen die altijd luchtspiegelingen bleken te zijn als je na veel inspanning op de top was aangeland. Je hart bonst tijdens het klimmen, de lucht wordt ijl, je voeten verliezen houvast. Je zet je voet neer in de verwachting omhoog te gaan, maar die komt met een klap op de begane grond terecht. Over je schouder zie je slechts moeras en kolken.

Toen ze dan ook een beurs kreeg van het nationale studiefonds voor alfa-wetenschappen, kon zij haar appartement verhuren, haar koffer pakken en naar Engeland vertrekken voor een jaar, een heel jaar. Niemand om tevreden te stellen, ruzie mee te maken, verdrietig over te zijn, zich schuldig te voelen ten opzichte van, over. Ja, dat was de grote boosdoener – schuldgevoel.

Het verhaal van Berenice over de dag dat John Kennedy werd vermoord: ze had met twee katholieke vrienden afgesproken om te gaan eten. Met een brok in de keel besloten ze hun afspraak door te laten gaan – beter samen dan alleen op een avond als deze. Maar zij hadden alleen maar zitten jammeren tijdens het eten.

'Een geluk bij een ongeluk,' zei Anne, 'is dat Jackie bij hem was. Je weet toch dat zij de laatste tijd met haar gezondheid sukkelde en niet meer met hem mee op reis ging. Godzijdank was ze er nu wel bij! Moet je je voorstellen hoe zij zich gevoeld had als zij er niet bij was geweest.'

Berenice trok joodse wenkbrauwen op. 'Als ik haar was zou ik er zeker van zijn dat het gebeurd was, juist omdat ik erbij was.'

'O,' zei Gail betweterig, 'dat is je joodse schuldgevoel.'

Joods of katholiek, het was een vrouwelijk schuldgevoel, dat stond als een paal boven water. Onontkoombaar, behalve voor iemand als zij: als je niet betrokken raakt voel je geen schuld. Raak je wel betrokken, dan voel je wel schuld, daar helpt geen lieve moeder aan. De vrouw moest beantwoorden aan de behoeftes van de man, moest altijd voor hem klaarstaan, moest zijn steun en toeverlaat zijn. Onbegonnen werk. Waarom hoefde de man nooit aan die dingen te beantwoorden?

Enfin, dat was nu allemaal theorie, ze hoefde een voldongen feit, wat haar leven nu eenmaal was, niet te rationaliseren. En zo slecht was haar leven nog niet, baas over haar eigen tijd, haar emoties, haar ruimte. Vijf kamers maar liefst, geen grote, maar groot genoeg voor één persoon. Geen gekibbel over raam open of dicht, wie het grootste stuk van de dekens heeft, tv aan of uit, brood of warm eten. Maar wel fantastische verhitte debatten met een stel vrienden die helemaal doorsloegen als er zulke onderwerpen als Con Edison of kerncentrales of Joseph Califano of de fundamentalisten in Amerika of bovengrondse mijnen of Phyllis Schlafly aan de orde kwamen. Het mochten dan excentriekelingen zijn, haar vrienden, maar je kon wel met ze lachen. Ze waren niet ingeslapen, waren geen slaafse navolgers van de heersende trends.

Aan de andere kant waren zij misschien zelf de heersende trend. Wie weet?

Maar gesprekken tot vijf uur in de morgen over seks of religie of liefde waren alleen mogelijk met de vriendin die wist dat jullie niet de nietszeggende beleefdheden hoefden uit te wisselen die aan stelletjes is voorbehouden. Haar alleen-zijn was een opening, een spleet in een muur. Er werden haar dingen verteld die niemand anders te horen kreeg. Er werd geraasd en gejammerd, er werd zonder gêne verteld over ongelukkige liefdes,

13

verraden vriendschappen, mislukkingen. De meeste tranen en woede werden over de ouders uitgestort, het was verbijsterend, vijftigjarigen in tranen omdat vader nooit en moeder altijd en ik heb het geprobeerd maar het haalde niets uit en ik wilde ze laten zien maar toen gingen ze dood en nu is het te laat. En zij zal nooit vergeven hij zal nooit weten ik zal nooit kunnen. Ouders. Kinderen.

Er kwam een waas voor haar ogen en ze hees zichzelf overeind. Paddington.

3

Zij was te vroeg op het station en ging in een lege rookcoupé zitten. Gewoonlijk rookte ze vier dunne sigaartjes per dag, maar tijdens dit treinritje trakteerde zij zichzelf op één extra. Zij vond het heerlijk om in een lege coupé onderuitgezakt te zitten roken, zonder de angst iemand anders te hinderen, en tijdens het traject Londen-Oxford uit het raam te kijken. Het was geen ordelijke overgang van stad naar platteland, zoals zij zich vroeger altijd had voorgesteld. Er was geen enkel systeem in te ontdekken, zoals met alles eigenlijk in Engeland. Het systeem bestond voornamelijk hieruit dat alles aan het toeval werd overgelaten.

De buitenwijken van Londen bestonden uit pakhuizen en fabrieken, roetzwarte huizenrijtjes, maar wel allemaal met een tuintje, en elk tuintje met rozen. Dan opeens kanalen en de rivier, bomen, paarden, grazende koeien onder enorme stalen hoogspanningsmasten. Soms een bootje in een kanaal, waardoor zij altijd naar voren boog, net als een plant die zich naar de zon keert. Zij wilde dan dat zij op het dek van het bootje zat, glijdend over het gladde water, terwijl zij kleine dieren probeerde op te sporen in het veld en de wilde bloemen probeerde te benoemen. Zij wilde daar breeduit zitten met een veel te grote versleten trui aan en tegen de steviggebouwde schipper zeggen: 'Wil je een kopje thee, schat?' en hem zien omdraaien met een glimlach op zijn gezicht, die zijn niet meer complete rij boventanden ontblootte, en hem horen zeggen: 'Graag, meisje,' na al die jaren nog steeds tot elkaar aangetrokken, hun uitgezakte lichamen, grijze piekharen in de zachte bries.

Een droom: hij drinkt; zij zeurt. Zij blijft thuis, zogenaamd
14

vanwege de reumatiek, maar in werkelijkheid omdat de stilte tussen hen haar benauwt en zij niets anders kan verzinnen op die ellendige boot dan stomme kopjes thee voor hem maken. Hij luistert naar het voetballen en kijkt als hij ergens aanlegt naar de barmeid en drinkt zijn pilsje. Thuis brengt hij zijn avonden door in de kroeg en praat over doelgemiddelden, spelers.

Hoe komt het dat ellende altijd reëler klinkt dan geluk?

Omdat het reëler ís, sufferd.

Ja. Na de schipper kreeg je boerderijen, dan ineens, om duistere reden, hoge flatgebouwen. Dan pakhuizen. Pakhuizen? Graanschuren misschien. Dan weer prachtige, oude boerderijen met een stoffig ommuurd erf met kippen, oude bakstenen muren met stoffige klimrozen, zoals de boerderijen in Normandië en Bretagne. Daarna kwam Reading, een en al roest en schoorstenen, een jachtig komen en gaan van mensen. Dan groene weiden, waar de rivier zich als een draad doorheen slingerde, en dan! Het kon haast niet echt zijn, en dat was het ook niet, maar daar rees het op in het zonlicht, het middeleeuwse traceerwerk, de torenspitsen: Oxford. Het zag er ouder uit dan de gebouwen in werkelijkheid waren: het leek een sprookjesland dat lag te glinsteren in de zon. De eerste keer dat zij daar kwam, was zij het stadje heel omzichtig ingegaan, alsof het in Disneyland zou veranderen zodra zij haar bril opzette.

Zij stak haar sigaartje niet aan. Ze zou wachten tot de trein wegreed. Het uitstellen van bevrediging is goed voor je, zei ze bij zichzelf. Al die spelletjes die je leert als je ouder wordt, dingen die het leven moesten veraangenamen, die de geneugten des levens moesten rekken, als een platgestreken lapje gebloemde stof over een open wond. Roken is slecht voor je, dus rook je minder en verlang je er meer naar. Ergens een obscene gedachte, het leven uitgemeten in koffielepeltjes. Maar wat moest je anders?

Haar studenten, in kleermakerszit op de vloer van haar woonkamer, wijn drinkend, stuff rokend, luisterend naar haar jazzplaten, alsof de muziek een uitheemse mode was uit vervlogen tijden. Uitgezakt, krabbend over hun gespannen buik, of krulletjes draaiend in hun lange steile haar, en maar vragen en vragen. 'Dolores, vertel eens. Vertel eens.' Steeds dezelfde vraag, in steeds andere bewoordingen. Vertel me, vertel me, hoe kan ik leven zonder pijn?

Ik weet het niet.

Wel waar! Wel waar! Je móet het weten! Kijk maar naar jou! Jij hebt het helemaal gemaakt! Een te gekke flat, twee boeken gepubliceerd, een vaste aanstelling aan Emmings, twee kinderen, Europa in de zomer en al die jazzplaten! Hoe moet ik het aanleggen om net zo te kunnen leven als jij?

Je kan net zo worden als ik, wilde zij zeggen. Je moet er alleen wel een paar lijnen in je gezicht voor overhebben, zoals ik. Deze lijn om mijn mond, bijvoorbeeld, die heeft me heel wat gekost. 'De enige remedie voor een leven zonder pijn is volgens mij een vroegtijdige dood, dagelijks skiën of stuff roken,' lachte ze dan.

Zij kon hun onmogelijk de volle waarheid vertellen. Wilde dat ook niet. Wat had het voor zin het leven voor hen te vergiftigen als ze er nog maar pas aan begonnen waren? Vermoeid stuurde ze hen naar huis, verzadigd maar niet genoeg (nooit genoeg), en ging zuchtend naar bed, alleen, terwijl zij de pijn voelde, de altijd aanwezige pijn, die zo'n oude en vertrouwde gast was dat zij lange tijden achtereen geen aandacht aan hem schonk. Hij slofte in haar huis rond en zette zelf thee.

Dolores, de wandelende robot: een druk op de knop en hij gaat huilen. Haar ogen en keel schoten al vol bij het zien van foto's op de televisie van mensen die stierven van de honger, bij het lezen van krante-interviews met ouders wier kinderen op brute wijze vermoord waren, als haar, op Brattle Square, een stencil in de hand werd geduwd over het martelen van politieke gevangenen op de Filippijnen. God, er waren genoeg dingen om over te janken. En zij, zij gedroeg zich als een van de honden van Pavlov, kwijlend bij elke gongslag. Zij wist niet wat erger was – het feit dat de gruwelen in de wereld geen sterkere reactie in haar opwekten dan wat tranen, of dat bij elke gruwelijkheid de waterlanders weer te voorschijn kwamen. Zij kon de zaken niet zo goed scheiden. Natuurlijk huilde ze alleen maar om zichzelf, zoals Homerus al wist. Typisch iets voor vrouwen. Maar mannen deden dat toch ook? Zij had onlangs een artikel gelezen: mannen kijken in groten getale naar de snotterseries op de televisie. Maar zaten ze dan ook te snotteren? De schrijver van het artikel had dat niet gevraagd.

Zij huilde ook om succes. Sydney had haar de vorige avond helemaal uit New Hampshire gebeld, op eigen kosten. (Natuurlijk kon je niet transatlantisch bellen voor rekening van de opgeroepene.) In tranen, *Mama* roepend, zoals ze als klein meisje had gedaan. Ingestort door haar laatste verhouding: kan ik naar Engeland komen en een tijdje bij jou logeren? Sydneys laatste vriend had zus en zo gedaan, wat moest zij daar nu van denken? Wat moest zij van zichzelf denken, waarom liet zij zich door elke pijn, elke mislukking zo uit het veld slaan? Zij had vast een slap karakter. Waarom deed het leven zo'n pijn? Was er iets mis met haar? Dat moest wel. Het leven zou niet zo'n pijn mogen doen. Zij moest wel slap zijn, of egoïstisch of gek.

Ik pakte haar pijn en gaf er vorm aan, ik maakte er een hindernisbaan van, een wedren met aan het eind de overwinning. Ik hoorde haar gepraat aan en kneedde haar woorden langzaam in mijn handen, gaf er vorm aan, en, daar alle vorm eindig is, een doel. Ik maakte de pijn lineair door er een doel aan te verbinden, zoals een koning uit een sprookje die bepaalde taken oplegt: als je deze hebt volbracht zal je een ridder zijn van de Ronde Tafel Heilige Graal Walhalla Elyseïsche Velden. Je moet deze beproeving doorstaan om te leren en te groeien.

Sydney knapte bij elke zin meer op. Ik kon haar stem horen oplichten, haar lach en zelfvertrouwen kwamen stapje voor stapje terug, haar vastberadenheid nam toe. Ik transformeerde een gekmakende pijn, die zij als pijn en als gekte ervoer omdat zij er de zin niet van inzag, tot een normaal lineair proces met een herkenbaar doel: opgroeien betekent volwassen worden. Lees: onkwetsbaar. Of afgestompt. Lijden x plus kennis y is gelijk kracht, harmonie en wijsheid: z. O ja, mijn kind voelde zich beter, sterker: ze kon weer ruimer ademhalen.

Ik voelde me een aartsleugenaarster.

Dolores staarde met een lege uitdrukking op haar gezicht naar het perron. Wat moest ik dan? Haar vertellen, sorry kind, zo is het leven, raak er dus maar vast aan gewend? Eenentwintig en net ingestapt. Na alles wat ze heeft meegemaakt. Zij heeft alle leugens nodig die ze maar kan krijgen.

Een gestalte vertoonde zich in het glas van de coupédeur. Dolores draaide haar gezicht naar het raam en hoopte dat de persoon zou doorlopen. Maar de deur ging open. Ze hoorde hem opengaan en keek even op en zag uit haar ooghoek een man met een koffer. Ze keek weer uit het raam. Verdomme.

Misschien zou haar koelheid hem afschrikken. Soms lukte dat. Sommige mensen konden een ander aanvoelen – elektriciteit, geluidsgolven, krachtvelden? Wij nemen zoveel meer op dan we kunnen verwerken met ons zo buitensporig opgehemelde intellect – kleine dingetjes, dingen die we weten zonder ons daar bewust van te zijn. Zij had in nood mensen naar zich toegetrokken en ze afgestoten toen de nood over was: door welke onzichtbare draden, welk onmerkbaar magnetisme? Zij paste het nu toe door koude golven uit te zenden.

Maar de man kwam toch binnen. Botterik of agressieveling, oordeelde zij. Met zijn rug naar haar toe legde hij zijn koffer in het bagagerek, deed zijn regenjas uit en ging met een krant in zijn hand tegenover haar zitten. Zij wierp hem een vernietigende blik toe, maar hij keurde haar nauwelijks een blik waardig. Hij vouwde de krant open.

Dolores keek uit het raam. Ze voelde zich trillerig, op de rand van tranen. Haar leuke treinritje verpest door iemand met zo'n bord voor zijn kop dat hij niet in de gaten had dat hij ongewenst was. Het was wat anders als de trein vol was geweest. Nu moest zij de hele tijd een paar ogen ontwijken; moest bewegen en ademhalen zo onopvallend mogelijk gedaan worden, toevallig oogcontact omgezet in mechanische en verkrampte gezichtsuitdrukkingen – een glimlach? een grijns?

De trein zette zich in beweging. Zij zocht in haar tasje en haalde haar sigarendoosje te voorschijn. Ze zou een sigaartje opsteken zonder de moeite te nemen hem te vragen of hij daar bezwaar tegen had. Verdiende loon, de lul. En als hij haar recht aankeek, zou ze hem verdomme een dodelijke blik toewerpen!

En toen zij even opkeek tijdens het aansteken van haar sigaartje merkte zij dat hij haar inderdaad recht zat aan te kijken, de klootzak. Ze keek ijzig terug en trok aan haar sigaartje. Maar het was al half zo lekker niet meer. Omdat zij er maar zo weinig rookte en het roken van elk sigaartje uitstelde, voelde zij bij het eerste trekje een diep sensueel genot, een overgave aan het welkome aroma, de hete rook in haar mond en neus, de sensatie van het dunne, gladde oppervlak tegen haar lippen. Maar nu, met hem als toeschouwer, kon zij zich niet aan dat gevoel overgeven. Haar overgave aan genot zou op haar gezicht te lezen zijn en ergens vond zij dat een beschamende gedachte. Het was te persoonlijk, intiem zelfs. Hij schoof een beetje onderuit en hield de krant voor zijn gezicht. Zij sloot haar ogen en leunde achterover, terwijl zij zich alsnog overgaf aan het genot van het sigaartje. Blijkbaar had hij nog *iets* van fatsoen.

Zij rookte en keek uit het raam. Maar ze zag haast niets van het voorbijtrekkende landschap. Zo ging het als iemand je territorium binnendrong: je was je veel te veel bewust van die persoon om vrijuit te voelen, te zien, te zijn. Je kon niet alleen maar *zijn*, nee, je moest *iets* zijn: onverzorgd, verzorgd, flirterig, vriendelijk, beleefd. Is je rok niet opgekropen? Pas op dat je niet in je neus peutert of in je kruis krabt of met je benen wijd zit. Niet dat zij zulke dingen ooit deed in een treincoupé, ook niet in een lege, maar de wetenschap dat het niet kon frustreerde haar, maakte haar onzeker. Nou ja: terug naar mijn gedachten. Waar dacht ik daarnet aan? Mijn leven, eenzaamheid, ja. (Waarom slaat hij geen pagina om?) Ja, het was een goed leven, het was nog steeds spannend, hoewel er een zekere sleur in zat. Maar dat had iedereen, samen of alleen. (Waarom beweegt hij niet?) Toch waren er dingen die nooit verveelden. Een mooie herfstdag in Cambridge, de glanzende bladeren met hun speciale geur, doordringend, muf-zoet, het licht op de bakstenen stoepen; of de ochtenden dat zij vrij was en tijd had om te ontbijten met een gekookt eitje en een met verse roomboter besmeerd vers sneetje roggebrood en de geur van versgemalen Santos koffie die langzaam door het filter druppelde en die zij met een wolkje room opdronk... (Zelfs zonder naar hem te kijken voelde ze dat hij geen vin verroerde. Hij zat zeker naar haar te kijken. Verdomme!)

Ja, en vrienden en etentjes en feesten en fantastische gesprekken en laat thuiskomen en doodmoe je bed induiken met de opgeplakte glimlach van een idioot op je gezicht. En speciale momenten, zoals die eerste morgen in Madrid, toen zij, ondanks de zeven wakkere uren in het vliegtuig, niet konden slapen en zij de stad waren ingerend als losgelaten paarden uit een kraal, zij en Sydney en Tony, en naar de Plaza Mayor waren gelopen en stil hadden gestaan en Tony stond stil en keek (de eerste keer dat hij in het buitenland was) en zij keek hem aan en haar hart stond stil omdat hij het zag, helemaal, en zij kon zien dat hij het zag. Wat zag hij dan? Ah, zij wist het, het was alles wat daar te zien was – een andere wereld, een andere tijd, en de sfeer van die tijd, de achttiende eeuw, hing daar nog steeds, zoals geluidsgolven voor altijd schijnen te blijven hangen in de atmosfeer. Vrouwen met hoge witte pruiken en hoepelrokken van satijn, mannen met satijnen jassen en witte zijden kousen, rijtuigen en palfreniers, het geratel van de rollende houten wielen, de dienstboden en bedelaars, het bloed, geminnekoos, de zotheid. Dit mooie, statige plein, met zijn ingetogen, voorkomende pracht, had ook paardevijgen en stro gekend, straatjongens die over de met urine gevulde goten sprongen, een loslopende koe en haar mest. En wat was het ware, wat was het leven, of was het beide? Ze had naar Tonys gezicht gekeken: het straalde. Alles eraan was open – de ogen, de mond, zelfs de poriën.

Open: de manier waarop Sydney haar een gedicht van Yeats had voorgelezen dat zij pas had ontdekt, op een toon alsof zij zojuist een nieuwe dimensie had ontdekt. 'Wat is de danser, wat de dans?' Na het lezen van deze laatste regel had Sydney Dolores vragend aangekeken. 'Hoe kunnen we dat nou weten, Mam?'

Open. Maar zij ook, met al haar vastgeroeste ideeën van de docente met vaste aanstelling, na al die jaren van eerstejaars colleges, haar pogingen om Spenser op de juiste manier uit te leggen, de commissievergaderingen, steeds maar weer dezelfde vragen, dezelfde praatjes: ondanks dat alles was ook zij open blijven staan.

In sommige opzichten.

(Hij zat inderdaad naar haar te kijken.)

De prettige dingen in het leven, ja, daarvoor stond de deur altijd open. Toegegeven, zij had een paar deuren dichtgedaan. Wie kan me dat kwalijk nemen? Hoeveel littekens kan een hart hebben en toch nog blijven kloppen? Want helemaal openstaan betekent openstaan voor alle aspecten van het leven, voor plezier én pijn. En sommige soorten pijn kon zij niet meer verdragen. Zij had nu al een altijd aanwezige pijn te dragen, die als rook omhoogkringelde en niet oploste, zoals de nacht voordat zij naar Engeland vertrok, toen zij een weekend op de Cape doorbracht met Carol en John, haar oudste vrienden, mensen bij wie zij geen komedie hoefde te spelen. Zij waren lang opgebleven, heel lang, met z'n drieën, herinneringen ophalend, het verdriet net onder hun opperhuid, tot het door de drank en het late uur omhoogkwam en zonder de minste tegendruk uit Dolores was weggestroomd, als een bad met een versleten stop, weggestroomd en over de kamer heengevloeid en die in zwijgen had gedompeld.

4

De man zat haar strak aan te kijken.

Zij wist het zeker. Ze had haar hoofd niet in zijn richting gedraaid, zij keek nog steeds uit het raam, maar zij voelde iets – een intensiteit. Langzaam draaide zij haar ogen opzij. En betrapte hem! Hij zat haar aan te staren. Hij sloeg snel zijn ogen neer en zij keek gauw weer uit het raam, maar hun ogen hadden elkaar even, heel vluchtig aangekeken. Zijn ogen waren donker, bijna zwart, met een klein lichtpuntje erin.

Of verbeeldde zij zich maar dat ze er zo uitzagen? Want het waren doordringende, intelligente ogen, gepassioneerde ogen, precies als de ogen van de man in de droom.

Zij kreeg een zwaar gevoel om haar hart. Indigestie. Die rottige vette eieren. Moet echt een ander hotel zoeken voor als ik in Londen ben, maar dit is zo goedkoop en ligt zo gunstig, op loopafstand van het British Museum.

Zij staarde naar de vage vlekken landschap en trok aan haar sigaartje. Een loos gebaar. Het was uitgegaan. Wat een belachelijke indruk moest die man tegenover haar krijgen als hij naar haar keek, en natuurlijk keek hij. Ze trok haar wenkbrauwen op en hoopte daarmee een misprijzende uitdrukking op haar gezicht te krijgen over die stomme sigaar; ze zocht in haar tasje naar een lucifer. En terwijl zij daarmee bezig was, liet ze haar ogen over het ondergedeelte van hem gaan. Grote slanke voeten, goede schoenen, bruine tweed broek. Niet bepaald de kleren van een vluchteling. Niet meer aan die stomme droom denken. Terwijl ze het sigaartje voor de tweede keer aanstak (buh! bitter en scherp!) liet zij haar ogen naar boven kruipen. Grijs tweed jasje met bruine puntjes erin, leuk. Een grijze coltrui. En een langwerpig smal gezicht – dat haar aankeek!

(Geen paniek. Hij weet niets van jouw droom. Glimlach en zeg: Wat een vreselijk weer, hè? Alleen is het dat niet. Of wel?) Ze keek uit het raam om het te controleren. De zon was doorgebroken en had de kanalen in een diep blauw-grijs veranderd, zoals de oceaan bij Gloucester in juli.

Zij voelde een groeiende spanning in haar nek. Ze kon het niet helpen, ze moest weer naar hem kijken. Hij keek haar recht aan en in een vlaag van dapperheid beantwoordde zij zijn blik. Met veel moeite probeerde zij haar gezichtsspieren tot een soort van glimlach te brengen. Daarna gleden, of liever gezegd, schoten haar ogen, die nog steeds op eigen gezag handelden en haar aanwijzingen negeerden, terug naar het raam.

Hij had niet teruggeglimlacht.

Wat een boeiende kop had hij! Lang, smal, met diepe lijnen in zijn wangen. Het was een doorleefd gezicht. Hoe vaak kwam je dat tegen bij een man? Hij had een verzorgde nonchalance, zijn lichaam, zijn kleren, zijn houding, van het soort dat je bij dansers of acteurs vindt, mensen die zich bewust zijn van hun lichaam, mensen die hun lichaam gebruiken. Droom: hij was vast een fanatiek tennisser om zijn gewicht op peil te houden.

Zij vroeg zich af waar *hij* naar keek, wat hij zag aan haar. Een vrouw van vijfenveertig die er niet jonger uitzag maar beslist ook niet ouder. Vrij groot, tenger, erg slank, mager eerder, haar schouders altijd een beetje naar voren, alsof zij haar borsten probeerde te beschermen – of haar hart. Een gezicht dat nooit – bijna nooit – emoties verried. Waarom bleef hij naar haar kijken?

Zij hield haar blik strak op het raam gericht, zo strak dat zij niets zag. Opeens stopte de trein. Ze waren in Reading. En plotseling raakte zij in paniek. Wat als hij nu uitstapt? Als iemand anders de coupé binnenkomt? Goeie God. Een al geschreven drama. Verdomme. Ik wil het. Ik wil dat deze spanning, deze intimiteit zonder woorden of gebaren, verdergaat. O Dolores, mijn Dolores, idolores, wat een godvergeten idioot ben je.

Het station van Reading was altijd druk. Een komen en gaan van mensen op het perron, in- en uitstappende, elkaar ontmoetende mensen. Schaduwen liepen langs het glas van de coupédeur, sommige snel, andere langzaam, weer andere worstelend met hun koffer of tas die tegen de deur stootte; mensen hielden stil, draaiden zich om, liepen weer door. Met een masker op van volkomen onverschilligheid rookte zij en staarde uit het raam.

De man ritselde met zijn krant. Voor het eerst sinds ze uit Londen waren vertrokken sloeg hij een pagina om. Het mensenverkeer nam af. Deuren klapten dicht. De trein zette zich weer in beweging, langzaam, dan met normale snelheid. Een zware man met een biggegezicht, die net was ingestapt, duwde hijgend hun coupédeur open. Hij had een vertegenwoordigerskoffertje bij zich dat er zwaar uitzag en op zijn gezicht lag een licht wanhopige uitdrukking. Hij keek hen allebei even schichtig aan toen zij in zijn richting opkeken, maakte een soort van buiging en liep achteruit de coupé uit, deed de deur met een klap dicht en sjouwde verder de gang in.

Is de sfeer hier zó geladen?

Hooghartig wendde Dolores zich weer naar het raam, maar haar ogen dwaalden op eigen gezag weer terug naar de man. Zij moest uitvinden, zij moest zien of zij hem had verzonnen, of hij een verdichtsel uit haar droom was dat zij nu tot vlees en bloed had gemaakt. Ze kreeg een hand in beeld. Mooie hand. Lange, slanke vingers, sterke botten. Vingers die nu een krant vasthielden maar die ook heel goed...

Terug naar het raam.

Terug naar hem. Leuk jasje, staat goed, zachte tweedstof.

Terug naar raam.

Terug naar hem. Trui. Mooie zachte trui die tegen de kwetsbare huid aanzit. Wat voor huid zou hij hebben? Melkwit? Harig? Zacht en goudkleurig? Met puistjes?

O God, waar ben ik mee bezig?

Terug naar raam.

Terug naar hem. En deze keer ontmoette zij zijn ogen, die haar enigszins afwerend aankeken. Ja, afwerend. Was zij dan de aanvallende persoon? Rechte, diepe lijn tussen zijn wenkbrauwen. Gespannenheid. Verwarring. Gepeins. Leuk. Grijze plukjes in donker haar. Net als zij. Leuk. Zat haar haar leuk? Dat van hem was kort, dat van haar lang. En daarbij was het voor mannen toch anders.

Haar ogen zochten spiedend naar een geschikt voorwerp om naar te kijken. Zij trok aan haar sigaartje. Het was weer uitgegaan, verdomme! Ze sloeg een figuur als modder. Ze drukte het uit en haalde, tegen al haar principes in, een nieuw te voorschijn en stak het aan.

Wat een stupide indruk maakte zij. En hij zat naar haar te kijken, ongegeneerd te kijken.

Het was onverdraaglijk. Zij wist niet hoe ze zich moest gedragen, waar ze haar handen moest leggen, hoe ze haar benen moest houden, hoe ze haar gezicht in bedwang moest houden. Zij voelde zich belaagd, overrompeld, aanbeden, belachelijk.

Het was zo klaar als een klontje wat ze moest doen. Ze moest hem recht aankijken en hem een preuts glimlachje toewerpen en op frikkerige toon zeggen: Wat een vreselijk weer, hè. En vervolgens weer hooghartig uit het raam kijken.

Dat zou de oplossing zijn.

Het landschap ging in golvende lijnen aan haar voorbij. Over een paar minuten, hield zij zichzelf voor, ben je in Oxford. Je staat op, draait je om en pakt je tassen uit het bagagerek. Daarna stap je de deur uit, gaat linksaf en loopt kalm en beheerst de gang door en blijft in het halletje wachten tot de trein helemaal stilstaat en dan trek je de treindeur open, gaat twee treden af – één trede? – en voelt hard beton onder je stevige leren zolen en je loopt naar de trap en gaat naar beneden (de roltrap doet het waarschijnlijk wel, maar je kan beter de trap nemen) en stapt de koude, tintelende septemberlucht van Oxford in en loopt, diep ademhalend, naar huis, terwijl dit verdichtsel, deze hartstocht die jij verzonnen hebt, vervaagt.

Maar ik wil niet dat hij vervaagt.

Nee?

5

Ja, hij blijft zitten en ziet mij weggaan met verlangende ogen, en de hele weg naar huis voel ik mij aantrekkelijk. En hij gaat door naar...

Het was geen inter-city, bedacht zij ineens. Hij gaat ook naar Oxford.

Oké. Hij stapt ook uit en loopt met zijn koffer naar beneden, maar hij neemt de roltrap en loopt die af als een gewone trap, als een signaal voor haar, omdat hij weet dat ze kijkt. Het signaal betekent: Ik ren naar huis, naar mijn vrouw en zes kinderen, je hoeft je niet zo aantrekkelijk te voelen, mijn vrouw is veel verleidelijker. Verleidelijk. Ja.

Zij liet zich er zo door meeslepen dat zij niet meer wist wie zij was. Ze keek op haar horloge en vervolgens naar hem, keek hem recht in de ogen, een beetje angstig, waarbij zij hem duidelijk maakte, nou, dat was het dan en om je de waarheid te

24

zeggen vond ik het allemaal best leuk. Ik heb je weliswaar als een indringer beschouwd, maar toch heb ik me best vermaakt. Tot ziens. Al zal ik je, jammer genoeg, nooit meer zien.

Maar hij keek terug en zijn ogen zeiden iets anders. Zij lichtten op met kleine schitterpuntjes, alsof hij koorts had. En tegelijkertijd keken zij verlegen en afwerend. Maar zonder agressie. Zij keken alleen maar. Hij speelde geen kat-en-muis spelletje: zijn ogen hadden niets bezitterigs, veelbetekenends of superieurs. Zijn ogen keken, keken haar aan: alleen door te kijken deden zij zich gelden.

Dat dacht zij tenminste.

Mijn God, geen wonder dat ik alleen ben. Als ik van niets al zulke constructies maak, hoe moet het dan met echt concrete dingen?

Dolores Durer, waar ben je mee bezig?

Er waren meer van zulke momenten geweest, herinnerde zij zich. Tientallen. Het was in het verleden ettelijke malen voorgekomen: mooie mannen die haar pad kruisten in busstations, restaurants, in Central Park of de Common. Ja, mooi waren ze en de herinnering van schoonheid blijft, ook al vervaagt de herinnering van gezichten. Mooi omdat je niet praat, niet hoeft te weten wie ze zijn. Je hoefde die mooie mond niet zien opengaan en horen zeggen: Hé, Harry, laten we vanavond gaan stappen, ik weet een paar te gek swingende tenten, we versieren een paar te gekke chicks en we gaan eens lekker de bloemetjes buiten zetten. De laatste keer dat ik in Nashville was heb ik twee rooie ruggen stukgeslagen. Zijn hoofd zien omdraaien, de mond weer zien opengaan, nu niet meer zo mooi: 'Hé schatje, wat drink je van me?'

Deze man had niets gezegd.

Maar misschien kwam dat nog. Denk maar aan al die mannen die wel wat hadden gezegd: meubelverkopers die een nummertje wilden maken, opgefokte acteurs op de versiertoer, fabrikanten van kant-en-klaar maaltijden die je over hun graad in de filosofie wilden vertellen, zelfs die Deense generaal, slank, gedistingeerd, die ervoor oppaste geen persoonlijke vragen te stellen maar je heel tactisch benaderde, hij nam met zijn ogen bezit van je maar trok zich terug (worden oorlogen zó gevoerd?) als jij je omdraaide en gaf je beleefd glimlachend een vuurtje.

Maar deze man hoorde niet in dit rijtje thuis.

Ik had stijfjes moeten glimlachen en 'Vreselijk weer' moeten zeggen.

De trein minderde vaart. Het was voorbij. Hij zou opstaan, zij zou opstaan en zij zouden ieder hun eigen weg gaan. Met deze zekerheid voor ogen kon zij hem onbevangen aankijken. Zijn gezicht was een donkere intensiteit, die haar aanstaarde. Zij zocht zijn ogen en beloofde hem iets, op dezelfde manier als zij eerder aan José iets had beloofd. Nee verdomme, beloofde niet, antwoordde alleen. Ja, ik vind je ook aantrekkelijk. Dat is alles.

Maar toen hun blikken elkaar ontmoetten, raakten zij verstrikt als twee kinderen in een tuigje die elkaar knuffelen. Onontwarbaar verstrikt. Terwijl hun ogen elkaar aankeken, losten haar ingewanden op, werden vloeibaar. Op het moment van afscheid kun je rustig je gevoelens de vrije loop laten. Zij keek hem aan en hij keek haar aan, maar de boodschap kwam niet over. Langzaam probeerde zij haar ogen weg te draaien, terwijl zij voelde dat haar volle, vochtige lippen voldoende zeiden.

En dat lukte.

En zij verdrong wat zij had gezien, ogen, zo vol begeerte dat zij het niet kon verdragen, gezicht, zo vol intensiteit dat zij er geen weerstand tegen had.

Kalm en volkomen beheerst keek zij naar beneden en deed haar tasje dicht, draaide zich vervolgens om (hoe gemakkelijk! hoe natuurlijk!) en keek omhoog naar het bagagerek, stond op, strekte haar hand uit om haar tas en aktentas te pakken en hij stond op om zijn koffer en jas te pakken en de trein remde krachtig en zij verloor haar evenwicht en hij was achter haar, hield haar vast en hij reikte boven haar hoofd en haalde haar tassen naar beneden (Uitslover! Dat kan ik zelf ook wel! Of dacht je soms van niet?) en zette ze op de bank neer en om de een of andere reden stond zij daar nog steeds en hij legde zijn armen om haar middel en deed zijn handen tegen elkaar voor haar buik, klaar om geboeid te worden of misschien om haar te boeien. En iets in haar zonk, zonk, en zij liet het zinken, zij gaf zich over, zij leunde, heel eventjes maar, tegen hem aan, terwijl de trein langzaam uitreed en tot stilstand kwam.

De trein stond stil. Deuren knarsten open, koffers stootten tegen de treinwand. Schaduwen van mensen liepen langs het raam van de coupé. Zij stonden daar nog steeds, zijn armen van achteren om haar heen, zij met haar hoofd een heel klein beetje achterover, haar lippen een eindje uit elkaar, ontspannen, maar ze wist dat zij zich moest vermannen, moest bewegen. En dus deed zij dat, nog steeds een braaf meisje; zij bewoog haar lichaam, eigenlijk spande zij alleen haar spieren, en hij liet haar los en zij pakte haar handtas en wilde daarna de rest van haar bagage pakken, maar hij was haar voor en greep haar tassen, en zijn armen trilden (of waren het haar armen?) en hij pakte zijn koffer en jas op en liep met grote passen de coupé uit in de verwachting dat zij zou volgen (ik Tarzan jij Jane?) en er zat niets anders op voor haar, want hij had immers haar bagage.

Overal liepen mensen, afhalende, opgehaalde mensen, op weg naar een afspraak, op zoek naar een kruier, en een kakofonie van geluiden omringde hen, terwijl zij achter hem de trein uitstapte en het perron opliep en zich door de drommen mensen heendrong naar de roltrap, naar beneden het station in en naar buiten, buiten in de koele namiddag in Oxford.

6

Op straat stond zij stil en ging voor hem staan. 'Dank u,' zei ze formeel en strekte haar hand uit om de tassen van hem over te nemen. Ze hoopte dat hij niet zag dat zij stond te trillen op haar benen: zij voelde zich als een kind dat van haar vader iets gedaan moet krijgen, een gunst.

Hij keek haar alleen maar aan.

'Ik moet naar Banbury Road,' legde ze uit. Wat was er uit te leggen?

'Ja,' knikte hij en begon te lopen. Zij volgde, ze voelde zich net een kind dat achter haar vader aansukkelt. Hij liep stevig door. Klotevent, zeker van zichzelf. Ze wilde tegen hem schreeuwen: Waar haal je de brutaliteit vandaan om me zo te behandelen? Waar hij die vandaan haalde was duidelijk: zij sputterde niet tegen. Ze kon hem makkelijk wegsturen als ze dat wilde. Ze hoefde alleen maar kwaad te worden, of dat niet eens, ze kon kalm en formeel naar zijn referenties vragen, hem duidelijk maken dat zijn gezelschap niet langer op prijs werd gesteld. Maar dat was niet waar: zij wilde dat hij bij haar bleef. Alleen kon ze niet tegen het gevoel dat er beslag op haar werd gelegd.

Zonder elkaar aan te kijken liepen zij naar Banbury Road. Wat ik kan doen, dacht ze koortsachtig verder, is een praatje met hem maken. Woont u in Oxford? Ah, dat grote huis op de hoek, met al die driewielertjes voor de deur? Wat enig. Waarom komt u niet eens langs met uw vrouw? Toch nog mooi weer geworden. Vanmorgen was het vreselijk, vond u niet? Maar het ziet ernaar uit dat we nog meer regen krijgen, wat denkt u. Heel vriendelijk van u om mijn tassen te dragen. (Ze zijn loodzwaar.)

Ja, dat zou ik kunnen doen. Snel een eind eraan maken.

Ze zei niets.

Waar zou hij wonen? Heeft een flinke koffer bij zich. Zijn *ja* klonk meer Amerikaans dan Brits, maar op één *ja* kon je niet afgaan natuurlijk. In die koffer zaten genoeg kleren voor een paar dagen, een week zelfs. Als hij niet in Oxford woonde, zocht hij misschien een slaapplaats.

Met een schok hield ze stil. NIET BIJ MIJ! schreeuwde het in haar, ontzet over het feit dat zij deze mogelijkheid over het hoofd had gezien. Er was nog niets gebeurd maar zij voelde zich al aan alle kanten belaagd, omsingeld, overrompeld. Nee, nee. Hij zou vast al een hotel hebben. Hij zou wel gek zijn om hier op de bonnefooi te komen in collegetijd. Het kwam niet bij haar op om hem dat te vragen.

Ja, hij was een Amerikaanse professor die een jaar in Engeland doorbracht en heen en weer reisde tussen het British Museum en de bibliotheken in Oxford. Net als zij. Misschien hadden ze wel tegenover elkaar zitten werken in het Museum, zonder elkaar te zien. Of misschien had hij haar daar gezien, misschien kwam zij hem bekend voor en deed hij daarom zo.

Nee. Hij was een romanticus, die was grootgebracht met ridderromans. Zoals zoveel professoren kwam zijn levenskennis uit boeken. Hij zou haar tot voor de deur van haar huis brengen, haar bagage op de stoep zetten, haar hand kussen en weggaan.

Eén keer was haar zoiets inderdaad overkomen, jaren geleden, toen zij in Manhattan liep te dwalen op zoek naar een gebouw. Zij had stilgestaan bij een bouwterrein en had aan een dikke, roodgenekte man van in de zestig, die op het trottoir een flesje frisdrank stond te drinken, de weg gevraagd. Hij had zijn flesje op een stapel balken neergezet, haar tas uit haar hand gegraaid, en was zonder een woord te zeggen gaan lopen. Zij had ook zo achter hem aangesjokt, achtervolgd door gefluit en gejouw, en schuine opmerkingen die hen vanuit de hoogte werden toegeslingerd door de mannen op de steigers. Ze dacht dat ze nerveus zou zijn, maar nee. Ze vertrouwde haar ongeloofwaardige ridder voor de volle tweehonderd pond. Hij was doof voor het gejoel van de bouwvakkers, hij liep trots, zwijgend verder. Hij stond stil voor het gebouw waar ze moest zijn, presenteerde het haar met een brede armzwaai, overhandigde haar haar tas, greep vervolgens haar vrije hand, kuste die en maakte een buiging. Daarna verdween hij.

Zij glimlachte bij de herinnering.

En nu liepen zij en deze man zwijgend achter elkaar aan. De tuinen in Banbury Road waren groen; klimrozen kropen langs de muren omhoog. Er waren weinig mensen op straat – wat jongelui, een oude vrouw die een boodschappennetje met etenswaren en een enorme zwarte tas voortzeulde. Zij keek naar zijn lichaam: nee, hij was te goed gekleed voor een professor. Zij keek naar zijn gezicht. Het was nog steeds in bedwang, afgezien van een kleine spiertrekking in zijn wang.

En dat verbaasde haar. Hij was bang!

Bang voor mij? Zie ik eruit als een krankzinnige verkrachter, een moordenaar, iemand die mensen de hersens inslaat en hun portefeuille rolt? Ik ben degene die bang zou moeten zijn. Natuurlijk heb ik aardig wat mensenkennis en hij ziet er niet uit als een verkrachter of een moordenaar. Maar je wist het nooit zeker bij mannen. Charles Carson, een bekend en eminent geleerde, mishandelde jarenlang zijn vrouw Nancy, tot zij van hem wegliep. En hij had grijzende bakkebaarden en een superieure minzame manier van doen. Een heleboel zachtaardige mannen hebben uiteindelijk hun moeder vermoord.

Maar nee, nee, dat was het niet. Hij was niet bang dat zij hem lichamelijk letsel zou toebrengen. Het moest heel wat energie kosten om zo'n toer te bouwen als hij nu deed. Hij had zijn ego geïnvesteerd om dit tot een succes te maken, en wat als het op niets uitliep? Het mannelijk ego was zo breekbaar omdat het van alles een spel maakte en elk spel wilde winnen. Of bederven. Die man die een brief naar de *New York Times* inzond over zijn kleine kinderen en het er steeds over had dat 'zij won' of 'hij won'. Kleine kinderen.

Zij was blij dat ze zwegen.

Ze kwam mijn werkkamer in en stoorde me bij mijn werk, terwijl ze weet dat dat niet mag, dus wilde ik haar een pak voor d'r broek geven, maar ze was zo lief dat ik het niet kon: dus zij won. Zulke mannen zouden geen kinderen mogen hebben.

Toch straalde deze man ergens iets heel anders uit, iets... gevoeligs? Doorleefds? Of fantaseerde zij dat? God, wat had ze dat vaak gedaan, kijkend naar het verdrietige gezicht van Anthony na een knallende ruzie, zo verdrietig dat haar hart smolt en zij naar hem toeliep en haar armen om hem heensloeg: 'Schat, laten we geen ruzie maken.' En hij keek haar woedend aan en duwde haar weg. 'Laat me met rust, trut!'

Ze waren bij de hoek van haar straat aangekomen. 'Ik sla hier af,' zei ze en hield stil en hij hield stil en draaide zich om en keek haar aan en haar hart bonsde: hij laat me hier op de hoek achter! Zij vond het onverdraaglijk: hem zien weggaan, de straat inlopen terwijl ze zelf haar tassen droeg, alleen binnenkomen in het lege huis en in de stille keuken staan kijken naar de vuile afwas in de gootsteen.

Maar hij zette haar tassen niet neer. Hij zei niets. Hij keek haar alleen maar aan en het duurde even voor zij begreep dat hij haar iets vroeg, en haar bloed begon weer te stromen en zij glimlachte haast toen zij zijn vraag beantwoordde.

Zij sloegen samen de straat in met de lage gepleisterde huizen met hun tuintjes, liepen het paadje in van nummer zeventien, en zij pakte haar sleutels en liet hen binnen.

7

Nadat de deur achter haar in het slot was gevallen, begon zij zich pas echt ongemakkelijk te voelen. Zij liep de trap op naar haar huis, zich bewust van de persoon achter haar, en wilde dat ze zo konden blijven doorlopen, achter elkaar de trap op, zonder naar elkaar te hoeven kijken, zonder iets te hoeven doen. Want hoe moest zij zich gedragen? Zij kon natuurlijk gaan praten, kon haar naam, rang en volgnummer afratelen, zodat hij hetzelfde kon doen. Vervolgens kon zij hem een kop thee aanbieden. Maar dat zou de spanning tenietdoen, de onbekendheid die deze ontmoeting zo fantastisch maakte. Zij kon niets anders bedenken. Ze was gewend om taal als schild te gebruiken, en wist niet hoe zij zonder schild moest leven.

Zij deed de bovendeur open en ging naar binnen. Haar gespannenheid, die langzaam in paniek overging, vertroebelde haar gezichtsvermogen, zodat zij haar flat niet goed kon zien, alleen een streep helder licht uit de woonkamer, de middagschaduw in de keuken. Zij liep gewoontegetrouw de keuken in. Hij liep achter haar aan, zette de tassen neer en bleef staan. Ze draaide zich om en keek hem aan.

'Ik ben Dolores.'

'Ik ben Victor.'

'Wil je thee?' Haar stem was gespannen.

Hij pakte haar hand en hield hem met beide handen vast. 'Graag,' zei hij kortaf, maar hij liet haar hand niet los.

Zij voelde haar lichaam – niet zozeer *bewegen* als wel naar hem *overhellen*; het verlangde, het leunde. En zijn lichaam deed hetzelfde, het helde over, meer niet, maar ineens kwamen hun lichamen samen. En plotseling waren zij midden in een gevecht gewikkeld, of er begon een gevecht binnenin hen. Chemicaliën werden door hun dijen en lendenen gestuurd, elektrische impulsen zwiepten door lichamen, vingers werden geladen, lippen voelden uitgehongerd aan, zij klampten zich aan elkaar vast alsof zij alleen door elkaar stevig vast te houden ongeschonden uit dit bombardement zouden kunnen komen, maar natuurlijk werd het alleen maar erger, juist omdat zij elkaar vasthielden. Zij graaiden en streelden, terwijl hun hart bonsde, terwijl de vonken rondspatten, terwijl hevige aanvallen hen verteerden. Zij keek op en zag zijn mond, vol, sensueel, en een beetje vertrokken (wilde hij niet hier zijn? dit doen?) en zij bracht haar mond omhoog die voelde als een rijpe meloen die gegeten wilde worden, die gegeten *moest* worden, en zij kusten elkaar en de oorlog breidde zich uit, maar zij waren de oorlog, en zij drukten hun lichamen tegen elkaar tot zij door de hitte die zij uitstraalden waren versmolten tot één geheel. Zij klampten zich aan elkaar vast zonder te bewegen, wanhopig, alsof alleen dit vasthouden, dit samenzijn, hen van de ondergang kon redden.

Twee

Toen zij het zich later probeerde te herinneren, kon zij er geen scherp beeld van krijgen, zo heftig had zij het vrijen ondergaan, zo weinig haar hoofd erbij gehad. Het had heel lang geduurd. Aan neuken waren zij eerst niet toegekomen omdat zij volledig in beslag waren genomen door het vasthouden, omhelzen, kussen. Kleren waren een probleem, werden stuk voor stuk haastig losgesjord omdat ze in de weg zaten. Zij herinnerde zich een scheurend geluid toen een van hen iets wat al te ongeduldig uittrok. Maar tenslotte waren zij alleen lichamen, eenvoudige zachte prachtige lichamen, en zij stootten allebei zachte geluidjes uit terwijl zij hun lichamen over elkaar wreven en elkaar streelden.

Alles was extreem, met goud doorweven. Hij kwam eerst wild en onbeheerst op haar, met schokken die door zijn hele lichaam rolden, maar hij bleef bij haar, in haar, en zij speelden en kronkelden alsof zij tot één vlees waren geworden zoals het bij de huwelijksinzegening vermeld wordt. Een schepsel met twintig vingers, twee tongen, twee harten, één kronkelend lichaam met verwisselbare delen. Geschreeuw, gezucht, gekreun ontsnapten als beesten uit de kooien van hun ribben. Zij pasten hun lichamen in elkaar, drukten ze samen, klampten zich vast alsof de wereld zou vergaan als zij elkaar los zouden laten. Toen zij uiteindelijk in slaap vielen, waren zij nog steeds samen, zijn verzadigde penis in haar verzadigde holte, beiden koel en rustig.

Toen zij wakker werden was de zon uit de slaapkamer verdwenen en de leien daken aan de overkant van de achtertuin hadden een zilveren glans in het waterige grijze licht. Hun lichamen waren schaduwen in het vage licht; zij zagen er lang en zacht, koel en kwetsbaar uit. Altijd als zij een lichaam streelde, de mooie lijnen van de lendenen en dijen, moest zij aan die kwetsbaarheid denken. Het was zo typisch menselijk: dieren hadden dingen – bont of veren, schubben of een schild – om hun naaktheid te bedekken. Mensen hadden alleen kleren die verwijderd konden worden, en als zij eenmaal verwijderd waren, werd je gedwongen erbij stil te staan wat naaktheid betekende, hoe een klein kogeltje, een bloedpropje ter grootte van een graankorrel, een rondvliegende glassplinter het in één keer kon vernietigen. Een enkele uithaal met een scheermesje onder een kin en alle warmte en beweging en kleur zouden wegstromen, het soepele vlees zou in één keer verstijven, alle expressiviteit verstarren tot steen dat geen steen was, verstening die rotte en stonk.

Hij bewoog even, kwam met zijn bovenlijf overeind en leunde over de zijkant van het bed waar zijn kleren lagen.

Haar hart sloeg over. Was hij er zo eentje? Zo slecht kon hij niet zijn, om nu op te staan en zich aan te kleden! Niet hij!

Hij kwam weer overeind met een pakje sigaretten en een gouden aansteker. Hij bood haar een sigaret aan en tegen haar principes in nam ze hem aan. Zij leunden behaaglijk achterover in de opgestapelde kussens en rookten.

Hij keek haar stralend aan. 'Wij weten niet eens elkaars achternaam.'

Ze glimlachte terug. 'Dat is juist leuk. Ik bedoel, dramatisch en mysterieus en romantisch en zo.'

'Het is leuk zolang je iemand niet hoeft op te zoeken in de telefoongids.'

'Ik sta niet in de telefoongids.'

'Dat is helemaal ernstig.'

Zij bestudeerde zijn gezicht aandachtig: prachtig gezicht, gebeeldhouwde expressie. Zij legde haar hand op zijn wang, teder, en liet hem daar. Zij wilde weten, ja echt, waardoor dit gezicht zo was geworden, waardoor het op deze manier getekend was, waardoor het een dergelijke expressie had. Hij keek haar met liefde aan en zij bracht haar hoofd omhoog en kuste hem zachtjes.

Helemaal ernstig. Meende hij dat? Zo te zien was hij serieus, hij keek haar aan met dezelfde intensiteit als eerst. Al dat zwijgen tussen hen in de trein, al die intensiteit, was het niet bedoeld om dit tot een apocalyptische ervaring te maken, een overweldigende romantische extase? En het had effect gehad, hun vrijen was heel bijzonder geweest. Maar het ging toch zeker niet verder? Het had aan zijn doel beantwoord, het was nu voorbij.

Waarom voelde ze dan pijn in haar hart bij de gedachte dat hij op zou staan, zich aan zou kleden, weggaan, de flat leeg zonder hem, leeg?

'Oké,' zei zij. 'Vertel me je achternaam maar. En alles wat er nog meer te vertellen is.'

Zijn naam was Victor Morrissey. Hij was adjunct-directeur en hoofd van de afdeling ontwikkeling bij IMO, een bedrijf dat een verscheidenheid van produkten maakte maar gespecialiseerd was in elektronische apparatuur voor vliegtuigen en experimentele treinen, bussen en auto's. Hij was in Engeland om een dependance op te zetten, vooralsnog op kleine schaal, met veertig of vijftig werknemers. Het plan was dat het bedrijf zich in de toekomst enorm zou uitbreiden. Zij kregen daarbij veel steun van de regering, die geloofde dat IMO de Britse economie een impuls zou kunnen geven.

'Het kantoor zit in Londen, maar ik ga om de paar weken naar Oxford omdat wij samenwerken met de Engelse automobielindustrie, in Cowley.'

Aha. Vrouw in Londen, vriendin in Oxford. Ik heb hem door. Plezier verzekerd, waar hij ook is.

'Jouw beurt.'

Mijn beurt.

'Mijn naam is Dolores Durer. Ik doceer Engels aan het Emmings College in Boston. Ik ben gespecialiseerd in de Renaissance.'

Eigenlijk ben ik gespecialiseerd in verdriet. Ik kwam er al vroeg mee in aanraking via mijn moeder, die het weer van haar moeder kende. Je zou het een familiebedrijf kunnen noemen.

'Ik kreeg een beurs om naar Engeland te gaan en materiaal te verzamelen voor een boek dat ik aan het schrijven ben. Ik werk voornamelijk in Oxford, daarom heb ik hier een flat gehuurd. Maar soms ga ik naar Londen om in het British Museum te werken. Dat heb ik de laatste paar dagen gedaan. Daarom zat ik in de trein...'

'Ben je getrouwd?' Hij vroeg het met speciale interesse.

'Nee. Geweest. Ik heb twee kinderen. En jij?' Zij probeerde onverschillig te klinken.

'Ja.' De blik, de toon: zij kwamen haar bekend voor. Afwerend, verontschuldigend, droevig, bedoeld om te zeggen: Arme ik. Ik wil je er niet lastig mee vallen maar het is een vreselijk slecht huwelijk, maar ik kan niet scheiden vanwege de kinderen omdat zij van mij afhankelijk is omdat het mijn derde huwelijk is en ik het nog een kans wil geven omdat omdat omdat... Maar ik ben helemaal niet gelukkig.

'Heb je kinderen?'

'Vier: twee jongens, twee meisjes. De oudste is drieëntwintig, de jongste dertien.'

'Mijn zoon is tweeëntwintig. Mijn dochter is eenentwintig.'

Ziezo, dat hebben we gehad. Naam, rang, volgnummer. En het hoge woord is eruit: Ja, getrouwd.

Hij stond op en liep de hal in en kwam terug met zijn koffer. Hij was toch niet van plan bij haar in te trekken? Hij legde hem op een stoel neer en maakte hem open en rommelde erin. Hij haalde een bruine papieren zak te voorschijn waar een fles whisky inzat. 'Zin in een neut?'

'Lekker,' glimlachte ze en hij ging de keuken in om de drankjes in te schenken.

En als *ik* gezegd had: *Ja, getrouwd*? Zou hij dan zijn afgedropen? Vroeger heette het eergevoel, maar het was gewoon territorium-instinct: gij zult niet onder andermans duiven schieten. Maar tegenover vrouwen kun je alles maken. O God. Waarom doe ik dat toch steeds? Waarom raak ik het maar niet kwijt, de kwaadheid, de wrok...

Hij kwam terug en nestelde zich aan het voeteneinde, met zijn gezicht naar haar toe.

'Je moet niet denken dat ik niet naast je wil liggen. Maar ik wil je zien, je gezicht,' legde hij uit terwijl hij zich naar voren boog om haar haar glas te geven.

O ja, ik ook. Ik ook. Daarom...

'Waar kom je vandaan? In de States,' begon zij.

'Ik ben in een stadje in Ohio geboren, mijn vader had een winkel in ijzerwaren, de enige daar, en liefhebberde in de politiek. Hij was een branieschopper, zo noemde mijn moeder hem altijd. Opgewekt, altijd dollen. Mijn moeder was lerares Engels geweest maar moest ophouden met werken toen zij zwanger werd. Ik ben de oudste, ik heb nog een zusje en een broer. Later is zij weer gaan werken als bibliothecaresse. Zij was de enige, ik bedoel er was maar één iemand die de bibliotheek beheerde en er waren een paar scholieren die part-time werkten. De stadsbibliotheek was gehuisvest in een oud wit verbouwd huis. Ik

35

vind het nog steeds veel mooier dan de moderne glas-en-staal constructies die je nu hebt. Het had vreemde kamertjes, alkoofjes, altijd verrassend. En mijn moeder maakte van die baan van haar een echt drama. Ze had het altijd met iemand aan de stok. Elke avond, scheen het wel, had zij weer een nieuw verhaal voor de onuitputtelijke sage van Dame Morrissey die de onwetende, benepen krachten verslaat. Zij deed uitvoerig verslag van haar heroïsche strijd om nog één boek aan te schaffen, of een boek dat een belangrijk iemand als schokkend had ervaren, te handhaven, of wat geld los te krijgen om die stomme bibliotheek te kunnen beheren. Volgens mij verwachtten ze van haar dat zij het gas en licht van haar huishoudgeld betaalde.'

Iets dat ze niet van een man zouden verwachten.

'Ik heb de gewone dingen gedaan – middelbare school, een paar jaar in dienst. Ik werd op de officiersopleiding geplaatst en toen ik daar zowat klaar was, was de oorlog voorbij. Toen vond ik dat jammer. Misschien nog wel.'

'Denk je dat oorlog zo'n lolletje is?'

'Nou,' hij ging even verliggen, 'soms wel, weet je. Voor sommige mensen in ieder geval. Ik had een fantastische tijd in die opleiding – de kameraadschap, de intimiteit, de zuippartijen, de typische grapjes. Het brengt mannen nader tot elkaar, snap je?'

Ja. Alleen jammer dat daar een oorlog voor nodig is. Om te huilen om elkaar. Om elkaar lief te hebben.

'Ja, ik snap 't.'

'Na dienst ben ik gaan studeren – Ohio State – en toen naar Columbia om economie te gaan doen. Ik ben vlak na mijn doctoraal getrouwd. Kreeg een baan aangeboden in Dallas, een verantwoordelijke baan voor een groentje als ik, hoewel, zo groen was ik niet meer. We gingen daar wonen. Daarna ging alles zijn gangetje. Een paar kinderen, promotie, nog een kind, andere baan, die kreeg ik in Minneapolis. We hebben daar een paar jaar gewoond, nog een kind gekregen. Toen kreeg ik een baan aangeboden bij imo en zijn we naar New York verhuisd. Ik werk al veertien jaar voor ze. We wonen in Scarsdale, in een van die huizen in pseudo-Tudor stijl. Maar het is prettig wonen, het heeft een mooie tuin en Edith heeft het er erg naar haar zin.'

Edith. De mooiste naam van de wereld.

'En Edith zit in Londen?'

'Nee.' Zocht een sigaret, keek haar niet aan. 'Zij is in Scarsdale gebleven. Mark moet eindexamen doen, we wilden hem niet te veel ontwrichten. Hij is de beste van de klas, aanvoerder van het basketballteam... je weet wel.' Hij glimlachte, trots.

Ik weet het.

'En Jonathan is nog een kind, pas dertien, eerste klas middelbare school. Begint net enig groepsbewustzijn te ontwikkelen.' Hij grijnsde weer. 'Het zou niet verstandig zijn om hem nu te verhuizen.'

'Nee.' Niets over zijn dochters.

'Zo, dat is mijn levensverhaal, mevrouw.'

'En je dochters?'

'O, fantastische meiden! Echt waar. Leslie studeert, ze heeft een knobbel voor mechanica. Ik zou haar graag op de technische hogeschool zien. En Vickie,' zijn gezicht lichtte nog meer op, 'is te gek! Heel intelligent. Zij heeft een graad in de biologie, ze heeft belangstelling voor microbiologie. Ze werkt op een lab in de buurt van Boston, ze heeft een autootje, ze woont met nog een paar meisjes op een appartement en wat ik zo hoor, vermaken de dames zich opperbest. Ze is een geweldige meid!'

De beste van de klas, aanvoerder van het basketballteam, groepsbewustzijn – lees populariteit –, technische hogeschool, microbiologie, fantastisch, geweldig, te gek, prachtige gezonde Amerikaanse wonderkinderen, Mama blijft thuis in het belang van haar wonderkinderen, Papa houdt zijn avontuurtjes geheim in het belang van zijn wonderkinderen, de Amerikaanse droom, het goede leven. Huis in Scarsdale waar zij nooit in contact hoeven te komen met mensen die anders zijn dan zij. Stabiliteit heet dat. Wedden dat zij praktizerend protestant zijn. O, het is allemaal prachtig als je toevallig de Papa bent, niet zo te gek als je de Mama bent, maar er zijn vrouwen die het leuk vinden, misschien zij ook, Edith.

'En werkt Edith?'

Zijn gezicht veranderde, hoe wist zij niet. 'Nee. Ze heeft hobby's. Schilderen, borduren, je weet wel.'

Ik weet het.

'Zo, nou jij,' hij pakte haar voet beet. 'Vertel eens over jezelf.'

Wat moest Cordelia zeggen?

'Ik woon in Boston, Cambridge om precies te zijn. Ik ben in

die omgeving geboren, ik heb daar mijn hele leven gewoond. Mama was makelaarster in onroerend goed. Papa dronk, maar je kon met hem lachen, hij hield van dollen. Ik voelde me erg met hem verbonden...' Haar stem stierf weg.

Niet aan denken nu.

'Ze scheidden toen ik twaalf was en Mama en ik verhuisden naar een flat in Allston. Ik ben enig kind en Mama gaf me alles wat ze had – wat betreft energie, aandacht, liefde...'

Je zou kunnen zeggen dat ze ontzettend autoritair was.

Maar je zou ook kunnen zeggen dat zij zich heeft afgebeuld, dag en nacht.

'We hadden het niet breed maar ik kon vrij goed leren en kreeg een beurs voor Radcliffe. Ik heb Engels als hoofdvak gedaan, literatuur was altijd al mijn lievelingsvak. Ik ontmoette Anthony op een feestje in Boston – een studentenfuif – toen ik eerstejaars was. Hij studeerde aan de Universiteit van Boston, was eerder afgestudeerd dan ik. We trouwden toen ik mijn doctoraal had gehaald. Ik nam een baan, ik wilde gaan sparen om een doctorsgraad in de filosofie te kunnen halen. In die tijd kregen afgestudeerde vrouwen geen beurs voor verdere studie. Het beste baantje dat ik kon krijgen was als secretaresse. Ik herinner me dat ik vijfendertig dollar in de week verdiende. Daarvan probeerde ik er vijftien te sparen, maar... nou ja, ik werd op een gegeven moment zwanger en toen... tja, weet je, het oude liedje. Ik baalde omdat ik niets anders deed dan de kinderen verzorgen, maar ik vond het leuk om de kinderen te verzorgen. Ik beleefde veel plezier aan ze. En ik wilde ze denk ik vormen. Hen maken tot wat ik dacht dat zij moesten zijn. Dat was volgens mij een hoofdtaak, stomkop die ik was,' lachte ze.

'Wat is daar zo stom aan?'

'Omdat niemand dat kan! Dat moet jij toch weten!'

Nee, dat weet hij niet. Beste van de klas, aanvoerder van het basketballteam, technische hogeschool, microbiologie...

'Nou ja, in ieder geval kon *ik* het niet.'

'Je hebt vast een prachtig stel kinderen,' zei hij terwijl hij even in haar voet kneep.

Ze staarde hem aan. 'In ieder geval, toen Sydney – de jongste – ongeveer twee jaar was, ging ik een avondstudie doen voor een doctorsgraad in de filosofie. Op de Universiteit van Boston. Je kan geen avondstudie doen op Harvard. En die heb ik gehaald en ben daarna gaan doceren en dat doe ik nu nog steeds. Een paar jaar geleden heb ik een vaste aanstelling gekregen aan het Emmings. Ik heb een paar boeken geschreven.'

'O ja? Waarover?' Gretig.

'De Renaissance. Mijn eerste boek ging over de diepere betekenis van de morele voorstellingen bij de grote dichters – Sidney, Spenser, Shakespeare, Milton.'

'O.' Zijn gezicht verstrakte weer. 'Ik heb Shakespeare natuurlijk wel gelezen. Sommige dingen van Milton ook, maar daar weet ik niets meer van. Mijn favoriete schrijver uit die periode is Bacon, Francis Bacon.'

Natuurlijk. Was te verwachten. Francis Bacon, de grote experimentalist, die geloofde in de wetenschap en probeerde die onder de mensen te brengen teneinde het middeleeuwse bijgeloof uit te bannen. De opkomst van de natuurwetenschappen, het begin van de popularisatie, van de industriële revolutie. Ja.

'Die man die aan een zware verkoudheid is overleden omdat hij aan het experimenteren was met het invriezen van voedsel en buiten in de sneeuw een kip wilde invriezen?'

Hij lachte. 'Die ja.'

Haar rug deed pijn en ze merkte dat zij meer dan anders gekromd zat. Zij trok haar schouders naar achteren.

'En wat deed hij? Je man?'

'Hij had een heleboel banen, kon zijn draai niet vinden. Hij is tenslotte in het postorderbedrijf van zijn vader gegaan.'

Al die verbeuzelde jaren van ontevredenheid waarin jij het geduldige vrouwtje speelde dat zich zorgen maakte om geld: Ja, ik begrijp het, Anthony, natuurlijk moet je iets vinden dat je echt leuk vindt. Per slot van rekening zul je dat je hele verdere leven moeten doen. Totdat Papa zijn geduld verloor en hem harder aanpakte: Je moet eens wat serieuzer worden, jongen, je bent vader.

'Ik was niet gelukkig in mijn huwelijk en we scheidden. De kinderen en ik verhuisden naar Cambridge – we hadden daarvoor in Newton gewoond. En,' ze haalde haar schouders op, 'het leven ging door. Allebei de kinderen gingen naar Emmings. Tony is musicus, hij speelt zo'n vijf instrumenten maar het liefst speelt hij gitaar. Hij is heel begaafd. Hij zit in een band aan de West Coast, in Berkeley. Sydney schrijft gedichten, heeft ook veel talent geloof ik, al kan je daar nog niet veel van zeggen

39

omdat ze nog jong is. Ze woont in een commune op het platteland, ergens bij New Hampshire. Twee kunstenaars. Geen idee hoe ik daaraan kom. Ik vermoed dat Anthony een artistieke inslag had. Hij had nooit iets kunstzinnigs gedaan, zijn familie zag niets in kunst, maar ik geloof dat hij graag schrijver of musicus had willen worden.'

Niet nodig te zeggen dat geen van je kinderen iets hebben afgemaakt, dat ze buiten de maatschappij staan, en buiten het leven. Zij zwerven blootsvoets door de heuvels, allebei met een vrouw in hun armen. Nee, dat zou hem schokken, hij zou niet weten wat hij daarop moest zeggen.

Victor keek haar stralend aan. 'Het is een godswonder dat je in die trein zat.'

Ja. Ik weet het. Het favoriete spelletje van twee verliefden: Wanneer merkte je het voor het eerst, wat was er zo speciaal aan mij, hoe kwam het dat je op me viel?

Maar zij straalde terug. 'Het is een wonder dat *jij* erin zat.'

Hij wilde haar hand pakken en zij strekte die naar hem uit. Hij drukte er een kus op, keek haar toen bijna verlegen aan. 'Weet je... je moet niet denken... ik ben niet... ik ben niet zo'n type dat vrouwen in treinen oppikt.'

Ze lachte.

'Integendeel, ik had net... echt waar, gisteren was dat... er werken een paar meisjes op mijn kantoor, zie je, en ik dacht eraan, en toen dacht ik... eh... ik besloot eigenlijk, tenminste, je besluit dingen, maar dan spelen er weer allerlei gedachtes door je hoofd, maar ik besloot echt definitief dat ik niet, nooit, een verhouding zou beginnen.

En toen zag ik jou in die coupé zitten. Ik zag je van buiten en ik móest gewoon naar binnen. En toen kon ik mijn ogen niet van je afhouden...'

O alsjeblieft, geen lofzang. Mooi, verleidelijk, al die woorden die wij gebruiken ter verheerlijking van iets dat mechanisch schijnt te zijn – elektrisch, chemisch.

O ja, ga door, ga door. Ik wil het horen. Wat was het, wanneer merkte je het voor het eerst, hoe kwam het dat je op me viel?

'Waarom in godsnaam?'

Hij keek haar intens glunderend aan. 'Weet je niet hoe mooi je bent?'

40

Zij haalde haar schouders op. 'Er zijn hordes vrouwen op de wereld die mooier zijn dan ik.' Kijken hoe hij zich daar uitdraait.

'Dat zal best,' zei hij en zij glimlachte. 'Maar er was iets in jou – ik weet niet wat – dat me aantrok. Maar eigenlijk wilde ik het niet. Mijn verstand wilde het niet. Als ik het gewild had, had ik iets tegen je gezegd, had ik geprobeerd om met je in contact te komen, een gesprek op te zetten. Maar ik wilde het niet en daar zou ik aan vasthouden. Maar ik had mezelf niet in de hand. Het gevoel bleef aanhouden. Ik kon mijn ogen niet van je afhouden. En... het bracht me in verwarring. En het bleef maar door mijn hoofd hameren dat jij wist wat ik voelde, en dan vond ik mezelf weer een idioot want hoe kon je dat in hemelsnaam weten? En ik dacht dat je op een gegeven moment de situatie in handen zou nemen, me op mijn vingers tikken en *koest* zeggen of zoiets...'

Hij zuchtte en leunde achterover en keek haar met een gelukzalige glimlach aan.

'Maar dat heb je niet gedaan. Je hebt verdomme niets gezegd,' grinnikte hij. 'Je had kunnen zeggen...'

'Wat een vreselijk weer, hè.'

'Ja! Iets! Je had me kunnen tegenhouden als je gewild had.'

'O ja?' Ze grijnsde vals naar hem.

'O, je had het door! Je wist het!' Hij gaf zachte bestraffende tikjes op haar voetzool. 'Maar weet je, ik was ook bang dat je inderdaad zoiets als *Wat een vreselijk weer* zou zeggen. Op zo'n truttig frikkerig toontje. Of me heel zuur zou aankijken en de *Daily Mail* gaan afkraken...'

'Was je die aan het lezen? Dat had ik zeker moeten doen!'

'Maar ik kon me dat van jou nauwelijks voorstellen, zoals je daar zat met je loshangende haar, en dat sigaartje van je en die valse verleidelijke blik in je ogen. En die kleren!'

'Wat is er mis met mijn kleren?' Lachend.

'Niets, niets! Maar ze zijn niet bepaald het soort kleren dat ik me bij een schooljuf voorstel. Een Indiaas hemd en zes kralenkettingen? Ik heb ze geteld!'

Ze lachten samen, een lage, diepklokkende lach, tevreden, voldaan.

'En toen stond ik doodsangsten uit dat je in Reading zou uitstappen of dat iemand anders zou instappen en alles zou verpesten, en toen dacht ik dat ik dat ook wilde, dat alles verpest zou worden, dat we allebei ons weegs zouden gaan en alleen de herinnering zouden houden aan een toevallige ontmoeting met een aantrekkelijk uitziend iemand. Dat gebeurt tenslotte dagelijks...'

Dolores keek hem teder aan. Hij is net als ik. Misschien begrijpt hij me.

'Op sommige momenten vond ik dat ik, zelfs zonder iets te doen, te ver ging. Maar dan dacht ik er weer aan dat je uit zou stappen en in de armen van een wachtende man zou vallen en ik je nooit meer zou zien. En ik weet niet, maar die gedachte was... onverdraaglijk.'

Zijn ogen vroegen haar om begrip. Zij keek hem even aan, ging toen overeind zitten en schoof naar hem toe en nam hem in haar armen.

2

Zij aten eieren met spek, want dat was het enige dat er in huis was. Ze hadden de gammele keukentafel gedekt omdat de tafel in de woonkamer bezaaid was met de aantekeningen van Dolores. Ze had een oude velours kamerjas aan die de kinderen een paar jaar geleden op de herenafdeling voor haar hadden gekocht toen zij liep te klagen over de kou en de krappe damesmaten en de exorbitante prijzen. Hij zat een beetje ruim in de schouders maar zij vond het een luxe gevoel, de meters donzige stof, de zachte plooien, niets trok of spande of sprong open als zij haar armen of haar lichaam bewoog. Ze kon er met gemak twee keer in, maar ze voelde zich lekker in die jas. Haar loshangende haar viel over haar gezicht als ze zich bukte.

Victor had zijn broek en zijn sokken aangetrokken en struinde in de keuken rond terwijl hij erachter probeerde te komen waar alles in dat rare hok stond. De radio stond op de BBC afgestemd en bracht een concert van Prokovjev ten gehore. Dolores neuriede mee, tot groot vermaak van Victor, want zij belandde geregeld in de verkeerde toonaard.

'Ik hoor het wel in mijn hoofd maar het komt er gewoon niet uit!' verdedigde zij zich lachend.

Victor was een tijdje zoet met het roosterijzer en was licht geschokt over het feit dat de Britten, die op veel andere gebieden toch zo ver vooruit waren, nog steeds niet het elektrische brood-rooster kenden. Dolores voerde aan dat zij de elektrische ketel hadden waarin het water veel sneller aan de kook kwam dan in welke Amerikaanse ketel ook, maar dat de Amerikanen daar nog nooit van hadden gehoord. Victor somde een aantal rede-nen daarvoor op, onder andere dat elektrische ketels waar-schijnlijk meer energie verbruikten dan gewone ketels. Zij deed haar handen in haar zij en keek hem strak aan, geamuseerd en uitdagend.

Hij hief zijn handen omhoog. 'Oké, oké, jij hebt gelijk.' Hij draaide de boterhammen om. 'Ik ben hier pas twee weken en ik ben nog steeds van kop tot kont Amerikaan.'

Ze legde haar armen om zijn middel, terwijl ze achter hem stond, en vleide haar hoofd tegen zijn rug. 'Een mooie kop en een lekkere kont, vind ik,' zei ze.

Hij schaterde. 'Dat heeft nog nooit iemand tegen me gezegd!' Lachend.

'Mmm. Maar jij hebt dat vast heel vaak gezegd.'

Hij draaide zich om en keek haar meesmuilend aan. 'En jij dan, hè? Volgens mij snijdt bij jou het mes aan twee kanten.'

'O nee hoor, al jaren niet meer,' zei zij nuffig, terwijl ze de koffie inschonk. Ze gingen aan de wiebelende tafel zitten.

Victor stond op en rommelde in laden en kasten, zat met zijn vingers in potjes.

'Wat zoek je?'

'Iets om onder die tafelpoot te leggen.' Hij kwam terug met een stripje kartonnen lucifers en scheurde de voorkant eraf.

'Dat houdt niet,' waarschuwde ze toen hij het dubbelgevou-wen stukje karton onder de tafelpoot legde.

'Lang genoeg om mijn eieren niet tot roereieren op mijn bord te maken.' Hij deed room in zijn koffie. 'Hoe lang al?'

'Hoe lang wat al?'

'Hoe lang heeft iemand dat al niet meer tegen je gezegd of heb je dat zelf gezegd?'

Ze begonnen allebei te giechelen.

'Al jaren. Dat zei ik je al.'

'Hoezo? Een minnaar die niet van dat lieve gedoe houdt? Het sterke stille type?'

Hij is echt aan het prikken ondanks al die grapjes van hem. Wil weten wie zijn tegenstander is. Zou hij er liever wel een

43

of niet een willen hebben? Wel een. Minder verantwoordelijkheid.

'Ik ben alleen. Al jaren.'

Hij zette zijn kopje neer en staarde haar aan. 'Waarom? Waarom in godsnaam?'

Ze lachte. 'Weet je, de nieuwe zonde in Amerika is non-seksualiteit, ook al zijn we de oude zonde, de seksualiteit, nog niet eens kwijt.'

'Ik meen het serieus, Lorie.'

Lorie?

'Ach, ik weet het niet precies. Ik heb een rottijd gehad met een man waar ik stapelverliefd op was. Of dacht dat ik stapelverliefd op was. Dat is nog lang een gevoelig punt gebleven.

En zo'n beetje in diezelfde tijd begon ik aan mijn tweede boek te werken, dat ging over het beeld van de vrouw in de literatuur van de Renaissance en de morele en politieke betekenis daarvan. Het onderwerp boeide me mateloos en ik wond me er vreselijk over op. Ik werd steeds kwader over wat vrouwen was aangedaan. En bovendien nam dat boek al mijn tijd in beslag, alle tijd die ik niet besteedde aan doceren, de verzorging van mijn kinderen, die toen teenagers waren, het huishouden, schoonmaken, koken... je weet wel. Ik had eigenlijk geen tijd meer voor andere dingen. Ik werd vanzelf het vrijgezellenbestaan ingedreven.'

'En bent daar nooit meer uitgekomen.' Hij deed alsof hij het niet kon geloven.

Zij haalde haar schouders op.

'Dat moet wel een te gekke vogel zijn geweest, die vriend van jou.'

Zij keek hem aan. Verdomme, hij is geen haar beter dan al die anderen.

'Het was niet alleen Marsh. Jij bent getrouwd, je hebt geen idee hoe het is voor een vrouw alleen, met kinderen. Jij hebt een vrouw die altijd voor je klaarstaat, die je kinderen verzorgt. Als je met een project bezig bent, hoef je geen tijd en energie aan je vrouw te besteden. Je weet dat ze dat wel begrijpt. Ik stond er helemaal alleen voor. En ik had maar een beperkte hoeveelheid tijd en energie.'

'Ja. Maar om al gelijk zo te balen. Zo erg dat je, ondanks dat je kinderen volwassen zijn, niet...'

44

Ik geen troost zoek in weer een ander paar mannelijke armen, zit je dat dwars? Heb ik dat ooit daar gevonden?'

'Weet je,' ze glimlachte naar hem en probeerde niet-serieus, schertsend over te komen, 'jij wilt graag geloven dat Marsh mij vreselijk gekwetst heeft. Dat vind je een prettige gedachte. Ik heb dat nooit begrepen, die gretigheid waarmee mannen verhalen willen horen over de vreselijke dingen die vrouwen zijn aangedaan door andere mannen. Vooral als zij zich de vrouw daarbij voorstellen in tranen, bont en blauw geslagen. Daar kan ik niet bij.' Ze kon de irritatie in haar stem horen maar kon er niets aan doen. 'Ik weet niet of die hang naar vreselijke verhalen komt door het feit dat dat de enige manier is waarop zij zichzelf, vergeleken bij de mannen uit het verhaal, op de borst kunnen slaan, of dat de gedachte aan een mishandelde vrouw hen opwindt.'

'Vrouwen zijn net zo,' zei hij afwerend. 'Zij willen o zo graag horen dat een andere vrouw een man slecht heeft behandeld. Ze druipen van de sympathie; de oh's en ah's zijn niet van de lucht.'

Haar rug verstijfde.

'En vrouwen genieten ervan als een man kritiek spuit over een andere vrouw. Ze willen het naadje van de kous weten. *Echt waar*, zeggen ze, *doet ze dat niet? O! Meen je dat? Arme schat*. En ze suggereren daarmee op heel subtiele wijze, of misschien helemaal niet subtiel, dat zij precies te bieden hebben wat die ander niet heeft.'

'Nou, zo ben ik niet!' Zij smeet haar servet op de tafel. 'En ik heb geen zin om jouw gekanker op vrouwen aan te horen!'

'Wat is dat toch, dat je niks over vrouwen mag zeggen, ook al is het waar?'

'*Jij* mag niks over vrouwen zeggen omdat je niks van ze weet!'

'Jij bent er anders over begonnen. En jij hebt gezegd dat je niets van mannen begreep.'

'Ik begrijp niets van de gektes van mannen. Maar ik weet hoe mannen zijn. En jij weet niet hoe vrouwen zijn.'

Hij leunde achterover in zijn stoel, zijn gezicht volkomen in bedwang, zijn stem volkomen beheerst. Zij stelde zich voor dat dit zijn zakengezicht was tijdens een belangrijke bespreking. Hij verhief nooit zijn stem, hij klonk nooit echt kwaad.

'Ik denk dat mijn ervaring met vrouwen even groot is als die van jou met mannen.'

'Dat betwijfel ik. Mannen vertellen dingen aan vrouwen, persoonlijke dingen. En vrouwen doen dat ook met elkaar. Maar vrouwen vertellen niet alles aan mannen.'

'Dus een man kan nooit een andere man of vrouw zo goed leren kennen als een vrouw?'

'Geen enkele man kent mannen en vrouwen zo goed als ik.'

Hij schoof zijn stoel naar achteren. 'Wil je mij zeggen dat jij een onfeilbare autoriteit bent op dit gebied en dat mijn ervaring van nul en gener waarde is?'

Precies. Dat wil ik zeggen. Precies wat mannen altijd tegen vrouwen zeggen.

Zij staarden elkaar aan. Er was een koude sfeer tussen hen. Ze dacht na. Logisch gezien had hij gelijk. Maar er klopte iets niet met de logica, er klopte iets niet met de vergelijking van het gedrag van mannen en vrouwen. Alsof zij elkaars gelijken waren. Wat had ze al vaak zulke discussies gevoerd. Wat klopte er niet aan zijn redenatie?

'Je zal wel gelijk hebben,' zei zij koeltjes. Hij bleef gespannen. Zat haar van een afstand aan te kijken. Nou, dat was het dan. Ik heb hem verjaagd. Het was toch immers bedoeld als een vrijblijvend neukpartijtje en meer niet? En als zo'n onbenullig ruzietje al voldoende was om hem af te laten knappen, nou, dan bekeek ie het maar.

Maar zij voelde een brok in haar keel. 'Ik heb namelijk iets,' zei ze. Hij leunde naar voren. 'Ik kan er niet tegen als mannen kritiek hebben op vrouwen. Ik word er niet goed van. Niet als je zou zeggen: *Alice* doet dit, *Betty* doet dat en ik heb er een hekel aan – daar kan ik wel inkomen. Niet dat ik dan geen sympathie zou voelen voor Alice en Betty. Maar van jou zou ik het wel kunnen hebben. Maar ik kan er niet tegen als mannen van die drieste uitspraken doen over vrouwen: Vrouwen doen zus, vrouwen doen zo. Wat mannen altijd doen.'

Hij glimlachte tegen haar en schudde zijn hoofd. 'Hoor je jezelf?'

'Ik hoor mezelf.' Ze wendde haar gezicht van hem af, het vertoonde een gekwelde uitdrukking, haar lippen trilden. 'Ik kan er niets aan doen. Het is een diepgewortelde overtuiging.' Ze keek hem weer aan. 'Ik heb last van karaktervervorming.

Dat komt door mijn verleden. Ik heb in de oorlog een vin verloren en nu zwem ik een beetje scheef.'

Hij keek haar aandachtig aan. Hij boog zich naar voren en pakte haar hand, teder. 'Je zwemt heel goed, vind ik. En ik heb er geen spijt van dat ik je heb laten zien dat jouw logica niet klopt,' lachte hij breeduit, 'maar wel dat ik de mannen heb verdedigd door de vrouwen aan te vallen. Dat was een beetje al te gemakkelijk.'

Haar gezicht verzachtte.

'Vrede?'

Zij knikte.

'Ik zou zeggen een staakt-het-vuren,' voegde hij eraan toe terwijl hij opstond om de tafel af te ruimen, 'ik vraag me alleen af voor hoe lang.'

3

Na al haar paniek, haar oude angst om onder de voet gelopen, belaagd, omsingeld, overrompeld te worden, kon zij het niet verdragen toen hij zich aankleedde om weg te gaan.

'Blijf hier! Blijf hier!' drong zij aan. En dacht eraan dat zij de helft van haar garderobe uit de te kleine kast zou moeten halen en in een koffer onder het bed stouwen. En dacht eraan dat zij een paar glazen zou moeten bijkopen, en misschien wat kopjes. En vroeg zich af waar zij zijn spullen kwijt kon in de kleine badkamer en besloot een badkamerkastje te kopen en dat tussen de wastafel en het bad in te klemmen. Ze zouden een fiets voor hem moeten aanschaffen, om samen tochtjes te maken als het mooi weer was.

'Ik kan niet blijven. Ik heb een kamer gereserveerd in het Randolph Hotel, ik heb afspraken, misschien is er post. En ik heb morgenvroeg een afspraak.'

Je kan inchecken bij het Randolph, je post oppikken en hier terugkomen en bij mij blijven slapen. We kunnen de wekker zetten om morgenochtend vroeg wakker te worden.

Nee, dat ga ik niet zeggen. Ik ga niet smeken. Hij zou het doen als hij wilde, hij zou het zien als hij wilde. Hij bekijkt het maar. Als hij weg wil, dan gaat ie maar!

Hij liep van de slaapkamer naar de badkamer, kleedde zich aan, kamde zijn haar, viste zijn horloge en zijn portefeuille vanonder het bed waar zij hadden liggen rollebollen. Hij was de zakelijkheid zelve. Zij kon er net zo goed niet zijn. Ze wist dat hij net zo lief had dat zij er niet was omdat hij haar nu niet nodig had, haar niet om zich heen wilde hebben. En dat hij net zo lief had dat hij zich niet hoefde te bekommeren om haar opdringerigheid, haar gepruil over het feit dat hij wegging. Dus kon zij inrukken, al zei hij dat niet met zoveel woorden. Hij negeerde haar.

Ik ga niet zeggen: Wanneer zie ik je weer? Nee, dat ga ik niet zeggen. Hij bekijkt het maar.

Zij stond in de keuken en keek naar de morsige koekepan waarin het spekvet gestold was. Er hing een rokerige, spekkige lucht in de kleine ruimte en ze deed het raam open. Buiten was het guur, maar zij stak haar hoofd even uit het raam en ademde de frisse koude lucht in. Ze staarde naar de leien daken die glansden in het maanlicht, de oude vertrouwde schoorstenen, zwart afstekend tegen de blauwgrijze hemel. Zij hield haar lippen stijf opeengeklemd.

Hij kwam achter haar staan en legde zijn hand lichtjes op haar schouder. 'Ik moet weg.'

Zij draaide zich om. Hij kuste haar vluchtig op haar wang. Haar lichaam was stijf, haar mond geknepen. Hij scheen het niet te merken. Hij haalde een kaartje te voorschijn uit een leren portefeuille – een adreskaartje! – en schreef *Randolph Hotel* op de achterkant en legde het op de tafel.

'Ik weet het nummer niet maar dat staat wel in het telefoonboek. Je kunt me daar bereiken als je me nodig hebt.'

Denkt hij soms dat ik achterlijk ben en niet het Randolph kan onthouden?

Hij liep de hal in. Zij bleef met haar armen over elkaar in de keuken staan, haar handen over haar onderarmen wrijvend. Na een paar minuten kwam hij weer te voorschijn met zijn koffer in zijn hand, zijn regenjas aan. Hij straalde van energie en levenslust. Hij was schijnbaar in een uitstekende bui.

'Ik bel je,' zei hij en kuste haar op haar voorhoofd. 'Je hoeft niet mee naar beneden, hoor. Ik zal de buitendeur goed dichtdoen.' En liep de keuken uit, de hal in, deed de deur open en liep, zonder om te kijken, naar buiten.

Zie niet om, opdat gij niet verdelgd wordt.

En haar voordeur klikte in het slot en zij kon zijn voetstappen op de trap horen en daarna de klap van de buitendeur.

Zij stond in de keuken.

Toen stormde zij de hal in. Zij rukte de voordeur open en sloeg hem keihard weer dicht, met zo'n klap dat de kopjes en glazen in de keukenkastjes rinkelden. Toen deed ze hem op slot. Ging weer de kamer in en zette de radio keihard aan. Gelukkig was Mary niet thuis.

Zij liet haar ogen over de vuile boel op de keukentafel gaan, over de vuile pannen op het fornuis, de halfvolle koffiepot. Ze schoot naar de tafel en veegde met één armbeweging de glazen en bordjes van tafel, die kletterend op de vloer vielen.

'Verdomme! Verdomme! Godverdomme!' schreeuwde ze, maar de woorden bleven in gefluister steken.

4

Dolores was op haar knieën de glassplinters aan het opdweilen die te klein waren om opgeveegd te worden, kleine stukjes ei, koude koffie, vloekend bij elke ademhaling: Verdomme, de klootzak!

Je kunt als vrouw niet eens kwaad worden want je moet altijd je eigen troep opruimen. Kankerlijer! Ze zou morgen nieuwe borden moeten kopen, een onvoorziene uitgave. De flat was maar met het hoognodige ingericht, en Mary Jenkins zou meteen zien dat er iets gebroken was. Vrouwen moesten uiteindelijk altijd betalen.

Zij gooide – niet zo hard dat ze zouden breken – de glazen en bordjes die heel waren gebleven in het hete zeepsop in de gootsteen, samen met het steelpannetje. Ze boende ze tot haar handen rood en opgezwollen waren en spoelde ze af met kokend water. Ze verhitte het vet in de koekepan en goot het voorzichtig af om een brandwond te vermijden, dat moest er nog bijkomen, een brandwond... Daarna schuurde zij het steelpannetje schoon, dat nog heet was, en brandde heel licht haar middelvinger. Maar zij schonk er geen aandacht aan.

Ze stormde de slaapkamer in, rukte de lakens van het bed en verschoonde het. Ze propte de vuile lakens in de wasmand, drukte ze aan alsof ze ze wilde fijnstampen. Tenslotte liet ze het bad vollopen en stapte erin en ging liggen en toen pas liet ze de tranen komen, maar zoals altijd welden ze even op om weer te verdwijnen naar waar ze vandaan waren gekomen.

Wanneer leer je het nou eens? Zul je het ooit leren? Het ging zo goed met je, je voelde je prima. Ze leefde nog lang en gelukkig. *Jij* hebt hem binnengelaten, *jij* hebt de deur opengedaan, idioot die je bent! Ben je dan vergeten dat ze je altijd kwetsen? Alle vrouwen, ze kwetsen alle vrouwen. Hoe kon je je zo laten leiden door de misvatting dat jij harmonieus zou kunnen leven met een man? Ben je dan vergeten dat mannen lullen zijn in alle betekenissen van het woord?

Het leven was rustig, harmonieus, geen trammelant. Ik had geen bloedend hart. 'Dolores, schatje, hou verdomme eens op met dat eeuwige sociale gevoel van je! Zie je dan niet dat Stevenson een meelzak is, een draaier? We hebben een sterke man nodig, iemand die weet hoe hij moet winnen.' 'Wat moet hij dan winnen, Anthony?' 'Stevenson is een zak, Dolores.' 'En jij bent een zeikerd, Anthony.'

Maar dat was hij niet, in ieder geval niet tegen haar. Sociaal gevoel, ja dat had zij wel, maar niet zoals hij het bedoelde. Of toch zoals hij bedoelde? Maar Jezus, wat kon je daaraan doen? Als je hart bloedde, dan hielp daar geen lieve moeder aan. Het enige dat je kon doen was situaties te vermijden waarin het bloed zou gaan vloeien.

'Je kunt me daar bereiken als je me nodig hebt.' Ja, ja, die kennen we. De manier waarop mannen hun schuldgevoel verzachten. Ze laten je in de steek maar laten wel een telefoonnummer achter. Waar zou zij hem in godsnaam voor nodig hebben? Om de afwas te doen? Het bed op te maken? Nee, voor het geval dat je zwanger blijkt te zijn. Vooruit, gauw controleren, meid, morgen is hij misschien al de stad uit.

Stond er een telefoonnummer in Londen op dat kaartje?

Zal wel. Zij had het zonder het een verdere blik waardig te keuren verscheurd en weggegooid. Nou ja, maakt niet uit. Hij had haar niet eens gezegd hoe lang hij zou blijven, had haar niet gevraagd hoe lang zij zou blijven. Alleen maar: *ik bel je.* O, hij zal vast wel bellen als hij nog een paar dagen blijft. 's Avonds laat waarschijnlijk, een beetje aangeschoten na een copieuze maaltijd met de jongens, en opeens een beetje eenzaam, zonder slaap in zijn saaie hotelkamer. Mannen kunnen niet alleen zijn. Hij zal langs willen komen voor een vluggertje. Niet omdat ie zo geil is: op zijn leeftijd ben je dat niet. Nee, gewoon omdat hij het op zijn zenuwen krijgt als hij alleen in zijn bed ligt, alleen in het donker. Hij zal langskomen en bij het genot van een glaasje wat praten, dan ons haastig richting bed duwen, vervolgens gauw weer opstaan en zijn broek weer aantrekken en als de bliksem weer terug naar het hotel om snel in slaap te vallen voordat het ontspannen gevoel weer verdwenen is.

Verdomme.

Met dat emotionele gedoe van hem. In zijn gedrag, in zijn woorden zelfs, mij de indruk geven dat het iets betekende. Dat ik iets betekende, wij iets betekenden. Waarom moest hij zo doen? Ik had het geaccepteerd als het anders was gegaan, maar nee, hij kon zijn mond niet houden, hij moest zich uitsloven om mij te laten denken mij te laten voelen te verleiden, niet alleen mijn lichaam, maar ook mijn gevoelens en waarom? Alleen maar om mij daarna een rot gevoel te geven, door eerst mij te laten denken dat het er wat toe deed, dat het meer was dan de geijkte vrijblijvende neukpartij. O God ik haat mannen.

Zij stapte uit bad en schrobde het schoon, bond haar haar naar achteren en deed haar kamerjas aan. Het was koud in de flat maar zij liep op blote voeten, onverschillig voor de kou, liep op blote voeten de keuken in, onverschillig of ze in een glassplinter zou trappen. Zij haatte zichzelf nog meer dan hem. Zij schonk wat wijn uit een kruik in een glas met een schilfertje uit de rand, pakte haar bril, liep naar de woonkamer, deed haar aktentas open en spreidde nog meer papier over de reeds bezaaide ronde tafel.

Hij bekijkt het maar.

Zij begon de aantekeningen die zij de afgelopen twee dagen in het British Museum had verzameld, te classificeren. Maar haar geest wilde niet werken, verzette zich tegen haar. Na een uur deed zij zuchtend haar map dicht, stak een sigaartje op en verhuisde met de wijn naar een luie stoel.

Wat was dat toch van mannen, dat zij hun gevoel in- en uit konden schakelen? Alsof hun persoonlijkheid uit verschillende delen bestond die niet meer met elkaar gemeen hadden dan dat zij toevallig in hetzelfde lichaam huisden. Het ene deel bestond uit begeerte en tederheid; het was kwetsbaar, afhankelijk, veeleisend. Een ander deel bestond uit woede die bij de minste geringste aanleiding naar buiten kwam. Weer een ander was ge-

kleed in overhemd, pak en das, soms zelfs met vest, onberispe-
lijk, strijdvaardig. Lichaam *en* geest in uniform.

Zij verdelen het leven in hokjes. Werk. Vrienden. Vrouwen.
Sport. En in elk hokje gedragen zij zich anders.

Maar zij had maar één hokje. Zij was altijd en overal hetzelfde. Zij was getapt bij haar studenten omdat zij zich als mens
tegenover hen gedroeg, niet als de onaantastbare 'docente', de
Autoriteit. Men had haar boeken beschreven als *menselijk*, wat
in haar vakkringen, en omdat zij een vrouw was, betekende dat
zij minder serieus werden genomen dan boeken waarin deze
kwaliteit ver te zoeken was. O, als zij college had moeten geven,
een afspraak had gehad, zou zij natuurlijk ook zijn weggegaan.
Maar niet zonder hem eerst met kussen overstelpt te hebben,
hem gezegd te hebben hoeveel zij van hem hield en hoe het
haar speet dat zij wegmoest, en dat zij zich schuldig voelde...

Dat was het, verdomme.

Nee, dat was het niet. Het ging verder dan schuldgevoel. Het
had te maken met denken aan anderen, niet constant of in de
eerste plaats, maar het vermogen om dat te doen. Want dat
hadden mannen niet. Zij zou geweten hebben, erbij stil hebben
gestaan dat afscheidnemen pijn doet onder alle omstandigheden, en zou hem gerustgesteld hebben dat zij zeker weer terug
zou komen, met de exacte tijd en plaats erbij. En al die tijd dat
zij weg was, zou zij in angst hebben gezeten dat zij later dan ze
gezegd had zou terugkomen. Ze zou op een holletje naar de flat
teruggaan. Maar hij zou niet thuis zijn. Aangezien hij zelf niet
zo'n Pietje Precies was, verwachtte hij ook niet van haar dat zij
op tijd zou zijn. Hij was misschien wel helemaal vergeten wat
zij had gezegd. Hij was een ommetje gaan maken in het park,
een pak melk kopen, een biertje drinken bij de buurman.

Zij legde haar sigaar weg. Het was kloten zoals zij in elkaar
zat.

Maar wat kon je daaraan doen?

Zij pakte haar sigaartje weer op en trok er heftig aan. Nou
ja, het was misschien niet alles, zoals zij was, maar ze deed tenminste niemand kwaad. *Zijn* manier van doen was niet goed te
praten, zoals hij zichzelf uitdeed alsof hij een elektrisch licht
was. En net deed alsof zij een volslagen vreemde voor hem was,
een hoer die hij betaalde.

Was het waar dat alles in een vrouwenleven om de liefde

52

draaide en dat dat bij mannen niet het geval was? In haar leven stond de liefde niet voorop, al jaren niet meer. Ja, maar zodra zij zichzelf ook maar even liet gaan, werd zij weer in het oude moeras getrokken. Mannen handelden uit zelfbescherming; vrouwen deden dingen ter bescherming van anderen. Het was in strijd met alle eerlijkheid, maar ze moest er gewoon mee ophouden.

Maar ik weet niet hoe. Bovendien weet ik niet zeker of ik dat wel wil. Wat ik wil is dat mannen hetzelfde zijn als vrouwen.

Ja. Jaren geleden – voordat ik alleen was? Moet wel – Bruce Watler. Op een filologencongres. Aantrekkelijk, bruisend, donker, wel heel eigenzinnig, maar op een leuke manier. Wij hadden elkaar al eens eerder ontmoet, we zaten samen in een studiegroep aan de Universiteit van Pennsylvania. Intelligent. Gevoelig. Had lak aan de academische mierenneukerij. Zou volgens het programma een lezing geven over de Elizabethaanse pastorale, een onderwerp waar zij in geïnteresseerd was, dus ging zij daar naartoe.

Goede lezing, niet schoolmeesterachtig: gevoel en verstand in gelijke mate aanwezig. En daarmee steeg hij in haar achting: de verloren zoon heeft altijd een streepje voor op de brave dochter. Ze hield van hem, ze was hem dankbaar, omdat hij een man was met gevoel. Terwijl zij dat bij een vrouw de gewoonste zaak van de wereld vond – hoewel dat ook niet altijd opging. Dus nam zij zijn wijkende haargrens, zijn dikke taille, zijn enorme voortanden voor lief en concentreerde zich op zijn slanke handen, zijn elegante gezichtsuitdrukkingen en zijn fijnbesnaarde gebaren en woorden. Zij viel uiteindelijk voor zijn intelligentie, die niet het schitterende, veelkleurige vuurwerk was dat zich doorgaans bij geniale mannen voordoet, maar een harmonieus geheel, een volmaakte vermenging van gevoel en verstand. Zij zat zijn lezing en de slaapverwekkende lezingen van anderen helemaal uit in de hete, rokerige zaal in het Hilton en was hem daarna gaan opzoeken om hem te feliciteren met zijn lezing. Haar bewondering was ongetwijfeld op haar gezicht te lezen toen zij dat deed. In ieder geval was zij niet verbaasd toen hij haar uitnodigde om later wat met hem te gaan drinken, om vijf uur in de lounge van het hotel.

Misschien had zij wat al te gretig toegehapt. Je weet nooit

hoe je gezondigd hebt, maar bij vrouwen is dat eerder door toeschietelijkheid dan gereserveerdheid. Ze zat dus een uurlang in haar eentje in de bar van het Hilton, nippend van haar campari. Hij kwam niet opdagen.

Toen zij hem de volgende dag toevallig tegen het lijf liep, stipte zij het gebeuren heel eventjes, heel luchtigjes aan. 'We zijn elkaar gisteren misgelopen, hè?' Met een glimlach. (Altijd een glimlach.)

'O ja, sorry hoor. Maar ik kwam een oude vriend tegen en we raakten in gesprek en toen ben ik het helemaal vergeten. Maar we doen het snel een andere keer.' Gaf haar een stevige hand en maakte zich uit de voeten.

Vergeten, dikke lul. Ik zag wel hoe hij naar me keek.

Het was allemaal volkomen te begrijpen: een getrouwde man die niet te intiem wil worden met een vrouw die hij aantrekkelijk vindt en van wie hij mag aannemen dat zij hem ook aantrekkelijk vindt – een ongetrouwde vrouw op de koop toe. Het was volkomen logisch, niets aan de hand. Maar zij hadden samen wat kunnen drinken en praten en verder niets. Of, als hij bang was dat hij een slippertje zou maken, tenslotte weet hij dat zelf het beste, dan had hij haar gewoon niet moeten uitnodigen. Waarom moest het altijd zo gaan? Hij vraagt iets en voelt zich gevleid als ik ja zeg. Hij heeft zijn kortstondige triomf gehad, hij hoeft niet meer te neuken, hij heeft al een punt gezet zonder de angst dat hij zich nog verder moet waarmaken. En laat mij een uur voor lul zitten wachten in de bar. 'O ja, sorry, hoor!'

Als vrouwen zoiets uithalen, worden ze er door de mannen van beschuldigd hen te hebben opgenaaid.

O, hij zal er waarschijnlijk niet over in hebben gezeten, er niet eens meer aan gedacht hebben zelfs. Veel makkelijker zo. Uit, aan, net als Victor. Alles in hokjes. Kontlikken tegenover je baas, de baas spelen over je vrouw, eerlijk concurreren met je vriendjes.

Toch, herinnerde zij zich, terwijl zij aan het stompje sigaar trok, dat haar interesse in Bruce Watler daarmee niet was afgesneden. Ze was naar buiten gegaan en had zijn boek gekocht en had 's avonds tijdens het uitkleden gezegd: Ik denk dat ik maar eens naar bed ga met Bruce Watler. Zij vond het boek een beetje teleurstellend: het had gebrek aan durf. Ze was bang dat hij vernietigende kritieken had gekregen. Dus ging zij naar Widener en las alle kritieken die zij kon vinden en probeerde zich tijdens het lezen in te leven in wat hij zou voelen als hij ze las. De kritieken waren niet slecht, ze waren nietszeggend. Ze spraken niet over het gebrek aan durf. Maar nietszeggende kritieken vond ze nog erger dan slechte, en zij vroeg zich af of hij dat ook vond. Ze wilde dat zij met hem kon praten, dat zij wist wat hij dacht, voelde. Maar al zou zij hem weer zien of met hem praten, dan zou hij haar dat vast niet vertellen.

Stomme idioot die ze was. Zou een man zich ooit zo uitsloven voor een vrouw? Misschien een puber die helemaal weg is van een filmster en steeds weer opnieuw naar haar films gaat en alles over haar leest wat hij maar te pakken kan krijgen. Maar hij zou haar in zijn fantasieën betrekken zonder te proberen zich in te leven in hoe het zou zijn als hij haar was.

Dolores kwam Bruce jaren later weer tegen. Zijn boek had hem succes gebracht, een hoogleraarsplaats op een belangrijke universiteit. Om daar ook maar enigszins in de buurt te komen had zij minstens vijf boeken moeten schrijven. Hij zag eruit als een opgeblazen kikker. Hij was bijna kaal en nog dikker dan hij al was. Maar zij had inmiddels ook wat succes geboekt en hij deed alsof hij blij was om haar te zien. Hij nam haar hand in beide handen. 'We moeten een keer wat gaan drinken,' zei hij.

Ze drukte haar sigaartje uit en kwam moeizaam overeind. Haar lichaam deed pijn. Seks, een gymnastiekoefening. Ben benieuwd of mannen spierpijn in hun dijen krijgen. Of waar dan ook. Ben benieuwd of wij altijd de klos zijn. Zij deed de lamp uit en liep naar de slaapkamer, moe van het gepeins.

Ja, hij zal wel bellen. Gaat ervan uit dat ik er zal zijn als hij zin heeft om te bellen, dat ik opneem, dat ik het leuk vind om hem weer te zien. 't Komt niet in zijn hoofd op dat ik wel eens eigen afspraken en etentjes zou kunnen hebben.

Het vervelende is dat ik die niet heb.

Zij stapte in bed, haar tanden opeengeklemd. Ze zou niet toestaan dat hij haar zo behandelde. Ze zou morgen heel vroeg van huis gaan en de hele dag, en de hele nacht, wegblijven. De Bodleian ging om vijf uur dicht. Oké, ze zou wat drinken en dan uit eten gaan. Of als ze nog thuiskwam, zou ze de telefoon niet opnemen. Misschien – dat was nog beter! – zou ze morgen naar Londen gaan, ja dat kon ze doen. Een paar dagen blijven.

Naar een paar voorstellingen gaan.

Als ze dat deed, zou ze hem misschien nooit meer zien.

Prima.

Dat was de oplossing! Terug naar Londen.

5

Maar hoe ging het de volgende morgen? Zij werd laat wakker, na achten. Ze was moe. Zelfs de zon scheen vermoeid. Die lange reis naar Londen, veel te vermoeiend. Dat hobbelige hotelbed, de vette eieren. Koffer weer inpakken. Ik heb hem nog niet eens uitgepakt, bedacht zij zich. En ze had voorlopig niets te zoeken op het British Museum. Ze had eigenlijk maar geld voor twee toneelstukken. En ze had geen contanten meer: ze zou naar de bank moeten met haar aktentas en haar weekendtas, dan naar de bus lopen, of naar het station... o nee, veel te vermoeiend allemaal.

Zij was zo moe dat ze er maar van afzag om naar de Bodleian te gaan. Zij had sinds haar aankomst nog geen dag overgeslagen in de bibliotheek. Ze kon rustig vrijnemen: ze zou alleen de telefoon niet opnemen.

Zij liep een beetje verdwaasd in de flat rond in haar kamerjas. En terwijl zij excuses liep te bedenken voor haar vrije dag, speelden er tegelijkertijd allerlei andere gedachten door haar hoofd.

Wat een armoedige boel eigenlijk, die flat van haar. Het meubilair was dan wel *echt*, geen Amerikaans plastic, maar je moest toch toegeven, hoe anglofiel je ook was, dat het *lelijk* was. Hout, dat wel, maar lompe lijnen, schilferige ruwe oppervlakken: wat thuis missionarisstijl heette en tegen hoge prijzen wegging omdat het van hout was gemaakt en niet van synthetisch materiaal. Goedkope nylon kleden. Lelijke, logge sofa met een bekleding waar je uitslag van kreeg. Misvormde lampjes en verdomd weinig ook. Gordijnen van goedkope kwaliteit.

Het zou niet slecht zijn om een paar dingen aan te schaffen, de flat een beetje meer kleur te geven. Per slot van rekening zou ze hier een jaar zitten. Natuurlijk had zij daar eigenlijk geen geld voor en Mary ook niet, dat was zeker. En alles wat ze kocht zou ze moeten achterlaten. En er zou heel wat kostbare tijd in gaan zitten, die zij beter op de Bodleian kon doorbrengen.

Maar toch.

In ieder geval moest er wat vaatwerk bijgekocht worden. En als zij dan toch in de stad was, kon zij meteen even kijken naar stoffen, beddespreien, kleedjes, gordijnen, meubels. Kijken kost niets.

(Het mooi, warm, uitnodigend maken. Voor Victor. Die het verschil zal voelen al ziet hij het niet.)

Hoofdschuddend, een grimas op haar gezicht, zichzelf een hopeloos geval noemend, kleedde zij zich aan.

Hij zal bellen. Dat staat als een paal boven water.

Waar zal ik naartoe gaan?

Geen idee.

Zij besloot zich door haar gevoelens te laten leiden. Zij zou zonder na te denken gaan lopen, zich laten sturen door haar diepste impulsen. Ze kon in de winkels terechtkomen of in de bibliotheek. Of misschien ergens anders. Maar niet in het Randolph. Nee.

Zij pakte haar aktentas op en liep de deur uit. Maar toen zij de trap afliep, hoorde zij de telefoon gaan. Ze stond stil. Haar vrienden in Oxford werkten de hele dag en wisten dat zij dat ook deed. Niemand zou denken dat zij om tien uur 's ochtends thuis zou zijn. Ze vocht een kleine strijd in zichzelf uit, maar liep verder naar beneden, met het gerinkel van de telefoon in haar oren, wachtend tot het op zou houden, terwijl haar hart tegelijkertijd ineenkromp bij de gedachte dat het op zou houden. De telefoon hield op met rinkelen. Zij reed haar fiets van de benedenhal naar buiten, stapte op en fietste richting stad.

Ze genoot altijd van het ritje naar de Bodleian, langs oude huisjes met prachtige tuinen, die nog steeds, in september, vol met bloemen stonden, langs het St. John en Balliol College. Maar vlak bij het Randolph besefte zij ineens dat hij haar niet kon bellen, hij had haar telefoonnummer niet gevraagd en zij stond niet in het telefoonboek van Oxford. Als hij werkelijk van plan was geweest haar te bellen, zou hij dat gevraagd hebben.

Mijn God.

Dus hij meende er geen barst van, van wat hij zei, van wat hij deed.

Zij was langzamer gaan trappen toen zij dit overdacht, pal voor het Randolph. Met afgewend hoofd klom zij weer op de pedalen en sloeg Broad Street in, The Broad zoals hij hier werd genoemd, in de richting van de bibliotheek.

Wie kon dat begrijpen?

Vergeet het maar. Zet het uit je hoofd, beval zij zichzelf.

Zij zette haar fiets in het rek en deed hem op slot.

Probeer je op iets anders te concentreren. Kijk om je heen, is het niet schitterend?

Maar vandaag was er niets schitterends aan. Op sommige dagen leek Oxford alleen maar een elitair mausoleum. Met gebogen hoofd liep zij de oude houten treden op naar Duke Humfrey's Library; ze voelde zich moe, doodmoe. En haar benen deden pijn.

Maar toen zij eenmaal in de oude bibliotheek was, leefde zij weer op. Ze hield van deze ruimte, ze vond het heerlijk om erin te werken. Het was een zeer getrouwe kopie van het vijftiende-eeuwse origineel: de vloer had oude houten planken die kraakten als je over het middenpad liep, er waren oude houten studiecellen met antieke, in gebarsten leer gebonden boeken, enorme gevaartes met verdroogde zware bladzijden. Er was een prachtig plafond dat ondersteund werd door bogen van bewerkt hout, en beschilderd met antieke zegels. De boogramen waren versierd met medaillons van bleek gebrandschilderd glas. Zij ging altijd bij de ramen zitten die op Exeter Garden uitkeken, beslist niet de mooiste tuin in Oxford maar mooi genoeg voor haar, de zon op de chrysanten en asters, op alle vurige herfstbloemen.

Ze wilde dat Victor het kon zien, deze zaal.

Ik ga niet aan hem denken. Hij denkt ook niet aan jou.

Maar zij dacht wel aan hem: terwijl zij wachtte op de boeken die zij had aangevraagd; terwijl zij naar beneden liep om iets op te zoeken in de oude, met de hand geschreven catalogus van boeken; iedere keer als zij van haar boek opkeek om naar de tuin te kijken of naar iemand die krakend voorbijliep.

Zij twijfelde niet aan dat deel van hem dat haar had liefgehad. Maar zij twijfelde ook niet aan het deel van hem dat haar had genegeerd, haar tot een meubelstuk had gemaakt, of tot een dienstmeid, van wie je niet uitgebreid afscheid hoeft te nemen, van wie je zelfs zonder iets te zeggen kunt weggaan. En zij wist niet welke kant sterker was in hem, maar vermoedde dat het de zakenman was. De andere kant zou ongetwijfeld weer naar boven komen, misschien vanavond, misschien pas

58

over een paar dagen, als hij de behoefte voelde, als het hem uitkwam.

Als het me uitkomt: de favoriete uitdrukking van Anthony.
't Komt me beter uit als we naar mijn moeder gaan: ze heeft
een groter huis. 't Komt me beter uit als we thuisblijven in mijn
vakantie. 't Komt me beter uit als ik rijd.

En de vraag was: Wilde zij een relatie met een man die haar
kon uitschakelen als hem dat uitkwam en er geen moment aan
dacht hoe zij zich voelde? Wilde zij ook maar iets te maken
hebben met zo'n man?

Het antwoord was duidelijk: Nee.

6

Dat was het dan. En al zou zij hem nog eens zien, dan had het
geen zin om dit soort dingen met hem te bepraten, omdat hij
het gewoon niet zou begrijpen. Mannen hadden er een handje
van om iets niet te begrijpen, omdat het hen natuurlijk beter
uitkwam. Ze zou er moeite voor moeten doen, tekst en uitleg
moeten geven, misschien wel een discussie aangaan om het tot
hem door te laten dringen. Misschien moest ze wel kwaad worden. Maar ze wilde niet kwaad worden, wilde hem niet bekeren. Ze had er genoeg van, ze kotste ervan.

Als hij weer op de een of andere manier contact met haar
zocht, zou ze dan ook zeggen dat zij het druk had.

Ze ging weer lezen en dwong zichzelf tot concentratie. Zij
nam de aantekeningen door die zij vandaag had gemaakt:

*Geen enkele vrouw is in staat tot abstract denken. De intelli-
gentie van de man is abstract; die van de vrouw concreet. De
man houdt van principes; de vrouw van personen. Geen enkele
vrouw is in staat zichzelf te begrijpen.* (1899)

*God had beschikt dat de vrouw inferieur was aan de man wat
betreft autoriteit en macht. De oorzaak hiervan was dat Eva
voor zichzelf een plaats had opgeëist waar zij geen recht op had.
En sinds Eva was de vrouw een hard en bitter lot beschoren
onder het juk van de man. De ondergeschikte positie van de
vrouw ten opzichte van de man wat betreft autoriteit en gezag
is een vingerwijzing naar de in het verleden begane overtreding.*

Het bewijst dat er een vloek rust op de mensheid voor begane zonden, en het laat de mens inzien dat hij niet volmaakt is. (1875)

Onthoud goed dat een man een zelfzuchtig wezen is. Verlies dit feit nooit uit het oog; en als u hem wilt behagen, doet u dat dan met overgave. Maar huil niet, maak geen scène en verlies vooral niet te snel uw geduld. Wees boven alles lief, maar uw liefheid moet echt zijn. Een man wil niet overheerst worden.

U moet leren uw gevoelens te verbergen. Een man mag nooit zijn geluk voor u in de waagschaal stellen.

Houd dit altijd voor ogen: 'Ik ben een schepsel dat op deze aarde is om te behagen.'

En word nooit kwaad: het bederft uw gezicht. (1895)

De invloedssfeer van de vrouw betreft het huis; zij wint haar meester door lieftalligheid en onderdanigheid. (1844)

De vrouw is de verleidster van de man. Haar ware plaats in de schepping is de hoogste en de laagste tegelijk. Alle vrouwen hebben een instinctief verlangen om te huwen, ook al ontkennen zij dat. Door lieve dienaressen voor hun echtgenoten te zijn, vervullen zij hun hoogste gaven. (1878)

De zwakheid van de vrouw is haar garantie voor macht; het maakt haar onweerstaanbaar. Onafhankelijkheid is onvrouwelijk. Hoe afhankelijker zij is, des te meer zal zij bemind worden. (1835)

Zuchtend deed zij het laatste boek dicht. Het was bepaald geen ontspanning om aan dit onderwerp te werken. Zij werd steeds in emoties meegesleept die zij niet wilde voelen. Toch vond zij het onderwerp belangrijk en als zij het niet deed zou dat boek nooit geschreven worden: *De vrouw van Lot: een studie van de identificatie van de vrouw met het lijden.* De fase waarin zij nu zat hield in dat zij achttiende- en negentiende-eeuwse handboeken en preken doornam waarin de rol van de vrouw ter sprake werd gebracht, hetzij in de vorm van een filosofische verhandeling of als etiquette-boek. Veel schrijvers bevestigden het lijden van de vrouw zonder meer, of juichten het zelfs van harte toe. Sommigen meenden dat het lijden van de vrouw een schande was, dat het monsterlijke gedrag van mannen ten opzichte van vrouwen onverdiend was maar dat God het helaas zo had beschikt. Anderen waren van mening dat het het verdiende loon van de vrouw was. Beminnelijke dominees en priesters hadden dat gezegd. Het schortte wel wat aan de logica van de heren schrijvers, maar daar hadden hun lezers vast niets van gemerkt.

Als ik maar meer afstand kon nemen, als ik er maar minder emotioneel bij betrokken raakte.

De monotone, dreunende stem van Cal. Hij hoefde er niet zijn best voor te doen om interessant te zijn, men hing ademloos aan zijn lippen. De Grote Cal Taylor.

'Het is natuurlijk uiterst *interessant*,' hij gaf *interessant* een speciale nadruk, een speciale expressie, het was zijn hoogste compliment, 'maar het is toch onderdeel van een dood tijdperk. Jouw taak – als historica, want iedereen met een universitaire opleiding behoort dat te zijn – is in de eerste plaats oog te hebben voor het belang van iets om vervolgens dat belang in een groter verband te plaatsen. Daarbij moet je niet meer emotie tonen dan een zoöloog bij het catalogiseren van voetbeentjes. *Jouw* werk, mijn beste Dolores, wordt bedorven door je... wel... je *hartstocht*. En je vooroordeel. Vrouwen zijn gewoon niet belangrijk geweest in de Renaissance, maar doordat jij je zo op hen concentreert, wordt volgens mij de hele periode in een vals daglicht gesteld.'

'Shakespeare vond vrouwen wel belangrijk. De wetenschap was van geen enkel belang in de Renaissance, maar daar wordt wél over geschreven.'

'Maar mijn beste Dolores, jij schrijft over de moraal! Het is nog tot daar aan toe om een gedocumenteerd verslag te geven van de moraal in de Renaissance – hoewel dat mijns inziens al vaker is gedaan in het verleden –, maar om deze moraal te beschrijven alsof zij nog steeds zou gelden, alsof jij daar een modern antwoord op zou hebben, zoals jij het mij doet voorkomen, dat is een heel andere zaak! Alsof het jou direct aangaat. Dat is historisch gezien naïef.'

Hij leunde achterover in zijn stoel (hoe komt hij aan zo'n bureaustoel? De mijne is van hout, met een harde zitting) en glimlachte, zijn grote bleke voorhoofd glom als een spiegel.

61

'Ik begrijp niet waarom iemand over het eerste beste stomme onderwerp – die recente publikatie over de diervoorstellingen bij Shakespeare bijvoorbeeld – kan schrijven en daar veel succes mee oogsten. Terwijl je, als je over vrouwen schrijft, wordt uitgemaakt voor...'

'Ideologisch. Heel eenvoudig, lieve schat, omdat je dat bent.'

'Maar is het dan *niet* ideologisch om over mannen te schrijven?'

Hij kuchte een schamper lachje: 'Ik merk dat je een fanatiekeling begint te worden!'

'Ik meen het, Cal. Ik wens een antwoord.'

Hij leunde naar voren. Hij gooide haar essay over zijn bureau in haar richting en zijn berucht vriendelijke gezicht vertoonde een gemene grijns. 'Ik kan je alleen maar aanraden om dit essay naar een van die feministische blaadjes te sturen,' zei hij.

Ze stond als verstijfd op; ze voelde zich tot in het diepst van haar hart vernederd. Hoe durfde hij zo tegen een collega te spreken? Hoe durfde hij iemand zo te behandelen? Hij had het gelijk van de wereld achter zich, het gelijk van duizenden jaren van traditie. Niemand zou zijn recht om haar zo te behandelen willen aanvechten. Maar waar had hij dat recht verworven? Wie had hem dat gegeven?

Zij keek hem koeltjes aan. 'Weet je, Cal, jij en jouw soort hebben niet het eeuwige leven,' en schreed zo waardig als ze kon zijn werkkamer uit.

Sindsdien groette Cal haar nauwelijks als zij elkaar op de campus tegenkwamen. Ze was de steun van haar meest eminente collega kwijt. Maar ze had niets verloren. Hij kon niets doen om haar te helpen, ook al had hij dat gewild. Zijn geest bewoog zich in een andere sfeer dan de hare en in die sfeer was haar mening onwettig.

Zuchtend stond zij op. Ze pakte haar boeken onder de arm en bleef zo een paar minuten in het zwakke, bleke middaglicht staan, hunkerend naar meer zonlicht, naar iets warms om haar heen, dat haar omhelsde. De zon. Maar die scheen niet.

Zij liep door het gangpad en leverde haar boeken in; daarna draaide zij zich om en keek naar de bibliotheekzaal. Het verleden moet verbrand worden, zei Ziggy. Niet zomaar een paar boeken, nee, allemaal.

Ja, als het op zo'n makkelijke manier begraven kon worden.

62

Maar dan zou dit er ook niet meer zijn, deze zaal met zijn zachte gouden glans, ook als de zon niet scheen. Wat een prachtige ruimte! Denk je eens in dat je voor jezelf zo'n zaal bouwt! Gebouwd om zijn bibliotheek in onder te brengen, Humfrey, de broer van de koning. Eens hebben hier grote rollen, manuscripten gelegen. Hij kon hier zitten lezen en kijken hoe de zon het bos schroeide, kon het perkament ruiken, het vasthouden, met zijn vingers over de verluchtingen gaan. Hij kon het licht van raam tot raam zien gaan naarmate de dag verstreek, kon de kleurenpracht van de gebrandschilderde ramen zien. Stille zaal, met de lucht van echte dingen: hout en was en leer en perkament en inkt en ganzeveren. En lichamen en slechte tanden, die wegrotten in de mond.

Toch was er iets typisch menselijks aan de grootte, de afmetingen. Van vóór de tijd dat de mensen, de *Mens*, besloot boven zichzelf uit te stijgen. En dat alleen in de hemel. Nee, dat is niet waar, Dolores. Hoe denk je dan dat het was, met al die onthouding en ontzegging van seks waar zij eigenlijk een krankzinnige behoefte aan hadden?

Niet romantiseren. Er was in die tijd veel meer menselijke ellende dan nu, van het gewone dagelijkse soort, een hoop koude natte hongerige tandeloze stinkende mensen, zonder benen, die als ratten om je heen stierven. De meesten van ons hebben nog nooit iemand gezien die honger lijdt, echt honger. De meesten van ons hebben nog nooit iemand zien doodgaan.

Bofkonten.

Ze zuchtte. Zij hoorde de torenklok van St. Mary, draaide zich om en liep de brede krakende oude trap af. Haar hele lichaam deed pijn, haar geest ook. Hij kwam bij vlagen opzetten, deze depressie, zij voelde zich dan alsof er een hele grote, zware natte doek over haar heen werd gegooid. Alsof alles zinloos was, alsof het leven altijd en overal voor iedereen ellendig was en niemand daar ene moer aan kon doen. Je kon jezelf wijsmaken dat je een bijdrage leverde aan de zaak van de mensheid door – wat? – penicilline uit te vinden of een boek te schrijven. Maar het was een illusie. Een illusie die wij bedacht hadden, zoals wij de goden bedacht hadden om de dingen *schijnbaar* draaglijker te maken. Daarom kan je, als de beul een laatste slag aan het rad geeft, de laatste schroef aandraait, en het lichaam het uitschreeuwt in zijn doodsstrijd, sterven met een glimlach op je gezicht, omdat je in Gods aangezicht bent gestorven. En om eerlijk te zijn, als je daartoe in staat was, had je misschien geen pijn gevoeld, was je je er niet van bewust geweest.

Transcendentie. Onkwetsbaarheid.

Ze deed haar fiets van het slot en liep ermee aan de hand tot de poort van Broad Street. En toen pas herinnerde zij zich weer wat zij van plan was geweest: om laat thuis te komen. Maar het was pas vijf uur. De pubs in de omgeving waren nog niet open. Het was veel te vroeg om te gaan eten. Zij was moe. En bovendien was zij met de fiets.

Jezus, wat maakte het uit? Ze kon naar huis gaan, ze kon de telefoon opnemen, hij zou komen of niet, wat maakte het uit? Zij was niet van plan hem weer te zien, punt uit.

Nee. Het maakte geen moer uit.

7

Zij zat in haar warme kamerjas aan de tafel in de woonkamer haar aantekeningen te classificeren, toen de telefoon ging.

En ze sprong op, haar lichaam dicteerde haar, haar geest was buiten bedrijf.

Toen zij Victors stem hoorde, begon haar hart te bonzen, waardoor zij helemaal niet meer helder kon denken. Zij realiseerde zich dat het haar gelukt was om niet meer aan hem te denken, en dat was goed, maar ook dat alleen zijn stem al vreemde reacties teweegbracht in de haartjes op haar armen en rug en dat was minder goed. En in haar hoofd. Hij moest zijn woorden twee keer herhalen voordat zij begreep wat hij zei.

Had moeten dineren met de automobiel-mensen, had eerder gebeld, had de hele dag gebeld, had de hele dag aan haar gedacht, maar zij was blijkbaar een uithuizig persoon, nooit thuis, en nu was het al laat, hij was net binnen, maar hij verlangde ernaar haar te zien, was zij moe?

'Hoe kom jij aan mijn nummer?' Haar stem klonk haar koud en vreemd in de oren.

Hij was even stil. 'Ik heb het overgeschreven van je telefoon toen ik bij je was. Je zei dat je niet in de gids stond. Hoezo?'

'Zomaar.'

Zijn stem werd formeler. 'Je zal wel moe zijn.'

64

'Hoe laat is het eigenlijk?'

'Over tienen.' Verontschuldigend.

Laat. Te laat. Hij is moe, ik ben moe. Niet het geschikte moment om mijn gedachten zo ver op orde te brengen dat ik hem kan uitleggen waarom ik hem niet meer wil zien. Niet het geschikte moment voor hem om te begrijpen wat ik bedoel. Nee. Wil hem niet zien. Bovendien verwacht hij dat ik *nee* zeg.

'Best. Kom maar langs als je zin hebt,' zei zij.

'Zeker weten?'

Verbeeldde zij zich nou dat zij vrolijk werd? 'Ja.'

'Te gek. Ik neem een taxi. Ik ben zo bij je.'

O jee. Zij liep terug naar de woonkamer en liet zich heel voorzichtig in een stoel zakken. Ik heb mijzelf niet meer in de hand. Ik heb hem een totaal verkeerde indruk gegeven. Allemaal de schuld van mijn lichaam. Dat verdomme zijn eigen zin moest doordrijven.

Sinds haar puberteit, toen zij voor het eerst seksueel verlangen had gevoeld en dat had ervaren als een overgave van de transcendentale geest aan het lage lichaam (volgens de filosofen die zij had gelezen), had zij seksualiteit afgewezen als slavernij voor het lichaam.

Aan de andere kant had zij in de loop der jaren haar lichaam leren vertrouwen. Het vertelde je als enige altijd de waarheid. De geest loog; het lichaam niet.

Staand op een ladder, Tonys plafond aan het schilderen op een zomerse zondag, tien jaar getrouwd, een eeuw geleden, toen ik een jong meisje was dat met jongens flirtte, in ieder geval een ander persoon, nog steeds lief en zachtaardig. Bloedheet: druipend van zweet en verf liet zij de nylon roller over het gepleisterde oppervlak gaan. Plotseling verscheen Anthony in de deuropening: het is zeker rust of hoe dat ook heet. Als de reclame tussendoor komt. Hij stond daar een tijdje en zei toen: 'Je doet het helemaal verkeerd!' Zijn stem klom tot woedende hoogte. 'Jezus, je maakt strepen!'

Zij draaide zich ijzig naar hem om. 'Als het je niet bevalt wat ik doe, dan doe je het zelf maar. Ik kan wel een pauze gebruiken.'

'Idioot! Moet je die vlek zien!'

'Het gaat prima, Anthony, wat zit je te zeuren? Het gaat uitstekend.'

Toen kwam hij de kamer binnen en begon wild wijzend rond te lopen. 'Daar! En daar!'

Zij ging op de ladder zitten en streek haar haar uit haar ogen. Haar vingers waren nat en ze kon voelen dat zij verf op haar voorhoofd had.

Hij bleef schreeuwen. 'Je maakt er een kankertroep van!'

'Anthony,' zei zij rustig, terwijl zij probeerde hem te kalmeren, 'er is niets mis mee. Die verf droogt heus goed op. Kijk maar naar die muur, die is helemaal glad. Ik heb twee kamers gedaan en ik weet hoe die verf werkt. Hij droogt mooi op. Kijk maar naar Sydneys kamer.'

Maar hij bleef maar rondlopen, wijzen, schreeuwen. Zij keek hem met ongelovige ogen aan. Hij zag overal strepen waar ze niet waren.

'Anthony!' gilde ze tenslotte. 'Hou je bek of doe het verder zelf!'

Hij draaide zich driftig om en schreeuwde: 'Trut! Stomme trut!' En stoof de kamer uit.

Zij zat op de ladder te huilen en haatte zichzelf omdat ze huilde, omdat zij zich zo machteloos voelde. Waarom was zij niet wat harder? Haar hart kromp ineen. Zelfmedelijden: zij zich uit de naad werken terwijl hij naar een stomme voetbalwedstrijd zat te kijken en hij heeft het lef om kritiek te hebben! Had zij geen pluim verdiend, zoals zij daar heet en moe zat te zweten? O onrechtvaardigheid, onrechtvaardigheid!

Maar erger nog en beangstigender: wat was er met hem aan de hand? Die lieve Anthony, die zo'n scène maakte? Haatte hij haar? Waarom haatte hij haar? Sinds zijn vader was overleden en zijn moeder bij hen was ingetrokken had hij zulke uitbarstingen regelmatig gehad. Haatte hij zijn moeder soms? Hoe kwam het dat hij strepen zag die er niet waren?

Er was iets ernstig mis. Ze huilde heel lang, misschien alleen omdat zij het heet had en zweette en besmeurd was met verf. Misschien omdat zij meer wist dan zij wilde toegeven.

Toen zij tegen de avond klaar was met het plafond en de kwasten had schoongemaakt en het afdekzeil en de verf had opgeruimd en eten had gekookt en de kinderen in bad gedaan en in bed had gestopt – zij had Tony in een slaapzak op de grond bij de meisjes gelegd waar Anthony zeer verontwaardigd over was: 'Je laat hem toch niet bij de *meisjes* slapen? Zo

66

maak je nog een mietje van hem,' maar zij zijn bezwaren had weggewuifd met: 'Het is slecht om in de verflucht te slapen' – was hij de hele zaak al lang vergeten. Hij zei niet dat ze het goed had gedaan, maar hij had het ook niet meer over strepen. Je moest je met kleine gunsten tevreden stellen.

De avond verliep verder gladjes. Het was voorbij, de storm was overgedreven. Anthonys driftbuien verdwenen even snel als ze gekomen waren, en zij was zo opgelucht als ze voorbij waren, dat zij er niet voldoende over nadacht. Zij wilde er niet over nadenken. Het was makkelijker bij zichzelf te zeggen, *dat is voorbij*, en zichzelf voor te houden dat het nooit meer zou gebeuren. Want als zij er wel over had nagedacht, had zij moeten erkennen dat hij vanbinnen werd verteerd. Het was onverklaarbaar. Zij deed haar best om lief voor hem te zijn, ook op momenten dat zij zich niet lief voelde, om hem te kalmeren. Weer een storm voorbij en vergeten.

Behalve door haar lichaam. Altijd als hij haar na zo'n uitbarsting benaderde, kromp haar lichaam een beetje ineen. Het gebeurde onbewust en was waarschijnlijk nauwelijks merkbaar, zoals planten ineen schijnen te krimpen als er iemand in hun buurt komt die hen pijn heeft gedaan. Zij wilde niet dat hij haar aanraakte. Zij wees hem zo vaak mogelijk af als hij met haar wilde vrijen, en op de zeldzame momenten dat zij medelijden met hem had of zich schuldig voelde, gaf zij zich aan het neuken over alsof zij in de stoel zat bij de tandarts: Schiet op, dan ben ik ervan af.

Zou hij dat gevoeld hebben, denk je? Met dat deel van hem dat nooit aan de oppervlakte kwam, nooit zijn bewustzijn heeft weten te bereiken? Was zijn toestand daarom nog hopelozer? Hoe het ook zij, hij klaagde nooit. Hij scheen haar seksueel nog meer te begeren.

Zij huiverde bij de herinnering. Zou haar lichaam de beslissende stem hebben wat Victor betrof? Had haar geest niet een klein beetje inspraak?

Want haar geest had zich duidelijk uitgesproken.

Drie

1

Hoewel zij erop bedacht was, sprong haar hart even op toen de
bel ging. Zij rende de trap af om open te doen. Hij zag er bleek
uit in het schemerlicht van de hal, moe en verfomfaaid, maar
hij glimlachte naar haar en zij sloeg haar armen om hem heen
en hield hem vast, en hij hield haar vast, en zijn lichaam was
zwaar, hij leunde licht tegen haar aan. Zij liet hem los en pakte
zijn hand en leidde hem naar boven, de woonkamer in, hielp
hem zijn jas uittrekken en ging tegenover hem op de rand van
de bank zitten, waar hij nu languit op lag, en zij streelde zijn
gezicht.

'O, wat zie je er moe uit!' verzuchtte ze.

Hij kwam met uitgestrekte handen overeind en trok haar
naar zich toe en kuste haar en zij lag tegen hem aan. Hij streelde haar rug en mompelde 'O, o,' zachtjes. Zij ging weer overeind zitten en kuste hem voorzichtig, kuste zijn wangen en zijn
voorhoofd en zijn ogen en de holtes van zijn hals. Hij bracht zijn
handen naar haar gezicht en streelde het, terwijl hij haar aankeek.

Langzaam kwam hij weer op verhaal en hees zich omhoog
tegen de leuning van de bank. 'Ik heb vergaderd. De hele dag.
Vanaf negen uur vanmorgen tot nu. En ik heb alleen maar aan
jou gedacht.'

Zij kon het niet helpen maar ze straalde. 'Leugenaar!' zei ze.
'Er was niks van je werk terechtgekomen als je alleen maar
aan mij hebt gedacht.'

'Heb jij goed gewerkt?' vroeg hij, terwijl hij haar gezicht
bleef strelen.

'Mmmm. Niet erg.'

'Nou, ik ook niet.'

Zij glimlachte.

'Hoe zit 't met de drank?'

'O, ik weet niet. Ik zal eens kijken.' Ze sprong op en rommelde in het keukenkastje. Ze haalde een restje gin te voorschijn,
waarschijnlijk overgebleven van het etentje met de Carriers. Ze

keek naar de fles: zo goed als leeg. Wat moet je alleen met gin?

Victor stond in de deuropening.

Zij keek hem berouwvol aan. (O, wat wilde zij het hem graag naar de zin maken.) 'Ik heb een beetje gin. Maar niets om mee te mixen.' (Maar zou ik het niet iedereen die op bezoek kwam naar de zin willen maken, man of vrouw? Mijn vrienden net zo in de watten leggen als hem? Ja.)

Victor hield een bruine papieren zak omhoog waar een fles inzat. 'Ik heb voor de zekerheid wat meegenomen.'

'Heb je altijd bruine papieren zakjes met drank bij je?'

'Mmm,' zei hij en kwam de keuken in en pakte de ijsblokjes en zocht naar glazen, maar er was er maar een. 'Heb je nog een glas?'

En toen wist ze het weer. Ja: twee glazen, een kopje en een bord. Gebroken. Zij viste een glas uit het afwaswater dat nog in de gootsteen stond en spoelde het schoon.

Hij schonk de glazen vol. Zij zei niets. Zij beet op de binnenkant van haar lip. Hij sloeg een arm om haar heen en samen liepen zij naar de woonkamer. Hij ging op de bank liggen en trok haar naar zich toe. Haar lichaam ging naast hem zitten, helde naar hem over, brandend van verlangen.

Zijn ogen vloeiden over van liefde. 'Ik ben blij dat ik langs kon komen. Heel blij.'

Ze gaf hem een onzekere glimlach.

'Je zal wel moe zijn.'

'Nee, dat valt wel mee.'

'Je klonk vermoeid. Door de telefoon.'

'Eigenlijk,' ze keek in haar glas, 'was ik kwaad op je.' Nooit was kwaadheid op een mildere toon geuit.

Zijn hoofd veerde op. 'Waarom?'

'Nou... de manier waarop je hier wegging gisteravond. Dat deed me pijn.'

'Lorie,' hij pakte haar hand, 'ik moest echt weg. Ik had vroege afspraken. Ik was moe – ik was de avond voordat ik hier kwam ook al laat naar bed gegaan omdat ik nog wat papieren door moest nemen. En ik moest kijken of er post was.'

'Je had naar het hotel kunnen gaan, inchecken, kunnen kijken of er post was en weer terugkomen.'

'Ja, daar heb ik aan gedacht. Maar als ik terug was gekomen... hadden we geen oog dichtgedaan.'

Haar gezicht kreeg een zachtere uitdrukking, maar zij dwong zichzelf verder te gaan: 'Maar daar klaag ik ook niet over. Niet over het feit dat je wegging, maar over de manier waarop.'

'Hoe ben ik dan in godsnaam weggegaan? Ik heb mijn jas aangetrokken en ben de deur uitgegaan. Hoe moet ik dan weggaan volgens jou?'

'Je ging de deur uit als een zakenman. Als een man die 's ochtends naar zijn werk gaat, zijn vrouw op haar wang kust en vraagt of zij niet vergeet zijn grijze pak naar de stomerij te brengen. Je schakelde mij uit, je schakelde jezelf uit, je wiste me uit. Ik houd er niet van om uitgewist te worden.'

Hij kreunde even en bleef met gesloten ogen liggen.

Word ik weer uitgewist?

'Vind je echt dat ik dat deed?' vroeg hij, met zijn ogen open. 'Echt waar.'

Hij deed zijn ogen weer dicht. En weer open. 'Ik ben daar niet zo'n held in.'

'Waarin?'

'Wat ik ook doe. Introspectie of zo. Ik probeer me voor de geest te halen hoe ik me gisteravond voelde, waarom ik me zo gedragen heb als jij zegt.'

Hij probeert het tenminste. Dat moet je hem nageven. Hij probeert het niet bot te ontkennen, zoals AnthonyDougSaul...

'Ik voelde me uitstekend, dat weet ik. En warm. En prettig. En behaaglijk. Ik wilde niet weg. Ik wist dat ik slaap nodig had voor vandaag. Ik wist dat ik moest... functioneren. Zo gaat het altijd als...

Ik weet dat ik moet functioneren en ik sta op en ga weg. Dat is alles. Ik heb er nooit bij stilgestaan dat iemand anders...'

'Bestond?'

'Nee!' kreunde hij. 'Dat iemand anders daar misschien door gekwetst zou worden. Ik begrijp nog steeds niet hoe dat is gekomen. Dat je jezelf *uitgewist* voelde.'

'Ik voelde... eh... wat ik dacht was dat jouw leven in hokjes was verdeeld en ik er daar een van was. En dat jij de deur daarvan kon dichtdoen als het jou uitkwam, ook al was ik aanwezig. Het is moeilijk uit te leggen. Want mensen die samenleven praten hele tijden achtereen niet met elkaar, natuurlijk, dat heb ik ook met mijn kinderen. Ik zit in mijn werkkamer, zij zitten in de woonkamer te lezen of zo. We hebben niet permanent con-

70

tact met elkaar, bedoel ik. Maar ik ben me altijd *bewust* van hun aanwezigheid, niet alleen als lichamen die de kamer in beslag nemen of gevoed moeten worden, maar als mensen, mensen van wie ik houd, mensen die voelen en denken. En ik voelde me uitgewist als persoon: ik was een lichaam waar je niet omheen kon, ik moest aangesproken worden en op de wang gekust en er moest mij een telefoontje beloofd worden. Maar meer ook niet. Wat ik op dat moment dacht of voelde deed niet ter zake.'

Hij luisterde ernstig toe, voor zich uitstarend. ' 't Spijt me,' zei hij tenslotte, met een somber gezicht. 'Ik ben me daar niet van bewust.' Hij bleef somber voor zich uitstaren.

'O, zo erg is het niet,' glimlachte ze teder. 'Al vond ik dat gisteravond wel.' Als hij haar gisteravond had gezien, zou hij dan gedacht hebben dat ze gek was?

Hij forceerde een glimlach, maar hij zat er triest bij.

Kan hij niet tegen kritiek?

'Het punt is,' begon zij weer, 'het was minder erg geweest, ik bedoel, ik had me minder slecht gevoeld als je niet in je gedrag en je woorden de indruk had gewekt dat onze relatie belangrijk was. Niet iets vrijblijvends. Ik kon niet begrijpen dat je eerst zo deed en vervolgens je omdraaide en precies het tegenovergestelde deed.'

'Maar het is wél belangrijk!' Hij ging recht overeind zitten. 'Dat moest jij weten. Of niet soms?'

'Nou ja, je gaf me de indruk dat het zo was. Maar toen je wegging dacht ik van niet.'

'Hé, wacht even. Je bedoelt dat als *ik* dacht dat het meer was dan iets vrijblijvends, dat *jij* dan ook *zou* denken dat het meer was dan dat? Maar als ik dat niet dacht, dan jij ook niet?'

Zij knikte.

'Maar waar blijf *jij* dan? Wat voelde je zelf, afgezien van mij?'

Het werd haar even donker voor de ogen. Zij stond op en liep de kamer door en ging in een schommelstoel bij het raam zitten. Het was een aftandse, lelijke stoel, maar je kon er lekker met opgetrokken benen in wegzakken en zachtjes heen en weer schommelen. Het was een weldadig gevoel. Nu deed ze het ook, met haar benen onder zich gevouwen in de stoel, een glas in haar hand, waarin het vocht heen en weer klotste. 'Soms wil ik alleen maar dat het vrijblijvend is. Meestal. Vroeger, toen ik nog een seksueel leven had. Maar soms wil ik meer dan seks alleen, als ik een interessant iemand ontmoet, iemand om wie ik kan geven. Maar ik verbied mezelf erover te denken, of te hopen op meer.'

Hij zette zijn voeten op de vloer. 'Daar snap ik niets van.'

Nee, natuurlijk snap je niets van WadeRansomDougShane-SaulMarsh...

'Je wilt me toch niet vertellen,' er klonk verontwaardiging in zijn stem, 'dat een vrouw als jij passief zit af te wachten tot een man haar komt vertellen dat hij het serieus met haar meent of niet?'

'Ach, weet je, het heeft met trots te maken. Ik doe net alsof het me niets kan schelen. Ik laat nooit aan iemand zien dat ik om hem geef.'

'Maar diep in je hart doe je wat ik zonet zei?'

'Zoiets, ja.'

'Maar waarom, Lorie!?'

Ze keek hem gelaten aan, toen keek ze in haar glas. Zij schudde haar hoofd. 'Wat kan ik anders doen?'

'Het *hun* vertellen.'

'O Victor! Je begrijpt er niets van. *Jij* gaat met *vrouwen* uit!' Hij lachte.

'Vrouwen zijn anders. Vrouwen willen altijd – bijna altijd – meer dan alleen maar neuken. Daar kan je donder op zeggen. Bij mannen ligt dat anders. Bij mannen weet je het nooit zeker. Een vriendin van mij, Jill, had een vriend, Herbert heette hij. Hij vertelde haar elke dag hoe fantastisch hij haar vond. Ze waren een paar weken samen, een paar maanden misschien wel, toen Jill in een tedere opwelling: "Ik hou van je," in zijn oren fluisterde. Zij heeft hem nooit meer gezien. Hij trok bleek weg en liet haar als een baksteen vallen.'

'Hij was getrouwd.'

'Ja, natuurlijk, wie niet?'

'Jij niet.'

'Een heleboel *vrouwen* niet. Maar wel alle mannen, als ze niet homofiel zijn. Alle mannen boven de zevenentwintig. Zo lijkt het tenminste.' Ze glimlachte en hij schudde zijn hoofd.

'Wat een wereld,' lachte hij.

Ze gaf hem een veelbetekenende blik, haar hoofd een beetje schuin. 'Je bent een slimme vogel. Je hebt mijn aanval op jou weten om te zetten in een aanval op mij.'

Hij lachte. 'Dat heb ik niet expres gedaan, erewoord!'

Ze glimlachte ongelovig.

'Hoor eens, over dat weggaan van mij,' hij schoof onderuit op de bank en de lach verdween van zijn gezicht, 'ik weet niet wat ik daarover moet zeggen. Ik zou je graag willen zeggen dat ik dat niet meer zal doen, maar het probleem is dat ik me daar helemaal niet van bewust ben. Ik kan je alleen maar zeggen dat ik je nooit met opzet pijn zal doen.'

Niet expres, nee, maar wel onvermijdelijk. Als ik hiermee doorga, zal ik zeker gekwetst worden. Dat gaat vanzelf: hij is getrouwd.

En als ik er niet mee doorga?

Zij hief haar hoofd op en keek hem aan. Hij zat haar strak aan te kijken. En opnieuw, net als in de trein, raakten hun blikken verstrikt.

Hij kwam naar haar toe, strekte zijn hand uit en zij pakte die en stond op en zij kwamen samen met een plotselinge heftigheid. De heftigheid was innerlijk, maar zij voelden het allebei. Zij omhelsden en kusten elkaar, het was nog wanhopiger dan de vorige dag, alsof zij toen maar voor een heel leven van elkaar gescheiden waren geweest maar nu samenkwamen na wel duizend jaar. Zij werden aan elkaar vastgeklonken door een kracht buiten henzelf, die sterker was dan zij en hen manipuleerde.

Na een poosje liepen ze de slaapkamer in en gingen op het bed liggen, hun handen weer gevuld, tastbare substantie binnen hun bereik, kleren, huid, warmte, kloppende adertjes onder de zachte huid, rondingen van de botten. Zij kleedden zich uit, wreven hun lichamen tegen elkaar, wang tegen wang tot schrijnens toe, bovenlijf tegen bovenlijf in iets dat nog primairder was dan seks, dat nog verder, dieper ging dan seks. Zij tastten met hun vingers hun gezichten af, die doorleefde gezichten, met afgebakende paden, geschiedenissen. En toen hun lippen elkaar weer vonden, sprong de heftigheid in hen omhoog en overweldigde hen. Hij hield hen gevangen, niet omgekeerd, hoewel hij van binnen uit was gekomen.

Het was een oorlog der liefde, een manier om boven het vlees uit te stijgen, om de grens van het tastbare te overschrijden. Het grijpen, draaien, vasthouden was allemaal bedoeld om iets te bereiken dat niet gegrepen, gedraaid, vastgehouden kon wor-

73

den. Zij zaten gevangen in een ijzeren ring, maar door zich volledig over te geven en dat als enige realiteit te ervaren, vloeide alle spanning die zij in zich hadden uit hun lichaam weg, en de verlichting die door dit loslaten optrad, voelden zij tot op het bot, tot in de kern, de spanning vloeide weg als een lichaam dat in slaap wegzakt.

Naderhand, toen hij zat te roken en zij halfslapend naast hem lag, raakte hij haar gezicht aan. 'Ik ben erachter.'

'Hmmmm?'

'Wat ik gisteravond voelde. Ik voelde – ik moet mijn kop erbij houden en 'm smeren, nu meteen. Als ik dat niet doe, kom ik nooit meer weg. Dan blijf ik net zolang tot ik een van de meubels ben geworden.'

'O Victor,' kreunde zij. Zij ging overeind zitten en nam een sigaret van hem aan. Ze keek hem even aan. Hij zat er heel zelfvoldaan bij.

'Je bent wel tevreden met jezelf, hè?'

Hij glunderde. 'Zo vaak komt het niet voor dat ik mezelf analyseer.'

Haar gezicht vertrok.

'Wat nu weer?'

'Het is zo godvergeten clichématig!'

'O God! Daar heb je de dolle mina weer.' Hij zakte onderuit in zijn kussen.

'Feministe graag.' Ze porde zijn arm. 'Je maakt een Circe van me.'

Hij had het laken over zijn hoofd getrokken. Alleen zijn hand waarmee hij zijn sigaret vasthield, stak eronder uit. Vanonder het laken klonken gesmoorde kreten.

'Hoe kan ik in jezusnaam iets van je maken waar ik nog nooit van gehoord heb?'

Strenge belerende toon: 'Dat heeft er niets mee te maken. Je weet welk cliché ik bedoel, ook al weet je niet hoe het heet.'

Gekreun vanonder het laken.

'Circe was een godin die mannen betoverde om ze bij zich te houden. Ze veranderde hen in varkens.'

Laken van zich afwerpend, lichaam overeind. 'En jij wil geen Circe zijn?'

'Ik wil niet *gezien* worden als Circe.'

'Nou, en ik wil verdomme niet als een varken gezien worden!'

Ze lachten, een kinderlijk gegiechel, het soort dat zich voordoet als het al laat is en je moe bent en je samenbent met een geliefd persoon, waarbij je je als een kind kunt gedragen. Victor ging weer achterover liggen en legde zijn hoofd tegen haar zij aan.

'Hé, ik moet iets weten. Hoe lang blijf je hier?'

'Een jaar.' Streelde zijn haar.

Hij schoot overeind. 'Een jaar!'

'Jij?'

'Een jaar.'

Zij keken elkaar stralend aan als twee kinderen die hun stoute plannetjes vlekkeloos hebben uitgevoerd.

'O Victor! Je had mijn innerlijke dialoog gisteravond moeten horen! Je werd gedood, verminkt, naar de eeuwige pool verbannen! Ik heb in glas gelopen, mijn hoofd gestoten, mijn hand gebrand. Ik was des duivels!'

Hij draaide zijn hoofd om en kuste haar borst. Toen ging hij weer liggen en staarde naar het plafond. 'Je mag niet kwaad op me zijn,' zei hij, langzaam, 'maar je moet wel... ik wil weten hoe je je voelt. Je moet eerlijk tegen me zijn. Daarover, bedoel ik. Je moet me altijd zeggen wat je voelt.'

'Nou, ik heb een warm gevoel, vooral rond mijn kont, en ik voel me een beetje hongerig, maar te lui om op te staan en iets klaar te maken, en een beetje moe, maar niet slaperig.'

Hij pakte haar hand en drukte er een kus op. 'Ik meen het, hoor.'

'Oké.' Ze ging met haar hoofd op het kussen liggen en staarde ook naar het plafond. 'Maar noem me geen Lorie, oké?'

Het was een verzoek, geen bevel.

2

Na een tijdje begonnen er zich patronen af te tekenen in hun relatie, er kwam een sleur waar Dolores zo bang voor was geweest. Maar hoewel er al een maand voorbij was, voelde zij zich niet belemmerd. Victor had een flat in Londen, die betaald werd door het bedrijf waar hij voor werkte. Door de week was hij meestal daar en de weekends kwam hij bij haar in Oxford. Als Dolores twee dagen in het British Museum moest werken, logeerde zij bij Victor in Londen. Als Victor voor zaken in Oxford moest zijn logeerde hij in het Randolph en kwam 's avonds naar haar flat. Hij nam Dolores nooit mee naar het Randolph. Dat viel haar op.

Soms zou hij op zakenreis naar Manchester, Birmingham of Leeds moeten. Of misschien wel naar het vasteland. Verheugd vertelde hij dat aan haar. Zou het niet fantastisch zijn als zij samen konden gaan? Hij zou een auto huren en zij zou met hem meerijden. Zo konden ze samen nog wat van Engeland zien.

Zij reageerde wat gereserveerd. 'Ja. Voor een keertje misschien.'

'Heb je daar geen zin in?' Ongelovig.

'Jawel, lijkt me leuk. Als ik kan.'

'Waarom zou je niet kunnen?'

'Victor, ik moet werken. Ik heb maar een jaar hier en ik moet een hele hoop materiaal doornemen.'

'Kan je je werk niet meenemen? Je werkt hier ook.' Hij maakte een gebaar in de richting van de tafel die bezaaid was met aantekeningen en kaartjes.

'Voor een keertje. Het hangt ervan af waar ik mee bezig ben. Soms moet ik naar de bibliotheek.'

Hij zweeg, mokkend. Zij beet op de binnenkant van haar lip.

'We hebben zo weinig tijd,' zei hij tenslotte. 'Ik wil elke minuut benutten, elke minuut die we kunnen missen.'

'Ik ook. Maar ik vraag niet van je om vakantiedagen op te nemen.'

'Dat is heel wat anders.'

'Waarom?' Het is altijd anders voor vrouwen. Wat zij doen is niet belangrijk. Todd, die haar smeekte om zijn scriptie voor hem uit te tikken. 'Ik moet tentamens doen, Todd.' 'Dat is heel wat anders. Die hoeven niet op een bepaalde tijd af.' Einde van die verhouding.

'Ik word van buiten af bestuurd: ik moet op bepaalde tijden op bepaalde plaatsen zijn. Jij kunt je tijd zelf indelen.'

'Ik word bestuurd door mijn werk,' zei zij koeltjes.

Hij stond op en liep naar de keuken. Ze hoorde hem koffie zetten. Ze concentreerde zich weer op het classificeren van haar aantekeningen.

Hij kwam terug met één kop koffie en ging aan de andere kant van de kamer zitten, met een gezicht als een oorwurm.

76

Zij hield op met werken en keek hem aan. 'Victor, wat zou je zeggen als ik je vroeg om een paar dagen vrij te nemen zodat we een lang weekend naar Aldeburgh kunnen gaan?'

'Waar naartoe?'

'Aldeburgh. Waar dan ook.'

'Ik zou zeggen dat ik het zou bekijken. Dat ik het zou proberen.'

'Ik vraag het je nu.'

'Oké.' Niet van harte.

'Wat wil je eigenlijk van me?' Korzelig.

'Niets. Niets.' Een beetje martelaarsachtig?

'Volgens mij ben je gewend dat vrouwen opzitten en pootjes geven. Heb je een fluitje?' Sneerend.

Hij keek haar woedend aan. 'Dat heb ik nooit nodig gehad.' Terugsneerend.

Maar zij lachte, en hij lachte ook, een beetje zuur, beschaamd.

'Oké,' zei hij. 'Jouw beurt. Wat vind je van aanstaande dinsdag en woensdag? Ik moet naar Birmingham.'

'Ik zal kijken hoever ik kom. Ik zal het proberen.'

Met samengeperste lippen. 'En wanneer weet je het zeker, denk je? Want als je niet meegaat ga ik vliegen. Dat is sneller. En ik moet wat dingen regelen, hotel reserveren, auto huren.'

'Ik weet het vrijdag. Ik zal kijken hoever ik kom, hoeveel classificatiewerk er nog te doen is.'

'Dat is een beetje laat.'

'Reserveer dan een vliegtuig en een auto. Dan kun je annuleren wat je niet nodig hebt.'

'Je hoeft me niet te vertellen wat ik moet doen, dank je.'

Ongeduldig boog zij weer haar hoofd over haar aantekeningen. Hij dronk zijn koffie; zijn papieren lagen naast de stoel verspreid over de grond, zijn aktentas stond op het krukje. Hij gaf een trap tegen het krukje.

Zij keek hem aan. Dit was werkelijk té kinderachtig.

'Ik weet het wel, ik weet het! Ik snap het. Maar het is nieuw voor me. Het zal nog wel even duren voor ik eraan gewend ben.'

'Waaraan?'

'O, aan *jou*. Aan het feit dat je zo snel op je teentjes getrapt bent.'

'Op m'n teentjes getrapt?' Je was op je teentjes getrapt als je je werk moest doen?

Hij grijnsde venijnig. 'Koppig dan?'

Ze grijnsde venijnig terug. 'Waar jij aan moet wennen is om een beetje soepel te zijn.'

'Oké, oké!' Hij trapte het krukje omver. 'Ik word doodziek van dit gelul. Laten we even een ommetje gaan maken.'

Haar rug spande zich. Ze was midden in iets bezig en wilde het afmaken. 'Oké,' zei ze.

Ze stonden op, Victor liep naar haar toe en legde zijn hand op haar rug. 'Heus, Lorie, ik wil helemaal niet zo zakkig doen.'

'Ik dacht dat je me niet meer zo zou noemen.'

'Ik vind het leuk. Kan *jij* ook niet wat meegaander zijn?'

'Wat mijn naam betreft?' Mannen schijnen te denken dat zij elke vrouw zomaar een naam kunnen geven, want dat heeft Adam immers ook gedaan. Op die manier wordt het uiterlijk en het gedrag van die vrouw door hen bepaald. 'Al die jaren dat ik getrouwd was heeft mijn man me nooit bij mijn naam genoemd.'

'Hoe noemde hij je dan?'

'Hing ervan af. Schatje en liefje. Of slet, trut, hoer.'

Hij lachte. 'Daar heb ik me tenminste niet schuldig aan gemaakt!'

'Maar dat heb je wel gedaan! Dat doe je wel! *Lorie*. Het klinkt heel kleinerend.'

'Het klinkt lief.'

'Lorie. Judy. Jill. Pansy. Kleine meisjesnamen. Vrouwen krijgen namen waarmee zij niet oud kunnen worden. Kun jij je een Judy van negentig voorstellen? Jill met een halfkaal hoofd en een wandelstok? Dawn die haar valse gebit uit haar mond neemt?'

'Hoe je me ook noemt, ik kom toch wel,' grinnikte hij, terwijl hij naar de hal liep om hun jassen te halen.

'Wat vind je van Anthony?' lachte ze vals.

'Wat zei je?' klonk het dof in de jassen. In de deuropening: 'Wat? O, zo heet je man?' Terwijl zij hem grijnzend aan bleef kijken begon hij te lachen en probeerde haar te pakken, legde haar na een kleine worsteling op de grond en dat was het einde van het ommetje.

Zij ging uiteindelijk toch met hem mee naar Birmingham. Ze reden over de snelweg door het golvend groene grasland van Engeland. Koeien lagen te herkauwen op fluweelgroene weiden; in de verte staken witte schoorstenen omhoog – van een elektriciteitscentrale? – en dichterbij stonden enorme hoogspanningsmasten met dikke, deinende kabels.

'Daar zijn ze beter in dan wij,' zei zij, terwijl ze in de richting van het landschap knikte. 'Industrie en landbouw combineren.'

'Op sommige plaatsen wel. Maar hun produktievermogen haalt het niet bij dat van ons.'

'Je kan makkelijk efficiënt zijn als je maar één ding wilt.'

Hij keek even opzij. 'Hoe bedoel je?'

'Als je alleen maar uit bent op winst, kun je die makkelijk krijgen. Maar als je ook rekening houdt met de vervuiling van het land, de vergiftiging van de mensen, met de veiligheid van het produkt dat je aflevert, dan is het niet zo makkelijk. Dan heb je veel doelen en moet je in een cirkel kunnen denken, niet in rechte lijnen.'

'Maar met circulair denken schiet je niets op. Dat wordt al te veel gedaan – te veel halfzachte kenners die niet weten waar ze over praten.'

'Ecologen, bedoel je?'

'Onder anderen. Intellectuelen. Mensen zonder macht die zitten te vitten op degenen die die macht wel hebben.'

'O Victor, denk je echt dat het zo in elkaar zit? Dat er geen gegronde reden tot bezorgdheid is?'

'O jawel. Die is er best wel. Maar ik weet zeker dat het motief van de mensen, ongeacht hun eisen, het verkrijgen van macht is. Macht, daar is iedereen op uit.'

Zij probeerde haar geest aan te passen, hem in de juiste versnelling te zetten, zodat zij hem kon volgen. Het kostte haar moeite. Zijn beweringen schenen uit zo'n vreemd land te komen dat zij geen woorden kon verzinnen die ondubbelzinnig en helder genoeg waren om de grens van dat land te overschrijden.

'Er zijn verschillende soorten macht,' begon zij aarzelend.

'Natuurlijk,' gaf hij haar haastig gelijk. 'En ieder mens heeft het soort macht dat bij hem past. De brave hendriken zouden dat moeten inzien. De mensen weten wat ze willen en krijgen ook wat ze willen.'

De grens tussen hun landen werd een muur.

'Niet iedereen wil politieke macht. En niet iedereen kan die hanteren. Maar iedereen wil een soort macht en iedereen heeft die. Soms alleen de macht over vrouw en kinderen, het goed kunnen bowlen, goed zijn in vals spelen met kaarten.'

'Die macht van jou schijnt uitsluitend mannen te betreffen: macht over vrouw en kinderen?'

'O vrouwen! God, heb je ze wel eens in actie gezien, die afhankelijke, passieve huismoeders? Je moet de macht van de hulpeloosheid niet onderschatten!'

Zij keek hem aan, zwijgend. Hij reed hard. De gemiddelde snelheid op de autoweg scheen honderdveertig te zijn, maar Victor bleef er doodkalm bij, ook al reed hij aan de linkerkant van de weg. Zijn raampje stond open, de wind waaide door zijn haar, zijn rechterarm rustte op de rand van het raampje, zijn linker lag zelfverzekerd op het stuur. Hij zag er prachtig uit, het leek alsof hij aan het roer van een zeilboot zat die recht voor de wind voer. Prachtig en zeker en secuur. Hij wist wat hij deed. Hij wist wat hij dacht. Hij had de woorden om zijn gedachten te formuleren.

Makkelijk zat om mooi te zijn, makkelijk zat om in harmonie met jezelf te zijn als je net zo dacht als de machthebbers in jouw wereldje. Makkelijk zat om je zaakjes voor elkaar te hebben als je een man was, blank, uit op winst, succesvol. Terwijl zij, Dolores, niet eens de woorden kon vinden om met hem in discussie te gaan.

Ze deed een tweede poging. 'Je hebt iets als vermogen, dat iedereen zou moeten hebben maar dat niet iedereen heeft. Het vermogen om Bach te spelen, te tennissen, te bowlen zo je wilt. En je hebt macht: en dat zou niemand moeten hebben, maar sommige mensen hebben dat wel.'

'Puh! Heb je ooit een wereld gekend waarin geen macht bestond? Je maakt de realiteit tot een abstract onderwerp, tot politieke wetenschap of zoiets etterigs. Iedereen heeft macht.'

'Jezus, Victor, wat voor macht heeft een zwart kind in het getto? Een dagloner? Een ongeschoolde vrouw met een ploert van een man en een fabrieksbaan met een even ploertige ploegbaas?'

'De macht om iemand een loer te draaien misschien. Om meer sla te plukken dan iemand anders. Om een grote pan

80

stamppot te maken. Weet ik veel. Ik weet alleen dat iedereen een beetje macht heeft.'

Kokend van woede barstte ze uit: 'Dat is godverdomme het toppunt van geborneerdheid! Wat aardig om te denken dat wij allemaal hebben wat ons hartje begeert, dat wij allemaal aan onze trekken komen! Wat aardig om over de mensheid te denken als een elkaar voortdurend bestrijdend zootje – want dat zeg je eigenlijk – als je al weet dat jij aan de winnende kant staat! In werkelijkheid is het zo dat een heleboel mensen niet eens de kans krijgen om erachter te komen wat ze willen, laat staan om erachter te komen hoe ze dat moeten krijgen!'

'Het gaat niet om kansen, het gaat om je verstand gebruiken.'

'Het gaat om *ruimte*! De ruimte om te kiezen, om mogelijkheden af te wegen. Een Indiaanse vrouw in een ingeslapen dorpje in Guatemala kan niet verder kijken dan haar eigen stoffige dorpje, kan geen nadere toekomst voor haarzelf zien dan die haar moeder, haar tantes, haar zusters, haar vrienden ook hebben.'

'En wat is daar verkeerd aan?'

'Wat er verkeerd aan is, is dat zij misschien ongelukkig is!'

'Onzin. Haar verwachtingen zijn niet groot, dus is zij waarschijnlijk minder ongelukkig dan een burgervrouw met pretenties. En als dat ingeslapen Guatemalteekse dorpje van die vrouw rijp is voor ontwikkeling, zal die er komen ook.'

Dolores maakte zo'n stijve vuist dat haar nagels zich in haar handpalm groeven.

'Apathie,' ging Victor verder. 'De meeste mensen leven in apathie. Ik kan daar geen traan om laten...'

Zij antwoordde rustig, verdrietig. 'Je klinkt alsof je gelooft dat mensen alleen maar ambitie en wilskracht nodig hebben. Maar er zijn miljoenen wier ambitie en wilskracht al ondermijnd zijn voor ze vijf jaar oud zijn. Die nooit de ruimte zullen krijgen om te kiezen, omdat zij niet goed genoeg kunnen zien, die geen energie hebben, omdat zij niet genoeg te eten hebben gekregen. Iedereen wordt in een bepaalde positie geduwd in het leven. De mensen zitten vast in hun sociale positie.'

'Daar wordt al het mogelijke aan gedaan.' Koeltjes. 'Er zijn sociale projecten...'

Hij zocht naar een sigaret. Zij bood niet aan hem daarbij te helpen. Hij haalde er een te voorschijn, zocht naar zijn aansteker en probeerde de sigaret aan te steken, maar de wind blies het vlammetje uit.

'Er zijn sociale projecten,' herhaalde zij, even koel, terwijl hij wachtte tot de auto-aansteker naar buiten plopte. 'De meeste daarvan zijn waardeloos. Pleisters op de wonde. Je geneest een ziekte niet door de symptomen weg te nemen, je moet er de oorzaak van vinden. En de oorzaak is ons waardensysteem.'

'Het kapitalisme zeker,' zei hij tergend langzaam.

'Nee. Het socialisme is ook slecht. In sommige opzichten beter, in andere weer niet. Ik zie niet zoveel verschil tussen die twee. In beide systemen wordt de mens slechts als een middel gezien om het doel te bereiken. Het doel mag dan een andere naam, hebben, het is in wezen hetzelfde. Produceren is het heilige streven, produktie en macht. Niet een gelukkig leven!'

'Denk je dan dat produktie en macht niet juist bedoeld zijn om de mensen een beter leven te bezorgen?'

'Ja bedoeld! Bedoeld! In werkelijkheid is het doel van macht nog meer macht!'

'Dat is typisch de gedachtengang van iemand die niets van macht weet! Elitair intellectueel gebral! Sorry, Lorie, ik wil niet lullig zijn, maar de mensen met wie jij samenwerkt hebben je denken slecht beïnvloed.'

'Misschien heb ik hén wel slecht beïnvloed!' beet ze hem fel toe.

Hij reageerde niet. 'Winnen is fantastisch! Succes is fantastisch! Er is niets beters! Dat is een gelukkig leven!'

Zij wreef over haar voorhoofd. 'Victor, dit heeft totaal geen zin. Winnen is inderdaad te gek – als je er niet te veel voor hoeft te betalen. Geld winnen en je gevoelens kwijtraken is geen winnen. Net als succes – je kunt iets alleen succes noemen als het een uiting is van je diepste vermogens. Ken je het recept voor geluk dat de oude Grieken hadden? Geluk is het benutten van vitale vermogens langs lijnen van perfectie, in een leven dat daarvoor de ruimte biedt.'

'Oké, oké.' Hij knikte heftig ja. Hij wilde per se een gemeenschappelijke taal vinden, wilde het met haar eens worden. Zij keek hem onderzoekend aan. 'Mij best,' knikte hij.

'Maar mijn argument is dat aan weinig mensen de gelegenheid wordt geboden om te ontdekken wat hun vitale vermogens

82

zijn. Die gelegenheid is aan weinigen gegeven, en bijna alleen maar aan mannen.'

'Maar dat is niet waar! De meeste vrouwen willen gewoon niet hetzelfde als de mannen! Kijk naar jou: jij hebt succes gehad, jij hebt boeken gepubliceerd.'

'Volgens jouw maatstaven heb ik geen succes gehad.'

'Mijn maatstaven?'

'Ik heb de afgelopen vijf jaar ongeveer vijfduizend dollar verdiend aan mijn boeken, of niet eens zoveel. Het enige voordeel was dat ik uit het Moeras ben weggekomen.'

Hij keek haar niet-begrijpend aan.

'Plaatsje waar ik les heb gegeven. Onze-Lieve-Vrouw-van-het-Moeras.'

Hij barstte in lachen uit. 'Echt?'

'Nee. Zo noem ik het maar. Intellectueel gezien een passende naam.'

Zij glimlachten naar elkaar. Hij legde zijn rechterhand op het stuur en zijn linker op haar knie. Hij dacht dat zij weer vrienden waren.

'In ieder geval tel ik niet mee, Victor. Ik heb geluk gehad. Ik heb de kans gekregen om me te ontwikkelen. Ik ben grootgebracht met een heleboel soorten voedsel. Dat kunnen de meeste mensen niet zeggen.'

'Jezus!' Hij trok zijn hand terug. 'Wat kan ik daaraan doen, Lorie?'

'Erover nadenken! Dat moet je doen! Hoe kun je in deze wereld met die ideeën van jou rondlopen als die zo overduidelijk vals zijn! Hoe kun jij vanuit je luie leunstoel zeggen dat de mensen krijgen wat ze willen? Omdat jij nu toevallig bovenaan zit, daarom ben je nog niet wezenlijk beter, je hebt alleen maar meer geluk gehad!'

'Hoor eens, Lorie, dat weet ik heus wel. Ik geloof ook dat de teleurstellingen van de mensen evenredig zijn aan hun verwachtingen en dat iets dat in mijn ogen een mislukking is, dat in hun ogen niet is.'

'Maar misschien zie je dat verkeerd. Misschien zijn de teleurstellingen in het leven evenredig aan de essentiële vermogens die iemand bezit, vermogens waarvan hij nooit geweten heeft dat hij die in zich had, die hij nooit ontplooid heeft, nooit gebruikt, die jaar in jaar uit hebben liggen wegkwijnen. Ik denk dat zoiets even pijnlijk is als de kromgegroeide voetjes van een jong Chinees meisje in de tijd dat het nog traditie was om de voeten af te binden. Iedere dag wordt het natuurlijke groeiproces van haar voeten weer wat meer tegengehouden; iedere dag wordt het bot weer wat meer misvormd. Een kwelling: een jarenlange kwelling. Datzelfde kan er met iemands geest gebeuren. Ze kunnen er net zo min over praten als dat Chinese meisje: ze kunnen alleen maar huilen, elke nacht, net als zij, als de windsels voor een paar zalige minuutjes worden verwijderd. Wat kan ze zeggen? Aan wie kan ze het kwijt? Zo was het nu eenmaal. Zo is het nu eenmaal voor een hele hoop mensen.'

Hij vertrok zijn mond. 'Oké,' protesteerde hij. 'Ik kan er alleen niet tegen dat er op mensen wordt neergekeken. Daarom haat ik de progressieve partijpolitiek, het is zo'n godvergeten open deur.'

'Het sociaal engagement, bedoel je?'

Hij keek haar even van opzij aan. 'Dat zeg ik niet. En ik bedoel niet dat het niet goed is om gevoel voor je medemensen te hebben. Ik vind alleen dat als je een hele categorie mensen beschouwt als hulpeloze kinderen, je ze schaadt en ze leert om zichzelf ook zo te beschouwen. En het werkt ook in de hand dat degenen met zo'n kleinerende houding zich wel heel snel superieur kunnen gaan voelen. Op korte termijn mag mijn opvatting dan hardvochtig lijken, op lange termijn krijg je betere resultaten als je mensen dwingt om voor zichzelf te zorgen, om te produceren, om verantwoordelijkheid te dragen.'

'En daarmee handig het feit omzeilend dat de verdeling van de rijkdom en de wetten die daarmee te maken hebben, de tradities en opvattingen in onze cultuur, het sommige mensen onmogelijk maken om voor zichzelf te zorgen.'

'Nee! Ik vind ook dat daar verandering in moet komen.'

'Maar die verandering komt niet zolang we niet inzien dat er verschillende klassen van mensen bestaan en dat iedere klasse speciale privileges heeft, en enkele zelfs helemaal geen privileges.'

Hij sloeg met zijn hand op het stuur. Hij zuchtte.

Dolores stak een sigaartje op.

'Jij bent me ook een doordrijver,' verzuchtte hij.

'Zo ben ik nu eenmaal,' zei zij rustig.

Ja, hun opvattingen lagen ver uiteen, er gaapte zelfs een diepe kloof tussen.

Dolores zat veel thuis, in gedachten verzonken. Ze werkte minder hard dan anders. Het leek bijna alsof zij met opzet het classificatiewerk uitstelde, zodat zij iets te doen had als hij weer eens op zakenreis moest...

Verraderlijk, liefde. Niet *zijn* schuld, ze deed het allemaal zelf. Maar wat was hij teleurgesteld geweest toen ze gezegd had dat zij niet altijd met hem mee wilde. Daarmee zette hij haar onder druk, waar of niet?

Ja, maar zij hoefde er niet aan toe te geven.

Zij zuchtte en stak een sigaartje op, haar derde op die dag. Een na de lunch, een om een uur of vier als zij even een adempauze nodig had van haar werk, een na het avondeten en een voor het slapengaan. Discipline. Victor had die niet. Hij rookte te veel, dronk te veel, reed te hard. Dat waren nog de onbelangrijke verschillen tussen hen.

Het punt is, dacht zij, dat ik hem niet mee naar huis zou kunnen nemen. En schrok toen hevig bij de gedachte. Wanneer was de laatste keer dat je iemand mee hebt *willen* nemen? Jack waarschijnlijk. Tien jaar geleden.

Eenmaal volwassen geworden, had Dolores zich voornamelijk in academische kringen opgehouden, en dan nog wel in die van Boston, een heel speciaal wereldje. Victor was zakenman, een carrièremaker, die voor een Amerikaans bedrijf werkte dat, voor zover zij wist, napalm zou kunnen produceren. Een bedrijf dat bestuurd werd door een multinational en dat zo goed als zeker industriële afvalstoffen produceerde. Victor stond voor alles wat Dolores' kringetje verachtte. Maar wie weet hielden zij zich bij MIT helemaal niet bezig met zulke futiliteiten als napalm of het geven van steun aan de Sjah van Iran. Maar haar vrienden des te meer.

Victor had een mooie, maar saaie flat in Londen, een onkostenvergoeding waarmee ze tijdens hun reisjes konden eten en slapen in de duurste hotels die de stad te bieden had. Dolores was goedkope pensionnetjes gewend, één kamer met bed, een glaasje vin ordinaire in de plaatselijke kroeg. Zij vermoedde dat hij meer om geld gaf dan om mensen. Het bleef bij een vermoeden, omdat je iemand zoiets niet vraagt: wie zou toegeven dat hij geld – of macht – belangrijker vond dan mensen? Toch waren er van die mensen. En misschien was Victor daar een van.

Zo verraderlijk was de liefde. Je verloochende je principes ervoor.

Ja. En terwijl hij beweerde dat hij militairen voor geen cent vertrouwde, geloofde hij heilig in wat hij noemde een 'parate defensie'. Hij stond bekend als een Republikein.

Als zij hem mee naar huis zou nemen, zou hij genegeerd worden.

Natuurlijk waren er massa's mensen in Cambridge die *haar* zouden negeren. De zonde bestond nog steeds in Cambridge, vierde zelfs hoogtij, vergeleken bij de fatsoenlijkheid. Je werd scheef aangekeken als je vlees at, alcohol dronk of gewoon hasj rookte. Als je in een grote slee rondreed, kon je dagelijks vuile blikken toegeworpen krijgen. Sommigen zagen je als een Vijandelijke Mogendheid als je niet elke dag trimde.

Dolores was door de mazen van deze normen heen weten te glippen; zij had al sinds 1970 geen auto meer (het hoofdkenmerk van de ware gelovige), rookte maar vier sigaartjes per dag als zij niet smokkelde en at weinig vlees. Zij dronk meestal wijn, maar nooit veel. En nooit, nooit van haar leven had zij op een Republikein gestemd. In het spelletje 'hoe zuiver bent u?', dat vaak op Cambridge-feestjes werd gespeeld, kwam Dolores ervan af als iemand die zo niet bij de uitverkorenen, dan toch in elk geval niet bij de verdoemden hoorde. Maar Victor, die haar keuken had volgestouwd met een tiental flessen whisky, die enorme biefstukken en stukken rosbief at, die kettingrookte, Victor zou als een paria beschouwd worden.

Maar wat maakte het uit, ze zou hem toch niet mee naar huis nemen.

Als hij haar mee zou nemen, zou het veel erger zijn. Dolores op de Scarsdale Country Club? Met haar loshangende haren met plukjes grijs erin? Onopgemaakt? En die rare kleren van haar, Indiase hemden en spijkerbroeken, op blote voeten het liefst en nooit van haar leven hoge hakken? Ze had twee rokken: een lange met bonte kleuren, die zij aantrok op de zeldzame officiële gelegenheden waar zij moest verschijnen, en een lichtroze katoenen minirok, die allang niet meer in de mode was. Die droeg zij 's zomers omdat hij lekker luchtig was en zij niet graag op straat in shorts liep.

Op een cocktail-party in Scarsdale zou zij al binnen vijf minuten met iemand in de clinch liggen. Zij moest toegeven dat tolerantie niet haar beste eigenschap was. Zij zou iets of iemand aanvallen. Als ze geen reactie loskreeg (want natuurlijk was iedereen vreselijk beleefd), zoals zij daar stond te kakelen over de laatste beslissingen van het Hooggerechtshof, het Bakke-proces, het gedoe rond de mensenrechten, het verder intrekken van subsidie voor abortus, het industriebeleid, het vervuilen van de aarde en de zee en de lucht, ja, als zij daarmee geen reactie opwekte, zou zij hun zelfvoldaanheid aanvallen, hun elitaire houding, het feit dat zij er zonder meer van uitgingen dat zij hun bevoorrechte positie verdienden.

Nee, dat zou niets uithalen.

Maar wat maakte zij zich druk, want Victor nam haar toch niet mee naar huis.

Zij had zichzelf in haar leven nog nooit toegestaan om van iemand te houden die uit een wereld kwam als die van Victor. Zij had zichzelf niet eens toegestaan om zo iemand te leren kennen. En niet alleen dat, maar als zij bij hem was rookte ze wel eens een sigaret. En dronk whisky.

En het ergste van alles was dat zij hem miste als hij er niet was.

Water bij de wijn, in alle opzichten. Na al die jaren. Niet dat haar vrijgezellenbestaan een principekwestie was. Het was gewoon zo gelopen, maar het leven was beter op die manier. Dus was het een schokkende ervaring om betrokken te raken bij een man, dat alleen al, maar ook nog een man die in bijna elk opzicht haar tegenpool was. Het leek op heulen met de vijand. Ze schoren je daarvoor kaal en stelden je naakt ten toon aan het publiek.

Hoe was dat eigenlijk in zijn werk gegaan, hoe was zij vrijgezel geworden? Wanneer was het begonnen, wanneer waren de gezichten gaan vervagen, de monden uit eigen beweging open en dicht gegaan, zonder na te denken, monden die zeiden ik, ik, ik, die zeiden *mijn* auto, die wedstrijd, de beste restaurants in Londen Parijs New York Milwaukee, steeds weer dezelfde dingen, poen, positie, prestige? Wanneer zijn mijn oren zich gaan sluiten? Was het na Saul, die twee stappen vooruit en drie stappen terug deed, of Doug, die goed was in bed maar zich daarna altijd schaamde. Of kwam het doordat zij na elke slechte ervaring met een man zei: Dat nooit meer – iemand naar Princeton rijden, luisteren naar een jongen die problemen had met zijn ouders, niet mijn kwaadheid laten zien als ik kwaad ben, cassoulet maken.

En tussen ieder 'nooit meer' kwamen steeds langere minnaarloze periodes. Totdat zij tenslotte helemaal geen minnaars meer had.

Want zij was slim, zij kon op iemands gezicht lezen of uit zijn gedragingen opmaken of hij bemoederd, verzorgd, opgelapt, gekleineerd, opgevoed, verwend, gevoed, gestreeld, geslagen wilde worden. Nemen, nemen, nemen. Altijd.

Het was beter zo. Slavernij voor het lichaam, seks. En bovendien wilden vrouwen niet in de eerste plaats seks van mannen. Dat konden zij beter zelf. Het was iets anders, het was het verlangen naar een lichaam dat achter je stond, waar je je hoofd tegenaan kon leunen, waar je van op aankon dat het niet zou bewegen, niet je keel door zou snijden of je hoofd eraf slaan of je haar uittrekken. Het was het samenzijn met iemand. Carol, die op onbewogen toon vertelt: 'O ja, vijfentwintig jaar. Een hele tijd. Mijn huwelijk stelt niet veel voor, het is een vrij saaie boel. We praten niet, we wonen alleen samen in hetzelfde huis. Maar één ding houdt me hier vast dat alle verveling en sleur waard is. In bed liggen met John, ik bedoel niet neuken. Gewoon samen met hem in bed liggen, zijn lichaam warm en stevig naast me. Het is lekker. Het is gezellig.'

Nou ja, ieder zijn meug. Voor Dolores was niets een leeg en saai huwelijk waard, was niets het waard om met iemand in een dodelijke sleur te leven. Niets.

En Victor?

Nou, het is niet saai, het is niet dodelijk, het is geen sleur. Nog niet. Zal het nooit worden ook. Het is over een jaar voorbij.

Zij drukte haar sigaartje uit met een gevoel van walging. Wat heeft het voor zin om zulke dingen te overdenken? Je kunt je gevoelens niet uitschakelen door jezelf voor te houden dat je ze niet mag hebben. Door met principes aan te komen. Het blijft een feit dat jij net zo aan hem vastzit als aan je organen. Wie weet zit je wel *met* je organen aan hem vast. Noem het liefde, als je wilt. Waarom niet.

Goed, goed. Het is maar voor een jaar. We houden het luchtig, we doen het voor de lol, we maken plezier. Dat mag wel eens een keertje. De liefde bedrijven: peren in wijn, perziken in champagne. Het leven was al dor en droog genoeg. Dat hoefde je niet nog erger te maken.

O zeker, het was onnatuurlijk. Twee vreemdelingen die voor een netjes afgebakende periode waren afgesneden van alles wat zij kenden, van al die kleverige wortels en tentakels, alle rotting en schimmel die zich onder een stilstaand voorwerp vormt. Een idylle.

O Victor. Sterk mij met rozijnenkoeken; verkwik mij met appels; want ik bezwijm van liefde.

5

Dolores wilde per se naar Aldeburgh, dus huurde Victor een auto en nam een dag vrij en zo gingen zij in oktober een lang weekend op pad. Zij wilde de oceaan van Crabbe zien, zijn kiezelstrand, de grijze luchten van die streek, de welvarende vruchtbare boerderijen, de stulpen en hutjes die de verlaten vrouwen en ongehuwde moeders uit de streek tot schamele bescherming dienden.

'Wie?' zei Victor.

'George Crabbe. C-r-a-b-b-e. Een Engels dichter uit de achttiende eeuw, een goed dichter. En een goed mens. Hij schreef over de rijkelui, mensen die de mond vol hadden van morele kwezelarij maar het gevoel, het lijden de rug toekeerden. En over de arme, lijdende, stervende mensen, die gebukt gingen onder een immens schuldgevoel, die het als hun eigen schuld beschouwden dat zij van een man hadden gehouden en zwanger werden en stierven van de honger. In een beschaving waarin armoede letterlijk een zonde was. Waarin men de namen van de armen niet eens opnam in het dorpsregister. Als er een baby stierf werd er geschreven: *Gestorven: arm kind*. Ik geloof dat Crabbe seks ook als een zonde beschouwde, maar uit veel van zijn gedichten spreekt ook zijn twijfel daarover. *Waarom* moesten deze vrouwen zo lijden? Hij voelde het. Voelde hun pijn. Het zit in zijn gedichten. Ik ben dol op hem.'

Maar bij aankomst troffen zij een prettige badplaats aan, blauwe lucht, roomkleurig strand, een mooie boulevard en goede hotels.

'Het moet grijs en naargeestig zijn,' kreunde Dolores.

'Ach jee, wat naar nou, schatje,' lachte Victor.

Zij namen een sjiek hotel dat op de oceaan uitkeek. 'Schandelijk,' gniffelde Victor, terwijl hij om zich heen keek. Hij kreeg zowaar zin in dit weekendje.

Haast geen spoor te bekennen van Crabbe in het stadje. Eén vrouw, die een boekwinkel had, kende de dichter van naam. Zijn hutje was lang geleden door de golven verzwolgen, zei zij.

'Ja, dat klinkt goed,' zei Dolores. 'Dat zou hij mooi hebben gevonden.'

Zij dronken dure drankjes en aten een overvloedige maaltijd en bedreven urenlang de liefde.

'Ergens klopt er iets niet,' zei Dolores.

De volgende morgen was de lucht onveranderd strakblauw, de zee kalm en wijd en nog blauwer dan de hemel. Je waande je in Miami. Zij liepen over de boulevard. 'Er klopt niets van!' protesteerde Dolores. 'Hè, ik wilde het zo graag voelen, me zo graag inleven in wat hij zag en voelde, maar dit lijkt er niet op.'

Victor zag heel in de verte een olietanker.

'De wereld van die arme Crabbe is voorgoed voorbij,' zei Dolores met spijt in haar stem.

'Zo te horen is dat maar goed ook,' zei Victor. 'Ik dacht dat jij zo graag wilde dat dat verdwenen was, al die armoede en pijn.'

Plotseling begonnen er bellen te rinkelen, een schel geluid. Van alle kanten kwamen mensen naar het strand gerend. Victor en Dolores holden met de menigte mee. Het verzamelpunt was bij een reddingsboot, die op een helling op het strand lag. De hele stad leek aanwezig te zijn. Een man of zes, zeven met feloranje jacks aan waren het zand vóór de boot aan het wegscheppen. Anderen, met dezelfde jacks aan, waren op het dek van de boot druk in de weer. Zij maakten iets los – een lange rail. Ze tilden die van de boot af en legden hem in de geul die de andere mannen inmiddels gegraven hadden. Er had zich intussen een grote menigte toeschouwers verzameld. Hoewel de mannen zeer snel werkten, nam de hele operatie vrij veel tijd in beslag. Af en toe keken zij even naar de menigte, zeer ingenomen met zichzelf, opgewekt. Na een tijdje was al het zand weggeschept, de mannen op de boot waren klaar, de motor liep. Er klonk een hevige knal, de mensen hielden hun adem in, en de boot schoot op de rail en vloog het water in.

Dolores slaakte verrukte kreetjes en klapte in haar handen. Andere mensen in de menigte lachten en klapten ook. Maar sommigen schudden hun hoofd. Een Britse vrouw met een vriendelijk gezicht wendde zich tot Dolores. 'Tegen de tijd dat zij daar zijn, is degene die gered moet worden allang verdronken.'

'Ja,' mopperde Victor, 'wat een systeem!'

'Maar was het niet schitterend!' kakelde Dolores. 'Zo absurd! Zo gek!'

'De primitieve wereld van Crabbe is nog niet dood,' ging hij verder.

Maar Dolores danste op en neer. 'O, die mannen die zich in het zweet werken, trots en triomfantelijk vanwege de bewondering van de mensen. En dat belachelijke bootje dat als een kanonskogel naar voren schoot. Te gek!'

'Je zou het niet zo te gek vinden als jij de drenkeling was.'

'Maar dat ben ik niet!'

'Wie heeft er nu gebrek aan medeleven? Er verdrinken daarginds mensen en die kerels maken er een circus van!'

Zij schoof haar arm door de zijne.

'Vind je niet dat ze een beter systeem moeten bedenken?'

Een paar minuten later: 'Ze zouden tenminste de helling klaar voor gebruik moeten houden, met een dak over het hele zaakje.'

Een uur later: 'Het hele ding zou in beton moeten staan met een muur eromheen, zodat het zand niet kan instuiven. Met een dak en een deur die op slot kan. Dan hoeven ze alleen maar de deur open te gooien, net als een garagedeur.'

'Wordt dit het onderwerp van gesprek de komende dagen?'

'Ja, Jezus, Lorie, er is geen excuus voor dat inefficiënte gedoe.'

Zij vroeg aan de balie van het hotel of er al nieuws was over het gebeuren. Er was een olietanker ontploft in de Noordzee. De reddingsboot had vijf man opgepikt, allemaal gered.

Ze trok een wenkbrauw op tegen Victor. 'Nou?'

Hij maakte een grimas. 'Er waren er waarschijnlijk twintig aan boord en de rest is verdronken.' Maar toen zij lachte, lachte hij mee.

Het enige spoor dat zij van Crabbe vonden was een klein laantje dat naar hem heette en een borstbeeld in de dorpskerk.

Victor grinnikte tegen haar toen zij aan de thee zaten. 'Ik geloof dat jij dingen zoekt om treurig over te zijn.'

'Maar het is ook treurig. Wat een gezicht had die man – als hij er tenminste echt zo uitzag. Wat mooi. Ik heb prentjes van hem gezien maar daarop was hij lang zo mooi niet. Maar afgezien daarvan vind ik het heel droevig dat hij in de vergetelheid is geraakt. Ik kan er niet tegen dat kunst sterft.'

'Dat is niet zo. Zij is er nog steeds.'

'Wat heb je eraan als niemand hem leest?'

Hij keek haar vriendelijk aan. 'Waarom zou de kunst onsterfelijk zijn? Al het andere sterft.'

Zij keek naar de tafel en speelde met haar lepeltje.

Hij pakte haar hand over de tafel heen. 'Weet je, liefje, wat hij deed heeft aan zijn doel beantwoord. Ik ben geen kunstaanbidder. Ik houd van kunst, maar ik vind niet dat ze heilig is. Het is een soort voedsel, zij voedt een cultuur, wordt verteerd en als zij haar voedzaamheid heeft verloren, komt zij in een museum terecht – of in een bibliotheek. Zijn poëzie heeft het uiterste gedaan.'

'Dat is een leuke manier om het te bekijken,' zei zij bedachtzaam.

Ze liepen uit het theehuis de stralend blauwe dag in. Ze zwierven van de hoofdstraat naar kleine laantjes met oude huisjes, in tuinen verscholen, die knus en vriendelijk aandeden.

Geen stulp te bekennen. 'Misschien heeft zijn poëzie dat gedaan,' zei Dolores dromerig.

'Dat betwijfel ik. Volgens mij heet het industrialisatie.'

6

Victor wachtte tot na hun terugkeer in Oxford op zondagavond met haar vertellen dat hij het heel druk zou krijgen en haar voor een dag of tien niet zou kunnen zien. Hij zat met zijn schoenen uit een laatste glas whisky te drinken voordat hij weer naar Londen terugreed, en rookte een sigaret. Zijn lichaam had dat kordate van een zakenman. Zijn stem was vlak, zonder emotie, een zakenmannenstem. Zij stoorde zich daar meer aan dan aan het nieuws op zich.

Een meneer Huppeldepup van de maatschappij waar IMO bij was ondergebracht, zou met zijn vrouw naar Londen komen en verwachtte een geheel verzorgd verblijf plus reisleider. Tien dagen lang. Zij waren nog nooit in Engeland geweest, ze waren niet gewend aan reizen, zij konden niet tegen verrassingen of ongemakken. Zij wilden Stonehenge en de kathedraal van Canterbury zien.

'Ze zijn High Church,' legde Victor uit.

'O. Ik dacht dat het druïden waren.'

'Niet boos zijn.'

'Waarom mag ik verdomme niet boos zijn? Ik zal je missen.'

Hij keek haar aan met dezelfde blik die haar in de trein gevangen had, een lange-afstands intensiteit waar zij geen weerstand aan kon bieden, en toen hij dan ook naar haar toekwam spreidde zij haar armen uit en vergat haar boosheid.

Maar het beviel haar niets.

Het was niet zozeer het feit dat zij hem tien dagen niet zou zien. Zij zag hem toch meestal alleen maar in het weekend. Het was al het andere – dat hij het tot zondagavond had uitgesteld om het aan haar te zeggen, alsof hij dacht dat zij een scène zou maken en hun weekend zou verknallen. Eigenlijk ook het weekend zelf: was hij met dat drie-daagse uitje op de proppen gekomen als zoethoudertje voor zijn afwezigheid van tien dagen? En de manier waarop hij het haar verteld had, waarbij hij zich weer van zijn andere kant had laten zien, de Zakenman die onderhandelt met een grillige en emotionele Circe.

Ja, dat was het: het gevoel dat zij had over zijn gevoelens voor haar beviel haar niets, het gevoel dat hij haar zag als een wispelturig, onhandelbaar persoon, iemand die niet zonder handschoentjes kon worden aangepakt. *Aangepakt.* Bezitterig, afhankelijk, emotioneel. Ja.

Maar dat weet je niet zeker. Het is maar een vaag vermoeden. Bovendien kun je iemand niet elk detail vertellen dat jou aan hem ergert. Dan zou je te veel op hem afgeven. Het waren maar bijkomstigheden, vage vermoedens.

Zij besloot er dan ook niet meer aan te denken en heel hard te gaan werken. Zij was erg achtergeraakt met haar classificatiewerk en was bijna zover dat zij een hoofdstuk kon gaan schrijven.

Bovendien zou hij het waarschijnlijk niet begrijpen. Hij zou denken dat zij zich te veel op kleine dingetjes vastpinde om het feit te verbloemen dat zij eigenlijk heel kwaad was over zijn afwezigheid. Het zou heel moeilijk zijn om hem dat uit te leggen. Energieverspilling.

Ja. Aan de slag dus. En dat deed zij. Binnen een week had zij de laatste van een reeks handboeken doorgewerkt en had in de avonden en het weekend het achterstallige classificatiewerk ingehaald. Maandag zou zij aan een hoofdstuk beginnen. Maar toen zij zondagavond haar aantekeningen over de tafel spreidde, merkte zij dat zij een referentie was vergeten op te schrijven en fietste daarom maandagmorgen naar de Bodleian om die alsnog op te zoeken. Zij stopte bij Blackwell om wat boeken te bestellen en reed daarna langzaam terug naar huis.

En zag Victor.

Hij liep van het Randolph in de richting van de Cornmarket in het gezelschap van een man en een vrouw, keurig gekleed volgens Amerikaanse stijl. Zij hield met haar fiets op de hoek stil. Hij zag haar niet, hij liep aan de overkant van de straat. Hij liep te praten en de charmante jongen uit te hangen, maar met zijn zakenmannengezicht, dat kon zij zien vanaf de plaats waar zij stond. Hij had een kaart in zijn hand. Die zou hij zeker nodig hebben. Zijn kennis van Oxford ging niet verder dan de weg van haar huis naar het Randolph.

Het drietal liep de drukke Cornmarket op en Dolores stapte weer op en reed de andere kant uit. Bijtend op haar lip. Victor in Oxford en niet even bellen. Niet even zeggen tegen de Huppeldepups: Er is hier een Amerikaanse docente in Oxford, misschien willen jullie haar ontmoeten. Misschien kunnen we samen gaan eten. Hij had de situatie kunnen verbloemen.

Nee. Hij hield haar verborgen.

Die gedachte deed haar hart stilstaan.

Zij was, door de aard van hun relatie, een zondige vrouw, een illegaal persoon, die niet in het daglicht mocht lopen, en daar viel niets aan te doen. Op deze voorwaarde kon Victor met haar doen en laten wat hij wilde. Zolang hij het maar voor de buitenwereld geheimhield. Op die manier geeft hij stilzwijgend zijn goedkeuring aan de heersende moraal.

Maar zij, Dolores, was het niet eens met de heersende moraal. En toch werd zij erdoor bepaald. Zij was de Minnares, de Andere Vrouw, de vrouw zonder rechten, die verborgen gehouden moest worden zoals de arme Rosamund, die door Hendrik II van Engeland werd vastgehouden in een paleis dat alleen via een doolhof toegankelijk was, die daar voor haar leven zat opgesloten, verstoken van het zonlicht, om aan zijn begeerte en jaloezie tegemoet te komen... Een gevangene.

Nee, nee, ik ben geen gevangene, natuurlijk niet.

Zij kwam met een schele hoofdpijn thuis en plofte in een stoel neer, niet in staat tot werken. Stak een sigaartje op. Word net zo slecht als Victor. Hou eens op met die onzin. Er zijn voorwaarden, compromissen. Dit is er een van. Hij wil je niet verbergen, hij is gewoon bang voor zijn baan.

Maar waarom is het altijd hetzelfde liedje? Altijd de vrouw die de klos is? Altijd, ook al bedoelen ze het nog zo goed. *Zij* werd verborgen, niet hij. Toen de Carriers Dolores op een zaterdagavond voor het eten hadden uitgenodigd, had zij gevraagd of zij een Amerikaanse vriend mee kon nemen die bij haar op bezoek was. Zij hadden veel gelachen, Leonard met zijn wrange, ironische Britse humor, Jane met haar even ironische maar sappiger joodse gein uit de Bronx. Victor had godzijdank niet over politiek gepraat. Ja, maar de Carriers wisten wat er in de wereld te koop was. Je had Victor niet mee kunnen nemen naar een etentje met de staf van New College. Nou ja, dat was op een avond door de week, dan was hij er niet. En bovendien ben *jij* niet getrouwd.

Haar gedachten sprongen van de hak op de tak, zij kon er geen orde in brengen.

Natuurlijk wilde zij niet dat hij met haar te koop liep (alleen het woord duidt al op vooringenomenheid), waardoor de roddelmachine in zijn gezelschap in werking gezet zou worden, wat hem zou schaden, en misschien zou het zijn vrouw ter ore komen en haar kwetsen.

Misschien had zij, Edith, ook wel een minnaar tijdens Victors afwezigheid. Waarom eigenlijk niet? Maar zij zou dat nog heimelijker moeten doen dan hij, als vrouw in een klein stadje.

Ja, vrouwen zijn altijd de klos.

Zij wreef zo hard over haar voorhoofd dat er kleine huidschilfertjes op haar vingers achterbleven. Zij wilde dit niet *voelen*. Maar het gevoel bleef.

Victor belde 's avonds laat op om te zeggen dat hij in Oxford was en het vreselijk jammer vond dat hij haar niet kon zien. Zij deed koel; hun gesprek was kort. 'Ik zie je dit weekend, liefje,' zei hij paaiend. Alsof zij koel deed uit kwaadheid over het feit dat hij er niet was. Ging er gewoon van uit dat zij stond te trappelen om hem weer te zien. Arrogant baasje.

Maar zij zei niets.

7

En hield verder haar mond. Toen het weekend naderde was zij in alle staten, omdat zij in vier dagen al een heel hoofdstuk in het klad had geschreven, met veel verve en helderheid, misschien opgezweept door haar kwaadheid. Ja: De vrouw en het lijden. Het juiste onderwerp voor haar. Een aantal hoofdstukken over de manier waarop het gevoel, elk gevoel behalve kwaadheid, steeds meer met vrouwen was geassocieerd, vooral het lijden. Kijk maar naar al die schilderijen van de Pietà, al die Hecabes en Niobes. Op een gegeven moment was het gevoel (behalve kwaadheid) als onmannelijk gedefinieerd. Vervolgens een aantal hoofdstukken over de manier waarop vrouwen geleerd was een lijdende rol aan te nemen, zich te schikken in hun afhankelijke positie, hun onderdanigheid, hun lijdzaamheid. En de manier waarop deze rol die aan vrouwen was toebedacht, gerechtvaardigd werd. En in de laatste hoofdstukken – waar zij huiverig voor was, die lastig waren – een beschrijving van de gevolgen van het overhevelen van het gevoel op de ene helft van het menselijk ras en het als verboden terrein verklaren voor de andere helft. Daarover was niet veel te vinden: zij zou alles overhoop moeten halen om wat materiaal te vinden en daarmee zou zij het gebied van de subjectiviteit betreden: altijd gevaarlijk terrein voor een wetenschapper. Maar de eerste dertig bladzijden die zij had geschreven waren goed, zeer goed voor een eerste poging, en zij voelde zich in de zevende hemel en liep te dansen door haar flat. En Victor stond ineens voor haar neus, alsof hij het gevoeld had, op een vrijdagmiddag om twee uur, en trof haar in juichstemming aan.

En was zelf ook in een juichstemming, omdat hij hele goeie zaken had gedaan door die Amerikaanse Huppeldepup voor zich in te nemen. 'Het is die tien stomvervelende dagen waard geweest!' riep hij uit. 'Als ik nog één opmerking had moeten horen over de slappe Engelse toast, de smakeloze – lees suikerloze – dressing, het gebrek aan Amerikaanse efficiency in de hotels...! Nog één keer en ik was over mijn nek gegaan. Laat zij

96

maar teruggaan naar Howard Johnson of de Ramada Inn, daar horen zij thuis!'

Nu zij allebei in zo'n juichstemming waren en zij blij was om hem weer te zien, haar lichaam blij dat zijn lichaam zo dichtbij was, kon zij onmogelijk nog kwaad zijn. 'We moeten een fiets voor jou kopen voordat het koud wordt,' zei zij.

'Ik heb sinds mijn zestiende niet meer op een fiets gezeten!'

'Is goed voor je.' Zij deed traag haar jas aan. 'Komt er lucht in je longen in plaats van rook. Krijg je sterke dijspieren van.'

'Zijn die slap dan?' Bezorgd.

'Ze zijn prachtig. Maar aan de slappe kant.'

'O, die slappe dijen, die mooie grote superdijen...' zong hij, en bleef dat de hele weg naar de fietsenwinkel neuriën, ondanks het gepor met haar elleboog.

En heel wankel, bangig voor het verkeer, reed hij langzaam naar haar huis op een glimmende sportfiets met tien versnellingen. Terwijl zij de deur opendeed en haar fiets naar buiten reed, was hij op straat rondjes aan het rijden met zijn handen van het stuur.

'Kijk...' begon hij.

'Noem me geen Mama of ik zeg Papa tegen je!' gilde zij.

En in de grijsblauwe schemering fietsten zij de stad uit, over kromme weggetjes, in de richting van de rivier.

Zij kon onmogelijk meer kwaad zijn.

De volgende dag zei hij: 'Weet je, ik weet geen barst van deze stad. Oxford. Ik voelde me zo opgelaten toen ik de Buswells de stad wilde laten zien. Wil jij me rondleiden?'

Zij fietsten naar het centrum, zetten hun fietsen op slot op het pleintje voor de Bodleian en met een blik van wacht-maar-eens-af leidde zij hem naar de bibliotheek over de oude, houten krakende trappen. Toen zij Duke Humfrey's Library ingingen, bleef zij naar zijn gezicht kijken. Hij straalde. Zij straalde. Zij nam hem mee voorbij het hekje waar geen bezoekers mochten komen, zij fluisterde hem de geschiedenis ervan in het oor, terwijl hij zich verzadigde aan het hout, het gebrandschilderde glas, het plafond, de oude boeken. Hij bleef stralen.

Dit was belangrijk. Heel erg belangrijk. De keer dat zij met Harry Hunter Harter Herter, hoe heette hij ook weer, naar de wandkleden in de Cloisters was gaan kijken en hij niets had gezien. Hij had er alleen maar naar gekeken, naar haar geglimlacht en gevraagd: *Is er nog meer?* Ze had geweigerd om nog eens met hem uit te gaan, hoewel hij maanden aan bleef houden. Hij kon maar niet begrijpen wat er aan de hand was, maar hoe kon je dat aan iemand duidelijk maken? Ik wil niet met je uit omdat je geen reactie vertoonde, je je niet naar voren boog en straalde over zoiets moois, zoiets wonderlijks. Als je er geen oog voor hebt, voor de wonderlijke schoonheid ervan, hoe kun je dan andere dingen zien? Hoe kun je mij zien, die niet altijd een wonderlijke schoonheid is?

Maar Victor zag het. Zij pakte zijn hand terwijl zij naar beneden liepen, en hield hem tegen haar wang. Hij was met zijn hoofd nog steeds in de bibliotheek, hij praatte over oude boeken.

'Ik ben er altijd gek op geweest, ik verzamelde ze altijd...'

Hij zweeg even.

'Ik heb er een paar geërfd van de vader van mijn grootmoeder van moeders kant. Ik heb een kleine collectie...' Weer het vreemde zwijgen, maar toen waren ze buiten en liepen in de zon. Dolores praatte, wees, praatte: lerares, een rol die haar op het lijf was geschreven, maar ze wist niet zeker of Victor dat ook vond. Zij liepen naar de kapel van New College om de oude gebrandschilderde ramen te bekijken en het standbeeld van Lazarus van Epstein. Daarna naar de kapel van het Trinity College. Toen lunchen in de Turf, een kleine pub met een lage zoldering, die uit de dertiende eeuw stamde. Zij aten staande hun worstjes, dronken bier terwijl zij elkaar aankeken, niet in staat tot een gesprek in de drukke, lawaaierige, rokerige ruimte, op elkaar gepakte mensen, die met hun hoofd bijna het plafond raakten. Victor moest gebukt door een deur, wat hij prachtig vond, en hij pakte haar hand toen zij via het tuintje naar een laantje liepen, dat op de straat uitkwam. Zij liepen hand in hand, met zwaaiende armen.

Zij wandelden naar High Street – de High – staken over en liepen de straat uit naar Christ Church College, waar zij de mooie Wren 'Tom Tower' zagen en Great Tom, de grote oude klokken binnenin, hoorden slaan. Zij gingen naar de kathedraal, vandaar naar Magdalen Grove en bleven lange tijd naar de serene, tedere rode hertjes kijken, zichzelf even sereen en teder voelend.

'De eerste keer dat ik in Oxford kwam vond ik het vreselijk,' zei Dolores. 'Dat was jaren geleden, in de zomer, er waren geen colleges en de stad was uitgestorven. En het zag er zo allejezus *kloosterachtig* uit. Jongens op fietsen met fladderende toga's, beschermde, arrogante melkmuilen. Al dat geelbruine steen, de tuinen met hekjes, de torenspitsen, de poortjes, overal poortjes! O ja, dat is waar ook – die gebouwen waar we niet inkonden, de ramen die ik je wilde laten zien. Iemand heeft me daar eens mee naar toe genomen, maar je komt er niet zo maar in, je moet door een ingewijde geïntroduceerd worden. Nou, van buiten ziet bijna alles er zuiver en wit en streng uit. Maar van binnen is alles rijk en versierd en heel warm. Net als priesters die de gelofte van armoede, kuisheid en gehoorzaamheid afleggen en vervolgens naar een feestmaal van vijf gangen gaan, steeds met een andere wijn, weet je wel. Ik ben één keer naar een wijdingsplechtigheid geweest, een enorme braspartij was dat, en mijn vriend John liep op de kersverse priester af en zei: "Bob, als dit armoede is, wat is dan kuisheid?" '

Victor lachte.

'In ieder geval voelde ik me toen helemaal niet op mijn gemak. Ik voelde me net een zondige vrouw in die omgeving, alsof ik het alleen al door mijn aanwezigheid bevuilde, alsof ik alles met seks infecteerde.'

'Dat doe je, dat doe je,' plaagde hij.

'Het leek net,' ging zij serieus verder, niet op hem reagerend, 'alsof elke steen, elke muur was neergezet om mij buiten te houden. En dat mijn aanwezigheid zo'n hevige inbreuk maakte op de normale gang van zaken dat de hele universiteit daardoor besmet kon worden. Ik voelde me net een rotte stank.'

Victor keek haar niet-begrijpend aan. 'Waarom? Waarom voelde je je zo? Ik heb me nog nooit zo gevoeld.'

Zij maakte een grimas. 'Natuurlijk niet, jij bent een man!'

Hij haalde zijn schouders op en ging er niet verder op in. Hij keek om zich heen; zij stonden op het Radcliffe Camera-plein.

'Tja, ik weet het niet. De bibliotheek is mooi vanbinnen. Maar over het geheel genomen maakt het stadje een doodse indruk. Het is een museum, meer niet.'

'Vind je het niet mooi?'

'Ik vind het te gek, mooi, schitterend! Magnifiek, echt waar. Imponerend. Maar ik zou me niet kunnen voorstellen dat ik er iets aan zou kunnen veranderen – dat jij er iets aan zou kunnen veranderen. Het is allemaal zo kolossaal en ongenaakbaar. Een brok steen, hoog, stil, dat de mensen nietig doet lijken...' Hij verzonk in gepeins en zij keek naar hem met een glimlach en dacht dat hij wel doodmoe moest zijn en zich misschien zelfs wel een beetje opgelaten voelde over zijn kleine rooftocht in de lyriek. Zij keek naar de Radcliffe Camera. Hoog, stil, de mensen nietig makend. Ja. Met dat doel gebouwd. Gebouwd om te getuigen van iets dat als hoger werd beschouwd dan de nietige mensjes, die in- en uitliepen met hun specifieke lichaamsgeurtjes, met hun eigen sterfelijkheid. Blind steen, niet getuigend, neutraal. Nee. Niet waar. Wel getuigend. Zij pakte Victors arm.

'Waarom vind je het toch mooi? Ik bedoel, wat vind je er mooi aan?'

Hij keek haar lichtelijk verbaasd aan. 'Nou, het heeft stijl! Ik bedoel, het glorieuze Britse Rijk en zo. Ontstaan op de speelvelden van Eton, weet je wel. Het is verdomd indrukwekkend. Wij hebben ondanks onze pogingen in die richting niets dat een vergelijking daarmee kan doorstaan.' Hij pakte haar hand, drukte haar arm, die door de zijne was gestoken, stevig tegen zich aan en begon naar de hoge ijzeren hekken te lopen. 'Misschien begrijp ik er toch iets van. Ik voel me hier een ongecultiveerde Amerikaan, begrijp je?'

'O ja, maar dat is een open deur,' plaagde ze en hij kneep even heel hard in haar hand met de bedoeling haar pijn te doen.

'Als je op deze plek mijn vingers breekt, is dat helemaal een bewijs van je ongecultiveerde Amerikaanse aard,' zei zij uit de hoogte, maar met een glimlach.

Er bleef hem niets anders over dan haar een vernietigende blik toe te werpen. Een paar jongelui, drie jongens en twee meisjes, liepen met hun fiets aan de hand door de hekken. Zij zagen er roze en wit en onschuldig en onbevangen uit. Voor hen was al dat wit of zandkleurig steen niet meer dan het gebouw waarin de collegezalen waren ondergebracht, waar zij naartoe gingen om te luisteren naar hun superieuren, de Autoriteiten. In colleges, of boeken, of op de eeuwenoude, zware bladzijden van een manuscript: de stemmen van het verleden, wijsheid. Zij hield stil en trok haar arm uit die van Victor. Zij keek naar de gebouwen. De zon stond hoog, het was windstil, de gebouwen stonden, zwijgend. Jonge mensen die naar hun superieuren luisterden, mensen die ouder waren dan zij, en van hen leerden hoe zij moesten zijn. Hoe zij *wat* moesten zijn? De overwinningen van het rijk, behaald op de speelvelden van Eton, ja. De rechtvaardiging, de bevestiging van de wreedheden van een patriarchale opvoeding: daar en daar alleen werden de oorlogshelden gekweekt die nodig waren voor de oorlogen die door de patriarchale maatschappij werden verwekt. Vicieuze cirkel.

Zij keek even opzij naar Victor. Nee, hij zou het niet begrijpen. Hij keek bezorgd. 'Heb ik je hand echt pijn gedaan?'

Zij helde naar hem over en kuste hem zachtjes. (Was dat verboden op het plein? Vroeger wel natuurlijk. Vroeger zou alleen haar aanwezigheid hier al taboe geweest zijn.)

'Helemaal niet,' loog zij. (Loog zij om hem niet op stang te jagen, of om hem niet de kans te geven zich machtig te voelen?)

Zij gaven elkaar een arm en liepen het plein af en de straat uit langs de grandeur, richting stad.

Ja, het waren getuigen. Van de oprichting van duurzame bouwwerken, van de macht en glorie van God, die in werkelijkheid de koning was, en van hen die Zijn werk op aarde verrichtten, die in werkelijkheid de mannelijke aristocratie vormden. Van het bovenaardse, opgericht over de ruggen van de onwaardige paupers, over de zondige lichamen van vrouwen.

Wat voelden de jonge vrouwen die daar nu studeerden? Wat voelde zij zelf eigenlijk als zij een gastcollege moest geven, als zij werd uitgenodigd aan de tafel van de wetenschappelijke staf? Ongemakkelijk maar gevleid, ja, wees nu maar eens eerlijk, gevleid dat zij erbij hoorde.

God.

Zij liepen zwijgend naar de Cornmarket. 'Nu zal ik je het ware Oxford laten zien,' lachte ze. 'Al heb je dat al vaker gezien.' (Zonder dat je het zag.)

De Cornmarket is een straat van maar twee huizenblokken lang, het kloppend hart van Oxford. Een andere wereld. Het is één lange rij goedkope winkeltjes met kleren, handtassen, schoenen, boeken. En het stikt er van de vrouwen.

'Toen ik er voor het eerst was, dacht ik: Dus *hier* zijn alle vrouwen! De mannen gaan naar college, de vrouwen doen de boodschappen.'

Ze stonden even stil en liepen daarna langzaam het straatje een keer op en neer. Ze liepen langs de drukke drogisterij, een echte winkel van sinkel, waar alles tegen uitverkoopprijzen te koop lag. Het straatbeeld werd voornamelijk bepaald door jon-

101

ge vrouwen die twee aan twee, arm in arm, heen en weer slenterden, zeer modebewust gekleed. Het waren winkelmeisjes en secretaresses op hun zaterdagse uitstapje. Zij hadden bijna allemaal een met een grote krullenbos omkranst gezicht, droegen lange, gebloemde katoenen rokken tot op de grond, bloesjes met ruches en korte jasjes, geen kleding die warm genoeg was voor een kille dag als deze. Zij trippelden voort op schoenen met naalhakken, met een bandje over de enkel. Hun gezichten waren bewerkt met vegen rouge en hun lippen met donkere, bijna paarse lippenstift. Zij waren allemaal heel mager.

Pas als de verbazing over de meisjes voorbij was, kreeg je oog voor de oudere vrouwen die met hun boodschappennetjes winkel in winkel uit draafden. Zij waren allemaal onelegant en vormloos, of ze nu dik of mager, klein of groot waren. Ze schenen geen oog te hebben voor de wereld om hen heen, het leek alsof zij werden voortbewogen door een metertje binnenin hen, dat altijd maar doortikte (veertig pennies, dat is drie pond tien, en ik moet ook nog wat vis kopen voor vanavond, Joes schoenen moeten volgende week dan maar, of over twee weken, het is al vier uur wat vliegt de tijd wat een rij in de rommelwinkel de kinderen zullen zo wel thuis komen en ik moet het deeg voor de pie nog uitrollen).

Daarna zag je dat er een paar mannen op straat liepen, een paar jonge jongens: donker, ruw, verlegen. Zij liepen niet samen zoals de meisjes. Als er twee of drie in een groepje bij elkaar waren, liepen zij te dollen, geen weg wetend met hun lichaam, hun energie.

En tenslotte zag je de oudere echtparen. Zij liepen samen in een vredige harmonie die je in Amerika niet zo gauw zou aantreffen, alsof zij samen een belangrijke beslissing hadden genomen. Of misschien was die *voor* hen genomen.

Toch werd het straatbeeld bepaald door de meisjes, die als vogels met schitterende kleuren tussen spreeuwen en eekhoorntjes hipten. En er scheen geen tussenvorm te zijn. Je was jong of je was leeftijdloos; je fladderde of je was bezadigd.

'Hier zijn de vrouwen te vinden. Hier beleven de meisjes – generatie na generatie – hun korte bloeiperiode en blazen de stad nieuw leven in, geven er kleur aan. Om daarna in sloverige huismoeders te veranderen.'

'En daar is het steen. Onbeweeglijk.'

Vier

Op een dag gingen zij na het boodschappen doen naar de Wykeham, een winkeltje in de smalle oude Holywell Street, om thee met room te drinken. Het is een klein etablissement, met kleine, heel dicht op elkaar staande tafeltjes.

'Dikke room. Het klinkt vies.'

'Noem het dan room uit Devon. Dan vind je het vast lekker.'

'Wat is het eigenlijk?'

'Gewoon room die in de warmte is gezet en dik is geworden, bijna als boter. Je smeert het op scones. Je vindt het vast heerlijk.'

Een jong stel zat aan een tafeltje naast hen zachtjes te praten. De jongen zag eruit als een student – hij was zo'n wit-roze beschermde melkmuil, het bekakte type. Een beetje chagrijnig misschien, maar heel beschaafd. Het meisje was energiek, gezond, niet zo bekakt als hij. Haar accent, voor zover Dolores dat kon horen, was niet zo beschaafd als dat van hem. Zij waren allebei knap om te zien maar zaten duidelijk over iets in. Victor en Dolores keken elkaar af en toe met een vertederde glimlach aan, zoals een ouderpaar dat naar hun kinderen kijkt: Zijn ze niet lief? zei hun glimlach.

Het jonge stel kreeg hun thee geserveerd. De serveerster zette de theepot voor de jongen neer, de scones en de room bij het meisje.

Het tweetal keek naar de tafel, daarna naar elkaar. Zij aarzelden. Ze schenen van hun stuk gebracht te zijn. Toen tilde het meisje de schaal met scones op en reikte die de jongen aan. Hij keek haar paniekerig aan. Er was geen plaats voor de schaal op het tafeltje, tenzij de theepot ergens anders werd neergezet.

Hij staarde naar de theepot.

Dolores en Victor keken elkaar met een geamuseerde blik aan: Zijn ze niet grappig? zeiden hun ogen.

'Toe nou,' zei het meisje, terwijl ze de schaal op haar hand balanceerde.

Met duidelijke weerzin, alsof hij van het oppakken vuile handen zou krijgen, pakte de jongen tenslotte de theepot op en gaf hem aan haar, pakte de schaal van haar aan en zette die neer.

Zij schonk de thee in de kopjes. Daarna keek zij in de kopjes en vervolgens naar hem. Hij keek naar haar, daarna in de kopjes. Toen weer naar haar.

Er dreven theeblaadjes in de kopjes.

Zij bestudeerden de thee. Zij keken elkaar vragend aan. Hij keek geërgerd, zij keek ongemakkelijk. Ze bleven zitten.

De serveerster liep langs hun tafeltje om Dolores en Victor te bedienen.

'O, juffrouw,' riep het meisje met een dun stemmetje, 'er is iets niet in orde met de thee.'

De serveerster keek even opzij. 'O sorry hoor, het theezakje is gebarsten. Ik zal u een nieuwe pot geven.' En nam de theepot en het kopje van het meisje mee.

Het jonge stel bleef zitten. Victor en Dolores probeerden niet al te veel hun richting op te kijken en meden elkaars blikken om niet in lachen uit te barsten. Na een tijdje kwam de serveerster terug met een pot thee en een schoon kopje voor het meisje. De jongen keek, nog steeds geërgerd, toe. Het meisje schonk opnieuw thee in haar schone kopje, deed er room bij en bracht het naar haar mond om een slokje te nemen.

'Dat is me ook wat moois!' protesteerde de jongen. Zijn gezicht stond op huilen. 'Gillian, waarom neem jij niet mijn kopje en geeft dat van jou aan mij?'

Dolores en Victor staarden hem aan, en hoewel hij niet naar hen keek begon hij te blozen, hij voelde hun blikken op zich gericht. Het meisje keek hem strak aan. Ze had een wezenloze uitdrukking op haar gezicht. Na enkele lange seconden pakte ze haar kop en schotel op en gaf die aan hem.

'Ach nee, laat maar!' protesteerde hij. 'Nee, laat maar, niet doen. Doe niet zo idioot, Gill, het hoeft al niet meer, laat maar zitten!' Zij hield de kop en schotel voor zijn gezicht.

'Vooruit, pak aan,' zei zij tenslotte, en hij pakte het aan, blozend tot over zijn oren, terwijl hij haar hoofdschuddend aankeek en iets mompelde over haar domheid, haar idiote gedrag.

Zij schonk room over de drijvende blaadjes en dronk de ondrinkbare thee.

Victor en Dolores, die nu geen moeite hoefden te doen om hun lachen in te houden, keken elkaar aan.

'Maar ik begrijp hem wel,' zei Victor, toen zij naar huis fietsten.

Terwijl zij de boodschappen uitpakten: 'Hij is altijd bediend – door mama, oma, tantes, ook door dienstmeisjes, aan zijn uiterlijk te zien. Hij ergerde zich dood toen de theepot voor hém werd neergezet. Hij wist niet wat hij moest doen. Het leven bij hem thuis is altijd ordelijk geweest, fatsoenlijk, volgens de regels. *Vrouwen* schenken thee in.'

'Ja, en het was beneden zijn waardigheid om vrouwenwerk te doen,' zei Dolores pinnig.

'Het was voor een deel onwennigheid. Je bent aan bepaalde dingen gewend en als ze plotseling anders zijn, is dat een schok. Het is moeilijk om je aan te passen.'

'Als een theepot die op een plaats staat waar hij niet hoort hem al een schok bezorgt, dan zal hij nog wel eens anders piepen als hij de wereld instapt. Naar, egoïstisch mannetje. Ze hadden het volgens mij over hun trouwplannen. Als dat zo was heb ik met haar te doen.'

'Maar zij heeft meegedaan, Lorie, telt dat soms niet?'

'Hoezo?'

'Zij is medeplichtig. Zij is erin meegegaan.'

'Zij voelde dat ze hem zijn zin moest geven. Hij is gewend om op zijn wenken bediend te worden. Je zag toch zeker wel dat zij vond dat hij zich als een verwend jongetje gedroeg?'

'Nou, waarom *zei* ze dat dan niet tegen hem?' riep hij klaaglijk.

Zij zweeg en keek hem aan.

'Hoe zal hij ooit uitvinden dat hij zich als een hufter gedraagt als zij hem dat niet vertelt?'

'Goeie God, elke idioot weet dat dat egoïstisch was! En nog laf ook! Hij hoefde de serveerster alleen maar om een ander kopje te vragen. Alleen maar zijn mond open te doen. Maar dat was ook beneden zijn waardigheid.'

'Ach, liefje, hij is gewoon verlegen. Dat waren ze allebei. Je kon zien dat zij met de situatie geen raad wisten. Ik weet nog wel dat ik als de dood was voor serveersters, jij niet?'

'Victor, wat heeft het voor zin dat *wij* daarover zitten te bekvechten? Je hebt gelijk, hij wist er geen raad mee. Hij weet nergens raad mee. Een nul en een naar egoïstisch mannetje, dat is hij. Ten voeten uit.'

'Ja. Hij wist er geen raad mee. Hij was lamgeslagen! Net als de mensen waar jij het over hebt die zijn gehersenspoeld tot cultuurbarbaren en die niet van hun milieu kunnen loskomen. Hij kan niet van zijn milieu loskomen!'

Zij zaten aan de keukentafel. Victor trok heftig aan een sigaret en dronk whisky.

'Voel je je aangevallen?'

'Ja!' blafte hij.

'Door mij?'

Hij keek haar aan, draaide daarna zijn hoofd opzij. 'Ik vind gewoon dat er verzachtende omstandigheden zijn, ook in zijn geval. Natuurlijk is hij een egoïstisch monster. Maar ik wil alleen maar zeggen dat zij hem daarin bevestigt door er niet tegenin te gaan. Dus zijn ze allebei even aansprakelijk. Even schuldig.'

'Nee. Niet op dezelfde manier.'

'Waarom niet, verdomme!'

En toen werd zij ook kwaad en flapte het er allemaal uit: dat zij niet verantwoordelijk is voor zijn karakter, dat je niet over even grote verantwoordelijkheid of even grote schuld kan praten als er geen even grote macht is. Dat je het een underdog niet kwalijk kan nemen dat hij zich onderdanig opstelt, evenmin als je het een 'overdog' kwalijk kan nemen dat hij een onderdrukker is. Dat zij geluisterd had naar een blanke Zuid-Afrikakenner die over Biko's afscheidingsbeweging zei dat hij daar in het begin tegen was geweest omdat hij die 'racistisch' vond. *Racistisch!* Daarmee zeg je dat als een onderdrukt volk zich verenigt om de onderdrukker uit het zadel te wippen, zíj de racisten zijn! Dat is een nazi-mentaliteit!

'Jezus Christus! Je kunt niks meer zeggen of je wordt meteen voor een nazi uitgemaakt! Ik zit hem niet goed te praten! Je ziet alles zo verdomme zo zwart-wit, Lorie!'

Zwart-wit. Je moet zwart-wit denken als je strijd voert.

'Als zij een hersenspoeling heeft gehad, heeft hij dat net zo goed. Zij komen alletwee uit dezelfde culturele pot. In feite is zij er meer bij gebaat dat het oude patroon wordt doorbroken, dus is zij in zekere zin zelfs *meer* verantwoordelijk dan hij.'

'Wat een monsterlijke logica!' barstte zij uit. 'Zij is er *niet* bij gebaat om het patroon te doorbreken. Vrouwen die dat doen worden door de maatschappij gestraft, op honderd en één ma-

106

nieren! Zij betaalt een hoge prijs als zij zich aanpast, maar zij betaalt een hogere prijs als zij dat niet doet!'

'O ja? Ben jij gestraft? Je schijnt je aardig te kunnen redden.'

'De straf komt in het begin,' zei zij bitter. 'Als je zo oud bent geworden als ik, ben je er tegen gehard. Je kan erboven staan omdat je jezelf afsluit voor bepaalde gevoelens.'

'Zoals sympathie voor mannen?' vroeg hij hatelijk. Zij keek hem woest aan en stond met een ruk op en liep naar de woonkamer.

En week van haar principe af door een sigaartje op te steken. Allemaal zijn schuld. O God, daar gaan we weer. Steeds weer het oude liedje. Doodziek werd ze ervan. Zij wilde niet haar hele leven knokken, discussiëren, bekeren. Wilde niet iets warms en rijks verpesten: een idylle. Nee, het was niet mogelijk, je kon niet zomaar ergens op een onbewoond eiland gaan zitten en net doen alsof de wereld niet bestond. Je nam alles met je mee – het zat in je hersencellen, in je genen, goddomme.

Ik ben gek geweest om te denken dat wij ons verleden zouden kunnen uitvlakken.

Waarom ziet hij het niet? Waarom begrijpt hij het niet? Het is allemaal zo klaar als een klontje, maar niet eenvoudig om te begrijpen. En bovendien begrijpt hij niet waarom ik voet bij stuk moet houden, waarom ik geen duimbreed kan wijken.

Het komt hem beter uit zo. Daarbij heeft hij nooit in jouw positie verkeerd.

Zij voelde zich doodmoe.

Victor kwam de woonkamer in met een vol glas whisky en een glas wijn voor haar. 'Zullen we vrede sluiten?'

Zij nam het glas aan, zei: 'Dank je,' zonder te glimlachen, nipte van de wijn. Moe.

Hij ging tegenover haar zitten. 'Het spijt me,' zei hij.

'Wat spijt je?' Haalde haar schouders op. Vermoeide, lijdende stem. 'Je meende wat je zei en je zei het.'

'Het spijt me dat je er zo overstuur van bent.'

'Het is niet anders.'

'Kunnen we er dan niet over praten?'

'O Victor,' ongeduldige stem, praten tegen een kind. 'Denk je nou heus dat het helpt om erover te praten? Als je niet ziet, als je niets begrijpt van mijn diepste overtuigingen en ik jou daar niets van schijn te kunnen laten begrijpen? Denk je dat

107

wij niet net zo vastgeroest zitten als die twee in het theehuis? Meer nog, want wij zijn ouder. Wij hebben geprobeerd om fris en nieuw tegenover elkaar te staan en niet het verleden met ons mee te slepen,' haar stem werd verstikt door tranen, 'maar dat is niet gelukt. Het is ons gewoon niet gelukt, net als die jongen. Daar zitten we nu. Ik kan jouw positie niet accepteren. Ik kan het niet.' Haar ogen blonken en hij liep snel naar haar toe en kuste ze, zijn lippen nat van haar tranen.

Het zout prikte hem, en hij legde zijn hoofd tegen het hare aan en op de rand van de stoel wiegde hij haar zachtjes heen en weer.

2

Na een lange stilte zei zij met verstikte stem: 'Ik hoor heus wel wat je zegt. Ik bedoel, ik heb het wel gehoord. Ik begrijp het. *Jij* bent bediend, *jij* bent verwend, door je moeder, door je vrouw. Jij bent egoïstisch geweest. Misschien ben je dat nog wel. En je vindt dat je daar niet geheel verantwoordelijk voor bent. Dus wil je niet alle schuld op je nemen. Ik begrijp het. Maar ik ga je geen absolutie geven.'

'Als ik absolutie wil, ga ik wel naar de kerk!' schreeuwde hij, terwijl hij haar losliet.

'Sorry. Ik verwarde je even met de meeste andere mannen die ik tegenkom.' Koud en vals.

Hij zuchtte diep en staarde naar de vloer. Hij sprak met een lage stem, langzaam, heel beheerst. 'Oké, oké. Ik zou graag willen dat je me uitlegt waarom jij, een intelligente vrouw, een volkomen logische positie ontkent en zelfs hysterisch wordt daarover.'

'Hysterisch, *ik*?'

'Nou, wat dan?'

'Ik ben woest ja. En wat was jij?'

'Oké.' Zucht. Verandering van stem, spreekt tegen haar met een smekende blik in zijn ogen. 'Is het zo vreselijk dat ik wil dat jij mijn standpunt begrijpt?'

Zij keek hem aan, op haar hoede. 'Nee hoor.'

Hij zuchtte diep. 'Nou, dat wilde ik alleen maar.'

Alsof ik zijn standpunt niet al kende. Het mijn hele leven niet al tot in den treure heb gehoord, verdomme. Alsof het anders was dan anders, de uitzonderingen daargelaten.

'Goed,' zei hij.

Hij keek haar verwachtingsvol aan en probeerde dezelfde reactie in haar te ontdekken. Ze forceerde een glimlach maar ze voelde zich moe, moe tot op het bot. 'Je vrouw bediende je,' begon zij.

'Mijn vrouw HEEFT TEGEN ME GELOGEN!' schreeuwde hij.

O wat was zij moe. Zij wilde het niet horen, wilde niet luisteren. Zij had al te veel klaagzangen over het huwelijk gehoord, van vrouwen, van mannen, soms van allebei samen, of dan van de een en dan van de ander. Zij had de grens van haar tolerantie bereikt – wat zeiden ze ook weer in de zakenwereld? Victor had het genoemd: de nullijn – ja, de nullijn van de pijn. Zij kon niet meer verdragen. Zij dacht eraan hoe prettig het zou zijn om op te staan en een bad te nemen. Het zou zelfs prettig zijn om op te staan en de afwas te doen. Wat zij eigenlijk het liefst wilde was haar aantekeningen pakken en werken. Maar dat zou wat al te wreed zijn.

Hoewel mannen hun vrouwen altijd zo behandelden. Weglopen als ze emotioneel werden, met het excuus dat ze moesten werken.

Maar het gaat niet om koekjes van eigen deeg maar om fatsoenlijkheid, ja toch?

Of niet soms? Je weet dat je met fatsoenlijkheid altijd aan het kortste eind trekt.

Verdomme. Macht, altijd weer macht, die door alle andere dingen heenspeelde en alles onmogelijk maakte. En de liefde was zo hard tegen haar, was onmogelijk voor haar omdat zij er zoveel betekenis aan hechtte. Er zijn voor een ander. Niet trouw zijn. Niet een dienstmeid zijn. Maar er voor honderd procent zijn voor die ander, zoals zij er was voor haar vrienden, ook als die om twee uur 's nachts bij haar aanbelden, ook als zij een schuilplaats zochten en zij een manuscript wilde afmaken. En voor haar kinderen als zij kwamen aankloppen, voor wat dan ook. Waarom voelde zij dat zij hem dat verschuldigd was? Zou hij dat voor haar overhebben? Zij keek naar hem. Misschien wel. Toen zij hem weer aankeek, schrok zij. Hij staarde in de ruimte, hij zat er mager, hol-ogig, uitgeblust bij. Hij leek oud, een geest. Hij was een wandelend lijk.

Zij begon zijn hoofd te strelen en hij draaide zich langzaam, achterdochtig, naar haar toe. Zij probeerde dit keer niet te glimlachen, zij keek hem alleen maar aan en streelde zijn hoofd. 'Je vrouw heeft tegen je gelogen,' zei zij.

'Ja.' Hij ontspande zich een beetje, zijn rug kromde zich. Hij pakte haar hand en kuste hem, legde hem weer in haar schoot terug, stond op en ging in de andere stoel zitten. Hij nam een slokje van zijn whisky. Hij zat tegenover haar, hij schoof zijn stoel dicht naar haar toe.

'Kijk: je doet jaar in jaar uit bepaalde dingen op een bepaalde manier en je denkt dat je een fatsoenlijk iemand bent, nou ja, redelijk in ieder geval, of nee, fatsoenlijk verdomme, omdat wat jij doet iedereen doet, of bijna iedereen. En niemand schijnt daar iets verkeerds in te zien. Dus denk je er eigenlijk niet over na...'

'Wat voor dingen?'

Hij haalde zijn schouders op. 'Nou, van alles. Je weet wel. Kleine dingen, zoals het portier van de auto openhouden voor vrouwen, alsof zij te zwak zijn om dat zelf te doen. Of het vlees snijden, ook al kan Edith dat beter dan ik. Drankjes klaarmaken. Beleefd zijn tegen vrouwen bij sociale gelegenheden. De vuilnis buiten zetten – als ik thuis was tenminste. Nooit de tafel afnemen of afruimen of afwassen of afdrogen.'

Zij zuchtte. De afwas.

'Maar wat ik eigenlijk bedoel is in een huwelijk blijven vastzitten dat al jaren niets meer voorstelt, omdat je nu eenmaal getrouwd bent en je vrouw een goed mens is en omdat het verkeerd is, gewoon verkeerd, om een vrouw in de steek te laten, alleen maar omdat jij iets mist, een soort vitaliteit. Vooral een vrouw als Edith, die nooit heeft gewerkt, die haar leven aan mij en de kinderen heeft gewijd, aan het verzorgen in het algemeen. Ik zeg nu wel dat ik de "mannelijke" dingen deed, maar ik was haast nooit thuis. Zij deed eigenlijk alles...'

Hij bestudeerde haar gezicht intens.

Denkt hij soms dat ik van dit verhaal in de war raak? Denkt hij soms dat ik het niet al weet, het niet al duizend en één keer heb gehoord, het niet zelf kan vertellen?

'Nou, dus zeg je bij jezelf dat het stom en onvolwassen is om zoiets stevigs en goeds in de steek te laten. Zo noem je het zelf. Maar je zit te hunkeren, je bent rusteloos, je wilt meer, het is niet genoeg. Zij schijnt zich gelukkig te voelen met de situatie.

Dus zeg je tegen jezelf dat vrouwen anders zijn. Zij heeft de kinderen, zij heeft het huishouden, die dingen schijnen echt belangrijk voor haar te zijn. Terwijl zij voor jou niet belangrijk zijn, hoezeer je ook je best doet. O, de kinderen zijn heel schattig, soms zelfs boeiend, maar niet vaak. En je vindt het een hele opgave om zelfs maar een paar uurtjes op hen te passen als zij een zaterdagmiddag weggaat. En je kunt haar totale inzet voor hen niet vatten, je kijkt daar vreemd tegenaan. En je houdt jezelf voor dat vrouwen uit een ander hout gesneden zijn dan mannen, en je haalt je schouders op en accepteert dat.'

'Net zo makkelijk.'

'Ja.' Hij keek haar niet aan. 'En je slaapt al twee of drie dagen per week in de stad omdat je moet dineren met zogenaamd belangrijke mensen en het is niet moeilijk om dat tot vier dagen per week uit te breiden en een beetje te besnoeien op het aantal belangrijke mensen. En het is ook niet moeilijk om een eigen flat in de stad te hebben, je kunt haar dat makkelijk vertellen, het is voor die dagen dat je late vergaderingen hebt en in de stad blijft overnachten. Of je kunt een flat samen met een paar vrienden huren. Dat heb ik trouwens niet gedaan. Samen huren, of het aan Edith vertellen. Ik heb er gewoon een genomen. Maar ik heb er eigenlijk nauwelijks gebruik van gemaakt, want zij hadden allemaal een eigen huis, de meisjes. Fantastische meisjes – vrouwen. Het lijkt de ideale oplossing. Je krijgt de spanning en vitaliteit die je mist, je houdt je huwelijk in stand, het huis, de kinderen, vrouwtje tevreden, jij tevreden. Het lijkt,' hij keek haar verwilderd aan, 'de meest keurige oplossing.'

Hij stak een sigaret aan met het peukje van de vorige. 'Het lijkt ideaal, maar dat is het natuurlijk niet. Je trapt de meisjes, sorry, de vrouwen, op hun hart. Zij geven zich helemaal, maar jij kunt je niet echt geven. Je moet het in het geheim doen, je mag het niet aan de grote klok hangen, tenminste tot op zekere hoogte. En toch ga je door omdat het je een gevoel geeft dat je leeft.' Hij veegde zijn gezicht af met zijn hand. 'En je vindt dat je vrouw het moet weten. Tenslotte is het zo duidelijk als wat. Al die overnachtingen in de stad, al die zakenreisjes die uitlopen tot in het weekend. Je denkt dat zij stilzwijgend haar toestemming geeft, dat zij te kennen geeft: Vertel me niks en ik zal niet klagen. Misschien is ze wel dankbaar dat die geile klootzak zijn geilheid ergens anders kwijtkan. Zij doet al jaren haar echtelijke plicht zonder enig enthousiasme.'

Hij nam een grote slok van zijn whisky.

'En dan op een dag komt je vrouw, de persoon om wie je dit allemaal hebt gedaan –'

'Dat dacht je tenminste.'

Hij keek haar aan. 'Ja, dat dacht ik. Maar het was toch ook om haar? Zíj was tevreden met ons huwelijk.'

'Misschien. Maar als je van haar gescheiden was, wat zou je dan gedaan hebben? Je hebben omgedraaid en met iemand anders zijn getrouwd, misschien nog een paar kinderen gemaakt, en dan weer in dezelfde cirkel terecht zijn gekomen? Wat denk je? Ik bedoel: "dit allemaal" was ook voor jou.'

Hij staarde naar de grond. 'Ik hoop van niet. Maar wie weet. In ieder geval kwam Edith op een dag in opstand en schreef een waslijst van mijn zonden op. Schijnt dat zij nooit gelukkig is geweest. Zegt dat ik haar carrière in de weg heb gestaan. Mijn God, wij trouwden meteen nadat zij was afgestudeerd, zij wilde helemaal niet werken, zij heeft het daar nooit over gehad. En dan komt zij ineens met die waslijst... dingen die ik goddomme twintig jaar eerder had gedaan! Dingen die haar vernietigd hebben, zegt ze, haar murw hebben gemaakt. Maar al die tijd geen onvertogen woord! Hoe had ik dat moeten weten?'

Hij was bijna in tranen van woede en frustratie.

Dolores zweeg. Een beetje gevoel had geholpen, dacht zij bitter. Een beetje aandacht voor haar als persoon, als individu, niet als een verlengstuk van jou.

'Kun je begrijpen hoe ik me voel?'

Zij knikte.

Hij liet zijn hoofd hangen. 'Ik heb financieel voor haar gezorgd, zij kwam niets te kort. Zij had alles kunnen doen wat zij wilde, we hebben jaren een huishoudster gehad. Ik was de vader van haar kinderen. Ik dacht dat zij dat wilde. Dat dat van mij verwacht werd. Jezus; de kinderen waren haar zaak...' Hij hief zijn hoofd op en zijn ogen waren vochtig. 'Maar nu zegt zij dat ik haar totaal afhankelijk heb gemaakt, dat zij niet tegen het leven is opgewassen!'

Hij sprong op en ging nog een whisky in de keuken halen. Zij had er een hekel aan als hij zo was. Als hij gulzig grote slokken naar binnen gooide, als een onverzadigbare baby. Zij nam een slokje wijn. En ik zie er waarschijnlijk uit als een truttige oude vrijster met een afkeurende blik op haar gezicht, die mondjesmaat geniet.

Hij kwam terug met weer een vol glas en plofte in zijn stoel neer.

'Het punt is,' vervolgde hij, iets rustiger, 'de zonden die ik naar mijn hoofd geslingerd kreeg waren precies dezelfde zonden van dat lulletje in het theehuis vandaag. Egoïsme. Totaal opgaan in jezelf. En... ik denk dat zij gelijk had. Maar ik zweer je, Dolores, ik dacht dat het zo hoorde! Stom natuurlijk. Maar het leek alsof God, of de Natuur of zo, vrouwen, mijn vrouw, had geschapen om mij te dienen, mij te verzorgen, haar leven te wijden aan de kinderen en het huishouden en aan mij. En mij, alle mannen, had geschapen om haar, alle vrouwen, financieel te verzorgen, hun baby's te geven en daar vorstelijk voor beloond te worden. Het ging er niet om dat ik dat zelf geloofde. Want ik heb er nooit bij stilgestaan. Helemaal nooit. Ik leefde ernaar, zoals ieder ander.'

Dolores had een verbeten uitdrukking op haar gezicht. Victor keek haar niet aan.

'Al die jaren heb ik gedacht dat zij gelukkig was. Zij *deed* verdomme of zij gelukkig was! Zij was zeer in haar nopjes met de baan in Dallas. Zoveel geld. Zij was zwanger, dat maakte haar ook gelukkig. We hebben daar een huis gekocht. Zij heeft het ingericht, alle meubels uitgezocht. Jezus, ik herinner me dat ik elk *Schöner Wohnen*-blaadje dat er bestond voor haar kocht. En twintig jaar later vertelt zij mij dat de verhuizing naar Dallas haar hart had gebroken omdat zij daardoor van haar familie en vrienden gescheiden werd. Dat zij zich verveeld heeft, en zich eenzaam en diep ongelukkig heeft gevoeld in Dallas. Maar *ik* heb dat nooit te horen gekregen!'

Wat had je anders gedaan?

Zijn ogen waren vochtig. Hij keek Dolores aan. 'Zij kropt haar grieven op en stort die in ruzies uit als het stinkende water uit een vaas met bloemen die te lang hebben gestaan.'

Zij keek toe hoe hij leed.

Hij sloeg met zijn vuist op de leuning van de stoel. 'Ik weet zeker dat zij volkomen gelijk heeft. Had. Maar hoe kon ik dat weten? Ik was net als mijn vader, ik was dol op hem, ik was *beter* dan mijn vader. Mijn moeder werkte en deed ook nog het huishouden, hij stak geen poot uit. Zij betaalde de belasting, maaide het gras, betaalde de rekeningen. Dat heb ik nooit van Edith gevraagd.'

'Wat naar voor haar,' zei Dolores vals.

Hij keek haar even aan en sloeg toen zijn ogen weer neer. 'Misschien ja.'

Zij dacht: hij verandert voor mijn ogen. Hij komt tot inzicht. Wat zou Edith dat fijn vinden. En hij is een goed mens, echt waar. Hij *voelt* het, het is belangrijk voor hem. De meeste mannen zouden het schouderophalend afdoen met zij-is-een-trut-en-zo-is-het-leven, zij waren er niet echt bij betrokken. Zij zouden hun vertier buitenshuis zoeken – op het werk, met hun vriendjes, met andere vrouwen. Dus is hij beter dan de meeste mannen. Maar is hij daarmee goed genoeg?

Zij zei: 'Maar je bent veranderd.'

Hij draaide zijn hoofd weg. 'Ja.'

'Is zij nu gelukkiger?'

Zij kon zijn gespannenheid voelen vanuit haar stoel, zijn hele lichaam één bonk spieren. Maar zij ging niet naar hem toe. Hij zat vast in de vorm van zijn eigen pijn, waarin zij een indringster zou zijn. En bovendien moest zij willens en wetens bekennen dat zij hem op dit moment niet zo aardig vond.

'Ik ben veranderd voor zover dat mogelijk is met haar.' Hij ging rechtop zitten en keek haar aan. 'Weet je, als dat van die kinderen in het theehuis Edith en mij was overkomen, zou zij erop hebben gestaan dat ik het schone kopje zou nemen. Ik had dat niet hoeven vragen. En jaren geleden had ik het ook genomen. Nu niet meer. Maar het zou haar niet gelukkig maken als ik het niet had genomen. Snap je? Zij wil het allebei.'

Hij praatte woedend tegen de muur. 'Zij wil alles bij het oude laten om zich niet schuldig te voelen. Maar ze geeft mij daarvan de schuld om haar boosheid te rechtvaardigen. Maar haar boosheid is in de eerste plaats gericht tegen het feit dat zij vastzit in het oude patroon. En tegenwoordig – laat zij nooit haar boosheid zien, nooit. Zij is altijd lief, glimlacht altijd.'

Zijn gezicht vroeg om begrip. 'Begrijp je waarom ik me een beetje – vals beschuldigd voel daarover?'

Ik geloof er niets van dat jij geen absolutie wilt.

Maar er zijn vrouwen, je kent er een paar, die getrouwd blijven, vooral als zij een rijke man hebben, ook al zijn zij murw gemaakt, en die de man daarvan de schuld geven.

Ah, maar dat komt omdat zij doodsbang zijn: armoede en onafhankelijkheid zijn angstaanjagende dingen.

Zijn pijn was als een mist, een klamme nevel in de kamer. Zij moest iets zeggen. 'Ik begrijp wat je zegt, hoe je je voelt. Maar ik voel ook sympathie voor Edith. Ik kan er moeilijk een oordeel over geven, en ik denk dat je dat van mij verwacht. Ik bedoel, ik vermoed dat je had kunnen weten wat Edith voelde, als je gewild had. Het kwam je beter uit zo. Want als zij jou wel haar gevoelens had verteld, had je huwelijk gevaar gelopen. Dat denk ik tenminste.'

Hij staarde haar aan.

'Maar ik kan er niet tegen, Victor. Deze toestanden. Het persoonlijke. Het is zo aangrijpend. We lopen allemaal in de valkuilen van de wereld en raken verstrikt in een web dat wij hebben helpen weven, we zijn aan handen en voeten gebonden. Dat vind ik onverdraaglijk. En wij zoeken een zondebok. En soms is die voorhanden,' glimlachte zij, terwijl zij een hand op zijn arm legde. 'Iemand die die naam best wel verdient. Maar ik probeer tegenwoordig, als de emotionele lafaard die ik ben, ik probeer daar op alle mogelijke manieren buiten te blijven. Ik probeer me te concentreren op het universele, het abstracte, ik probeer de grote culturele lijnen te zien waardoor wij ons zo ellendig voelen, tot de basis van dit soort dingen door te dringen, de sociologische, psychologische, intellectuele basis. Dus houd ik me erbuiten: buiten jou en Edith. Buiten pijn.'

Dat kwetste hem. Hij hoorde haar zeggen dat zij niet naar hem wilde luisteren. En zij kon niets bedenken dat zijn gevoelens kon verzachten, dat haar woorden minder hard kon maken.

3

Dolores liep in de stromende regen van de bushalte naar huis toen een auto naast haar stopte.

'Wil je meerijden?' Het hoofd van Mary Jenkins, verpakt in geel plastic, stak uit het autoraampje.

Dolores stapte in voor het ritje van een half blok. De vrouwen lachten. 'Ik drijf!' riep Dolores. 'De regen is door mijn regenjas en mijn spijkerbroek heengegaan, zelfs mijn ondergoed is nat!'

'Ja, de Britten zijn kampioen in het regenen,' zei Mary quasitrots.

Zij renden het tuinpaadje op en schudden zich droog in het voorportaal.

'Je ziet er niet uit! Je moet zo'n plastic jas kopen als ik heb. Trek droge kleren aan en kom naar beneden, dan krijg je een lekker glaasje sherry om warm te worden.'

Marys ouderwetse keuken was naar Amerikaanse begrippen primitief. Geen moderne hulpmiddelen, behalve een ijskastje en een oud gasfornuis. Een hoge gootsteen met twee kraantjes. Een elektrische ketel, een roosterijzer voor op het gas.

Maar het was een mooie ruimte. Het licht kwam binnen door de hoge ramen, die op de tuin uitkeken. Op een oude houten kist stonden vreemde borden, kopjes, bekers, allemaal verschillend, oud Chinees porselein voor dagelijks gebruik. Houten tafel, mooi oud hout. Houten kast met planken erboven, open planken waar de blikken, het pond suiker, de pakjes kwaliteitskoffie zichtbaar waren. En overal troep. Een half brood op de broodplank, een mes ernaast, kruimels eromheen. Open jampot, zachte, bijna gesmolten boter door de warmte, vuile koffiekopjes, borden, een aardewerken kruik en zeef, die Mary als koffiepot gebruikte.

Dolores voelde zich volkomen op haar gemak.

Mary was druk doende in de keuken terwijl zij honderduit praatte, maar scheen daarmee niet de troep op te ruimen. Zij leek constant in beweging te zijn – misschien kwam dat omdat zij erg veel met haar handen sprak, misschien waren het haar wakkere, intelligente ogen die steeds een andere uitdrukking hadden. Hoewel haar gezicht rustig en beheerst bleef, scheen zij geen moment stil te zijn.

Het was rustig in de flat. 'Waar zijn je kinderen?' vroeg Dolores.

'Bij hun vader. Daar zijn ze meestal. Ze zijn aan hem toegewezen,' voegde zij er met een dunne, onbewogen stem aan toe.

'O.' Stilte. Wat had zij in hemelsnaam gedaan dat hij ze toegewezen had gekregen? Getippeld? Drugs gebruikt? Hen geslagen? Misschien wilde zij hen wel niet hebben: zij had het altijd zo druk.

'Jij hebt het altijd zo druk – altijd rennen en vliegen bij jou.'

'O ja, vreselijk. Dat stomme examen, weet je. Plus de chirurgie en de stages. Ik ben eigenlijk doodop.'

'Ik zie niet in waarom je nu nog examen moet doen.'

'Omdat ik me wil specialiseren – als internist, snap je. Ik studeer nu twee jaar, tussen mijn praktijk en de huisbezoeken en de pogingen om mijn kinderen te zien in. Het is heel zwaar omdat het een mondeling examen is en de examinatoren alleen maar mannen zijn. Zij zijn bijzonder streng tegen vrouwelijke kandidaten. Als je aardig probeert te zijn, zeggen ze dat je niet serieus genoeg bent, en als je serieus probeert te zijn, vinden ze je irritant. Tussenvormen zijn er bijna niet. Het zou misschien iets makkelijker zijn als ik pediatrie of zelfs gynaecologie had gekozen. Dat wordt eerder geaccepteerd.'

'Misschien zou je je haar moeten opsteken.' Marys lange zwarte haar hing tot midden op haar rug.

Mary giechelde. 'Denk je echt dat dat zal helpen?'

'Je weet hoe mannen zijn,' lachte Dolores.

'Ja, natuurlijk. Iemand van mijn leeftijd met lang haar zou misschien... nou, hemeltjelief, daar is alles bij mogelijk. Die rookt stuff of heeft een minnaar. Wat inderdaad zo is. Je hebt gelijk. Opsteken dan maar.' Zij zuchtte. 'Het zit me toch al tegen. Een van de leden van de examencommissie is een vriend van mijn ex-man.'

Weer een slechte scheiding. Zeg er niets over. Alsjeblieft.

'En Roger geniet groot aanzien in Oxford, grote... geloofwaardigheid, zoals dat heet bij jullie. Ik haat dat woord, maar het is wel bruikbaar.' Zij lachte weer. Zij had een tinkelend zilveren lachje als van een klein meisje. En haar manier van doen was opgewekt, luchtig, aantrekkelijk.

'Roger Jenkins? De natuurkundige?'

'Die ja.'

'Hoelang zijn jullie al gescheiden?'

'Vier jaar. Ik moest wel, weet je. Hij heeft me proberen te vermoorden.'

O God. Vertel het niet, alsjeblieft.

Maar Mary vertelde het wel. Het kwam er even gemakkelijk en gelijkmatig en kalm uit als de melk uit een kan op een schilderij van Vermeer. Zij praatte niet met horten en stoten. Haar verhaal was beheerst, een menuet. Af en toe zweeg zij om een slokje sherry te nemen of hun glazen bij te vullen. Dolores onderbrak haar af en toe om een vraag te stellen ter verduidelijking van de situatie. Mary was niet altijd even samenhangend genoeg naar de zin van Dolores en dat – het van de hak op de tak springen zonder de achtergrond daarbij te vermelden – leek het enige te zijn waar haar verwarring uit sprak. Maar zij vertelde haar verhaal in alle rust, vaak met een glimlach, haar gezicht onbewogen toen zij aan het meest schrijnende gedeelte toekwam.

En er waren een heleboel meest schrijnende gedeeltes.

Dolores barstte tenslotte uit: 'Hoe kan je daar zitten met een glimlach op je gezicht?' Zij was woedend, ze wilde met borden gaan gooien of op iemands hoofd timmeren; zij wilde opspringen, iets *doen, iets*!

'Het geeft geen pas om kwaad te worden in dit land. Je wordt erop aangekeken.'

'Kan je niet in beroep gaan?'

'Ik heb geen geld. Ze betalen heel weinig bij de gezondheidszorg. Ik moest geld lenen van mijn moeder om het laatste proces te kunnen betalen. En zij is weduwe en het geld groeit haar ook niet bepaald op de rug.'

'Die rechter moet uit zijn functie ontheven worden! Van zijn zetel geschopt! Uit zijn toga gerukt! Of hoe dat ook heet bij rechters,' raasde Dolores.

'Ja,' glimlachte Mary fijntjes. 'Bizar, hè?'

Dolores steunde haar hoofd in haar handen. Die drie sherry's maakten het alleen nog maar erger. Alsof je moest kotsen met een lege maag: je wilt huilen, je moet huilen maar je kunt het niet. Zoutpilaar.

'Mijn plan,' zei Mary zachtjes, 'of tenminste mijn hoop is dat ik slaag voor het examen zodat ik een beetje meer geld kan krijgen. De gezondheidszorg zet zich niet vaak in voor vrouwen, maar zij zullen toch iets voor mij moeten doen. En dan de huur van de flat. Gordon en ik hebben alles zelf gedaan, wij hebben die flat helemaal verbouwd. Het was vroeger een eengezinswoning. We hebben boven een keuken gemaakt en beneden een badkamer en het trappenhuis door een muur afgescheiden. Dus ik zou meer geld kunnen krijgen. Dan heb ik misschien over een paar jaar genoeg bij elkaar om in beroep te kunnen gaan.'

'En in die tussentijd?'

'Ik zie de kinderen zo vaak mogelijk. Als Roger daar geen stokje voor steekt.'

Dolores had een pijnlijke brok in haar keel, maar Marys ogen waren volkomen droog. Misschien is er iets mis met mij. Natuurlijk is het beter, gezien de omstandigheden, dat zij kalm blijft, de situatie accepteert.

Maar ik zou het niet kunnen.

'De moeilijkheid is dat ze nog zo jong zijn, dat ze het niet bevatten. En Roger zet hen tegen mij op. Elise is pas vijf, zij begrijpt er niets van, maar Linton is negen. Ik kan zien hoe hij eronder lijdt. Hij is boos op mij, voelt denk ik dat ik hem in de steek heb gelaten. En bovendien vertelt Roger hun dat ik gek ben, dat is altijd zijn enige verdediging geweest. Dus beginnen zij mij ook zo te zien. Weet je, als je vanaf het begin weet dat iemand, wie dan ook, gek is – dan begint die iemand er ook gek uit te zien. Alles wat hij doet lijkt dan gek. Als ik iets laat vallen of iets vergeet, kijken zij elkaar met veelbetekenende blikken aan. Natuurlijk zijn zij bij Roger veel meer orde gewend. Hij heeft een huishoudster. Ik moet dit allemaal – zij wuifde naar de keuken – zelf opknappen met een volledige praktijk en mijn studie voor het examen. Ik lees de hele nacht, of bijna de hele nacht, door. Ik krijg maar vijf uur slaap per nacht. Maar het is wel goed zo, het maakt mij niet uit.'

'Dan lees je de boeken waar de rechter jou om heeft veroordeeld.'

'Ja,' lachte zij. 'Bizar, hè? Maar ja, elke keer dat ik de kinderen heb, heb ik een of twee dagen nodig om hen aan mij te laten wennen. Linton zit mij de hele tijd uit mijn tent te lokken, te jennen. Hij is ongelukkig. Hij begrijpt niet dat ik graag bij hen ben. Hij begrijpt niet dat het niet mijn fout is.'

Dolores knikte langzaam en nadrukkelijk.

'Dus doe ik mijn best, maar ik heb ze maar voor twee dagen, drie op zijn hoogst, en dan gaan zij weer terug naar hem. En zie ik ze weer twee weken niet. Drie nu, dank zij die aardige rechter. En dan kan ik weer helemaal overnieuw beginnen.'

Dolores steunde haar hoofd in haar handen. *Haar kinderen! Haar kinderen!* Zij keek op. Haar vuisten waren gebald, haar tanden stijf opeengeklemd.

'Ik zou hem vermoorden. Ik zou hem afmaken.'

Mary keek haar meewarig aan.

'Kun je vergif in zijn eten doen? Een ongeluk arrangeren? Een voodoo-poppetje kopen?'

'Ik kan niet eens bidden dat hij doodgaat,' zei Mary rustig, 'omdat de kinderen dol op hem zijn, snap je. Hij is goed voor hen, echt waar. Nu. Ik huiver als ik eraan denk wat er met hen gebeurt als zij ouder zijn. Maar nu... ze zouden ontroostbaar zijn als hij doodging.'

Dolores staarde naar de tafel. Zij wilde hier weg. Ze bestudeerde Marys knappe wit-roze gezicht met de zachte lijnen, haar piekerige lange haar, haar expressieve, beweeglijke handen. Dolores zocht naar een zwak punt, iets waar zij kritiek op kon hebben. Haar manier van vertellen was wel een beetje onsamenhangend geweest. Misschien had Roger gelijk. Misschien was ze wel gek. Misschien hield zij niet echt van haar kinderen.

Dolores betrok het op zichzelf. Zij wilde Mary de schuld geven, wilde iets vinden waar zij de schuld op kon vastpinnen. Zij wilde dat zij kon zeggen: Dit zou *mij* nooit gebeuren. Ik laat mij niet in zo'n positie manoeuvreren. Zij betrok het op zichzelf.

Maar zij wist natuurlijk dat dit elke vrouw kon overkomen, dat het gewoon een kwestie van geluk was. Sommigen van ons raken hun kinderen kwijt.

Haar ogen schoten vol tranen.

Mary zat rustig, met een droeve glimlach op haar gezicht, naar haar te kijken. Alsof ik verdomme haar gevoelens zit te vertolken. Zij met haar goede manieren. Nou, ik heb ook goede manieren als het moet.

Zij stond op. 'Mary, als ik iets voor je kan doen, zeg het me alsjeblieft.'

'Dat zal ik zeker doen.' Mary stond ook op. 'Kom eens eten in het weekend als Gordon er is. Ik heb hem over jou verteld. Ik zou het leuk vinden als jullie met elkaar kennismaakten.'

'Graag.'

Zij omhelsden elkaar even, raakten vluchtig elkaars wang aan, in een gevoel van herkenning, van verbondenheid, in het besef van een grote, universele verwantschap.

4

En sleepte zich met moeite de trap op en schonk een glas vol met Victors whisky en hees zich op haar bed en liet zich neervallen. En bleef liggen, haar hoofd steunend op de kussens, en dronk haar whisky. Haar adem ging in zware zuchten, rillingen bijna. Zij voelde zich op haar hart en haar ingewanden getrapt.

Het oude zoutmeer. Kom er niet uit. Elke keer dat ik het probeer komt er iets van de bodem omhoog en trekt me weer naar beneden. Mijn eigen monster van Loch Ness.

Doodmoe. Wilde slapen, haar lichaam wilde slapen. Voor eeuwig. Nooit meer wakker worden, nooit meer voelen. Het was natuurlijk mogelijk. Het was niet moeilijk om zelfmoord te plegen als je dat echt wilde. Zij dacht er vaak aan, het was een goede gedachte. Het leven drukte minder zwaar op je als je wist dat je een eind kon maken aan het wegteren van je ingewanden, dat je zelf kon kiezen of je nog een dag verder zou leven.

Verdoemd. Verdoemd. Ik ben de vrouw van Lot. Zij had niet eens een naam en zij had niets te vertellen. Zij staat daar voor eeuwig neer te kijken op de steden in het dal, terwijl de rook opstijgt, de zwavel neerdaalt. Staat in Zoar, een naam die 'bijna niets' betekent. Ja, bijna niets. Haar man, twee dochters, een bundel op haar rug. De dochters hebben ook geen naam, ook al hebben zij met hun vader geneukt en de mannelijke lijn voortgezet. Maar nog niet, niet toen. Nog steeds maagd. Alleen de mannen in dit verhaal hebben een naam.

De vrouw van Lot was uit Sodom achter haar man aangesjokt, met al haar bezittingen in een bundel op haar rug: bijna niets. De meisjes zijn er ook bij, ze treuzelen en Lot geeft hun klappen op hun achterste om hen sneller te laten lopen. De oude vrouw zucht, wat doet hij nou? Deze man, deze goede brave man die haar echtgenoot is. De vorige nacht had deze goede brave man zijn dochters, *haar* dochters, aangeboden aan de boze mannenmeute die op de deur bonkte. De mannen waren uit op de vreemdelingen die Lot met veel tamtam van de stadspoort mee naar zijn huis had genomen, alsof hij zo'n belangrijke jongen was. Hij had gezegd dat de twee mannen engelen waren. Engelen maar liefst! De meute wil die vreemdelingen wel even onder handen nemen. Waarop deze brave man hun zijn dochters aanbiedt. De vreemdelingen, zo zei hij, waren belangrijker dan zijn dochters. Engelen! Duivels zal je bedoelen. Terroristische spionnen. Want kijk maar eens, kijk!

O, maar zij is eigenlijk al te ver weg om de steden te zien branden. Zij ziet alleen maar rook. Maar toch ziet zij het, zij ziet het met haar geestesoog. Zij ziet en zij hoort. Zij ziet de marmeren pilaren van de tempel breken en tot stof verpulveren. Zij hoort het gekraak, het vreselijke geraas als het dak instort en het stof omhoogdwarrelt en alles verduistert. Zij hoort het likkende geluid van de vlammen die de huizen in een ommezien in de as leggen, het gegil van de kinderen, het gehuil van honden die brandend wegrennen. Zij worden levend verbrand, haar twee getrouwde dochters. Zij zouden hier moeten zijn, bij haar in Zoar, maar hun mannen hadden gelachen om Lot en zijn engelen. Had hij hen maar terroristen genoemd: dat hadden zij misschien wel geloofd. Maar nu verbrandden zij, haar Miriam, haar Sarah, haar vijf kleinkinderen. Zij ziet de kleintjes rondrennen, hun handjes over hun hoofd, *Mama* roepend. Miriam houdt Ben-ami tussen haar rokken, zij heeft de kleine Piti in haar armen, zij zoekt Sarah en roept haar. Maar Sarah is lamgeslagen, zij was altijd al een schuw vogeltje, zij roept om *haar*, om *haar*, roept: *Mama! Mama!* Haar kinderen hangen aan haar benen, snikkend. Miriam schreeuwt dat zij naar het palmbos moeten gaan, naar de bron, naar een plaats waar water is, waar het veiliger is misschien. Maar Sarah is als verlamd en Lots vrouw ziet haar vallen, precies op de plaats waar zij stond, terwijl zij: *Mama!* roept.

Lot zal niet kijken. Hij heeft haar en de meisjes verboden om te kijken. Maar zij heeft lak aan zijn woorden. Vannacht is zij in haar gedachten van hem gescheiden. Wat zou zij zich druk maken? Moet zij nog op deze aarde blijven? Met *hem*? Na dit alles? Want het waren die mannen, zijn vrienden, zijn engelen, die het vuur en de zwavel hadden gebracht, die op dit moment haar Miriam, haar Sarah, de vijf kleintjes, o mijn kleine Piti met je grote zwarte ogen, aan het vermoorden waren.

Verbaast het je nog dat zij in een zoutpilaar veranderde? Tot op heden naamloos, onbelangrijk in de grote stroom van mannen die de geschiedenis vermeldt, iemand die over zijn schouder keek, die durfde te zien, die durfde te voelen.

De oude man en zijn dochters kropen de heuvels op en zochten een schuilplaats. Volgens het verhaal wachtten zij tot hij in slaap was gevallen en kropen toen naar hem toe en neukten met hem. Wat een gelul. Alsof hij dat niet gemerkt zou hebben. Zij probeerden hun vader te behoeden voor een gevreesd lot, erger dan de dood: te sterven zonder een zoon. Een door mannen verteld verhaal, oneerlijk. Een heleboel papa's vinden het leuk om met hun kleine meisjes te dartelen. En wat heb je aan een zoutpilaar als je geil bent?

Zij stond een beetje trillerig op en liep naar de keuken om nog een whisky te halen. Word dronken. Ben al jaren niet meer dronken geweest. Victors invloed, geef Victor maar de schuld, zei zij tegen de muur, terwijl zij haar armen wijd uitstrekte met een gebaar van laat maar waaien.

Woede. Zij werd verteerd door woede, die maar niet ophield. Zij stond stokstijf stil midden in de keuken en deed haar ogen dicht. Zij voelde zich net een pilaar van tranen, die niet te voorschijn wilden komen, die tot zout versteend waren.

Er was een geluid, een klik; zij draaide zich om. Victor stond in de deuropening. Hij keek haar aan en glimlachte. Zij staarde naar hem.

'Heb ik je laten schrikken? Ik heb een paar uur achter elkaar proberen te bellen, maar er werd niet opgenomen. Toen moest ik rennen om de trein te halen. Is er iets?'

Hij kwam binnen, hing zijn jas aan de kapstok en liep de keuken in. Hij bleef staan en keek haar aan. 'Lorie? Voel je je wel goed?'

Hij danste voor haar ogen. Hoe heette hij? Lot. Ja. Moet wel, want ik ben de vrouw van Lot. Maar ik heb een naam. Maar die kent hij niet, hij noemt me anders. Hij liep langzaam naar haar toe, hij legde zijn hand op haar arm. 'Lorie?'

'Ga weg.'

Hij trok zijn hand weg maar bleef haar aankijken. 'Ben je ziek?'

'Ja.'

'Wat heb je dan?'

'Het is mijn hart.' Zij ging op een stoel bij de tafel zitten, stootte haar glas om.

Hij ging tegenover haar zitten. Hij pakte haar hand. 'Je voelt je ziek in je hart.'

'Ja. Het bloedt. Daar is niets tegen te doen. En het gaat maar door, ook als ik er niet aan denk.'

'Liefje, heb je gedronken?'

Zij knikte.

'Heb je iets gegeten?'

Zij schudde haar hoofd.

'Ik denk dat je ook ziek bent in je buik. Het is over elven.' Hij stond op en pakte een paar eieren uit de ijskast en maakte er roereieren van. Hij roosterde wat brood. Dolores stommelde in de keuken rond terwijl ze nog een drankje klaarmaakte.

'Ik hoef dat niet. Ik heb geen honger,' zei zij kribbig. Maar toen hij het eten voor haar neus zette, schrokte zij het in een keer naar binnen. Toen zij het ophad, pakte hij haar handen.

'Nou, wat is er met je hart?'

'Dat heb ik al gezegd. Het bloedt. De hele tijd. Een bloedend hart, verdomme.'

Hij tilde haar op en sloeg zijn arm om haar heen en droeg haar naar de slaapkamer. Hij kleedde haar uit en trok haar nachtjapon over haar hoofd. Hij ondersteunde haar tot het bed en stopte haar in en ging naast haar zitten.

'Wat doe jij hier eigenlijk?'

'Er werd hier opeens een bijeenkomst georganiseerd. Ik heb ze gezegd dat ik morgen present zal zijn en ik heb geen kamer gereserveerd in het Randolph. Dus hebben we een nachtje samen.'

'Fijn,' zei zij en trok hem naar zich toe en drukte hem tegen zich aan. Toen duwde zij hem van zich af. 'Maar je hebt niet eerst even gebeld voordat je kwam! Je gaat er gewoon van uit dat ik er ben. Ik had wel een van mijn andere vriendjes op bezoek kunnen hebben!'

Hij gaf haar een treurige glimlach. 'Als dat zo was, had ik op de bank geslapen. Ik heb je trouwens gebeld.'

'O ja, ik was beneden bij Mary.' De tranen sprongen in haar ogen. 'O Victor!'

'Wacht. Wacht even.' Hij sprong overeind en holde naar de keuken, kwam terug met een dubbele whisky en ging weer zitten. Hij pakte haar hand. 'Vertel het nu maar.'

'Het is Mary. Zij heeft me over haar scheiding verteld. Ik was er kapot van.'

'*Jij* was kapot van *haar* scheiding?'

'Ja, snap je, daarom kan ik het niet. Er zijn dingen die ik niet kan, dat weet ik. Ik kan niet drinken. En ik kan zulke verhalen niet aanhoren. Net als mensen die bij de minste geringste aanraking een blauwe plek krijgen, weet je wel? Hun huid wordt paars als je alleen maar je duim op de binnenkant van hun arm drukt. Nou, mijn ziel is net zo, hij is overgevoelig. De enige remedie daarvoor is kwaad worden, maar op wie moet ik kwaad worden? Ik kan moeilijk Roger een oorvijg gaan uitdelen. Ik kan niets doen met mijn kwaadheid, snap je? Hij borrelt maar zo'n beetje. En tenslotte verandert hij in zoiets.'

'In wat voor iets?'

'Dit: zoals ik nu ben.'

Hij streelde haar hoofd. 'Het is goed – zoals je nu bent.'

'Nee, niet waar. Jij weet niet hoe dat van binnen voelt.'

Hij hield haar tegen zich aan, een glimlach op zijn lippen, en kuste haar haar.

'Mary was getrouwd met Roger Jenkins, dé Roger Jenkins, de natuurkundige, weet je wel?' Zij maakte zich los zodat zij zijn gezicht kon zien. Hij knikte. Zijn gezicht was een beetje strak. Hij wil dit niet horen. Wil er niet in meegesleept worden. Verdomme, ik moest naar hem luisteren, dan luistert hij ook maar naar mij.

'Nou, blijkt dat die Jenkins, de grote man, zijn overtollige energie niet botviert op de squashbaan maar op het lichaam van zijn vrouw. Hij begon met haar te stompen, zoals Anthony altijd deed als ik het huis uit wilde lopen wanneer hij een van zijn driftbuien had. Maar Roger ging tot grotere, betere dingen over: in haar gezicht slaan, bloedlip stompen, haar arm verdraaien. Op een nacht, toen zij van een feestje thuiskwamen, zij waren toen acht jaar getrouwd, was hij ergens woest over en gaf haar een stomp toen zij uit de auto stapte. In de garage sloeg hij haar tegen de grond. Daarna bukte hij zich en pakte haar hoofd beet en bonkte daarmee op de vloer, een hele tijd achter elkaar. Zij raakte bewusteloos.

Toen zij weer bijkwam, was hij verdwenen, de garage was donker. Hij had haar gewoon zo laten liggen. Zij bloedde en voelde zich misselijk, maar zij durfde het huis niet meer in. Zij geloofde dat hij haar had willen vermoorden en dat alsnog zou doen als hij haar zag. Zij wist op de een of andere manier overeind te krabbelen en sloop de garage uit en liep naar een telefooncel om een taxi te bellen. Zij ging naar haar moeder, daarna naar het ziekenhuis. Zij had een hersenschudding. Ze zei dat ze gevallen was. Wilde de Grote Man sparen! Stomme trut.'

Victor ging achterover op het bed liggen en stak een sigaret op.

'Nadat zij uit het ziekenhuis was ontslagen is ze bij haar moeder ingetrokken. Zij had geen geld, geen baan. Zij had haar dokterspraktijk opgegeven toen Linton werd geboren, en had besloten om thuis te zitten met de kinderen, zolang die nog klein waren. Linton was toen vier. Elise was nog een baby. Toen zij weer was opgeknapt, ging zij haar kinderen opzoeken. Roger had een huishoudster in dienst genomen, die de opdracht had meegekregen om haar niet binnen te laten.

Zij nam een baan, spaarde wat geld en deed hem een proces aan. Maar daar ging veel tijd in zitten. Zij huurde een huis zo dicht mogelijk bij Roger in de buurt – hij woonde eigenlijk in een te dure buurt voor haar. En zo vaak ze kon ging zij daar wandelen om de kinderen te zien als zij buitenspeelden. Roger diende een aanklacht tegen haar in wegens lastig vallen. Haar *eigen* kinderen!'

Haar stem stokte. 'Elise was bijna vergeten wie zij was en Linton was kwaad op haar dat zij hem in de steek had gelaten – zo zag hij dat. Tenslotte werd de scheiding uitgesproken en Mary kreeg het recht om de kinderen *om de twee weken*, om de *twee* weken, Victor, te zien! En werd verboden om ooit nog voet in Rogers huis te zetten. De rechter zei dat Mary de kinderen had verlaten. Roger zei dat Mary gek was en de verhalen over zijn wreedheden uit haar duim had gezogen. Roger heeft een grote naam in Oxford, hij heeft een hoop poen om advocaten te kunnen betalen, een groot huis, een huishoudster. Hij wordt geaccepteerd en gerespecteerd. Mary niet.

Nou, maar nu komt het ergste, want toen kreeg Linton mazelen en kon niet bij Mary in huis komen. En mazelen is een nare ziekte en Mary is arts. Dus ging zij naar hem toe. Zij ging elke dag, zij duwde de huishoudster opzij en ging naar binnen. (Weer een bewijs van haar gekte, zei Roger.) Hij diende een aanklacht tegen haar in. Hij had heel wat belastend materiaal verzameld, maar zij had daar niet op gerekend, zij had niets tegen hém in te brengen. Hij kwam met getuigen aanzetten – haar *vriendinnen*, Victor! Vrouwen zijn niet solidair in dit land – om te getuigen dat zij een minnaar had. Dat is zo, maar Roger heeft ook een vriendin. Maar zij had er niet aan gedacht om mensen te verzamelen die tegen hém konden getuigen. Hij kreeg haar vrienden zo ver om in de getuigenbank te verklaren dat zij soms, als de kinderen bij haar waren, alleen maar boeken zat te lezen.

En de rechter stelde Roger in het gelijk. Hij zei dat een vrouw die boeken las als haar kinderen bij haar waren, geen goede moeder was. Mary zei dat zij arts was en beter voor de kinderen

126

kon zorgen dan Roger, maar de rechter besliste – weer zo'n rechter die zijn machtspositie uitbuit – dat zij maar een "embryonale dokter" was! Vermoedelijk omdat zij haar praktijk een paar jaar lang niet had uitgeoefend. En hij bracht de keren dat zij haar kinderen mocht zien terug van om de twee weken tot om de drie!

Er zijn jaren overheen gegaan. Linton is nu negen, Elise is vijf. Te oordelen naar wat Mary zegt zijn zij een beetje in de war. Roger vertelt hun dat hun moeder gek is. En zij, arme ziel, zegt niets, zij wil hen niet tegen hem opzetten, wil hen niet nog meer in verwarring brengen. Wil hen niet gek maken. Het lijkt op Salomo en de twee vermeende moeders – behalve dat nu de valse moeder heeft gewonnen. Roger laat zijn kinderen rustig lijden als hij daarmee zijn macht over haar vergroot. Hij zou toch moeten weten dat het voor hen het beste is om van allebei hun ouders te houden, om met beide ouders samen te zijn. Vaders,' besloot zij bitter.

Zij nam een slokje whisky en zocht naar haar sigaartjes. Victor vond ze en stak er een voor haar aan.

'Het punt is, ik geloof niet dat zij weet hoe je kwaad moet worden.'

'Dat is meer Roger zijn afdeling,' zei Victor verbeten.

'En zo,' Dolores' stem had een vreemd hoge klank, 'is zij haar kinderen kwijtgeraakt.' Haar mond had een gekwelde uitdrukking, haar voorhoofd was gefronst, haar handen tot vuisten gebald.

Victor ging weer naast haar zitten, pakte haar handen, maakte haar vingers los en wreef er zachtjes over, alsof ze koud waren.

'Kan zij in beroep gaan?'

'Zij heeft geen geld.'

'Luister, Lorie: ik kan het niet aanzien dat je zo lijdt! Probeer het op deze manier te bekijken: zij heeft hen inderdaad verlaten.'

Zij sprong op, haar ogen schoten vuur. 'Ze had geen geld! Geen huis! En hij behandelt de kinderen goed, zegt ze. Hoewel zij haar hart vasthoudt hoe hij ze zal behandelen als zij oud genoeg zijn om hem tegen te spreken.'

'Liefje.' Geduldig. Rustig. 'Het is vreselijk. Maar had jij je kinderen bij Anthony achtergelaten toen je bij hem wegging?'

'NOOIT VAN MIJN LEVEN!' Heftig. Toen wat kalmer: 'Maar Anthony heeft me nooit proberen te vermoorden.'

'Natuurlijk wel.'

'Hoezo? Jij weet helemaal niets van Anthony.'

'Nee.' Gebogen hoofd, afgewende blik, kijkend naar het vloerkleed, of naar de plint. 'Maar ik weet hoe ik vroeger zelf was.' Hij keek haar aan. 'Ik denk dat ik misschien ook wel geprobeerd zou hebben om je te vermoorden – op welke manier dan ook.'

'Waarom!'

'Om je bij me te houden.'

'De holle pompoen.'

'Zoiets ja.'

Zij peinsde. 'Ja, maar dat is niet hetzelfde als fysiek geweld. Hij liet haar zo maar op de garagevloer liggen. Zij had wel dood kunnen bloeden en dan was hij van moord beschuldigd. Het maakte hem geen ene moer uit. Hij is niet stom, hij moest dat weten. Ik denk dat hij degene is die gek is. En daarbij – nou, ik begrijp wel waarom je zoiets zegt. Omdat het hele geval onaanvaardbaar is. Dus om het aanvaardbaar te maken – voor jou, voor mij – zeggen we: O, zij geeft niet zo veel om haar kinderen. Of: Zij heeft ook schuld. Daar voelen we ons beter door. Maar ik denk niet dat het zo is.'

Victor staarde naar zijn handen.

Zij legde haar hand op de zijne en hij keek haar aan. 'Ik geloof dat ik dronken was,' glimlachte ze.

'Als een kanon,' lachte hij.

'Ik moet niet drinken.'

'Ach, er zijn geen rampen gebeurd.'

'Je had me moeten zien voordat je kwam.'

'Wat was je aan het doen?'

'Aan het voelen. Alleen maar voelen.'

'Om Mary.'

'O,' zij haalde haar schouders op, 'om Mary ja. Maar ik huil denk ik eigenlijk om mijn eigen leven, mijn eigen kinderen, Anthony. Mijn moeder. Mijn vader. Mijn grootmoeder, verdomme,' lachte ze.

Hij streelde haar voorhoofd.

'Anthony was een vreselijke vader. Hoe kon hij ook een goede vader zijn, hij was zelf nog een kind. Dat last had van drift-

128

buien. Hij domineerde het hele gezin, niet als macho, **maar als baby met driftbuien.'**

'Misschien is dat wel het ware macho-gedrag.'

Zij glimlachte naar hem en strengelde haar vingers door de zijne. 'Weet je, in je hart ben jij een feminist.'

Hij glimlachte terug. 'Ik heb twee dochters.'

'Ja.' En ik heb er een.

'Door hen blijf ik bij de tijd.'

Victor zag er moe uit, de lijnen in zijn gezicht waren schaduwen, maar zijn ogen keken haar recht aan, hij was er helemaal voor haar hoewel hij waarschijnlijk liever ergens anders was, waar dan ook, of in ieder geval liever wilde vrijen of slapen.

'Nou had je lekker in Londen kunnen blijven en naar een leuk Engels blijspel kunnen gaan, en nu zit je hier en moet je dit aanhoren. Heb je er geen spijt van?'

'Ik zou nergens anders op de wereld willen zijn,' zei hij, en het klonk alsof hij het echt meende.

Zij probeerde die zin te zingen. 'Is er niet een liedje dat zo gaat?'

Hij woelde met zijn hand door haar haar. Heftig.

'Anthony zat altijd te vitten op de kinderen. Op Tony voornamelijk. Om alles, altijd. Constant. Het begon toen Tony net een beetje kon lopen, toen hij nog een luier aanhad. En ik ging – niet bewust, het gebeurde gewoon, heel geleidelijk – ik ging tussen hem en de kinderen instaan. Ik probeerde hen te scheiden. Aan de ene kant probeerde ik met Anthony te praten, hem te vertellen wat hij aan het doen was. Aan de andere kant probeerde ik hen van hem af te schermen, hen, als het even kon, apart te voeden, de straffen te negeren die hij als lintjes aan hen uitdeelde, hen de dingen te verbieden waarvan ik wist dat die hem woedend zouden maken.

Toen zij negen, tien, elf, rond die leeftijd, waren, had ik het gevoel dat het MIJN kinderen waren. Van mij. Helemaal. Ik wilde niet dat hij ook maar iets met hen deelde, ik vond dat hij dat niet verdiende. Ik wilde niet dat hij invloed op hen had, ik wilde niets liever dan hem nietig verklaren. Maar dat kon ik niet. Zij waren negen, tien, elf. Zij hadden hun hele korte leventje zijn geschreeuw, zijn gekanker aangehoord.'

Zij zwaaide een beetje heen en weer in haar bed, haar ogen

dicht alsof zij duizelig was. 'Ik voelde het met heel mijn hart,' zei zij met verstikte stem, 'dat ze van mij waren en dat hij niet het recht had om hen te vernietigen. En dat voelde ik ook bij Mary, zie je?'

'Ik zie het,' zei hij. 'Maar Marys ervaring is anders. Zij zegt volgens jou dat haar man goed voor de kinderen is.'

'Ja,' zuchtte zij.

Hij stootte haar zachtjes met zijn elleboog aan. 'Wakker?'

Zij deed haar ogen open. Ze waren vochtig. 'Ja, maar zie je, ik heb hetzelfde gedaan als zij. Ik heb mijn kinderen ook verlaten. Niet fysiek, maar moreel. Ik had hen mee moeten nemen toen ze nog baby's waren, zodra ik in de gaten kreeg hoe hij was, maar het heeft me jaren gekost om in te zien dat hij altijd zo zou blijven. Maar ik had ze mee moeten nemen. Hoe we ook daarna geleefd hadden, het was altijd beter geweest dan dat. Maar dat heb ik niet gedaan. Dat heb ik niet gedaan,' fluisterde zij.

5

Het regende het hele weekend en zij hingen wat in de flat rond. Zij deden de elektrische kachel aan in de woonkamer en deden de deur dicht om het warm te houden en werkten – Dolores zat te lezen en aantekeningen te maken in de grote lelijke schommelstoel, Victor zat aan de tafel figuurtjes te tekenen terwijl hij een gigantische brochure met gestencilde lettertjes bestudeerde. Na een paar uur keken zij elkaar zuchtend aan. 'Zin in een spelletje gin rummy?' vroeg Victor.

Maar na verloop van tijd waren zij daar ook op uitgekeken. Steeds weer vervielen zij in gesprekken over koetjes en kalfjes, tot Victor zei: 'Weet je, dit is de derde keer vandaag dat Anthonys naam valt. Nadat je al die weken met geen woord over hem hebt gerept. Volgens mij zit hij in je hoofd.'

'Waarschijnlijk door Mary.'

'Waarom? Was hij net zo als Roger?'

'Nee. Voor zover ik dat kan bekijken tenminste, ik heb Roger nooit ontmoet. Anthony was beige, blond en zwartgallig.'

Victor lachte. 'En rookte een pijp.'

'Ja, precies!' riep zij uit. 'Jij hebt stiekem gekeken.'

'Waarom ben je met hem getrouwd?'

Ach, hoe kan je dat aan iemand uitleggen? Iets dat zo ingewikkeld was dat je het zelf niet eens begreep. De manier waarop hij schuldbewust zijn hoofd liet hangen en zijn ogen opsloeg en je, verlegen, aankeek, zoals een baby dat kan doen. De manier waarop hij als een kind praatte en de hele tijd geknuffeld wilde worden. Maar dan weer zijn hoofd fier omhooghield als een klein jongetje, een ernstig padvindertje, en zei dat hij geloofde in eer, plicht, het vaderland, en dat zonder een spoor van ironie. Hij geloofde daar heilig in. Of hij geloofde dat hij erin geloofde. Want hoe kon hij ergens in geloven als hij niet eens wist wat hij voelde?

'Het is een vervelend verhaal. Ingewikkeld. Ik ben er zelf nog niet achter.'

De manier waarop hij zich in je hart had gewurmd: lief, aanbiddelijk, dartel. Keek je aan met grote baby-ogen, bijtend op zijn onderlip, bleef lachen als hij met kaarten, schaken, worstelen, hardlopen, met alles verloren had. Hij verloor altijd met spelletjes. Hij zei: Wat ben je sterk, schatje. En ik geloofde dat!

'Vergeleek je hem met Gregory Peck of zo iemand? Leek hij op een van je idolen?'

Zij schudde haar hoofd. 'Mijn enige mannelijke idolen waren Iwan Karamazow, maar van hem wist ik dat ik dat zelf was, en mr. Darcy in *Pride and Prejudice*, en later Laurence Olivier in de rol van Darcy. Maar ik wist dat Anthony geen Darcy was. Ik wist dat er geen Darcys *bestonden*. Hoezo? Had jij een idool?'

'Nou en of! Mijn ideaalbeeld was een kruising tussen Shakespeares Rosalind en zijn Cleopatra, en June Haver. Arme Edith. Daar kon zij het mee doen!'

'Je eiste van haar...'

'Ik,' hij zweeg even, '*verwachtte* het.'

'Arme Edith.'

'Ja.' Mat.

Darcy: trots, beheerst, onafhankelijk, elegant, gevoelig, meelevend. Ja, maar ook geaccepteerd: aristocratisch, rijk, behorend tot de mondaine kringen. En onder dat alles hartstochtelijk, net zo hartstochtelijk als Heathcliff. Maar dat heb ik geloof ik zelf bedacht: ik geloof niet dat Jane Austen dat element erin heeft gebracht. En uiteindelijk kreeg ik Heathcliff.

'Waarom ben je nou met hem getrouwd?' vroeg Victor voor de tweede keer.

'Hij was lief. Hij hield van me. Hij bewonderde mijn intelligentie. Hij wist dat ik een graad wilde halen en dat scheen hem te bevallen. Hij was aardig voor zijn moeder en voor alle kinderen in zijn familie, zijn neefjes. Hij leek evenwichtig, afgezien van een sporadische aanval van jaloezie – volkomen onverwachte uitbarstingen. Maar ik dacht dat die zouden verdwijnen zodra wij eenmaal getrouwd waren.'

En waarom vertel je de rest niet? Dat je in het leger zat en aan een wedloop vol hindernissen meedeed. Jij had de eerste hindernissen al genomen: lagere school, middelbare school, universiteit. Daarna kwam het huwelijk, kinderen, en zij-leefden-nog-lang-en-gelukkig. Het kwam niet in je hoofd op dat je een alternatief had. Geef het maar toe.

'En onderhuids, onder het beige, blonde en zwartgallige, onder de kinderachtigheid van Anthony, voelde ik een overweldigende intensiteit. Hartstocht. Intensiteit trekt mij nog steeds als een magneet aan. En ik voelde ook dat Anthony een trouw bezat die ik niet had. Ik heb nooit – ook nu niet – het gevoel gehad dat er maar één persoon op de wereld was met wie ik zou willen samenleven. Alleen op bepaalde momenten, dat heb ik vaak meegemaakt. Maar ik heb nooit gedacht dat ik de rest van mijn leven met een en dezelfde persoon zou willen slijten. Ik kan het niet helpen. Ik kan het echt niet helpen,' pleitte ze.

Victor keek haar vreemd aan. 'Ik begrijp het,' zei hij, maar zijn stem had een rare klank.

'Het is niet mijn aard,' zei zij nog eens nadrukkelijk. Zij staarde hem aan. 'Wat is er?'

Hij lachte zuur. 'Ik dacht dat alleen mannen die ziekte hadden.'

'Is het een ziekte? Ik vind het heel normaal, sommige mensen zijn gewoon anders, die zijn echt monogaam. Ik heb het altijd oneerlijk gevonden dat zij een streepje voor hebben. Ik heb altijd gevoeld dat er duizenden fantastische mensen op aarde rondlopen, die ik allemaal wilde leren kennen. En ik wilde met alle mooie, sexy mannen neuken,' grinnikte zij. 'Tot voor kort tenminste.'

Hij glimlachte, maar niet van harte. 'Nou, bij jou hoef ik me tenminste niet te verontschuldigen voor mijn verleden.'

Zij keek hem aan. 'Maar dat zou je liever wel doen,' raadde zij.

Hij gaf geen antwoord. 'Dus hij bleef jou trouw, terwijl jij met jan en alleman naar bed ging.'

Aha. Vindt het niet leuk dat de zaken zijn omgedraaid.

'Nee.' Zij was moe. 'Het punt was dat ik door zijn trouw ook trouw was. Zijn halsband zat aan de mijne vast: en die van hem bleef altijd op dezelfde plaats zitten. Zijn bezitterige hartstocht hield mij op mijn plaats verankerd. Want in die tijd dacht ik dat er iets mis was met mij. Ik dacht dat ik een kouwe kikker was, anders dan de andere mensen. Zeker anders dan de meeste vrouwen. Ik dacht dat Anthonys voorbeeld mij zou leren hoe ik een volwaardig mens kon worden, hoe ik kon voelen wat andere mensen beweerden te voelen.'

Een liedje dat ik toen heel goed vond: Sarah Vaughan die zong 'Ik ben niet het geschikte meisje voor een jongen als jij.' Of was het 'Jij bent niet de geschikte jongen voor een meisje als ik'? In ieder geval was zij een slet en hij een ridder. Ja. En je vond die verlegenheid en dat baby-gedoe ook leuk. Waarom vertel je de waarheid niet? Anthony gaf je het gevoel dat hij huizenhoog tegen je opkeek, door zijn bewondering viel de voorsprong weg die mannen altijd hebben op vrouwen. Het gaf je een gevoel dat jullie elkaars gelijken konden zijn. Maar je wist toen nog niet dat je moet betalen voor wat je krijgt.

Victor scheen zich een beetje te ontspannen. 'Dus je vond die bezitterigheid wel leuk?'

'Ik wist niet wat bezitterigheid was. Ik wist dat hij tussen mij en mijn vrienden probeerde te gaan staan, me probeerde te isoleren. Maar hij had zelf zoveel vrienden dat ik hem geloofde als hij zei dat hij mijn vrienden niet mocht omdat zij zus of zo waren, wat zijn vrienden niet waren. Ik dacht dat mijn normen gewoon minder hoog lagen dan die van hem. Maar eigenlijk had ik de pest aan de meeste van zijn vrienden. Enkele uitzonderingen daargelaten, maar die waren genoeg om zijn boodschap te bevestigen.

En daarbij hebben we ook extatische momenten beleefd. Ik herinner me dat we op een avond – ik studeerde nog – laat uitgingen. Het was een inktzwarte nacht en ze waren ergens in Cambridge aan het bouwen. Alles stond nog in de steigers, en Anthony zei: Laten we erop klimmen. Zo gezegd, zo gedaan. We deden onze schoenen uit en begonnen te klimmen. We klommen hoger en hoger, panisch was ik, en ik weet zeker dat hij dat ook was. Hoe hoger we kwamen, des te mooier werd het uitzicht onder ons. We konden mijlenver in de omtrek kijken, de lichtjes flikkerden als kleurige sterren: de meeste wit, maar ook rode, groene, gele. Toen we helemaal bovenin waren, kleedden we ons allebei uit. We hadden elkaar nog nooit naakt gezien. Het was pure extase – zijn glanzende lichaam, de lichtjes beneden ons, de brede hemel, fluweelblauw met een berg van donkere wolken, laag aan de horizon, meer als een donzige deken dan als een bedreiging...

En Anthony ging heel makkelijk met mensen om, tenminste dat leek toen zo. Hij was menselijk en tolerant op een manier die mij vreemd was. Ik had daar bewondering voor.'

Ja, hij kon goed met zijn vrienden opschieten, niet met de jouwe. Hij leek menselijk en tolerant omdat hij tolerant was tegenover idioten. Wat een stelletje dufkoppen had hij om zich heen, idioten die geen zinnig woord over hun lippen kregen en om de meest stompzinnige dingen lachten. Het onderwerp dat de meeste hilariteit verwekte was drank. Waarom heb ik nooit begrepen. En fiasco's. Flaters. Mannen die zichzelf in de zeik nemen. Daar begreep ik toen ook niets van.

'De mensen met wie ik studeerde waren vreselijk intellectueel. Ik keek tegen hen op, maar ik heb altijd het vage vermoeden gehad dat zij niet echt waren. Iets dat Anthony duidelijk wel was. Tenminste in zekere zin. Zo leek het tenminste...'

'Jij hield zijn bezitterigheid voor grote liefde,' zei Victor.

'Ja. En zijn gebrek aan intellectuele pretentie voor echtheid.' 'Was dat niet zo?'

Zij haalde haar schouders op. 'Wat is echt? Ik denk dat het woord alleen maar gebruikt kan worden voor het beschrijven van leer of boter, zoals "zuiver" alleen maar gezegd kan worden van kristal of bronwater,' glimlachte zij onzeker. 'Ach, ik denk dat ik eigenlijk verliefd ben geworden op de Anthony uit zijn verhalen. En toen ik hem moest verlaten, was het die Anthony die mijn hart brak.'

'Verhalen?'

'Hij vertelde mij altijd verhalen over zijn jeugd. Niets bijzonders, gewoon over wat er met hem gebeurde toen hij opgroeide. En ik werd verliefd op dat kleine jongetje, en soms was Anthony dat jongetje. Maar meestal was hij dat niet. Het heeft jaren geduurd voordat ik ontdekte dat de echte Anthony, de Anthony uit de verhalen, nooit meer buiten kwam spelen. En die Anthony vervaagde in de loop der jaren. Ik scheidde van de Anthony met wie ik samenleefde, iemand aan wie ik grondig de pest had. Maar ik ben er bijna kapot aan gegaan toen ik de Anthony uit de verhalen moest opgeven.

Dus je zal wel gelijk hebben. Het was geen Darcy of Karamazow – het was een jongen uit een fabel... Ik herinner me één verhaal dat niet uit zijn jeugd stamde, of net op het randje daarvan. Hij was zeventien of achttien, hij zat bij de luchtmacht. Net als jij vond hij het leuk in dienst. Hij zat in een trainingskamp van de officiersopleiding, ergens in het westen, maar oostelijk van de Rocky Mountains. Hij was heel jong voor zijn leeftijd en de jongens van zijn onderdeel noemden hem "Broekie" en ontfermden zich over hem. Zijn beste vriend was een oudere jongen, onderdeel Lothario, tegen wie Anthony huizenhoog opkeek. Toen. Die vriend had elk weekend een afspraakje met een vrouw in L.A. of San Francisco en zorgde ervoor dat zij voor Anthony een vriendinnetje meenam.

Als zij een verlofpasje hadden voor het weekend, en ik denk dat dat meestal het geval was want er viel niets te beleven in de woestijn waar zij zaten, staken een paar jongens de koppen bij elkaar en lulden wat met een piloot om hem zover te krijgen dat hij een oud vliegtuig zou besturen dat alleen voor oefeningen werd gebruikt en niet ver kon vliegen. Zij kregen hem zover dat hij hen naar Californië zou vliegen voor het weekend.

Maar het vliegtuig was echt heel krakkemikkig, het kon nauwelijks over de bergen heen komen. Dus als de piloot met de neus omhoog een bergtop wilde nemen, schreeuwde hij: Naar achteren! En het hele zootje rende dan naar het achterstuk van het vliegtuig. Maar daarna moest hij weer recht komen, met zijn neus naar beneden, dus schreeuwde hij: Naar voren! En het hele zwikkie rende naar voren.

Hij vertelde dit verhaal met een leuke, lieve, schuldbewuste lach. Het was typisch een verhaal voor hem, het had precies de juiste elementen. Een beetje waaghalzerij, tenminste naar mijn beschermde maatstaven. Een beetje risico. En een hoop incompetentie. Verpakt in humor. Hij scheen om zichzelf te lachen en dat vond ik fantastisch van hem...'

6

'Wat deed hij?'

Moe. Moe. Waarom onderwierp Victor haar aan een kruis-verhoor?

'Dat heb ik je al verteld. Hij werkte in het postorderbedrijf van zijn vader.'

'O ja. Was dat een goede baan?'

'Of hij veel verdiende, bedoel je? Gaat wel. Geen gouden bergen. Maar ik werkte ook, dus we zaten er warmpjes bij. Maar dat was later. In het begin was hij een weifelaar, kon niet beslissen, en we zaten altijd krap. Ik herinner me dat ik zwanger was van Elspeth.' Moe. Moe. 'Ik had nog steeds een volledige baan als typiste. 's Avonds studeerde ik voor mijn doctoraal. Anthony had weer eens ontslag genomen hoewel de baby de volgende maand zou komen. De huur moest nog betaald worden, dus die betaalde ik, en toen realiseerde ik me dat ik blut was. We hadden geen geld voor eten. Ik raakte een beetje in paniek omdat de baby over een maand zou komen en ik ineens besefte dat ik de komende tijd niet meer zou werken. En ik storm de woonkamer in met mijn watermeloen van een buik en ik schreeuw naar hem: "Anthony, we hebben geen geld meer! We hebben geen geld om eten te kopen!" Hij zat de krant te lezen en toen ik dat gezegd had smeet hij de krant op de vloer en wierp mij een blik vol walging toe en stormde het huis uit. Hij kwam een paar uur later terug en gooide twintig dollar voor mijn neus neer. Hij heeft me nooit verteld hoe hij daaraan was gekomen. Van zijn moeder denk ik. Hij kreeg altijd geld van haar. Tot op de dag dat hij stierf. Zelfs nadat zijn vader was gestorven, liep hij naar zijn moeder als hij in geldnood zat.'

'Anthony is dood!'

Zij knikte.

'Ik dacht dat je gescheiden was.'

'Dat waren we ook.'

'Is hij daarna gestorven?'

'Hij stierf toen we in scheiding lagen,' zei zij bitter. 'Hij wilde niet scheiden, zie je. Ik snap niet waarom – ons huwelijk was een nachtmerrie. Constant ruzie om de kinderen. Hij zat voortdurend op hen te kankeren, tot op het krankzinnige af eigenlijk. En waanzinnige aanvallen van jaloezie, waarin hij letterlijk paars werd, in zijn eigen nachtmerrie wegkroop. Ik had

136

geen respect voor hem, en ook geen liefde, behalve voor de jongen die nooit meer naar buiten kwam maar van wie ik af en toe een glimp kon opvangen tussen de gordijnen. Maar ik was net als Edith, zie je, ik probeerde aardig voor hem te zijn, probeerde te glimlachen. Toch begrijp ik nog steeds niet dat hij, zoals hij beweerde, niet wist wat ik voelde.

Het was niet makkelijk om hem weg te krijgen. Ik moest een advocaat in de arm nemen, moest heel wat akelige toeren bouwen om van hem te scheiden. En toen wij eenmaal gescheiden waren, kwam hij iedere avond langs, precies om etenstijd. Hij zei dat hij voor de kinderen kwam. De kinderen. Hij had nooit enige aandacht aan hen besteed, alleen maar tegen hen geschreeuwd toen hij met hen in één huis woonde. Hij kwam tegen etenstijd langs en keek dan toe hoe wij zaten te eten. Onverdraaglijk was dat. Ik wilde hem niet aan tafel hebben, wilde het niet aanmoedigen. Maar probeer in zo'n situatie maar eens een hap door je keel te krijgen. Ik zei hem dat hij daarmee op moest houden, ik zei hem dat als hij eens in de week kwam, op een afgesproken dag, dat hij dan mee kon eten. Hij stemde daarin toe, maar toen stond hij enkele keren per week *na* het eten voor mijn neus. Ik zei hem dat als hij daar niet mee ophield ik ervoor zou zorgen dat hij nooit meer één voet in huis zou zetten. Maar ik wist helemaal niet of ik dat voor elkaar zou krijgen. Wettelijk, bedoel ik. Of via andere wegen: hoe ontzeg je iemand de toegang tot een huis dat half van hem is? Toen zei ik dat als hij mij een machtiging zou geven om te scheiden, hij twee keer per week mocht komen. Hij was zo wanhopig dat hij ja zei.'

Haar stem stierf weg. Zij stak de sigaret op die Victor haar aanbood.

'Ik had zo zielsmedelijden met hem,' vervolgde ze met verstikte stem. 'Hij was net een gewond dier. Hij bleef maar terugkomen, alsof hij geen andere plaats kon bedenken waar hij naartoe kon gaan. Het huwelijk was op een dieptepunt. Waarom wilde hij het zo graag? Waarom wilde hij een vrouw hebben die alleen nog maar verachting voor hem had? Een verachting die hij verdiend had.

Op de avonden dat hij langskwam ging ik altijd in mijn werkkamer zitten. Ik had dat de laatste jaren van ons huwelijk ook gedaan. De kinderen ruimden de boel af, hij keek televisie

137

en ik bereidde mijn colleges voor. Het was een goede regeling omdat hij lang zoveel niet op hen kankerde als ik er niet was om daar gekwetst door te worden.

Maar tijdens de scheiding kwam hij de werkkamer binnen hoewel hij wist dat ik bezig was. Hij zat dan te praten, te smeken. Hij zei steeds weer dat hij niet kon begrijpen waarom ik de scheiding wilde doorzetten als wij samen zo gelukkig waren. Ik kon hem op geen enkele manier duidelijk maken dat dat niet zo was. Het probleem was, zei hij, dat ik nooit zo van hem had gehouden als hij van mij. Ik zei dat het dichter bij de waarheid was om te zeggen dat ik hem nooit zo gehaat had als hij mij. Hij zwoer bij hoog en bij laag dat dat niet zo was, nooit zo was geweest, geen moment. Het was onmogelijk om met hem te praten. Ik zei dat ik moest werken en hij begon te huilen, viel op zijn knieën en legde zijn hoofd in mijn schoot en huilde.

Het brak mijn hart. Ik kon zijn vernedering niet aanzien, maar nog minder zijn pijn. Kleine Anthony was eindelijk naar buiten gekomen, hier was hij, huilend in mijn schoot. Ik wilde zijn hoofd strelen, hem zeggen: Stil maar, jongen, hem zeggen dat Mama hem nooit meer alleen zou laten.

Maar ik kon het niet. Hij maakte mij kapot, maakte mijn kinderen kapot. Ik moest daar als een ijsberg blijven zitten, hem ijskoud vertellen dat hij weg moest gaan. "Schatje, schatje, je maakt me kapot," zei hij dan en ik geloofde hem, want ik ging ook kapot aan deze beproeving. En de kinderen ook. Ik bedoel, zij moesten met hem aan tafel zitten, zijn grappen aanhoren die hij met holle stem vertelde in zijn poging om gezellig te doen. Zij zaten naar hem te luisteren terwijl zij hun eten naar binnen probeerden te krijgen. En zij wisten natuurlijk ook, of hadden een vermoeden, wat er zich op die avonden in mijn werkkamer afspeelde. Het huis was altijd heel stil op die avonden, alles opgeruimd, tv vroeg uitgezet, kinderen aan hun huiswerk in hun kamers. Met de deur dicht. Pas op voor opgeruimde huizen: daar is iets niet pluis. Zij hebben me nooit iets gezegd. Ik vertelde hun alleen de naakte feiten. Wat kon ik nog meer vertellen? Dat hun vader en ik samen vastzaten in een krankzinnig verbond? Dat we niet alleen aan ons huwelijk kapot gingen maar ook aan onze scheiding?

Ik kreeg het gevoel dat we in een oorlog gewikkeld waren waarin niets anders te winnen was dan het behoud van je eigen leven. Als ik hem zijn zin zou geven, waren we allemaal ten dode opgeschreven. Ik was mijzelf zo langzamerhand zo erg gaan haten om het feit dat ik het zo lang met hem had uitgehouden, dat ik denk ik zelfmoord had gepleegd als ik weer bij hem terug was gegaan. En dan zou *hij* de kinderen krijgen! Dus ik moest en ik zou winnen. Voor mijn en hun bestwil. Maar om de een of andere reden moest ik ook door deze beproeving gaan. Misschien was ik hem dat verschuldigd, of misschien moest ik kijken of ik hem werkelijk in de steek kon laten, het stukje kind in hem, Anthony.

Als hij zo meer dan een uur gesmeekt had, werd hij kwaad. Hij stond dan op en begon een staande tirade van bittere beschuldigingen tegen mij af te steken dat ik nooit van hem had gehouden, eerst op een lage toon, daarna steeds hoger en hoger, totdat hij mij gillend uitschold: trut, hoer, slet! Die woorden had ik al jarenlang naar mijn hoofd geslingerd gekregen, dus zij deden mij nu niets meer. Vroeger moest ik daarom huilen.

Maar ik kon veel beter met zijn kwaadheid overweg dan met zijn verdriet. Al was ik wel een beetje bang voor hem. Altijd al. Hij was nooit verder gegaan dan me een stomp geven, of me keihard bij mijn arm pakken als ik de deur uit wilde rennen, maar toch vertrouwde ik het niet zo erg. Nou ja, dat ging zo een tijdje door, dan zei ik dat hij weg moest gaan, ik stond op, ik schreeuwde en na nog wat tegenstribbelen ging hij weg, de deur achter zich dichtsmijtend.

Het hele huis – je kon het horen, het was een soort geluid – haalde opgelucht adem als hij weg was. Maar de kinderen zaten muisstil in hun kamer, kwamen niet te voorschijn om te vragen wat al die herrie betekende. En soms gingen zij slapen zonder mij een nachtzoen te geven. Ik ging dan naar binnen om te kijken of alles goed met ze was, en het licht was uit, hun ogen dicht. Misschien hielden zij zich slapende. Ze moeten zowel op mij als op hem kwaad zijn geweest omdat hun leven zo verstoord werd. Zij hadden geen idee hoe het allemaal zo gekomen was. En om je de waarheid te zeggen, liet ik het maar zo.'

Ze zuchtte. 'Ik weet niet waarom. Ik voelde het gewoon zo, ik voelde dat volhouden mijn enige wapen was, ik dacht er niet over om advocaten en politie erbij te halen. Ik heb trouwens wel één keer de politie gebeld, toen hij 's avonds laat inbrak, met de boel ging smijten, mij lastig viel. Zij deden niets. Het huis staat op zijn naam, klopt dat, mevrouw? Dan kunnen wij niets doen. Of u moet mee naar het bureau willen komen en een formulier invullen om een aanklacht in te dienen wegens bedreiging. Zij hadden dit soort toestanden al duizend en één keer meegemaakt. Wat er ook in de wet staat, als het erop aankomt heeft een man het recht om zijn vrouw lastig te vallen, te jennen, te slaan zelfs. En de meeste mensen willen daar liever buiten blijven.

Nou, ik wachtte tot de vakantie en zei tegen de kinderen dat we een uitstapje gingen maken naar mijn moeder op de Cape. Dat zei ik ook tegen hem. En ik reed de kinderen naar haar toe, spoot daarna met de duivel op mijn hielen terug naar Boston en nam de eerste de beste vlucht naar Mexico.

Ik moest het stiekem doen omdat hij de machtiging nietig had kunnen verklaren als hij wist wat ik aan het uitvoeren was. En eigenlijk... nou ja, ik wilde niet dat hij me achterna zou gaan en een scène zou maken...'

Zij pakte het drankje aan dat Victor haar aanreikte en nam een slokje zonder hem aan te kijken, zonder hem te zien. Hij ging naast haar zitten, zijn gevouwen handen hingen tussen zijn knieën en hij staarde nu eens naar haar, dan weer naar de vloer.

'Maar hij wist het donders goed. Hij had immers altijd geweten wat ik uitvoerde? Altijd. Ook na onze scheiding stond hij ineens voor mijn neus als ik ergens lunchte, kwam op zijn krukken binnenstommelen in de kantine van de faculteit of in een hamburgertent waar we soms naartoe gingen. Of ik reed op een mooie lentedag naar het strand om te wandelen, om de dingen op een rijtje te zetten, en ik draaide me om en daar stond hij, of ik ontmoette een man en ging wat met hem drinken, misschien was het leuk, misschien kon dat me oppeppen. En Anthony zat aan de bar. Soms schopte hij herrie. En dat liep soms helemaal uit de hand.

Dus hij wist het donders goed. En stuurde een telegram waarin hij de machtiging nietig verklaarde. Gelukkig is Mexico zo chaotisch dat het telegram niet op tijd aankwam. Of misschien was het echt wel te laat verstuurd. Al met al zou het niets uitmaken. Ik vloog terug en reed weer naar de Cape. Die tijd bij mijn moeder had de kinderen goed gedaan. Vredig. Ordelijk. Zij voelden zich beter. Ik ben een tijdje gebleven en we hebben gespeeld. Gezwommen. Tochtjes gemaakt, gekaart. En veel gelachen, al was het soms op het randje van hysterie.

Want ik was doodsbang en hoe goed ik dat ook probeerde te verbergen, zij moeten dat gevoeld hebben. En tenslotte moesten we naar huis. De hele terugweg waren ze aan het giechelen. Ik had Anthony bij mijn terugkeer een telegram gestuurd om hem te vertellen wat ik gedaan had. En nu zag ik hem in gedachten op de sofa op ons zitten wachten, met zijn geweer in de aanslag om ons een twee drie vier neer te knallen zodra wij binnenkwamen. Zulke dingen gebeuren, weet je.

Ik kon de kinderen niet vertellen wat ik dacht, maar het werd geleidelijk aan zo echt dat zij van mij in de auto moesten blijven, terwijl ik naar binnen ging. Ik legde niets uit, ik zei het alleen maar. Ik zei dat Elspeth, voor het geval er iets gebeurde, meteen weg moest rijden naar Carol en John. Die woonden een paar blokken verderop.

Zij waren waarschijnlijk ook bang, want ze sputterden niet tegen. Terwijl zij wisten dat Elspeth nauwelijks kon autorijden, dat haar hele rij-ervaring bestond uit de paar keer dat zij van Anthony of mij achter het stuur mocht zitten en een paar blokjes rijden. Het was afschuwelijk. Pas later heb ik me afgevraagd waarom ik niet eerst naar hen ben toegegaan, waarom ik nooit om hulp heb gevraagd. En ik kwam tot de slotsom dat ik mezelf zo *slecht* vond, me zo *schuldig* voelde – een vrouw die van haar man scheidt alleen maar omdat hij een klootzak is – dat ik vond dat ik geen recht had op hulp, zelfs niet van mijn oude vrienden. Ik moest de gevolgen dragen en ik alleen.'

Zij lachte een dun, droog lachje – meer een hoestend geluid.

'Maar Anthony was er niet. Wel lag er een brief waarin hij mij vertelde dat hij de volmacht nietig had laten verklaren, waardoor mijn scheiding ongeldig was. Ik was woest, hysterisch. Ik weet niet hoe ik dat moet beschrijven. Die hele toestand had me zoveel *gekost*! Niet alleen financieel, hoewel dat ook meetelde. Het had me zoveel moeite gekost – de bedriegerij, van hem weggaan, van de kinderen weggaan, de angst voor zijn wraak. En de wetenschap dat hij me nooit zou laten gaan. Dat het waar is dat je nooit van een onderdrukkende, tiranniserende bullebak afkomt. Je kunt niet uit een slecht huwelijk stappen als beide partijen daar niet mee instemmen! Het leek een nachtmerrie. Ik zag een toekomst voor me waarin ik voor eeuwig aan hem vastzat!

Ik riep de kinderen. Zei dat ik bang was dat er was ingebroken toen we weg waren. En Sydney zei – ze was pas negen –: "Je bedoelt door Papa, hè?" Een staaltje van hoe goed we onze kinderen van de waarheid afschermen.

We waren die dag allemaal een beetje nerveus. Ik denk dat we zaten te wachten tot er iemand met een paars gezicht gillend naar binnen zou komen. We gingen samen boodschappen doen, we kookten samen, we aten samen, we lachten veel. De hele maaltijd door heerste er een giechelstemming: niemand die schreeuwde over ellebogen van tafel of eet je wortels op of verkeerde vorken of zet je fiets weg. Het was dacht ik een voorproefje van hoe het zou zijn als hij ons niet meer lastig zou vallen.

Ik keek naar de gezichten van de kinderen en ik dacht: Het was de moeite waard. De pijn, de spanning, de slechte colleges die ik in dat semester had gegeven – het is moeilijk om iets behoorlijks op papier te krijgen als je net een knallende ruzie hebt gehad. En moeilijk om goed college te geven als je niet zeker weet of een gillend speenvarken je buiten de collegezaal staat op te wachten – zoals hij soms deed. Het was niet de ellende van de kinderen waard, maar niets is dat waard. Niets kon dat weer goedmaken, maar misschien hadden zij het niet zo sterk gevoeld als ik. En het beste wat ik kon doen – wat ik kon zeggen – was dat zij tenminste nooit meer zo hoefden te lijden.'

De tranen liepen over haar wangen, maar zij scheen het niet te merken. Victor veegde ze voorzichtig met zijn vinger weg.

'We zaten die avond bij elkaar, de kinderen hadden niet eens de tv aangezet en praatten over waar we wilden wonen, hoe we wilden wonen, wat we ons konden permitteren. Het was een goede avond. We waren samen thuis, *en famille*, voor het eerst in ons gemeenschappelijke leventje. Ik bleef nog lang zitten nadat de kinderen waren gaan slapen. Ik maakte me nog steeds zorgen en ik was bang, hoewel ik hun niets over Anthonys briefje had verteld. Ik zat een plannetje uit te broeden, ik wist dat als hij de scheiding op losse schroeven had weten te zetten, ik het verder wel kon vergeten, tenzij ik hem op de een of andere manier erin kon luizen. Daar dwong de wet je toe in die tijd. Maar dat zag ik niet zitten. Dus was het beste dat ik dan kon doen uit dit huis weggaan en een eigen huis versieren waar hij niet zo maar naar believen in en uit kon lopen. Maar ik wist

142

ook dat ik als ik een huis probeerde te kopen op moeilijkheden zou kunnen stuiten – een getrouwde vrouw zonder de handtekening van haar man. Zijn er nog mensen die zeggen dat het rechtssysteem geen afspiegeling is van de heersende vooroordelen in de maatschappij? Vraag het maar eens aan een vrouw die het in haar eentje heeft willen proberen. Hij had inderdaad kunnen verhinderen dat ik het huis zou verkopen, omdat het half van hem was. Dus er zaten allerlei haken en ogen aan.

Maar alles bij elkaar genomen voelde ik me best goed. Ik had een stelletje scheidingsformulieren in mijn tasje. Moest niet vergeten die op mijn naam in een kluis op te bergen. En de kinderen waren heel wat meer ontspannen dan zij de afgelopen periode geweest waren. Voor het eerst in jaren had ik een vaag gevoel van... geluk. Een licht gevoel om mijn hart. Een toekomst voor mijn kinderen, waarin zij vrolijk, gek, onbezorgd, lawaaierig, dwars, alles mochten zijn – kinderen. Een beetje recht groeien, na al dat krom buigen...

De volgende morgen zouden de kinderen naar de zomerschool gaan, een soort kinderkamp, weet je. Ik zou uitslapen, tenminste dat was ik van plan. En toen hoorde ik Elspeth snotteren...'

Haar stem stokte. Victor gaf haar zijn glas, maar zij kon met moeite een slok naar binnen krijgen. Zij maakte een piepend geluid. Slikte. Tenslotte kwam haar stem terug, maar het was een rauwe stem, onverschillig, hard.

'Ja. Nou ja, zij heeft hem gevonden, zie je. Toen zij haar fiets wilde pakken in de garage. De motor stond nog aan. Elspeth had de tegenwoordigheid van geest om de kleintjes buiten te houden, een zakdoek voor haar neus te doen toen zij naar binnen ging om het contact af te zetten. En toen zijn ze erop afgerend en hebben hem gevonden.'

Haar mond was vertrokken. 'Daarom kan ik het niet vergeven, niet vergeten. Hij wist heel goed dat er alle kans op was dat zij hem zouden vinden. Had hij het niet in zijn eigen auto kunnen doen? In zijn eigen huis? Bij zijn moeder, godverdomme? Nee. Hij wilde dat zij hem zouden vinden. Hij wist dat hij mij maar op één manier kon pakken en dat was via hen.

En daarom kan ik de mannen niet vergeven. De Grieken hadden gelijk toen zij de oude man zijn kinderen lieten opeten. O, mannen zijn slecht tegen vrouwen, maar vrouwen zijn ook volwassenen, zij kunnen tenminste iets terugdoen. Zij kunnen iets bedenken om mee terug te vechten. Het zijn geen baby's die tegen hun vader opkijken. Het is de meest diepgaande, de sterkste liefde die er is denk ik, de liefde van een kind voor zijn ouders. Het is een onverwoestbare liefde, ook al maken de ouders daar misbruik van, ook al gedragen zij zich rottig en wreed.

Mannen stellen zichzelf vóór hun kinderen. In het beste geval proberen zij zoonlief te maken tot een betere versie van zichzelf – op de juiste school, de juiste baan, het juiste voetbalelftal, verdomme. In het slechtste geval gebruiken zij de kinderen als wapens tegen hun vrouw. En daarin zijn ze meedogenloos. Net als Roger. Wat kan het voor kwaad als de kinderen gelukkiger zijn als zij hun moeder wat vaker zien? Als zij weten dat hun ouders tenminste weer met elkaar praten? Maar nee, hij wil haar straffen. En hij is bereid om dat over de hoofden van de kinderen te doen.'

Zij stak nog een sigaret op.

Victor staarde naar de grond.

7

Na een poosje schraapte hij zijn keel. Zij keek hem aan en hij bestudeerde haar gezicht. Het was minder vertrokken, had een minder gekwelde uitdrukking, was rustiger.

'Ik dacht dat je twee kinderen had. Tony en Sydney. Je hebt het nooit over Elspeth gehad.'

Zij keek opzij. Haar gezicht was een masker. 'Elspeth is dood.'

Hij deed zijn handen voor zijn ogen.

'Toen ze pas dood was,' ging Dolores op monotone toon verder, 'dacht ik dat ik daar nooit overheen zou komen. Het komt nog steeds voor dat ik wakker word en verbaasd ben dat ik nog leef, dat ik verder heb kunnen leven. Ik denk dat elke liefde zijn grenzen heeft,' besloot zij bitter.

'Vind je dat je niet verder had moeten leven?'

'Hoe kon ik dat? Hoe heb ik het gekund?'

Hij pakte haar hand. Er zat geen leven in.

'Wanneer is zij gestorven?'

'Een eeuwigheid geleden. Zeven jaar. Ze was zestien.'

'Hoe kwam dat? Was ze ziek?'

Zij keek weer de andere kant op. 'Het was een ongeluk,' zei

144

zij met verstikte stem. 'Ik kan er niet over praten, Victor.' Hij hield haar hand vast en streelde hem. 'Dat begrijp ik.'

'Echt?' Bitter.

'Dat geloof je niet, hè? Dat ik kan begrijpen dat iets zo pijnlijk is dat je er niet over kunt praten.'

'Nee. Ik denk dat mannen anders voelen dan vrouwen. Zij leren allerlei spelletjes en trucjes om hun gevoel te verdringen en als ze vijftig zijn, zijn het zombies wat hun gevoel betreft.'

'Vind je dat van mij ook?'

Ze zweeg.

'Ik wil je niet aanvallen,' begon hij, 'vooral niet nu je zo down bent. Maar je wordt kwaad op me, of dat was je een keer, toen ik jou zoals je het noemde had uitgewist. Je had uitgeschakeld, je had genegeerd. Maar nu doe je precies hetzelfde met mij. Als wij praten hou je op een gegeven moment op met naar me te luisteren, je doet alsof wat ik zeg of voel ergens niet... nou, niet belangrijk is.'

Zij keek hem verdrietig aan.

'Je doet alsof ik niet kan denken.'

'Jaren geleden,' zei zij, 'was ik op een zondag in het Guggenheim. Je weet misschien dat iedereen de lift naar boven neemt en dan spiraalsgewijs naar beneden loopt. De retrospectieve tentoonstellingen zijn namelijk zo ingericht dat de vroegste schilderijen boven hangen en de late beneden. Nou, ik was daar een keer met wat vrienden en op een gegeven moment was daar een man, een hele knappe, elegante man, een beetje een fatje, genoeg om het doelwit te worden van hatelijke opmerkingen – hij droeg een zalmkleurig pak, hij was een schitterende verschijning – en deze man besloot om de schilderijen van beneden af te gaan bekijken. En voegde de daad bij het woord. En een andere man die dat zag, zei heel hard, door het gekwetter van de mensen heen: "Hé, moet je zien! Een zalm die tegen de stroom inzwemt!"'

Victor gaf haar een niet-begrijpende glimlach.

'Natuurlijk is het heel logisch om de schilderijen van boven naar beneden te bekijken. Maar je zou even interessante en ware dingen kunnen zien als je beneden begint. En dat is het verschil tussen mannen en vrouwen. Want mannen bekijken de dingen altijd volgens de zogenaamde logica. En vrouwen proberen dat ook, maar of ze willen of niet, de feiten van hun leven dwingen hen om de dingen van beneden af te bekijken. Zij zien nooit dezelfde tentoonstelling als de mannen. En zij zwemmen altijd tegen de stroom in. In hun eentje, zo lijkt het tenminste.'

'Dat vind ik niet. Maar ook al is dat waar, wat heeft dat te maken met die kloof tussen ons, met het feit dat jij me buitensluit?'

'Ik sluit je niet buiten, je bent gewoon niet binnengekomen.'

'Dat is niet waar. Je laat me stikken voordat ik een kans heb gehad. Je draait je gezicht van me weg.'

Zij sloot haar ogen. Moe. Moe. 'Vind je niet,' begon zij met een diepe zucht, 'dat jullie vrouwen haten, dat mannen in oorlog zijn met vrouwen, dat jij, mét alle mannen, emotionaliteit verbindt aan vrouwen en diep in je hart een hekel hebt aan emotionaliteit?'

Hij dacht even na. 'Ik denk dat daar een kern van waarheid in zit.'

'En ik denk dat dat de maatschappij ten voeten uit is.'

Hij zuchtte. 'Dat is te radicaal, Lorie.'

'Zie je wel.'

'Wat zie je wel.'

'Dat ik niet met je kan praten.'

'Jezus! Omdat ik het niet eens ben met alles wat je zegt?'

'Victor, vind je niet dat vrouwen in onze cultuur worden uitgebuit?'

Hij had het moeilijk. 'Sommige vrouwen wel denk ik, ja.'

'De meeste.'

'Oké, de meeste.'

'En wie profiteren van die uitbuiting?'

Hij steunde zijn hoofd in zijn handen.

'Zie je wel. Je wilt het niet zien, je wilt het niet weten, je wilt er niet over denken. Dat weet ik heus wel. In de maatschappij voel ik me een paria, bij jou voel ik me eenzaam – tot op zekere hoogte.'

'Maar WAAROM dan! Ik heb je toch niks gedaan?' Hij keek naar zijn handen. 'Ik mishandel mijn kinderen niet.'

'Dat geloof ik graag. Je hebt waarschijnlijk nauwelijks iets met hen te maken.'

Diepe zucht. 'Dat was zo. Nu niet meer.'

'Schrijf je ze regelmatig?'

Hij staarde haar aan. 'Nee, ik schrijf Edith en zij krijgen een
146

kaartje.' Hij ging rechtop zitten en vermande zich. 'Bovendien, Lorie, is het voor vrouwen anders, dat weet ik zeker. De baby's groeien in jullie buik, dat geeft al een hele hechte band. Jullie voeden hen met je eigen lichaam. Jullie verzorgen hen als ze hulpeloos zijn. Jullie begrijpen hen. Snap je, jullie weten wat ze denken, wat ze voelen, wat ze nodig hebben, ook als ze nog niet kunnen praten. Ik heb er altijd verbaasd van gestaan dat Edith precies kon horen aan de manier waarop een kind huilde of het pijn had of ziek was of gewoon moe en hangerig, of hongerig was. Of wat dan ook. Dat kon zij echt!

Mannen hebben dat gewoon niet. Ik tenminste niet. Het is iets speciaals en het geeft jullie vrouwen een dimensie in het leven die mannen niet hebben. Dus moeten wij ook iets speciaals hebben. Ik houd van mijn kinderen, maar ik denk niet dat ik zoveel van ze houd als Edith. Zij voelen zich ook niet zo met mij verbonden als met haar.

De laatste paar jaar heb ik geprobeerd om – nou, om intiemer met hen te worden. Dat is me wel gelukt geloof ik. Een beetje.'

Zij haatte dit soort gepraat. Haatte het. Zij wilde zeggen, wat kwam dat goed uit al die jaren. Wat handig om te geloven dat het iets biologisch is. Als jij drie dagen achter elkaar voor die kinderen had gezorgd, had jij ook hun huilen herkend. Had je het allemaal geweten. Er is niets magisch aan, al wil je dat graag geloven. Het is Circe weer: vanuit een andere hoek bekeken.

Zij zei: 'Je voelt je nu wel met hen verbonden.'

Ongemakkelijk. 'Meer dan vroeger.'

'Goed zo.'

'Ja.'

Stilte.

'Maar het is wel tragisch, hoor, dat de dingen zo in elkaar zitten.'

Zij was verbaasd. 'Tragisch? Ik dacht dat je het best vond zo.'

Hij schudde zijn hoofd, vertrok zijn mond. 'Ken je die films, meestal zijn ze Frans geloof ik – *La Ronde*. Het slaapkamergenre: A houdt van B houdt van C houdt van D houdt van E houdt van A. Mensen rennen slaapkamers en badkamers in en uit, verstoppen zich onder het bed. Nou, Edith houdt heel veel van de kinderen, maar zij heeft zichzelf altijd verboden om zichzelf te zijn met hen in de buurt, heeft nooit voor honderd procent van hen gehouden, omdat zij denkt dat ze meer van mij moet houden. En ze doet ook alsof dat zo is, terwijl ik me dat niet kan voorstellen. En ik houd van Edith, maar ik houd meer van de kinderen, en nog het meest van jou. En jij... jij zult nooit zoveel van mij houden, van niemand niet – dat is wel duidelijk uit de manier waarop je praat –, als je van je kinderen houdt. Daar klopt iets niet. Het kan niet de bedoeling van de Natuur zijn geweest om ons zo te maken.' Hij staarde naar de vloer.

Zij keek hem strak aan met haar oude, wantrouwige blik. Zij bestudeerde zijn gezicht en hij keek haar met vochtige ogen aan. En zij besloot hem te vertrouwen en kon daarom haar gevoel laten spreken. Zij stond op en ging naast hem zitten. Zij drukte zijn hoofd tegen haar borst. 'Victor,' fluisterde zij, 'ik houd heel veel van je. Laten we het niet in hoeveelheden gaan uitdrukken.' Dat troostte hem niet. Zij zaten tegen elkaar aan en staarden naar het rode elektrische draadje dat voor de warmte in de kamer zorgde, dat een vuur voor moest stellen.

Vijf

1

Victor vroeg Dolores of zij de kerstdagen met hem in Londen wilde doorbrengen. Zij zei hem dat ze twee weken vrij zou nemen van haar bibliotheekwerk. Zij verheugde zich erg op Kerstmis, iets dat ze in jaren niet had gedaan, niet sinds Elspeth... Zij kocht een heleboel cadeautjes voor Victor, lette niet op geld. De kinderen kwamen er zelfs een beetje bekaaid af. Alleen maar dit jaar, hield zij zichzelf voor. Er was een Viyella kamerjas voor koude Engelse slaapkamers, waar zijn zijden kimono (zeker van Edith gekregen) niets waard was; een oude in leer gebonden editie van *The anatomy of melancholy*, niet heel duur maar wel mooi, en kleine dingetjes – een paar kleurige posters om zijn saaie flat mee op te fleuren, een paar pocketboeken, elk in een ander papiertje.

Hij verheugde zich er ook erg op, hij was heel opgewekt en bruiste van energie. Hij kwam vroeg thuis van zijn werk en kwam als een wilde hengst de flat instuiven; hij wilde met haar over straat zwalken, de bus nemen naar het andere eind van de stad, bovenin gaan zitten en een doorlopende sociologische analyse geven. Hij wilde door alle parken lopen. Hij kocht kaartjes voor toneelvoorstellingen, concerten, balletopvoeringen. Ze zouden elke avond uit eten gaan, zei hij. 'We gaan alle restaurants in Londen af!' Ze kreeg koude voeten tijdens het lopen, dus kocht hij warme laarzen voor haar. Ze kreeg warme handschoenen van hem zodat zij haar handen niet steeds in haar zakken hoefde te stoppen, en een geldriem zodat ze geen handtas hoefde te dragen.

Zij had haar werk meegenomen. Ze installeerde zich in zijn flat, legde beslag op zijn bureau en zat daar elke dag aan te werken, terwijl Victor op kantoor zat. Zij was het tweede hoofdstuk aan het schrijven. Ze schoot lekker op zonder zich te haasten, en, ongelooflijk maar waar, voelde zich niet gestoord als zij Victors sleutel in het slot hoorde en zijn voetstappen naderbij hoorde komen. Zij keek blij op als hij binnenkwam en zijn gezicht straalde.

Soms vroeg zij zich af waarom hij nog steeds gek op haar was, met haar wispelturigheid en opvliegendheid. Terwijl het duidelijk was dat hij met zijn aantrekkelijke uiterlijk, zijn evenwichtigheid, zijn geld en zijn vrijheid heel makkelijk plezier zou kunnen maken met iemand die echt leuk was, een jong iemand misschien, niet zo zwaar op de hand, niet zo terneergeslagen. Hij scheen haar opvliegendheid niet erg te vinden: misschien had hij die wel nodig, misschien leed hij aan een schuldgevoel. Eigenlijk was hij zelf ook nogal opvliegend. Zijn stem ging bij de minste geringste aanleiding over in gegrom en geschreeuw; zijn wispelturigheid zou vrouwen kunnen afschrikken, ze zouden zich geïntimideerd kunnen voelen. Maar omdat zij, innerlijk tenminste, ook zo was, begreep zij het. En na Anthony was zij niet bang meer voor woede.

Eerlijke woede, niet als... De woede van andere mensen in ieder geval.

En Victor scheen ook ervaring te hebben met verdriet. Misschien had hij zich verveeld bij iemand die niet genoeg gevoeld of gezien had, hoe mooi haar lichaam of hoe glad haar gezicht ook was. Zij was allang uitgekeken op mooie lichamen en gladde gezichten waar nog geen enkele levenservaring uit sprak.

Dat was het! Zo was haar vrijgezellenbestaan begonnen! Het was helemaal niet om Marsh. Het waren al die jonge jongens, een hele reeks, ja, het was precies na, ja, toen, een hele rits mannen, jong en oud, ze was toen helemaal niet kieskeurig, idioot eigenlijk. De jonge mannen hadden de liefheid die je alleen bij jonge mensen ziet, maar je kon onmogelijk met hen praten zonder je oud te voelen. Wat stierlijk vervelend was. Of je werd in de rol van lerares/psychiater/moeder geduwd. En wat waren zij ongelooflijk met zichzelf bezig! Allemaal ego-trippers, zoals vaak het geval is met jonge mensen. Begrijpelijk maar ook stierlijk vervelend. Ja, ze had hen heel geleidelijk opgegeven. Zo was het gegaan. Gek dat zij dat vergeten was.

Ja, het leven was goed. Zij kon voor lange periodes achtereen vergeten dat zij zich moest hoeden voor de pijn, waarvan zij wist dat die zou komen. En het was opvallend dat zij niet kwaad op hem werd. Het gebeurde gewoon niet. O, soms wel, maar het was achteraf volkomen onbelangrijk. Hoefde er niet op terug te komen, het ging gewoon voorbij. Dat was liefde, het kon niet anders.

Het beste van alles was dat zij samen speels konden zijn. samen kind konden zijn. Zij speelden spelletjes als zij door de straten van Londen liepen en bedachten welk karakter bij de naam van een bepaalde straat paste, en beeldden dat dan uit.

De Serpentine. Zij had er al een keer eerder naar gekeken en zich toen snel omgedraaid. Nu, met Victor, kon zij ernaar wijzen en zeggen: 'Daar heeft Harriet Shelley zich verdronken.' en verbaasde zich erover dat het kon, het water zag er zo ondiep, zo kalm uit. Maar als je niet kon zwemmen. Een heleboel mensen konden niet zwemmen...

Zij wandelden, reden, praatten. Als ze moe werden liepen ze een pub binnen en dronken een biertje. Dan naar huis, hand in hand, pratend, altijd pratend, naar het bad en de cocktails en de muziek van de BBC op het radiootje dat Victor had gekocht, en daarna weer 'opgetut' de deur uit, zoals Victor het noemde, naar een theater of restaurant. Of naar ballet. Victor had een lijst van restaurants samengesteld op aanraden van zijn Britse vrienden die echte gourmets waren en zij probeerden steeds weer een ander: Wilton, de Connaught, de Etoile, de White Tower. Victor probeerde dingen die hij nog nooit had gegeten en vond ze nog eetbaar ook: artisjokken, slakken, kikkerbilletjes. Hij trok een grens bij lever en weigerde het woord *hersenen* hardop uit te spreken als het op de menukaart voorkwam. Dolores vond het een luxe om zo duur te gaan eten en hield regelmatig innerlijke discussies, waarbij haar geweten aanvoerde dat het doodzonde was om zulke prijzen voor een beetje eten te betalen, prijzen waar een hele familie een week van zou kunnen leven; haar zintuigen hadden niets in te brengen, zij genoten alleen maar. En wonnen.

Aan het eind van de avond nestelden zij zich op het grote bed in Victors flat, dronken cointreau of drambuie of cognac of iets anders, al naar gelang wat Victor voor die avond in huis had gehaald, en praatten over zeer gewichtige onderwerpen: het eten, hun gewicht en wat ze de volgende dag zouden gaan doen.

Op regenachtige dagen en in het weekend gingen zij naar musea. Zij deden schamper over de achttiende-eeuwse flubber (zoals zij dat allebei zagen) van de Wallace Collection. In de Tate was Dolores met geen stok weg te krijgen van de gravures van Blake en van de Turners en Victor ging tenslotte naar buiten om een sigaretje te roken. Zij gingen een paar keer naar het British Museum, waar Victor een uur stond te peinzen bij de steen van Rosetta en (wat Dolores al had voorspeld) niet was weg te slaan bij de Egyptische, Griekse en Mesopotamische zalen. Dolores liet hem daar achter en ging naar de grote hal toe, naar de vitrines met holografen, een handgeschreven gedicht van John Donne, Shakespeares handtekening. Hoewel zij die al ettelijke malen had gezien, kon zij ook nu weer haar ogen er niet van afhouden: zij probeerde ze helemaal in zich op te nemen, hoewel ze eigenlijk niet wist wat zij erin zocht.

Na elke scheiding, hoe kort ook, kwamen zij trillend van opwinding weer bij elkaar, naar elkaar verlangend. Zij pakten elkaar bij de hand, teder, alsof er een reden tot twijfel was geweest dat zij elkaar weer zouden zien.

Ja. Het paradijs. Na Jack had zij het nooit meer zo lang bij iemand uitgehouden. Wilde dat ook niet. Zij mochten ook niet bij haar blijven, op zijn hoogst drie dagen. Maar dit was het paradijs.

Denk toch na, zei ze bij zichzelf. Het zou niet zo zijn als we steeds samen waren, als we niet van tevoren al wisten dat er een einde aan zou komen. De dood is de moeder van de schoonheid. Je moet jezelf niet een romantisch waanbeeld voor ogen houden. Als we op deze voet door zouden kunnen gaan, zouden alle huwelijken die uit liefde gesloten zijn, altijd gelukkig blijven. Het is de kunstmatigheid van de situatie, hield zij zich voor, terwijl zij een been in het bad omhoogstak. Niet slecht voor zo'n oudje als ik. Zij zeepte haar schouders in met sandelhoutzeep: prettig om je zo'n luxe te kunnen permitteren.

Nee, als we altijd samen waren, zou ik ervan gaan balen dat ik met mijn werk moest ophouden zodra hij de deur binnenstapte. En hij zou gaan balen dat ik ging balen dat ik met mijn werk moest ophouden. En bovendien zou hij, als we altijd samenwoonden, niet vroeg naar huis komen. En ik zou ervan gaan balen dat hij zo laat werkte. En als we steeds samen waren, zou het geen vakantie zijn en zou hij verwachten dat ik het eten kookte. En ik zou balen dat ik elke avond moest koken en hij zou geen genoegen nemen met een boterham met kaas, zoals ik. En natuurlijk verwacht hij dat ik de boodschappen doe. Wat hij zou willen, dat is zo zeker als wat, dat is: een vrouw.

Zij hoorde de telefoon overgaan in de slaapkamer, maar bedacht dat Victor thuis was. Zij mocht hier trouwens de telefoon niet opnemen. Dus zeepte zij zich nog wat verder in en probeerde erachter te komen of er geen oplossing voor dit dilemma was – niet voor haar en Victor zonodig (want zij wisten dat daar een einde aan zou komen), maar gewoon in het algemeen.

Het paradijs, afgezien van de telefoon. Victor was bang dat, als zij opnam, degene die belde zich zou gaan afvragen wie zij was. En het zou Edith kunnen zijn. Dus als hij op kantoor zat en haar wilde bellen, liet hij de telefoon twee keer overgaan, hing op en draaide meteen weer. Als zij een vergissing maakte, als zij de telefoon in een onbewaakt ogenblik opnam, moest zij zeggen dat zij de werkster was. Om hem te pesten imiteerde zij het platte accent van Julie Andrews in *My Fair Lady*: 'Nei, ik bin de werrekster moar, meneer.'

Ja, maar dat was onbelangrijk. Relatief gezien. Niet iets om een punt van te maken.

Zij kwam roze het bad uit, haar haar opgestoken, om haar lichaam een handdoek. De koude lucht van de slaapkamer sloeg haar in het gezicht en zij begon te bibberen, rende de kamer door en deed de elektrische kachel aan – in elke kamer van de flat was er een. Daarna draaide zij zich om en zag Victors gezicht.

'Wat is er?'

Hij zat op het bed, de telefoon naast hem op het tafeltje. Hij zag er gespannen uit, een frons op zijn voorhoofd. 'Mijn dochter Vickie. Ze is in Londen. Ze komt hier naartoe.'

Een plotseling besluit: zij had een week vrijgekregen van haar werk, zij had nog een Laker-vlucht kunnen boeken. En bovendien vond zij het zielig dat 'arme pap met Kerstmis alleen zat'. En ze had Londen al jaren willen zien en kon nu gratis kost en inwoning krijgen. Zij zou zo vlug mogelijk met de bus van het vliegveld hierheen komen.

Dolores zonk neer in een stoel. Zij had er bewust niet meer aan gedacht, had zich overgegeven aan de weelde van het zwerven over straat, de andere kant van de dingen, de stiekemigheid waar zij uiteindelijk zelf verantwoordelijk voor was. Alleen door de telefoonregeling werd zij eraan herinnerd. Zij aten elke avond samen in een restaurant en ontbeten elke ochtend samen in hun eigen keuken.

Maar nu was het er weer: zondige vrouw. Zij bleef roerloos zitten wachten om te zien hoe hij het aan haar zou vragen. Haar gevoelens trokken zich terug naar elders, haar geest werd koud en rationeel en waakzaam, klaar om zijn opvoering een cijfer te geven. Dolores, ik vind het vreselijk om je dit te moeten vragen, maar... Zij wachtte. Victor liep te ijsberen. Hij ging de kamer uit, ze hoorde hem drankjes klaarmaken. Ach, haar koffers waren zó gepakt, ze kon meteen weg, misschien een hotelletje als ze niet al te kieskeurig was. Maar hoe? Op dit uur waren er geen reisbureaus open. Ze zou met haar koffers over straat moeten gaan zwerven. Of misschien een ruimte zoeken waar een telefoon was, waar zij met haar koffers kon gaan zitten bellen, als een dakloze. De hal van een hotel, misschien.

De moeilijkheid was dat het twee dagen voor kerst was en Londen vergeven was van de Amerikaanse toeristen die hun portie toneel kwamen halen. Misschien had haar oude mottige hotel bij Russell Square nog een kamer – het hotel waar zij José een belofte had gedaan waar zij zich niet aan had gehouden, omdat zij daar niet meer terug was geweest sinds zij Victor had ontmoet.

Nou, stel ik vind een hotel, maar wat dan? Misschien kan hij er soms even tussenuit knijpen, tegen Vickie zeggen dat hij voor zaken wegmoet... Hij moet natuurlijk met Vickie uit eten, met Vickie Kerstmis vieren. Elke nacht in zijn eigen bed slapen en Vickie op de bank in de woonkamer.

Nee. Nee. Ze zou weggaan, terug naar Oxford. Zijn kerstpakjes zou zij op de kast achterlaten, een aardig martelaarsgebaar zou dat zijn. Teruggaan en kerstfeest met de Carriers vieren, die hadden haar gevraagd, of met Mary, die haar ook had gevraagd. En proberen niet al te veel te balen. Nee, ze zou niet in Londen blijven en in een of ander achterafhoekje zitten afwachten.

Victor kwam de kamer in met twee glazen. Zij keek hem aan en barstte in een gierende huilbui uit.

'Nee, ik kan er niet tegen!'

Hij kwam naar haar toe en ging op zijn hurken zitten en pakte haar handen. 'Waar kan je niet tegen?'

'Nee, het was net zo fantastisch. Ik heb geen zin om verstandig te zijn!'

'Wat is verstandig?'

'Weggaan.'

'Nou, ik ben blij dat je daar niet tegen kunt,' glimlachte hij en kuste haar handen. Hij stond op. 'Verstandig voor wie eigenlijk?' vroeg hij, terwijl hij zijn broek aantrok.

Zij haalde haar schouders op. 'Gewoon, in het algemeen.'

Hij deed zijn overhemd aan en keek haar even van opzij aan. 'Kleed jij je niet aan?' Hij strikte zijn das. 'Het spijt me echt, Lorie' (haar hart kromp ineen) 'maar het zit er niet in dat we vanavond naar dat toneelstuk kunnen. Ik heb gebeld voor een extra kaartje, maar ik realiseer me ineens dat zij hier niet op tijd kan zijn. We gaan een andere keer, oké?'

Zij stond op en liet haar handdoek vallen en hij keek haar met plotselinge begeerte aan en liep naar haar toe, pakte haar beet en hield haar dicht tegen zich aan. Zij legde haar hoofd op zijn schouder en sloeg haar armen om hem heen en bleef zo staan. Toen zij haar hoofd achteroverlegde, met vochtige ogen, keek zij naar zijn gezicht.

Wat een mooi gezicht! Alles was erin te lezen: pijn en medelijden, vastbeslotenheid en angst, liefde en verdriet. Het antwoordde haar. Zij glimlachte. 'Ik ga me aankleden.' Zij draaide zich om en tijdens het aankleden voelde zij dat er iets in haar naar beneden viel, ergens tussen haar hart en haar maag, iets hards, een soort schild, als een schuifdeur waarachter een tere zachte, kwetsbare plek heeft gezeten, niet afgedicht en kwetsbaar als de fontanel van een pasgeboren baby.

Toen zei hij: 'Eén ding...' en de deur schoof weer dicht. Zij draaide zich om, haar gezicht een masker. Ja? Ging hij haar waarschuwen, zoals Tom Harney gedaan had, dat zij geen *kut* of *kloten* zei in het bijzijn van zijn gasten? Of zoals Marsh, die haar op de dag dat zij hem met de auto naar Princeton bracht, zei dat zij maar beter uit de buurt kon blijven? Ging hij haar voor iemand anders uitgeven, ging hij nu een alibi voor haar verzinnen, als een spion in het huis der liefde?

Hij kwam naar haar toe en pakte haar handen. Haar hele lichaam was gespannen.

'Vickie is een heel erg moederskindje. Zij zijn erg met elkaar verbonden en zij neemt het altijd voor Edith op. Vickie is drieentwintig, maar in sommige dingen is ze nog een kind.' (Drieentwintig. Elspeth zou nu...) 'Nou ja, *mocht* ze iets... onvriendelijks zeggen... dan ben je hopelijk niet gekwetst. Het is niets persoonlijks, ze kent je niet eens, het zal gericht zijn op de situatie. Op mij dus. Maar misschien word jij er ook wel door getroffen. Ik zal het proberen af te weren,' zei hij glimlachend, maar zijn mond vertoonde grimmige lijnen, 'maar mijn afweergeschut is misschien niet zo snel als haar granaten.'

Hij kuste haar ogen en zij klampte zich aan hem vast, voelde het schild vallen, vallen, en dacht, o God, als het helemaal naar beneden valt, hoe kan ik hem ooit nog laten gaan?

2

Vickie was bijna even lang als haar vader, maar hoogblond, haar hoofd omkranst met een bos modieuze krullen. Zij droeg een bril met grote, ronde, roze-getinte brilleglazen, die een roze licht op haar wangen wierpen. En zij giechelde veel. Onder dat gegiechel en de onverschillige blik meende Dolores iets waakzaams, bedachtzaams te zien. Maar zeker wist zij het niet, want Vickie keek haar nauwelijks aan.

Zij omhelsde haar vader, terwijl zij opgewonden honderduit praatte over haar dappere, avontuurlijke besluit. Zij had een spijkerbroek aan en een kort jasje met een dikke bontrand en droeg een rugzak. Victor stelde Dolores aan haar voor als Doctor Durer.

'Dolores graag,' zei zij. Zij strekte haar hand uit. Vickie legde even een slap koel meisjeshandje in de hare, giechelde, ratelde een prettig-met-u-kennis-te-maken formule af.

Victor nam de situatie in handen. Hartelijk. Niet helemaal de Zakenman, maar zijn hartelijkheid had een zakelijk tintje. Hij babbelde geanimeerd over Vickies tas, haar kleren, haar haar, haar vlucht, het vochtige Engelse weer, een drankje, zijn tamelijk luxueuze flat. Hij probeerde alles zo goed mogelijk te laten verlopen maar hij kon niet verhinderen dat het meisje schuin op het puntje van haar stoel ging zitten zodat zij met hem kon praten zonder dat zij zijn vriendin hoefde aan te kijken. Maar toen hij haar een drankje bracht – een wodka met tonic – ging hij naast Dolores zitten, waarna zij gedwongen werd haar kant op te kijken. Zij wist echter vanuit zo'n hoek naar hem te kijken dat Dolores werd verwezen naar Vickies buitenste gezichtsveld.

Dolores deed op haar beurt haar best om niet naar de rugzak

van het meisje te kijken, die bij de deur op de grond stond. Zij probeerde interesse te tonen, probeerde te glimlachen, terwijl zij zich afvroeg hoeveel vrouwen voor haar er zo bij hadden gezeten als een goede, bezorgde moeder. Trouwens, wie bepaalde wat een *goede* moeder was?

Hij vroeg haar nu naar haar baan en zij praatte meer op haar gemak, giechelde minder. Hij wendde zich herhaaldelijk tot Dolores in een poging haar bij de conversatie te betrekken.

'Vickie heeft microbiologie gestudeerd,' zei hij.

'Ja. Dat is niet mis.'

'O, ik ben maar laboratorium-assistente, hoor,' zei zij tegen haar vader.

Het was een prima baan, interessant, maar na een jaar voelde zij dat ze er niets meer bij kon leren. Zij dacht erover om een graad in de filosofie te halen. 'Ik zou verder kunnen studeren als ik daar hogerop zou kunnen komen, als ik mee kon doen aan een van hun speciale prestige-projecten. Maar dat zit er niet in, denk ik. Ze nemen me niet serieus, ik ben te jong...'

'Te knap,' wierp Victor tegen.

'Vrouwelijk,' voegde Dolores eraan toe.

En dacht: En je giechelt te veel. Maar wat dan nog? Was dat erger dan de stille verlegenheid van jonge mannen? Het was gewoon een andere vorm van verlegenheid.

Het hoofd van het meisje draaide zich naar Dolores. 'Ja, dat is het! Er werken daar een paar vrouwen van in de veertig, die zijn *nog steeds* laboratorium-assistente! De enige manier waarop een vrouw meetelt is als zij een doctorsgraad gehaald heeft. En zelfs dan is er geen zekerheid. Ook al ben je tien keer zo goed als de mannen. Maar dat ben ik niet. Ik ben even goed, soms beter, maar ik steek niet mijlenver boven hen uit. Toch zijn drie van de vijf jongens waar ik mee heb gestudeerd door de hoge knappe koppen gevraagd voor speciale projecten. Het enige speciale project waar ik voor gevraagd ben is een soupeetje om twaalf uur 's nachts in het huis van de administratief medewerker.'

Dolores glimlachte. 'En ben je gegaan?'

'Nee.'

'Goed zo!' zei Victor nadrukkelijk.

'Ach, Pap.' Zij wendde zich weer tot Dolores. 'Ik ben niet gegaan omdat ik wist dat we samen in bed zouden belanden – hij is echt heel leuk. En ik weet dat dat nadelig is voor mijn baan. Er werkt daar een oudere vrouw, zij heeft een graad, maar zij is geen doctor. Zij is daar al jaren, ze is nooit hogerop gekomen. Zij verdient zelfs minder dan de nieuwelingen. Zij rookt als een ketter en is een zeurkous en ze zegt: "Neem geen voorbeeld aan mij, schatje. Mijn carrière is via het bed gekelderd."

Maar hij is wel leuk, Maury, dus het is best moeilijk.' Zij praatte weer tegen haar vader. 'Ik hoop dat je niet geschokt bent, Pap.' En weer tegen Dolores: 'Mijn ouders zijn zo... ouderwets. Moreel gezien, weet je.' Zij besefte pas wat zij gezegd had toen Dolores en Victor haar allebei met een besmuikte glimlach aankeken en zij keek van de een naar de ander en giechelde en toen konden zij alledrie lachen, een uitbundig, opluchtend lachen.

Vanaf dat moment was het ijs gebroken. Vickie zei dat zij het advies van haar vader nodig had. 'Ik wil verder studeren, deels uit ambitie, deels omdat ik me echt wil verdiepen in het DNA-onderzoek, waar ik nu nog veel te weinig van afweet. Er zijn nog beurzen beschikbaar in de natuurwetenschappen. Wat vind je?'

Het tweetal speelde patertje-langs-de-kant in familieverband.

Maar natuurlijk wil ik dat je iets doet wat je zelf wil.

Ik wil het graag, maar ik ben bang dat ik misschien niet goed genoeg ben.

Natuurlijk ben je goed genoeg. Je hebt de diploma's...

En ik moet mijn baan opzeggen. Ik heb niet veel extra geld. Niets eigenlijk. Stel dat ik geen baan krijg?

Je moet je baan niet opzeggen voordat je het zeker weet.

Maar dan doe ik het niet uit een ideaal. Ik laat dan alles afhangen van zo'n stomme beurs.

Nou, als je zeker weet dat je het wilt, kan ik je wel helpen.

Maar dat weet ik niet zeker.

Natuurlijk wel.

Zij babbelden verder, Vickie beschreef uitvoerig alle merkwaardigheden van de heerlijke, nieuwe wereld (voor haar wel!) waar zij nu in leefde. Tenslotte vroeg Victor: 'Hoe is het met moeder?'

Ze zweeg abrupt, keek naar Dolores, keek naar hem. 'Prima,' zei zij onzeker.

Dat had hij niet moeten doen. Zij voelt zich een verraadster tegenover haar moeder. Had moeten wachten tot ik de kamer uit was.

'Echt?'

'Ja.' Haar stem klonk licht geïrriteerd. 'Hetzelfde, Pap, je weet wel.' Haar ogen gleden over haar vader en zijn vriendin heen, hij had zijn arm om haar schouders geslagen. En er gebeurde iets in haar ogen, er kwam begrip in, er werd een beslissing genomen.

'En de kinderen?'

'Prima. Leslie is met de kerstdagen thuis. Ze zal blij zijn als ze van school af is, ze heeft er de pest aan. Ze baalt. Zegt dat ze gasfitter wil worden en Mama lacht dan, een hoge opgewekte lach alsof het een goeie grap is, maar het is meer van de zenuwen. Ze heeft alle reden om nerveus te zijn, maar zij weet van niks...' Haar stem stierf weg.

'Hoezo?' blafte Victor tegen haar.

Dolores keek hem aan. 'Ze probeert open kaart met je te spelen. Ze valt je niet aan,' zei ze. Victor keek haar aan en probeerde een vriendelijker gezicht te zetten. 'Het probleem met ouders,' zei Dolores tegen Vickie, 'is dat zij denken dat ze zich altijd als ouders moeten gedragen.' Vickie keek hen verbaasd aan.

'Wat is er aan de hand?' vroeg Victor vriendelijk.

'Nou.' Zij keek naar haar handen. 'Ik voel me nu schuldig, alsof ik, nou ja, alsof ik een soort klikspaan ben. Maar ik ben er wel een beetje overstuur van...' Ze keek Victor aan. 'Ze gebruikt heel veel drugs. Hasj en coke. Ach, iedereen rookt stuff, weet je, maar coke...'

Victor keek woest. 'Hoe is dat gekomen?' De vadertoon. Autoritair.

Vickie kromp ineen. Haalde haar schouders op. 'Op school, denk ik.'

Dolores zei hatelijk: '*Zij* weet van niks en nu zou ze willen dat ze er niet over begonnen was.'

'O, Vick, 't spijt me. Is ze in moeilijkheden?'

'Nou, haar resultaten op school zijn slecht. Maar die zouden sowieso slecht zijn, snap je? Die hele school zal haar een rotzorg zijn.'

'Maar wat wil ze dan verdomme?'

'O, zij zit het liefst in de kroeg met Reg, te zuipen en coke te

snuiven. Ik denk... ik denk dat ze niets liever wil dan trouwen!'
Misprijzend.

Victor leunde achterover. 'Wat is daar zo verkeerd aan?'

'Trouwen? Net zo worden als Mama?'

Victor keek alsof hij een klap in zijn gezicht had gekregen.
Haar hand ging naar haar mond, haar ogen schoten vol.
'Pap...'

Dolores kon wel door de grond zakken. Dit was een familie-
drama, zij was een indringster. Ze kon ijs gaan halen, gaan pis-
sen, iets. Maar zij kon Victor niet met zo'n gezicht laten zitten.
Dus trok zij zich terug, hield haar energie binnen. Zij was er
even niet.

'Ik bedoel alleen,' stotterde Vickie, op de rand van tranen,
'dat huisvrouw zijn niet het meest fantastische beroep is.'

'Misschien is dat anders voor Leslie,' zei hij, terwijl hij naar
de grond keek en zijn handen tussen zijn knieën wrong. 'De
jongemannen van tegenwoordig zijn meer geëmancipeerd, heb
ik gehoord.'

'O, dat zijn net zulke schoften,' riep zij nijdig uit en deed haar
hand weer voor haar mond. 'Jezus, ik gedraag me onmogelijk
vanavond,' riep ze wanhopig en Victor en Dolores lachten.

Want voor het eerst in haar leven heeft zij het gevoel dat zij
haar vader de waarheid kan vertellen, hij krijgt het nu allemaal
op zijn brood, dacht Dolores. Dus het gezonde Amerikaanse
droomgezin is niet zo ideaal als het lijkt. Maar hij wist dat niet.
Ik vraag me af of Edith dat weet.

De crisis werd door hun gelach opgelost en verder nieuws van
het thuisfront, minder serieus nieuws, volgde. Mama kreeg een
punthoofd van Mark omdat hij eeuwig en altijd in de auto zat.
Met Jonathan ging het goed, zat in het basketballteam van
school, zei dat hij er alleen door zijn lengte in zat, niet omdat hij
zo goed was, geloofde dat hij niets kon en Mama zei dat hij precies op haar leek.

'Ik kan 'm vermoorden,' lachte Victor knarsetandend. 'Als ik
ergens niet tegenkan is het gebrek aan zelfvertrouwen, en die
jongen heeft daar patent op.'

'Hij verdiept zich ook in meisjes tegenwoordig,' voegde Vickie
er giechelend aan toe.

'Hopelijk niet al te diep,' grinnikte Victor.

Vickie begon zich op haar gemak te voelen.

'Hé, hoe hebben jullie elkaar ontmoet?'

Ze lachten breeduit. 'In de trein,' zei Victor.

'In de trein. Goh. Ik heb ook wel eens mensen in de trein ontmoet. Niet in de States, daar ga ik nooit met de trein. Maar verleden zomer in Italië, toen ik samen met mijn vriendin in de trein zat. We zouden heel Europa doorgaan, we hadden zo'n speciale Eurokaart daarvoor. Maar de mannen in Italië zijn een verhaal apart! We hebben uiteindelijk paraplu's aangeschaft en die als wapens bij ons gedragen. Kun je je voorstellen? Paraplu's in Italië?' giechelde ze.

'Nou, het zal daar vast wel eens regenen,' lachte Dolores.

'Ja. Maar voor mijn vader zal je wel geen paraplu nodig gehad hebben!' Ze lag dubbel bij het idee dat haar vader een verkrachter zou zijn.

'Hé, hé, niet te vrij, Vickie,' zei hij op huilerig verontwaardigde toon, overgaand in een schaterende lach.

'Tsjonge, jonge.' Vickie zakte onderuit en veegde haar ogen af, 'zeg, hoor eens. Ik moet een slaapplaats zien te versieren.'

Stilte.

'Geen beleefde toeren graag. Ik ga niet jullie rust verstoren.'

'Ik zal iets voor je zoeken,' zei Victor terwijl hij opstond. 'En ik zal voor je betalen ook. Dat is niet meer dan redelijk.'

Hij liep de kamer uit.

'Te gek,' Vickie gaf Dolores een samenzweerderige blik. 'Vooral omdat ik alleen maar een ticket en honderd dollar bij me heb. Heb al mijn spaarcentjes uitgegeven aan kerstcadeautjes.' Gegiechel. Toen werd haar gezicht serieus, zij keek Dolores aan en Dolores wist dat het nu anders zou worden, een gesprek van vrouw tot vrouw, dat terreinen aansneed die in het bijzijn van mannen niet ter sprake kwamen.

'Hoe lang ken je mijn vader al?'

'Sinds september.'

'Wonen jullie samen?'

'Nee, ik woon in Oxford. Ik ben hier voor de kerstdagen.'

'En daar kom ik ineens op jullie dak vallen.'

Dolores lachte. 'Ja, om je eerlijk de waarheid te zeggen zag ik het niet zo zitten dat je zou komen. Maar nu ben ik blij dat je er bent en ik kan zien dat hij dat ook is. Het is fijn dat je er bent.'

Vickie was maar al te graag bereid om te geloven wat Dolores zei en bloosde van plezier.

'Hij is verliefd op je, denk ik,' zei zij, terwijl zij de as die van haar sigaret was gevallen in haar spijkerbroek wreef. 'Hij heeft er in jaren niet zo goed uitgezien.'

Nu was het Dolores' beurt om haar plezier te verbergen.

'Maar heb je het er niet moeilijk mee? Ik bedoel, hij is hier alleen, dus ik denk... niet dat ik er een moreel oordeel over heb... nou ja, weet je... dat omgaan met een getrouwde man *verkeerd* is, vooral... ik bedoel, ik vind dat de afspraken die getrouwde mensen onderling hebben iets anders zijn dan de afspraken die jij met ze hebt... dat ze zelf moeten uitmaken hoe zij willen leven, dat *jij* niet verantwoordelijk bent voor hun doen en laten... snap je.' Zij leunde voorover op de manier zoals Victor dat deed, haar handen tussen haar benen, haar gezicht strak op Dolores gericht. 'Maar als je van mijn vader houdt, en ik denk dat dat zo is, zo te zien wel tenminste, nou, is het dan niet moeilijk, omdat je weet dat hij getrouwd is en zo?'

'Jij vond het wel moeilijk, zo te horen,' zei Dolores vriendelijk.

Vickie ging op het puntje van haar stoel zitten en keek Dolores kwaad aan. 'Wat weet jij daarvan? Weet mijn vader dat? Hoe dan?'

Dolores glimlachte. 'Vickie, je hebt het me net verteld.'

'O.' Zij ging verzitten maar bleef Dolores kwaad aankijken. 'Ja. Hij was mijn natuurkunde-docent op de universiteit. Hij was getrouwd en hij was kaal en had één gele tand vooraan in zijn mond,' zij raakte haar eigen witte voortand aan. 'Maar ik weet niet, hij was zo... weet je, ik ging naar zijn kamer met een probleem en hij... het leek alsof hij overal een antwoord op had. Niet alleen op natuurkundige vraagstukken, maar op alles. Alsof hij beter wist wat ik voelde dan ik zelf. Beter wist wat ik moest doen dan ik zelf. Zoals jij zonet...'

Vertel me, Dolores, vertel me: Hoe kan ik leven zonder pijn?

'Ja,' zei ze. 'Maar ik weet alleen wat je voelt omdat jij dat verteld hebt, of hebt laten zien wat er aan de hand was. Ik weet niet wat je moet doen. Ik weet zelf niet eens wat ik moet doen.'

'Mmm.' Vickie geloofde haar niet helemaal. 'Maar je weet het vast beter dan ik. Net als hij. En ik kreeg echt het gevoel...' zij leunde voorover en haar gezicht kreeg een smachtende uitdrukking, 'bijna alsof hij God was, weet je?' Zij ging weer naar achteren zitten. 'Slecht, hoor. Ik noem mezelf feministe – sinds de tijd dat ik die te gekke leraar had op de middelbare school, heb ik mezelf als feministe beschouwd. Maar,' ze begon zachter te praten, hoewel ze allebei Victor hoorden praten door de telefoon, 'het punt is,' ze fluisterde bijna, 'dat ik het *zalig* vond om te doen wat hij zei, ik *wilde* hem graag als een God zien. Het was precies zoals je altijd hoort of leest – ik vond de hoogste bevrediging in hem gehoorzamen. Is dat abnormaal? Me helemaal aan hem overgeven, dat vond ik het zaligste wat er was.' Zij draaide haar hoofd opzij, stak een sigaret op, haar lippen trilden. 'Denk je dat ik masochistisch ben of zo?'

Dolores glimlachte. 'Luister, als ik iemand zou tegenkomen van wie ik zeker wist dat het God was, zou ik me helemaal aan hem overgeven. Wat kan je tenslotte anders doen met God? Maar *alleen* met God natuurlijk,' voegde zij er sarcastisch aan toe. 'Ik weet niet of het masochistisch is, Vickie. Ik weet wél dat het niet alleen bij vrouwen voorkomt. Ik heb jonge minnaars gehad die zich net zo tegenover mij opstelden. Die verhoudingen hielden nooit lang stand want de rol van God ligt me niet zo... maar zij waren er tevreden mee.'

Vickie keek haar onzeker aan. 'Denk je dat het geen kwaad kan? Ik bedoel, dat het niet abnormaal is?'

'Ik weet niet wat normaal of abnormaal is. Ik geloof wel dat het typisch iets is dat je bij *jonge* mensen tegenkomt. En ik denk dat het wel voorbij zal gaan.'

Vickie zuchtte. Ze liep naar de huisbar en schonk zichzelf een drankje in, terwijl zij op heftige toon door bleef praten. Zij had dezelfde buitensporigheden als haar vader. 'Ik hoop het. Want ik aanbad hem. Ik heb vaak bij hem gegeten, al zijn assistenten deden dat, hij had er verscheidene omdat hij allerlei subsidies kreeg en zo. En zijn vrouw – tja, ze was lang, benig en mager en blond, en ze had opgestoken haar. En ze was altijd opgewekt, altijd aardig tegen me, ze scheen het niet erg te vinden om altijd twee of drie extra eters aan tafel te hebben. En ze deed nooit onderdanig. En daar kon ik soms niet bij. Ik bedoel, je moet toch wel onderdanig zijn tegenover God? Ze behandelde hem zo'n beetje als een van haar kinderen. Ze lette totaal niet op als hij aan tafel zijn... nou, zijn colleges zat af te steken. Ik hing aan zijn lippen en zij gaf de aardappelpuree door,' giechelde Vickie. 'Achteraf lijkt het leuk, maar toen vond ik het verschrikkelijk. Ik vond het zo *zielig* voor hem! Getrouwd met zo'n kleingeestig iemand die niet eens luisterde naar zijn briljante woorden! Zijn parels! Nu kan ik me voorstellen dat zij die al duizend-en-een keer had gehoord. En waarschijnlijk had zij eens ook zo aan zijn lippen gehangen. Zij was zijn tweede vrouw en ze was ook assistente van hem geweest. Jaren geleden. Nu verzorgt zij zijn drie kinderen en in het weekend ook de twee kinderen uit zijn eerste huwelijk. Daar heb je je handen vol aan, denk ik. Eerst had ik er alles voor willen geven om in haar plaats te zijn, om haar opzij te dringen, zoals zij zijn eerste vrouw opzij had gedrongen...' Vickies stem zakte weer. 'Vreselijk, ik weet het.'

'Dan had je nu misschien zes of zeven kinderen aan je rokken hangen. Een ware commune,' zei Dolores droogjes.

'Ja. Ze woonden in een waanzinnig groot oud huis, met een heleboel kamers vol met boeken. Overal boeken, en platen. Hij had wel duizend platen, denk ik. Het huis had overal geheime trappetjes en slaapkamertjes. Heel anders dan ons huis. Als ik daar at gingen hij en ik na het eten in de voorkamer zitten en speelde hij Bartok of Hindemith voor me, of een andere componist waar ik nog nooit van had gehoord, terwijl zij de kinderen in bed stopte, en ik was betoverd maar voelde me tegelijk ook opgelaten, ik vroeg me af wat zij dacht, waarom zij niet jaloers was... Zij keek me altijd met een bepaalde blik aan. Een meewarige blik vond ik en ik kon dat niet uitstaan. Ik dacht dat zij daarmee te kennen gaf: ja, ik weet dat je hem als God ziet maar hij is van mij en van niemand anders. Nu ben ik daar niet zo zeker van...'

Vickie ging verzitten en zweeg even.

'Toen ik ontdekte dat ik zwanger was, was hij woedend op me. Hij zei dat dat soort dingen mijn verantwoordelijkheid was en dat ik daar een lesje uit kon leren. Hij wilde niet eens bijdragen in de kosten van een abortus. En ik kroop voor hem in het stof, ik maakte duizend excuses, ik zei steeds weer dat ik geen geld hoefde als hij maar met me mee wilde gaan. Maar ook dat weigerde hij. Ik kreeg het geld bij elkaar, zo moeilijk was dat niet, maar ik moest het in mijn eentje doen en dat vond ik afgrijselijk. En daarna was ik gewoon...' haar ogen schoten vol tranen, 'ik was aan hem verslingerd, Dolores. Hij had genoeg van me en ik stond doodsangsten uit dat ik hem kwijt zou raken. En ik zat vlak voor mijn examen en ik was gewoon... ik

164

was een slavin, ik deed alles wat hij zei, ik was een marionet aan een touwtje dat hij niet eens meer wilde oppakken. Ik kreeg die baan in Boston en ik zei dat ik mijn huis aanhield zodat ik hem in het weekend zou kunnen zien; hij vond dat belachelijk, ik had nog een heel leven voor me. Later ben ik te weten gekomen dat hij het al met een andere studente had aangelegd, een briljant meisje. En toen begreep ik ook de blik in de ogen van zijn vrouw.' Zij draaide haar hoofd weg en snoot haar neus.

'Achteraf gezien is het allemaal zo... zo vernederend! Ik kan me niet voorstellen dat ik zoiets ooit weer zou doen. Maar toch,' ze keek Dolores smekend aan, 'toch denk ik dat ik nog steeds gek op hem ben. Ook al weet ik wat voor man het is. Of, niet gek op hém, maar op het beeld dat ik van hem had. Wat niet klopt, dat weet ik nu. Maar waarvan ik nog steeds voel dat het wel klopt. Voor iemand anders. En als dat niet zo is, dan wil ik niet meer verder leven!' Zij draaide snel haar hoofd opzij maar Dolores hoorde haar snikken. 'Moet ik mijn hele leven zo doorgaan?' Verstikte stem, nasaal. 'Iets willen dat niet bestaat?'

Victor kwam met grote stappen de kamer in, zeer met zichzelf ingenomen, glunderend. 'Nou, zeg niet dat je vader geen wonderen kan verrichten. Een hotelkamer versieren met Kerstmis zonder reservering! Vooruit dames, laten we snel gaan, voordat ze van gedachten veranderen. Bovendien sterf ik van de honger.'

3

Door de aanwezigheid – en de vertrouwelijkheid – van Vickie veranderde hun samenstelling volkomen. Dolores merkte dat zij meer tegen Vickie praatte dan tegen Victor, dat zij bezorgd was om de jonge vrouw, dat zij haar dingen aanwees, haar hand af en toe aanraakte als stilzwijgend teken van sympathie, steun, genegenheid. En hoewel Victor ook bepaalde dingen aanwees en haar op een leuke manier plaagde, en hoewel zij hem een arm gaf toen zij met zijn drieën over straat liepen, werd Victor steeds verder buitengesloten, alsof de twee vrouwen iets hadden waar hij geen deelgenoot van was.

En zo was het ook.

Begint het zo, vroeg Dolores zich af, moeders en kinderen tegen de vaders? Ze vond het niet leuk. Per slot van rekening was zij de moeder niet. Toen Victor tijdens de lunch even ging plassen, stelde Dolores aan Vickie voor dat zij het verhaal aan haar vader zou vertellen.

'O nee, dat zou ik niet kunnen. Hij zou hevig geschokt zijn. Hij zou schreeuwen dat hij die hufter wel even zou vermoorden. Ik weet het zeker.'

'Ik denk van niet,' suste Dolores. Zij wist niet zeker of zij de echte Victor beter kende dan zijn dochter. 'Hoor eens, als ik vanavond nou eens thuisblijf en jullie samen ergens gaan eten en je het hem dan vertelt?'

'Op kerstavond? Dat wil ik je niet aandoen, Dolores. Maar bedankt in ieder geval.' Vickie bekeek haar met steeds vriendelijker, steeds vertrouwelijker ogen.

En dat maakte het dubbel moeilijk voor Dolores toen zij ontdekte dat zij jaloers was op Vickies aanwezigheid. Hoewel *zij* degene was die de meeste aandacht aan Vickie schonk. Het was volkomen onlogisch, maar het was een feit. Zij wilde Victor helemaal voor zichzelf, en zichzelf voor hem: geen derden erbij. Zij voelde zich beschaamd, verward: dus zo voelt het nou, jaloezie.

Maar het evenwicht werd weer hersteld op kerstavond, toen zij besloten om thuis een feestmaal aan te richten en naar Harrods gingen om pâté en kaas en wijn en gevulde gans en koekjes te kopen. En aten bij de elektrische kachel en tegen twaalven uitgingen om naar een koor te luisteren in een naburige kerk. En de volgende morgen – nadat zij alledrie als een idioot achter cadeautjes hadden aangezeten – omdat Victors pakjes voor Vickie al per post naar de States waren opgestuurd, Dolores niets voor Vickie had en Vickie niets voor haar – pakten zij snel de overdadig ingepakte dozen uit, met kerstmuziek op de BBC, de elektrische kachel aan en met sterke koffie en gebakjes.

'Goh, ik val met mijn neus in de boter,' zei Vickie. 'Twee keer cadeautjes!'

Dolores en Victor hadden de vorige nacht hun eigen kerstfeest gevierd nadat Vickie naar haar hotel was gegaan, met champagne en een heleboel andere hartverwarmende dingen.

En Vickie was onder dat onverschillige en giechelige pantser een heel gevoelig iemand. Tot die slotsom kwam Dolores tenminste toen zij de dag na Kerstmis 's middags de flat kwam binnenvallen en aankondigde dat moet je horen, ze liep over de Strand voorbij Charing Cross en wie ontmoette ze daar, niemand minder dan Toad en Vee en Boo en Ram en ze zouden met zijn allen naar Parijs vliegen en als Victor haar geld kon 'lenen', wilde zij graag met hen mee, te gek hè?

'Verdomme, ze heeft me erin geluisd,' zei Victor nadat zij vertrokken was. 'Echt waar, dat kind heeft me erin geluisd,' grinnikte hij. 'Het is die oude truc met het kwartje die ze altijd in strips uithalen. Je weet wel, jongen zit op de – hoe heetten die dingen toen ook weer — op de canapé te wachten op zijn meisje en jonger zusje of broertje komt aangedribbeld en zegt dat zij of hij alleen weggaat als hij hem of haar een stuiver geeft. Of een kwartje. En dat doet die jongen natuurlijk.'

Dolores keek hem verwijtend aan. 'Zo kun je het bekijken, ja.'

'Hoe anders?'

'Je zou het ook zo kunnen zien: het arme kind komt je op je dak vallen, zoals zij het noemt, in de verwachting een leuke week met Papa te hebben, om Londen te bekijken en die arme man een gunst te bewijzen door hem met Kerstmis gezelschap te houden. Maar zij blijkt een indringster te zijn en heeft bovendien geen cent te makken. Ze weet dat wij ons verplicht voelen om ons met haar bezig te houden zolang zij er is. Zij weet dat ik deze week bij je ben, en dat dat iets bijzonders is, *onze* vakantie. Wat moet ze doen? Ik vind dat zij zich er heel dapper doorheen heeft geslagen. Ik hoop alleen dat er echt een Toad en Vee en Boo en Ram bestaan,' besloot ze lachend.

Victor keek haar ernstig aan. 'Wie weet,' zei hij na een tijdje. Toen, terwijl hij haar stevig tegen zich aandrukte: 'Maar ik dank God op mijn blote knieën dat ik je weer voor me alleen heb! Het is, zoals Vickie zou zeggen, een verhaal apart om te merken dat je jaloers bent op je eigen dochter!'

'Nou, ik kan je als troost vertellen dat ik ook jaloers was. Arme Vickie: ze heeft dat vast aangevoeld.'

'Ach, ik weet het niet.' Hij ging onderuitgezakt zitten, met zijn arm om Dolores' schouders. 'Soms krijg ik het gevoel dat vrouwen onderling samenzweren.'

'Zeker,' lachte ze. 'Net als mannen onder elkaar.'

'Hoe is dat in zijn werk gegaan?' Hij lachte, maar het was een zuinige lach. 'Hoe zijn jullie zo snel vriendjes geworden?'

Zij haalde haar schouders op. 'Je was er zelf bij. Door onze

167

ervaringen als vrouw in een mannenwereld. En door het praten over gevoelens, denk ik.'

'Nee. Je verzwijgt iets voor me. Er was meer tussen jullie...'

Er lag nog steeds een glimlach op zijn gezicht, maar het was een starre glimlach, een beetje eng, vond Dolores. Zij was blij dat ze niet als zijn ondergeschikte tegenover hem zat.

'Er is inderdaad iets dat ik je niet heb verteld, maar dat ik je ook niet kan vertellen.'

Zijn hele lichaam leek te verstijven, hoewel hij zich nauwelijks bewoog.

'Waarom niet?'

'Het is Vickies verhaal. Haar – geheim eigenlijk. Je zult het nog wel eens te horen krijgen, dat weet ik zeker. Ze wil het graag vertellen maar is geloof ik een beetje bang voor je.'

Zijn spieren ontspanden. 'O.' Daarna gespannen: 'Ze is toch niet zwanger, hè?'

Zij lachte. 'Niet dat ik weet.'

Hij leunde achterover, een knorrige uitdrukking op zijn gezicht.

'Zeker weer een man.'

'Wie weet.'

'*Jij* weet het! Daar klopt iets niet. *Ik* ben haar vader! Wat heeft die hufter haar gedaan?'

'Hoe weet je zo zeker dat het een hufter is?'

'Alle mannen zijn hufters.'

'Dat zei Anthony ook altijd.'

'Nou, zo is het ook.'

'Waarom gaan we dan nog met jullie om eigenlijk?'

'Ik heb het niet over *mij*, Dolores!' En nam haar in zijn armen. Naderhand zei hij: 'Ga niet terug.'

'Naar Oxford? Ik moet wel.'

'Nee, onzin. Je kan net zo goed hier werken. Op het museum.'

Zij dacht erover na. Ze hadden een paar heerlijke weken achter de rug. Ze probeerde te bedenken wat zij er ook weer op tegen had.

'Ik kan hier de telefoon niet opnemen. Als een van mijn kinderen me nodig heeft...'

'Jezus, dan nemen we nog een telefoon.'

'En waar verstop je me als je plotseling bezoek krijgt van een andere hoogheid dan je dochter? En waar laat je me als je naar

168

Oxford toe moet? Neem je me dan mee naar het Randolph?'

Dat laatste werd op een licht hatelijke toon uitgesproken. Hij had het gehoord. Een wimper trilde, of een neushaartje. Iets.

'Als een andere hoogheid mij met een bezoek vereert, zal ik je aan hem voorstellen. Ik zal je voor het eten uitnodigen. Goh, wat zal je daar een spijt van krijgen!'

Ze lachte, pakte zijn hand. 'Liefste, ik denk dat ik beter mijn eigen stekje kan hebben. Waar ik me voor niemand hoef te verstoppen. Waar ik naartoe kan gaan als ik een keer kwaad op je ben.'

'Ben je van plan om kwaad op me te worden?'

'Nee, maar het is niet ondenkbaar. Ik ben wel eens eerder kwaad op je geweest.'

'Wanneer?'

Maar dat wist ze niet meer. Ze pijnigde haar hersens af. 'Nou, toen je de eerste keer wegging...'

Hij wuifde dat weg. 'Dat was in een grijs verleden. Toen kende ik je nog niet.'

'En nu wel.'

Hij wierp haar een blik toe die zei: Niet zoveel kapsones, dame. Ik weet heus wel dat je mateloos mysterieus bent. Maar ik ken je goed genoeg.

'Ik moet een eigen plekje hebben.'

Hij zuchtte.

'Het is beter zo. Echt.'

'Beter voor wie?'

'Voor ons allebei. Voor *ons*.'

'Dat klinkt verdacht veel als een vader die zijn kind vertelt dat hij hem voor zijn eigen bestwil een pak op zijn donder geeft.'

'Maar er zit wel iets in, vind je niet? Dat als *ik* gelukkiger ben, *wij* gelukkiger zijn?'

'Mmm. En *dat* lijkt verdacht veel op wat ik altijd tegen Edith zei als ik mijn zin wilde doordrijven.'

4

Dolores ging terug naar Oxford. De zon kwam laat op en ging vroeg onder; de lucht zag meestal grijs en regenachtig; en tot eind januari was er geen sneeuwklokje te zien dat zijn witte, frisse hoofdje boven het fletse gras uitstak. Maar tussen Victor en Dolores glansde een regenboog. Zij maakten fiets- en wandeltochten door het bos; zij aten thuis of in een restaurant; zij gingen naar concerten in de kapellen van Oxford; zij zaten hand in hand voor de kachel; zij praatten; ze vrijden. Hun lippen smaakten nog steeds naar meer.

Zij keek hem vaak aan met een blik van 'zie je wel'; hij zei vaak dat veel van het goede nooit te veel was. Maar, zei hij, het was beslist geen sleur. Sleur en verveling waren het ergste kwaad, zei hij. Thuiskomen, avond in, avond uit, en altijd dezelfde afgezaagde dingen zien – hetzelfde afgezaagde eten, dezelfde afgezaagde conversatie, dezelfde afgezaagde vragen. Dezelfde kinderen met hun afgezaagde gekibbel, hetzelfde geroddel over de afgezaagde buren, dezelfde televisie met hetzelfde geesteloze geblabla.

Niets was erger dan sleur en verveling, zei Victor.

Dolores bedacht ergere dingen: concentratiekampen; werkkampen; martelkamers in Iran Chili Brazilië de Filippijnen Argentinië Cambodja. Persoonsbewijzen en zwarte wijken in Zuid-Afrika Rhodesië.

Verveling en sleur, zei Victor, waren de dingen waar hij doodsbenauwd voor was.

Dolores probeerde te bedenken waar zij doodsbenauwd voor was. Niet voor de dood, niet voor pijn, al was dat geen lolletje, maar het had geen zin om daar bang voor te zijn, want die waren onvermijdelijk. Niet voor natuurrampen, ook niet leuk natuurlijk, maar het had geen zin om daar bang voor te zijn, want zij waren onvoorspelbaar. Zij wist waar zij doodsbenauwd voor was: dat de wereld beheerst zou worden door een mentaliteit die zij zelf een nazi-mentaliteit noemde. Die niets te maken had met politieke partijen in welk land dan ook: die overal heerste, die een kenmerk was van de planeet aarde. En die elke dag steeds meer terrein won.

Per slot van rekening waren de nazi's slechts het epitoom, het flagrante voorbeeld van een welbekende tendens die je bij de buren of in je eigen omgeving kon aantreffen. Voortgekomen uit het idee dat sommige mensen van nature beter waren dan anderen, dat zij door hun afkomst aanspraak konden maken op wat zij rechten noemden maar wat in feite privileges waren waar andere mensen van verstoken bleven. Hen noemen we legitiem. De 'bevoorrechte' groep trok toen keurige (of minder keurige) scheidingslijnen tussen de anderen: sommige mensen hadden meer recht op respect van de legitiemen dan anderen. Doorgaans blanken en allemaal mannen. Er waren zelfs een paar blanke joden bij en een paar bijna witte negers, als je goed keek. Niet alle nazi's trapten daarin, natuurlijk. Sommigen waren kieskeuriger.

Maar na verloop van tijd was alles en iedereen in rangen ingedeeld. En de mensen die op de ene plaats wel legitiem waren, waren dat ergens anders weer minder. Het afdelingshoofd liep als een dienstklopper rond totdat hij met de lift naar de bovenste verdieping ging en trillend als een rietje de president onder ogen kwam. En de man aan de lopende band moest zich door zijn voorman alles laten aanleunen, maar als hij met zijn maatjes in de bowling was, was hij ongekroond koning. Maar alle mannen hadden één terrein waar zij legitiem waren en dat was bij hun vrouw. Misschien bij alle vrouwen. Vroeger niet, vroeger durfde een man het niet aan te leggen met een vrouw die niet van zijn stand was, maar nu was dat anders. De Democratie had ervoor gezorgd dat vrouwen altijd beschikbaar waren voor de man.

En de manier waarop dit werkt, is via de hersenen. Iedereen is ervan overtuigd dat de mensen die zeggen dat zij legitiem zijn, dat ook inderdaad zijn. Dus vlucht iedereen angstig weg, kruipt voor het gezag in het stof. En degenen die nog een beetje hoop hebben richten zich op de bovenste verdieping, waar de president woont. De president heeft geen gezicht en ook geen lichaam. Hij heeft een uniform met niets daarboven en hij woont altijd op de bovenste verdieping van een hoog gebouw, of in een fort op een eiland in de warme oceaan. Hij gaat met zijn privé-lift van boven naar beneden en komt nooit iets onvriendelijks tegen of iets opstandigs – hij ziet niets van mensen, van het weer, van een vernietigend hoofdartikel in een krant. Daar zorgen zijn onderdanen voor.

Maar het is heel eng om zo'n hoge positie te hebben, dus ben je constant bezig om die te verstevigen. Je ordent het land drastisch, je zet de helft van de bevolking in werk- en concentratiekampen of dompelt hen in armoede of je maakt ze gewoon af – maar als je zulke directe methodes toepast word je door andere

171

landen krankzinnig verklaard, zoals met Idi Amin het geval was. Vervolgens zet je goedgekeurde vrouwen in grote huizen waar zij bevrucht kunnen worden door de mannen met de juiste papieren, ten einde een ras van legitiemen te kweken. De rest krijgt zijn verdiende loon. Tenslotte vertel je je vertrouwelingen dat de wereld een prima speelplaats zal worden waar een paar zwarthemden in kunnen ronddartelen en dat alle anderen dood zullen zijn of ondergeschikt.

Maar het blijft eng, ja, omdat de anderen onterfd moeten worden wil jij je legitimiteit behouden. En na verloop van tijd zal de legitieme het gehuil van de hongerende meute moeten aanhoren die net buiten de ijzeren hekken staat, en zal hij daarom steeds hogere hekken moeten maken, steeds meer beton om de bunker heen moeten storten, alleen goedgekeurd flessewater mogen drinken, alleen goedgekeurde lucht uit blik inademen.

Macht die alleen wordt uitgeoefend en gekoesterd als doel op zich, ja. O, uiteindelijk zal hij verdwijnen. Hij gaat rond en rond, eet alles op wat hij tegenkomt, en krenterig als hij is, zal hij nooit per ongeluk een magisch stukje van zichzelf uitpoepen daar dat immers in de handen zou kunnen vallen van de onwettigen en gebruikt zou kunnen worden om hem te betoveren. Dus rolt hij met zijn verzadigde, opgeblazen buik om en heeft geen controle meer over zijn kogelronde lichaam.

Maar nu waren ze weer bezig met betere methodes om de macht in handen te krijgen – knopjes en draden en radiogolven en computers, die niet alleen tot in de verste uithoeken van de aarde konden komen maar ook in het heelal. En het is trouwens geen troost dat de legitiemen sterven, want er verschijnt altijd weer een nieuwe generatie op het toneel om hun plaats in te nemen en hun superioriteit en onkwetsbaarheid te bewijzen. En bovendien worden wij erin meegesleept. Absoluut. Kijk, die jongen daar met die roze wangen met zijn baret en geweer, kijk hem daar angstig op de hoek van de straat staan, hij heeft zijn school nooit afgemaakt en het leger betaalde tenminste redelijk, dus daar staat hij nou, maar vlak achter hem (hij kan hen niet zien, maar jij wel als je goed kijkt) kruipen een paar kinderen, niet ouder dan een jaar of elf, naar hem toe, met zijn drieën zijn ze en ze hebben een bom bij zich, een kleintje. Kijk! Nu zie je de explosie en de roze wangen en de baret zijn in stukjes uit elkaar gespat, de jongens zijn er niet veel beter aan toe, een was de vlugste en heeft weg weten te rennen met zijn ene been, de anderen liggen daar, terwijl hun bloed zich vermengt met dat van de soldaat, in de dood, als het te laat is.

Ja, en daar staat een slanke jongen met blond haar en een goudkleurige huid, die altijd met zijn zusje in het open veld speelde en die er altijd aan herinnerd moest worden dat hij zijn tanden moest poetsen, maar die leerde gehoorzamen omdat zijn vader die grote riem had, en op dit moment richt hij zijn geweer op een jongen met een bruine huid in een boom, van wie hij vermoedt dat het een guerrilla-strijder is, wie weet? Het zou heel goed kunnen. PAF! doet het geweer. PLOF! De jongen met de bruine huid is gevallen, hij heeft takken gebroken tijdens zijn val, zijn hoofd is met een klap op de grond gekomen net als een kokosnoot en zijn hersenen stromen eruit en de jongen met de goudkleurige huid wendt zich met een misselijk gevoel af maar slikt dan zijn misselijkheid in, maakt er rechtvaardigheid van en marcheert huiswaarts om over zijn heldendaad te vertellen. Hij zal nooit meer huilen: hij zal alleen schreeuwen. Zo verwerken de superieuren hun pijn.

Ja, en die daar, hij is niet zo oud, jonger dan Tony, hij lijkt een beetje op Tony, hetzelfde donkere haar en dezelfde sensuele mond en ogen. Hij heeft ook vroeg geleerd om Vader te gehoorzamen en Vader staat nu achter hem, Vader-Commandant, Vader-Overste, God-de-Vader, en geeft hem het bevel en hij voert dat uit, hij plaatst de elektroden op de vulva van de vrouw en hij haalt de hendel over en de vrouw gilt en kronkelt en verliest het bewustzijn, er hangt een walgelijke stank van verbrand vlees en de Vader zegt *goed zo* en de jongen verdwijnt naar zijn barak en ligt met opgetrokken knieën op zijn brits en probeert aan niets te denken, probeert zich zijn geboortedorp te herinneren maar hij herinnert zich alleen maar de honger.

En als hij volwassen is, zal hij ook een Vader moeten zijn, want zijn schuldgevoel laat hem geen andere keus.

Ja ja, maar misschien was het vroeger net zo erg. Misschien zou zij het niet moeten zien als het einde van een leefbare wereld, misschien waren de dingen altijd al zo slecht geweest en wist je daar alleen niets van.

Beeld: een hut in een dor land, struikgewas en zanderige grond, gekromde mensen van om en nabij de dertig met rimpels en tandeloze monden (ook al hebben zij nooit witbrood gegeten), stijve lichamen, vreemde verkrampte lichaamshoudingen van het werken en van de kou, voeten met dik eelt, omwonden met vodden, hun geest balancerend op de rand van de waanzin door de honger en de onwetendheid. Binnen even koud als buiten; net genoeg brandhout om brood te bakken, wat meestal hun enige voedsel is en om een mager vuurtje aan te houden. Zij melken de koe met stijve vingers en nemen die samen met de kippen 's nachts mee naar binnen. De vrouw geeft haar kinderen zo lang mogelijk de borst, als zij niet al eerder zijn gestorven. Als zij snel doodgaan doet zij haar melk in een kopje en voedt daarmee de twee kinderen die als door een wonder nog in leven zijn.

Hun boerenstulp staat in Cornwall, aan de ruige rotskust, of in het land van Crabbe misschien. Het is in het midden van de vijftiende eeuw. Het land wordt verdeeld door burgeroorlogen en de pest. En op zekere dag komt een bende plunderaars aangereden, wilde jongens uit het leger met de waanzin in hun ogen vanwege de uitgestoken ogen of afgehakte ledematen en wegens geldgebrek, maar die nog wel kunnen paardrijden. Daar komen zij op hun hongerige paarden en rukken het brood uit hun handen, doden de kinderen, verkrachten de vrouw, vermoorden eerst de man en dan de vrouw en steken de hut in brand. Zo schamel was hij dat er geen vuur voor nodig was om hem in een oogwenk met de grond gelijk te maken.

Vier in vodden gehulde magere lichamen, twee kleine lichaampjes, liggen op de vieze vloer, terwijl het stro vlamvat en de vlammen hoog oplaaien. De waanzinnige kinderen schreeuwen en gillen moord en brand. Zij slachten de koe en eten er een paar dagen van tot het kadaver begint te stinken. Daarna doden zij de kippen en eten ze half kaalgeplukt op. Dan rijden ze weg om een andere hut te zoeken. Het zal dagen duren voordat zij er een vinden en twee van hen zullen dan al dood zijn.

'Ons leven is even kort als kommervol; en daarom is het maar goed dat het kort is.' Jeremy Taylor zou uit de dood moeten worden opgewekt en op kosten van de staat een tripje naar Marin County moeten maken.

Het leven is beter dan vroeger, waar of niet?

Maar toch: zou er iemand uit de vorige eeuw zich een lang spoorwegnet met vertakkingen over heel Europa kunnen voorstellen met kleine witte stationnetjes langs het traject, opge-

174

sierd met fleurige bloemen in potten en grappige bordjes met valse namen erop? Dit alles als zoethoudertjes voor de mensen die als ratten in de val zaten, die naar oorden gingen die teksten als *Arbeit macht frei* boven de toegangspoort hadden staan, waar zij moesten gaan werken zonder de gelegenheid om te slapen of genoeg te eten, om hun werk goed te doen. Slavernij is een oud kwaad, maar wat was dit voor een krankzinnige slavenhandel? Het was de eerste lichting, hoeveel miljoenen? De eerste in een reeks van acties om de aarde te verlossen van de onaantastbaren, de onverbeterlijke, eeuwige onwettigen. Er zouden er nog vele volgen, maar de reus is omgerold. Niet dat het uitmaakt. Hij woont nu ergens anders.

En toch vergeten wij het. We vergeten alles wat er met de Albigenzen, de Amalekieten, met Jantje Pietje Klaasje gebeurd is. De tekens zijn er nog steeds, maar wij vergeten het.

Wat er achter die tekens schuilt, gaat het menselijk begrip te boven. Je moet het zien. Je moet naar Theresienstadt gaan, de enig overgebleven uitkijktoren beklimmen en uitkijken over kilometers stilte. Geen spatje rood op de droge bruine aarde, ondanks al het bloed dat daar werd vergoten. De wind waait langs je gezicht en huilt niet in het voorbijgaan, ondanks al de tranen die daar geplengd zijn. En ondanks alle doodsangst die daar is gevoeld staat er geen monument, geen bloedend hart in een godenbeeld, niets dan dorre aarde. Geen muur is overeind gebleven. Geen stem die 's avonds laat op de zachte bries komt aandrijven en jammerklachten laat horen.

In Auschwitz zijn de ovens leeg, vogels zingen in de bomen die het complex omgeven, zij pikken in de grond. In een bak met de afmetingen van een vrachtwagen liggen schoenen en laarzen, afkomstig van de gevangenen. De laarzen zijn gekreukeld, verfrommeld, als droeve dashond-ogen, maar geen zucht rimpelt de lucht. Ook de bezoekers zwijgen.

Geen enkele afbeelding van menselijk lijden kan weergeven hoe het werkelijk is geweest. Zelfs de aarde herinnert het zich niet, wil het zich niet herinneren. De wereld zou in haar eigen tranen verdrinken als zij zich aan haar verdriet zou overgeven.

Dus is hun manier misschien wel beter. Vergeet het! Voorwaarts en omhoog! Hé joh, verman je (en veeg je tranen van je wang), klop het stof van je kleren en NU ERTEGENAAN EN WINNEN! DAMES EN HEREN! HIJ KOMT TERUG! HOOR ZE JUICHEN! HIJ IS

NIET TE STUITEN! Niet door zijn beenmergontsteking of zijn zwakke hart of zijn gebroken knie of zijn gebroken sleutelbeen of zijn ingegroeide nagel of zijn vrouw in het gekkenhuis of zijn moeder op de verdorde boerderij of zijn gekidnapte baby: NIETS KAN HEM TEGENHOUDEN! HIJ DOET HET VOOR DE OUDE MAN! KIJK MAAR! DAMES EN HEREN (HET IS NIET TE GELOVEN), DE VADER VAN DE HELD STAAT OP! HIJ STAAT OP!

De held rent steeds verder weg, de toekomst in met een bom in zijn armen.

Ja, maar je moet toegeven dat het een manier was om te overleven. Zij ontkennen de pijn. Is jouw manier soms beter?

Om pijn te ontkennen moet je elk gevoel ontkennen. En het ontkennen van gevoel lijdt tot krankzinnigheid.

En wie is hier eigenlijk de gekste, nou?

Het is waar. Zij had in Amerika een avond naar de televisie gekeken, naar het journaal. Reportage over een nieuwe afslankmethode: Op dieet met Jezus. De vrouwen (natuurlijk waren het alleen maar vrouwen) kwamen wekelijks bij elkaar, gingen op de weegschaal staan, vergeleken de statistieken en lazen samen in de Bijbel en gingen samen bidden. Een rotsvast geloof, beweerden zij, zou hen sterken in hun beproeving.

De interviewer richtte zich tot een vrouw die helemaal niet dik was, ook niet op de tv.

Microfoon in de hand, fluisterstem, kruiperig, zeikerig: 'U hebt net naar een passage uit de Bijbel geluisterd. Kunt u mij zeggen wat die passage voor u betekent?'

De vrouw had een zachte stem met een zuidelijk accent, een zachtaardige manier van doen, de ogen van een kind. 'Die passage zegt me dat ik geen eten nodig heb om mij verzadigd te voelen. Hij zegt me dat Jezus mij zal verzadigen met Zijn liefde.'

Dolores was (spontaan) in huilen uitgebarsten.

Iedereen is iemands vrouw, alleen geeft niet iedereen dat toe.

Die aardige dame uit het zuiden, die zou een verhouding moeten aangaan. Het zou gegarandeerd werken voor een maand of zes. Maar natuurlijk zou ze dat niet doen. Te vroom: een braaf meisje. Naarmate de jaren verstrijken droogt zij steeds meer op, begint *tsss* te zeggen bij films met te veel bloot erin, krijgt het gevoel dat al zoveel mensen voor haar hebben gehad, dat seks het grootste kwaad was. (Vergeet de droge aarde, weet

176

niets van Theresienstadt.) Ze was een aardige vrouw, ze doet haar best om niet een kreng te worden. Ze schroeft haar gezicht op tot een glimlach, en iemand die de trillingen in haar mondhoeken ziet zwijgt daarover, en zij zegt dat ze begrip probeert op te brengen voor de jonge mensen van nu, ook al komt zij natuurlijk uit een andere generatie.

Zij probeert kalmerende middelen en drank of tennis of golf of bridge. Zij zit in een stoel voor de tv en haar mond trekt op en zij leest keukenmeidenromannetjes waarin veel wordt gedaan maar net niet alles en alles. 's Zondags gaat zij naar de kerk en elke donderdagavond naar het damesclubje.

Haar man gelooft dat hij anders is dan zij: zij is een vrouw en hij een *man* – een *echte* man. Hij neukt haar hard en snel en ziet zichzelf als een groot minnaar, maar zijn vrouw is niet erg... nou ja... ze is een goede vrouw, hoor. Hij heeft zijn wilde jaren gekend, hij was geen heilige, dat moest hij toegeven (maar niet tegenover haar), soms brak het beest in hem los. Maar als hij 's zondags met haar in de kerk zit en luistert naar de donderpreek van de dominee, bekruipt hem het gevoel dat het misschien niet helemaal door de beugel kan wat hij heeft gedaan, en dat die Betty, gossiemijne wat een prammen had die meid toch, dat hij wel veel plezier met haar had gehad, maar dat zij, als het erop aankwam, de eerste de beste del was.

De seks op zich was zondig, zoals de Bijbel verkondigde.

Dus stopte hij daarmee. Grotendeels. Hij ging naar schietoefeningen op dinsdagavond, bowlen op woensdag en pokeren met de jongens op vrijdag. In het weekend (God zij gedankt) was er voetballen. En hij hield ermee op, grotendeels, alleen die vrouwen die kleren aanhadden die een beetje – nou ja, je weet wel – of die 's avonds alleen over straat liepen: nou, die kregen waar ze om vroegen. Maar hij was er zeker van dat hij de duivel in zijn ziel had overwonnen. Moest alleen nog maar die straatmadelieven, die hoeren van Babylon, die verleidsters, de baas worden.

Maar hij, zijn persoon, was gered! Halleluja!

(Intussen werden Cambodjaanse dorpen door regeringstroepen met de grond gelijk gemaakt omdat de bewoners verdacht werden van vijandige sympathieën.)

Als hij zijn zoon met zijn riem slaat omdat hij geld uit zijn moeders portemonnee had gehaald om snoep van te kopen,

177

merkt hij niet dat hij te hard slaat, dat het gegil van het kind aan hem voorbijgaat, dat zijn vrouw aan zijn arm staat te trekken en te roepen en te schreeuwen. Want het kind begrijpt niet wat hij wil zeggen: Verwacht geen plezier in dit leven! Je moet leren gehoorzamen!

Hij was rein en van zonden gezuiverd en hij kon het weten.

Maar ook zijn vrouw merkt niets als haar dochter in uitgelaten stemming over iets dat die dag op school was gebeurd, thuiskwam, uitzinnig van vreugde de kamer ronddanst en zij met samengeknepen lippen binnenkomt, na de klap waar zij op heeft zitten wachten, en zegt: 'Kijk nou toch wat je doet! Je hebt de tafel omvergelopen! Nog een wonder dat de lamp nog heel is. Hou op daarmee, wil je?', dat zij daarmee zegt: 'Beweeg je niet, verwacht niets of je zult alles om je heen neerhalen.'

(In Argentinië werd op dat moment een jong echtpaar opgepakt en naar een officieuze gevangenis gebracht.)

Ach, wat heeft het voor zin om zulke dingen uit te zoeken?

De zin ervan is dat je geen keus hebt.

Maar jouw waarheden zijn altijd zo simpel.

Ja. In de bus ergens naartoe, een conferentie, ja, in de buurt van Chicago, allemaal op weg naar het vliegveld. Professor Bickford, een grijze eminentie, was naar haar lezing komen luisteren. Hij stommelde over het gangpad naar haar toe en vroeg of hij naast haar mocht komen zitten.

Hij had haar lezing gehoord, zei hij. Vond hem briljant, goed doortimmerd.

Zit me toch niet te versieren, hè. Niet te geloven.

Hij reisde heel veel, zei hij.

Van hem geloof ik het niet. Hij is een naïeveling. Maar toch heb ik wel meer voor verrassingen gestaan. Herinner je je nog die vriendelijke tandeloze oude baas in Assisi? Vertelde je dat hij tweeënnegentig was, vroeg hoe je de stad vond en pakte je toen met zijn rimpelige hand vast, net een klauw was het.

En tijdens die reizen, zei hij, ontmoette hij een heleboel interessante mensen. Boeiende mensen.

Wat zou hij willen denk je?

En als hij die mensen ontmoette, deed hij altijd één ding. Hij deed dat al jaren als hij een interessant iemand ontmoette. Hij stelde die iemand een vraag. Mocht hij haar ook die vraag stellen?

O God. Mijn favoriete schrijver. Mijn academische achtergrond: net als Terence Malle, die heeft een persoonlijkheidstheorie uitgedacht die gebaseerd is op waar je je opleiding hebt genoten, aan de oostkust (Harvard/Yale) of aan de westkust (Berkeley). Er zat niets tussen, behalve Oxford en Cambridge, maar die haalde je er zo wel uit.

De vraag was: U bent academisch geschoold en u denkt over de dingen na; u hebt de grote schrijvers uit het verleden gelezen en hebt het leven van nu grondig bestudeerd: wat is in uw ogen de meest essentiële waarheid van het menselijk bestaan?

Hij zweeg en keek naar haar, hing aan haar lippen.

Dit is niet te geloven. Sterker nog, hij verwacht lange woorden, lange zinnen van mij. Hij houdt zijn potlood in de aanslag. Zij was vastbesloten om niet te antwoorden. Hij was een minzame man, een goede man, dat kon zij zien in zijn onschuldige blauwe ogen, zijn trillende witte snor, zijn lieve, logge echtgenote, zijn zwevende scherpgeslepen rode potlood. Hij vertegenwoordigde het beste in de academische wereld.

En in zijn blindheid vertegenwoordigde hij ook het slechtste ervan.

Nee, niet antwoorden.

'Iedereen gaat naar de kloten,' flapte zij eruit.

Hij stond vlug op, liep trillend naar zijn plaats en zijn veilige vrouw na een bevend dank u wel, dat klonk alsof hij diep inademde.

Sorry, sorry. Maar het is je verdiende loon, na zo'n vraag. Je verwachtte zeker een mooie abstracte, quasi-diepzinnige formule te horen. Hoe kon je bovendien weten dat Elspeth net..., dat het maar een paar maanden geleden was, dat ik doodziek was van woorden, woorden, woorden.

Sorry.

Maar hij had het kunnen weten. Want de gruwelen gingen door, in binnen- en buitenland, in de keuken en de kinderkamer en de conferentiekamers en de kamers van de opperbevelhebbers en ook in het open veld en in de tijgerkooien. Maar iedereen deed alsof wij in een wereld leefden waarin alles volgens de regels gebeurde. Iedereen had een recept. Voor een gelukkig huwelijk, voor een gelukkige scheiding, voor een gelukkig tweede huwelijk, hoe je moest afslanken, hoe je moest neuken, hoe je rijk kon worden, hoe je gezond kon blijven, hoe je het eeuwige leven kon krijgen. Ja.

Soms had Dolores een droom. Het was niet echt een droom, hij kwam als zij wakker was maar lag te doezelen. Ergens in het gebied tussen waken en slapen. De droom kwam als zij zorgen had en ook als zij geen zorgen had. Hij kwam op willekeurige momenten.

Zij lag in bed, half in slaap, toen zij de warmte voelde; ze deed haar ogen open. Zij zag een gloed en daar zat hij aan haar voeteneind, naakt en goudbruin en glanzend. Zij herkende hem omdat zij al jaren op hem zat te wachten. Zijn huid glom in het maanlicht dat als fosforescerende melk door het slaapkamerraam naar binnen stroomde. Zijn gezicht had een serene uitdrukking; er speelde een flauwe glimlach om zijn lippen, of niet eens een glimlach, het was alleen een liefdevolle uitdrukking. Hij was haar engel, haar leidende geest, zij wist dat.

Zij ging dan ook overeind zitten en leunde tegen het hoofdeinde van het bed en sloeg haar armen over elkaar heen en zei: 'Oké, hufter, kom maar op met je praatjes!'

Hij glimlacht. En praat. Hij legt alles uit. Langzaam, zorgvuldig. Over de maan zon sterren planeten dieren planten stenen water mensen, over dat er een plan was voor alles voor alle schepsels met bont veren schubben roos en het was fantastisch omdat het ZIN had, ZIN! Ook de pijn die mensen elkaar berokkenen, ook de waanzin van de menselijke beschaving zoals die nu was, had een doel in het grote, allesomvattende plan.

Zij bestookte hem met vragen, probeerde hem het vuur na aan de schenen te leggen. Heel geleidelijk aan werden haar vragen milder, de schoonheid van dit alles kalmeert haar, het maakt alles draaglijk. En heel geleidelijk ontspannen haar nekspieren en haar hoofd zakt weg in het kussen. Zij luistert in vol vertrouwen: hij heeft er niet omheen gedraaid, niets ontweken. Zij hoeft hem niet meer zo kritisch te bekijken, zij ziet aan zijn gezicht dat hij de waarheid spreekt. Ze hoeft niet naar hem te kijken, want zijn gloed verspreidt zich door de hele ruimte, maar zij wil naar hem kijken omdat hij mooi is en zij van hem houdt. Zij hoeft nooit meer te denken, hij heeft alles duidelijk gemaakt. Zij hoeft nooit meer te lijden, want alles heeft zin gekregen.

En die duidelijkheid is het zaligste gevoel dat zij ooit heeft ervaren. Haar geest is in verrukking. Zij voelt zich ook stralen.

Zij is volkomen verzadigd. (Jezus zal je verzadigen met Zijn liefde.)

Hij zwijgt. Hij hoest even. (Hoesten engelen ook? vraagt zij zich af.) Hij zegt aarzelend: Het probleem is dat je niet meer op aarde mag blijven nu je dit allemaal weet.

Zij knikt. Dat klinkt heel logisch. De mens heeft altijd in duisternis geleefd, dus dat zal altijd zo blijven. Moet altijd zo blijven. Dat staat buiten kijf. Het komt niet in haar op om voor te stellen dat het nu misschien een goed moment is om daar verandering in te brengen. Nee, ze knikt alleen maar. Ze geeft zich over. (Wat kan je anders doen met een God?) En als hij zich vooroverbuigt om haar in zijn armen te nemen, mijn hemel, dan stribbelt zij niet tegen: zij buigt zich naar voren, zij wil in die armen liggen, tegen die huid aan. Zij smelten samen en vliegen omhoog, van het bed het heelal in en hij is heet en glinsterend en zij is heet en glinsterend en hun lichamen komen samen in die hitte en zij zweven de ruimte in, in een complete eenheid die naar een verpletterend hoogtepunt voert.

5

Dolores en Victor reden in de regen naar Manchester. Dat wil zeggen, Victor reed en Dolores keek naar de ruitenwissers. En hij praatte over zijn vader, hoe gek hij op zijn vader was, de branieschopper, de belhamel. 'Eén ding kon ik niet uitstaan. Hij rookte een pijp en had de gewoonte om die in de asbak te leggen zonder hem uit te kloppen, dus die pijp ging na een tijdje vanzelf uit. Maar van de lucht in de kamer ging ik letterlijk over mijn nek – zeker toen ik nog een klein jongetje was. Ik heb ermee moeten leren leven – ik was degene die daar overheen moest komen. *Hij* heeft het nooit afgeleerd om die stinkende pijpen te laten slingeren.'

Dolores aaide zijn knie.

'Toch vreemd eigenlijk, toen ik een pijp rookte deed ik soms rustig hetzelfde zonder dat het me hinderde. Ik probeerde het te vermijden omdat ik dacht dat andere mensen er misschien net zo misselijk van zouden worden als ik. Maar ik denk wel eens dat we ons op één bepaald ding van onze ouders vastpinnen en dat gaan haten, dat als een soort vuilnisvat gebruiken voor alle andere haatgevoelens die wij niet mogen voelen.'

'Ja. Anthony had gruwelijk de pest aan de manier waarop zijn vader kauwde. Hij werd er helemaal niet goed van. Toen hij nog klein was, moest hij wel eens van tafel opstaan en naar de wc rennen om bij te komen.'

'Hoe stond hij tegenover zijn vader?'

'Het enige gevoel dat naar buiten kwam was liefde en bewondering.'

'En wat denk jij?'

Zij haalde haar schouders op. 'Het was vast heel ingewikkeld.'

'Vertel eens wat meer over Anthony. De jongen. Op wie je verliefd werd.'

'Nou, dan moet ik beginnen met Jessie; zij was achttien en heel erg mooi en stapelverliefd op Aldrich, en ook een beetje zwanger. Zij en Aldrich trouwden. Ik weet niet wat hij toen voor haar voelde. Later keek hij op haar neer. Het was pijnlijk om te zien, je had het gevoel dat zij zich vernederd moest voelen. Maar als dat zo was, heeft zij dat nooit laten zien. Maar Aldrich was intelligent, en Jessie niet. Toen de baby werd geboren, Laura, was Aldrich meteen weg van haar, van haar grote violette ogen en haar atletische lichaampje.

Zij waren gelukkig. Ze hadden een huis, een auto, mooie kleren. Ik heb foto's gezien. Iedereen nam foto's in die tijd. Leuk vind ik dat, ik wou dat ik er meer had gemaakt...

Het ging hen voor de wind, aan geld geen gebrek, Aldrich schoot als een komeet omhoog in de vestiging in Boston van Blanchard Oil. Jessie werd weer zwanger. Zij wilde niet nog een kind omdat Aldrich dat niet meer wilde. Hij was stapelgek op Laura. Jessie dronk thee van moederkoren, maar die werkte niet en Anthony werd geboren. Maar Aldrich bleef maar stapelgek op Laura. Anthony hing er maar zo'n beetje bij. Je kunt het op foto's zien: klein en verdrietig en lief met een afgezakte broek, alsof hij weet dat hij er maar bijhangt. Laura heeft een stevig lichaam, barstend van de energie, haar glimlach is die van een atlete die een Olympische medaille heeft gewonnen. Zij domineert de hele foto.

Toen zij negen was kreeg Laura acute reuma. Jessie en haar zuster gingen met hun kinderen naar Florida voor de winter. Laura herstelde en de winter daarop bleven zij in Brookline. Maar op een keer – ze was toen tien – kwam ze in de regen thuis van een picknick van de zondagsschool. Jessie heeft eens tegen me gezegd: "Ik wist dat het zou gaan regenen, Dolores, maar ik dacht – wat kan het voor kwaad als ze naar een picknick gaat? God zal haar beschermen.' Maar God, of wie dan ook, heeft dat nagelaten. Ze vatte kou en werd steeds zieker en zieker en zat maanden in een rolstoel, en toen ze bijna elf was, is zij gestorven.

Anthony was zeven; hij was achter het huis een balletje aan het trappen met zijn vriendjes. Hij zag zijn moeder uit het huis komen met zijn tantes om haar heen, hij zag haar in een auto stappen, hij rende erheen om te vragen waar ze naartoe ging maar ze was al weg. Hij sjokte terug en keek naar de rolstoel van zijn zusje op de veranda en vroeg zich af waar *zij* was. Hij moet wel bang zijn geweest – zijn moeder weg en zijn zusje ook. Zijn moeder week nooit van haar zijde – dat herinnert hij zich en dat is alles wat hij zich lang daarna zou herinneren.

Aldrich en Jessie gingen met Jessies zuster en haar man op vakantie. Ze waren miljonair, ze hadden een jacht, en ze namen Aldrich en Jessie mee op een wereldcruise. Ze bleven een jaar weg. Ze namen niet eens afscheid van Anthony, legden niets uit. Jessie heeft me dat verteld. Jessies moeder kwam uit Florida over en ontfermde zich over Anthony en nam hem bij zich in huis; vrienden en verwanten kwamen toegesneld en sloten het huis af, sloegen de meubels op, verkochten het meeste ervan. Jessie en Aldrich zijn nooit meer in dat huis teruggeweest.

En Jessie is er nooit overheen gekomen. Zij kon niet in de straat lopen waar het huis stond waarin Laura was gestorven zonder overstuur te raken. Zij heeft nooit meer kunnen slapen zonder chloraal, of later, nembutal. Zij bracht middagen door met autorijden, als Anthony op school zat, overal en nergens naartoe, winkel in winkel uit, altijd in haast. En Anthony heeft haar heel lang niet mogen aanraken.

"Elke keer dat hij me met zijn kleine handje wilde aanraken, Dolores, deinsde ik achteruit, ik kon er niet tegen, het was Laura's hand, ik moest aan haar hand denken en die was er niet meer."

Eén keer, toen hij zich heel down voelde, heeft Anthony me in vertrouwen genomen, zoals hij daarna nooit meer heeft gedaan, en heeft me verteld dat hij altijd wilde dat hij was doodgegaan in plaats van Laura.

Nou, ze leefden door,' zuchtte Dolores. 'Zo gaat dat. De Depressie kwam, maar Aldrich verdiende nog steeds goed. Meer dan goed, omdat een goede baan in de Depressietijd betekende dat je rijk was. Hij was slim en ambitieus. Hij kocht onroerend goed. Anthony luisterde naar rugbywedstrijden op de radio en wilde naar West Point, een wens die Aldrich aanmoedigde.

Maar toen werd Aldrich plotseling ziek. Het begon als een soort indigestie, maar al spoedig kon hij niets binnenhouden. Hij leed pijn. De eerste diagnose was een maagzweer, maar de behandeling hielp niet. Er werden andere dokters ingeschakeld. Ze gingen het hele land door, van de ene kliniek naar de andere. Anthony werd weer bij Grootmama ondergebracht. Niets hielp, niemand wist wat er aan de hand was. Het enige duidelijke symptoom was dat hij stervende was.

Tenslotte liet Jessie hem huilend achter in een sanatorium in Saranac en ging terug naar haar zoon. Zo vaak als zij maar konden, maakten moeder en zoon de lange reis vanuit Boston om hem op te zoeken. De ziekte van Aldrich was het gesprek van de dag en Jessie stond altijd open voor suggesties. Op een dag liet iemand de naam van een kliniek ergens in het Midden-Westen vallen. Jessie regelde het een en ander, reed naar Saranac, pakte de zwakke stervende man in sweaters en jassen en nam hem mee in de trein naar Wisconsin – of waar het dan ook was.

En de kliniek daar kwam met een diagnose. Zij zeiden dat Aldrich, toen hij in de oorlog in Frankrijk was, vlees had gegeten dat was blootgesteld aan een giftig gas en dat hij tuberculose in de ingewanden had. Ik weet niet of dat medisch gezien ergens op slaat, maar dat zeiden ze in ieder geval. Ze opereerden hem en namen het grootste gedeelte van zijn ingewanden weg en stuurden hem naar huis om dood te gaan. Ze gaven hem nog vijf weken.

Aldrich woog minder dan negentig pond en had constant pijn. Jessie nam hem mee terug naar het grote huis in Brookline, dat van haar ouders was. Zij en Aldrich hadden alles, of bijna alles, verloren wat zij bezaten, op nog wat onroerend goed na. Blanchard had nog twee jaar salaris uitbetaald en daarna niets meer. De grootouders konden Aldrichs lijdensweg niet aanzien en waren naar de Cape verhuisd, waar zij een tweede huis hadden. Het grote huis was leeg met alleen hun drieën erin, zeker omdat Aldrich bedlegerig was. En Jessie liep de hele tijd op haar tenen, deels om hem niet te storen maar hoofdzakelijk omdat zij dan elk geluid, elke ademhaling van hem kon horen. Hij was nog steeds de persoon waar alles om draaide en Anthony had zich daar altijd aan moeten aanpassen. Zij deed alles voor Aldrich, voerde hem de kleine beetjes die hij kon verdragen met een lepel, gaf hem de ondersteek en leegde die, kookte pannen vol soep, bracht hem water als hij zijn pillen moest innemen, iets wat ze nooit vergat.

Anthony keek toe. Hij liep ook op zijn tenen en fluisterde ook. Er was geen plaats voor kinderen in dat huis. 's Nachts zat Jessie vaak op de bovenste traptrede, net onder de overloop, de hele nacht te luisteren. Anthony kroop dan naast haar en wurmde zijn handje in de hare. Ze luisterden; niet dat Aldrich kreten uitstootte, of kreunde, Jessie luisterde naar zijn ademhaling.

De dokter kwam elke dag. Dikbuikig, moe, in een gekreukeld pak, onderwierp hij Aldrich aan een vluchtig onderzoek en praatte even met hem. Elke dag weer vroeg hij of Aldrich een dominee wilde en elke keer weer klonk het grommende antwoord van Aldrich: "Die idioten komen mijn huis niet in!" De dokter knikte dan. Hij legde een paar morfinetabletten op het nachtkastje en zei: "Aldrich, ik heb hier genoeg morfine neergelegd om een paard te doden." En Aldrich knikte dan.

Elke dag kwam de dokter met een bezwaard gemoed, met zware stappen de trap aflopen naar de wachtende vrouw en de jongen. "Ik weet niet of hij de nacht nog haalt. Ik heb genoeg morfine bij hem neergelegd om een paard te doden."

En de vrouw knikte ook.

Dit ging een maand zo door. Elke nacht zaten zij op de trap. Anthony was pas tien. Had hij fantasieën dat de dood het huis zou binnenkomen met een geluid als van ruisende vleugels, als een plotselinge koude luchtstroom? Begreep hij waar zijn moeder op zat te wachten?

En wist zij dat zelf eigenlijk wel? Want ik heb nooit begrepen waar zij op wachtte; ze versterkte de doodssfeer in het huis in plaats van dat ze er wat leven inblies voor het kind.

Nou, Aldrich heeft de extra morfine nooit aangeraakt. In plaats daarvan knapte hij een beetje op. Hij was niet beter, maar wel sterker. Na een maand kon hij rechtop in bed zitten, na drie maanden kon hij één keer per dag voor het eten naar beneden komen. Hij besteedde dan veel aandacht aan zijn kleding, een flanellen broek van Brooks Brothers, een tweed jasje en een overhemd met das, en zo kwam hij, zich vasthoudend aan de trapleuning, stram als een oude generaal, naar beneden.

Jessie was nog steeds overbezorgd. Het drietal zat aan tafel, Aldrich zwijgzaam door zijn zwakheid, terwijl Jessies bezorgdheid als geventileerde lucht door de kamer heen waaierde. Zij aten alledrie zwijgend het voedsel dat Aldrich mocht eten: nooit iets anders dan dat. Anthony luisterde zwijgend hoe zijn vader hetzelfde eten keer op keer fijnkauwde: hij moest wel, hij had bijna geen ingewanden.

En soms kreeg Aldrich aan tafel een aanval van pijn en dan greep hij de houten armleuningen van zijn stoel zo stevig vast dat zijn knokkels wit werden. Hij zei er nooit iets over. Dat was niet nodig. Bij de minste geringste beweging verstijfde Jessie en trok wit weg. Zij wilde soms opstaan, maar hij beet haar toe dat zij moest blijven zitten en verder moest eten. Dus wachtte zij af, maar allemaal waren ze midden in een hap opgehouden met kauwen. Soms was de pijn zo hevig dat Aldrich flauwviel. De jongen en de vrouw moesten hem dan naar zijn bed dragen.

Na verloop van tijd vond Jessie hem goed genoeg om te reizen. Haar familie had een huisje bij een meer in Maine. In de buurt waren boerderijen, geiten, paarden. Zij was er vast van overtuigd dat de frisse lucht en de stilte hem zouden genezen. Ze maakte een bed voor hem klaar op de achterbank van de auto, pakte de koffers en daar gingen ze. Aldrich kon niet tegen de autorit en was het grootste deel van de tijd bewusteloos.

Het was een oud, stenen huis met een stenen open haard die zo groot was dat een volwassen man daar languit in kon liggen. Het had een ruime woonkamer en een grote keuken en verscheidene slaapkamertjes. Jessie zorgde voor een permanent houtvuur in de woonkamer, ook in de zomer, om de kamer droog te houden en de kou uit de stenen te weren.

Dit was de enige periode uit zijn jeugd die Anthony zich levendig voor de geest kon halen. Hij praatte er vaak over, vertelde me steeds weer over de open haard, de paarden, de kano – maar dat was later. Hij ging elke dag naar de naburige boerderij, waar hij de dieren mocht voeren en mocht paardrijden. Hij werd een bedreven ruiter. Iedere dag nam hij geitemelk mee voor zijn vader. Hij praat niet over zijn gevoelens, zegt niet dat

186

hij gelukkig was, maar je kunt het aan zijn stem horen, de opgewekte toon ervan. Je kunt de zon horen en de bomen en het
gebundelde licht door de bladeren heen en het zwemmen in
het meer en het spelen met de dieren, het rennen, springen,
misschien ook – God geve van niet – het geschreeuw, gejodel,
gekrijs, als hij op veilige afstand van het huis was. Hij kan zich
kleine details herinneren – de namen en kleuren van de paarden, de kleur van de kano, de kleur van de open haard, de bochten in het paadje dat van de grote weg naar het huis liep.

Eerst zat Aldrich altijd in dekens gewikkeld in een ligstoel op
de veranda. Hij leed nog steeds afschuwelijke pijnen. Zijn gezicht was er wit en gespannen van. Vaak trof Anthony bij zijn
thuiskomst zijn vader dubbelgeklapt in de stoel aan en dan wist
hij niet of hij sliep of bewusteloos was.

Toen de voorraden die zij onderweg in de stad gekocht had,
sterk waren geslonken, moest Jessie met de auto naar de stad
om ze aan te vullen. Anthony was nu elf, een grote jongen,
maar niet groot genoeg om auto te rijden. Dus gaf zij hem in-
structies, gaf Aldrich bezorgd een afscheidskus en begon aan
haar tocht van dertig kilometer. Anthony bleef bij zijn vader
en praatte wat, maar Aldrich wilde slapen, dus ging Anthony
naar binnen en begon strips te lezen. Hij had een stuk of vijf
strips uit toen hij zich herinnerde dat hij op zijn vader moest
passen. Hij rende naar buiten. Aldrich zat ingezakt in zijn stoel
en zijn handen lagen er vreemd bij. Anthony probeerde hem
wakker te maken, maar dat lukte niet en zijn vaders handen
bleven vreemd uitgestrekt liggen. Hij was dood of stervende,
dacht Anthony.

Hij had hem niet alleen mogen laten. Als hij bij hem was gebleven, zou dit niet gebeurd zijn. Misschien was zijn vader niet
dood, misschien was hij alleen maar bewusteloos. Misschien kon
hij zijn vader op de een of andere manier weer terug laten komen. Toen hij daar zo stond met een mengeling van gruwelijk
schuldgevoel en paniek, had Anthony een visioen. Hij zou de
pijn van zijn vader op zichzelf overbrengen. Als hij daarvoor de
moed had, zou zijn vader weer beter worden.

Kalm, weloverwogen, liep hij naar binnen en ging voor de
open haard zitten, waar een volwassen man met gemak in kon
liggen. Kalm, weloverwogen, trok hij één schoen uit, één sok, en
rolde zijn broekspijp op. Hij schoof zo dicht mogelijk naar het

187

vuur en tilde toen behoedzaam, langzaam, zijn been op en hield dat in het vuur. Hij was bang maar vast overtuigd van de noodzakelijkheid van deze daad. Hij hield zijn been zolang als hij het kon uithouden in de vlammen. Hij klemde zijn tanden op elkaar om niet in snikken uit te barsten. Zijn vader snikte nooit. Er kwamen tranen in zijn ogen en hij wist, nog even, en hij zou gaan schreeuwen en dat zou alles verpesten. Langzaam, voorzichtig haalde hij zijn been uit de vlammen. Het deed erge pijn, hij kon het niet buigen. En toen begon hij, zachtjes, te huilen, niet van de pijn, maar uit frustratie. Hij was een slappeling, een lafaard, een mislukkeling. Hij kon niet de pijn verdragen die zijn vader verdroeg. Hij kon hem alleen maar helpen door moedig te zijn, maar dat was hij niet, niet voldoende tenminste. Hij vloekte in zichzelf, hij sloeg op zijn verbrande been, maar hij kon er niet toe komen om zijn been weer in het vuur te steken. Hij had de pijn van zijn vader in zichzelf willen opzuigen, hem stukje bij beetje uit de zieke man willen trekken. Maar het was hem niet gelukt.

Maar in werkelijkheid was Aldrich flauwgevallen van de pijn en was hij weer bijgekomen voordat Jessie terugkwam.

Langzaam maar zeker genas het been van Anthony; langzaam maar zeker herstelde Aldrich. Hij kwam aan van de geitemelk en toen het zomer werd maakte hij met Anthony en Jessie tochtjes. Met eindeloos geduld maakte hij een prachtige, mahoniehouten kano. Anthony keek toe maar mocht niet helpen. Aldrich was een perfectionist. De winter daarop gingen zij met zijn drieën skiën. Daar zijn foto's van. Ze kijken allemaal vrolijk, behalve Jessie, die niet wil lachen omdat zij zich schaamt voor haar tandeloze onderkaak en geen geld heeft voor een gebit.

Ze gingen naar Brookline terug en Aldrich, die zich niet meer kon laten verzekeren en te oud was om een behoorlijke baan te krijgen, begon een klein postorderbedrijfje, dat eerst vanuit de garage opereerde maar later vanuit een kantoor in Watertown. Het was eind goed, al goed. Hij is natuurlijk toch een keer dood gegaan, maar hij had nog twintig jaar voor de boeg.

Eind goed, al goed, al heb ik daar mijn twijfels over. Jessie werd een zuurpruim, een vals kreng, maar nooit tegenover Aldrich. En Anthony is er nooit overheen gekomen. Vanaf het moment dat hij vader was geworden, gedroeg hij zich in alles zoals zijn eigen vader, maar hij miste diens bezieling.

Hij hield niet van baby's, kon niet tegen het lawaai van kinderen, zijn onrust maakte elke maaltijd tot een hel. Hij had de dood in zijn hart. Hij leed aan ernstige depressies en elk puistje of strontje – daar had hij nogal eens last van – werd gekoesterd alsof het een kankergezwel was. Je zou bijna denken dat hij graag wilde dat het kanker was. Misschien was dat ook wel zo. Het is prettig om een reden te hebben voor de gevoelens die je hebt.

Hij kon me zo vreselijk uitschelden dat ik de kamer uitliep, of later, het huis uit, of nog later, dat ik zei dat ik wilde scheiden. Dan zat hij aan me te trekken, wanhopig, zich vastklampend, hulpeloos, en zei dat ik het me alleen maar verbeeldde, dat hij nooit zulke dingen had gedaan, dat hij nooit zulke dingen had gezegd, dat hij nooit zulke dingen zou zeggen, niet tegen mij, van wie hij hield. Hoe kwam ik erbij dat hij niet van de kinderen zou houden?

Misschien hield hij wel van hen. Misschien hield hij wel van ons allemaal, wie weet? Hoe kon ik weten wat hij voelde, met al die geesten in hem? Hij is er nooit van verlost.

En misschien,' besloot ze vermoeid, 'wij ook niet.'

6

Hij sloeg een arm om haar heen. 'Wat vertel je dat vreselijk droevig.'

Zij haalde haar schouders op. Haar stem was dun, gespannen. 'Ach, weet je, ik ben stom geweest. Ik accepteerde zijn wreedheid, zijn waanzin, omdat ik dacht dat ik die kon genezen met liefde, trouw en begrip. Ik heb zoveel van hem gepikt. En ik ben er bijna kapot aan gegaan toen ik van hem wegging. Weer iemand in de steek laten. En in zekere zin betekende dat ook het einde voor mij. Niet toen hij zelfmoord pleegde, maar toen ik wegging. Dat gevoel heb ik vaak: alsof dat het ware gedeelte van mijn leven was en de rest een coda. Misschien omdat ik zoveel met hem doorstaan heb, hoewel de ergste ellende in mijn leven pas later is gekomen. Maar ook, denk ik, omdat ik toen nog steeds geloofde, nog steeds dacht dat als je je leven in eigen hand nam, je het kon veranderen. Ik bleef er tot de laatste dag van ons huwelijk in geloven dat, als ik maar genoeg met hem praatte, hem genoeg liet zien, hem genoeg liefde gaf – hoewel ik toen niet meer van *hem* hield (maar wel van de Anthony uit de verhalen, van hem wel) – dat hij eens als door een wonder verlost zou worden, de geesten zou laten rusten, een nieuw leven zou beginnen. Nu geloof ik daar niet meer in, dus ik neem aan dat ik niet meer zo intens in het leven sta.'

'Maar dat is onzin,' zei hij bitter. 'Je leeft wel intens. En waarom zou je in godsnaam de vernieling ingaan door zo'n egoïstische, manipulerende hufter?'

'Zie je hem zo?'

'Natuurlijk. Ik wed dat jij ook op je tenen door het huis liep in het weekend omdat je bang was dat meneer weer een van zijn driftbuien zou krijgen. Ik wed dat jij je in alle bochten hebt gewrongen om hem maar niet voor het hoofd te stoten, omdat je nooit zeker wist wanneer en door wat dat gebeurde.'

'Dat is waar.'

'Ik wed dat hij tegen je zei dat hij het leuk vond dat je les gaf, maar wel moord en brand schreeuwde als je laat thuiskwam vanwege een commissievergadering.'

'Hoe weet je dat allemaal?'

'Dat is niet moeilijk,' zei Victor. Hij sloeg met de palm van zijn hand op het stuur, zacht maar regelmatig.

'Ben jij ook zo?'

'Nee. Nou, vroeger misschien, een beetje. Maar ik was eerder zo geworden als ik met zo iemand als jij was getrouwd.'

'Iemand als ik?'

'Iemand die niet thuis of bij vrienden zegt: "Ja, schat," en: "Wat je zegt, schat." Een vrouw die niet eens de schijn ophoudt dat zij zich onderwerpt.'

'Daar zou hij niet tegen gekund hebben.'

'Weet je dat zeker?'

Zij zweeg.

Victor draaide zijn hoofd opzij en keek haar aan. 'Baal je nu van me?'

'Nee. Nou ja. Vreemd eigenlijk. Ik denk altijd zo politiek. Maar ik heb onze problemen, die van Anthony en mij, nooit als politieke problemen gezien. Ik zag ze puur psychologisch.'

'Maar jij bent volgens mij de eerste om te beweren dat psychologische problemen ook politieke problemen zijn.'

'Ja,' knikte zij verbaasd.

Zij checkten in in het hotel, maar Victor moest meteen weg. Een lange vergadering die waarschijnlijk met een maaltijd besloten zou worden, maar in dat geval zou hij nog bellen, zou ze het dan vervelend vinden om in haar eentje in het hotel te eten? Zij keek op haar horloge: het was er niet. Gebroken, bij de juwelier. Ja.

Er knapte iets in haar, maar zij zei nee hoor, en liet zich een afscheidszoen op haar wang drukken. Zij had het gevoel dat zij Victor heel dankbaar moest zijn en hem niet genoeg liefde gaf toen hij wegging. Waarom? Ja, omdat hij luistert, omdat hij echt luistert! De meeste mannen laten de verhalen van vrouwen als zweet van zich afdruipen. Zij laten de vrouwen praten, ze luisteren niet. Maar Victor luisterde wel en gaf weloverdachte antwoorden en had haar een idee gegeven over haar huwelijk met Anthony dat nieuw voor haar was. In al zijn bizarheid paste het toch in een cultureel patroon, het was niet alleen haar eigen herinnering van de hel, het was een algemene ervaring. Zij herinnerde zich hoe andere mensen haar hadden aangekeken toen zij vertelde dat zij in scheiding lag: ze had duidelijk gevoeld dat zelfs een paar vriendinnen haar afkeurend hadden aangekeken. *Zij* wilde scheiden? Die arme Anthony was degene die had moeten scheiden, met zo'n vrouw als Dolores. Zelfs Carol bekende dat zij meer op Anthonys hand was, tenminste toen zij elkaar nog niet zo lang kenden: 'Hij leek altijd zo aardig en jij altijd zo'n haaiebaai.'

Ja, ze was Victor heel dankbaar; waarom deed ze dan niet wat aardiger tegen hem toen hij wegging, waarom beantwoordde zij zijn kus niet?

O, dat kwam door het feit dat zij innerlijk door elkaar was geschud, door het gepraat over Anthony, door het ophalen van herinneringen. Sinds Jack had zij nooit meer over hem gepraat, en dat was jaren geleden. En sinds Elspeth bekeek zij alles met andere ogen, voelde zij alles anders. Ze had nu onderhuidse trillingen; geen zenuwtrillingen, maar trillingen van de aderen, de botten leek het wel. Konden botten trillen?

Zij liet zich in de enige stoel die er was neervallen. Hij stond voor een raam dat op een supermarkt uitkeek. De hotelkamer was kaal en saai. Verveling en sleur... Er stond een tweepersoonsbed in met een verschoten, donkerblauwe katoenen sprei erover en langs de muur stonden plastic kastjes, met daarboven een grote spiegel die de hele lengte van de muur besloeg. Aan de andere muur hing ook een kamerbrede spiegel: ongetwijfeld om de kamer groter te laten lijken. En er was die stoel, met een laag plastic tafeltje ernaast. Drie monsterlijke lampen en donkerblauwe gordijnen die waarschijnlijk ooit van de kleur van de sprei waren geweest. Het kleurloze behang had een saai patroon en het vloerkleed was van bruin tweed. Lelijk. Karakterloos. Was karakterloosheid lelijk? Nee, kinderen waren mooi, ook al vertoonden hun gezichtjes nog geen karakter. Of wel? Had een baby karakter?

Hoe oud was Tony toen? Waarschijnlijk pas één jaar, hij begon net te lopen. Hij had toen al karakter. Ja, het was zaterdag, het regende, iedereen binnen, vreselijk, dus Dolores was in het koele souterrain de was gaan doen, had een boek meegenomen en zat in een schommelstoel waarvan de leuning kapot was, te lezen in de betrekkelijke rust met het gezoem van de wasmachine op de achtergrond. Boven braakte de tv loeihard de sportuitslagen uit, zoals altijd op zaterdag en zondagmiddag. Anthony lag op de bank te kijken; van tijd tot tijd ging zijn mond open en gulpte er wat cola naar binnen, of kwam er een snauw naar buiten in de richting van een van de kinderen. Elspeth en Tony waren in hun kamer grote vellen papier, en soms de muren, met potlood aan het bekrassen (laat Anthony het maar niet zien). Sydney was nog niet geboren, zij lag rustig in de buik van Dolores.

Nadat Dolores de was had gedroogd en opgevouwen, nam zij hem mee naar boven om in de linnenkast op te bergen en kwam haar slaapkamer binnen, waar zij Anthony op zijn knieën naast Tony aantrof, voor de toilettafel. Tony was op blote voetjes, had geen kleren aan, alleen een luier om. De achterkant van zijn beentjes was roze.

'Doe dicht!' beval Anthony.

'Nee.' Niet opstandig, alleen maar koppig.

PETS. Anthony gaf een tik op zijn beentjes.

'Anthony! Wat doe je nou!'

Hij keek haar bleek van verontwaardiging aan. 'Dat kind heeft de la van je toilettafel opengemaakt!'

'Nou én?'

192

'Die moet hij weer dichtdoen van mij.'

'Waarom?'

'Waarom? Daarom! Dat kind moet weten wat hij wel of niet mag doen.' Hij draaide zich weer om naar de baby. 'Doe dicht!'

Tonys hoofdje hing naar beneden, zijn rug naar zijn moeder, zijn kleine roze beentjes werden steeds rozer. Hij gaf dit keer geen antwoord. Hij bleef doodstil staan. Hij hield zich aan de rand van de tafel vast om rechtop te blijven: hij liep nog maar een paar weken en kon nog niet lange tijd achter elkaar blijven staan.

PETS! Anthony sloeg hem weer.

Dolores' keel schoot vol. 'Anthony, hou daarmee op! Hou op!'

Anthony keek haar vriendelijk aan. 'Liefje, laat mij dit even opknappen, ja? Dat kind heeft een vader nodig.'

Dolores draaide zich om en rende de kamer uit. Zij stormde haar werkkamer in, smeet de deur achter zich dicht, plofte neer in een stoel en huilde.

Ja, toen was ik nog jong en kon ik makkelijk huilen. Bovendien wist ik niet wat het beste was. Had ik gelijk of hij? Misschien was ik te toegeeflijk. Misschien hadden kinderen dat soort discipline nodig. Maar waarvoor?

Het huilen van Tony was in haar kamer te horen, door het lawaai van de tv heen. Zij wilde opstaan en naar hem toe gaan, maar ze bleef zitten, knarsetandend. Anthony had hem aan het huilen gemaakt, dan moest Anthony hem weer kalmeren. Maar Anthony deed dat natuurlijk niet.

'Ga naar je kamer, jongeman, en laat ik je niet meer zien!' schreeuwde hij.

Ha. Tony had de la niet dichtgedaan. Hij had zijn vader verslagen in de wedstrijd die zijn vader zelf had georganiseerd, waaruit een van hen als overwinnaar te voorschijn moest komen. Misschien maakte het hem niet uit wie dat was.

Anthony kwam haar opzoeken, hij stak zijn hoofd om de deur met een glimlach op zijn gezicht.

'Dat kind is me een karaktertje!' kondigde hij met brede glimlach aan. 'Stijfkop!' Hij begon te lachen, maar zag toen haar gezicht. 'Liefje, wat is er?'

Zij ging rechtop zitten, zonder de moeite te nemen de tranen van haar gezicht te vegen. 'Nog één keer, Anthony!' beet ze hem toe, 'als je dat kind, of hen allebei, nog één keer slaat, dan neem ik ze zo ver van je vandaan dat je ze nooit meer ziet! Nooit meer! Dat meen ik serieus!'

Hij keek haar alleen maar aan, hij zei niets.

Hij sloeg hen nooit meer – niet als zij erbij was tenminste. Tony vertelde haar dat zijn vader hem vaak een schop tegen zijn achterste gaf – maar nooit in het bijzijn van Dolores. Maar dat had hij pas verleden jaar verteld. Nee, Anthony had hen nooit meer geslagen. In plaats daarvan gebruikte hij zijn stem.

'Veeg je voeten als je binnenkomt, hoor je! Vooruit, ga je voeten vegen, jongeman! En twee dagen geen snoep!'

'Heb jij dat gedaan? Kijk me aan als ik tegen je praat! Zie je die handdoek? Kijk maar eens goed! Hoe vaak moet ik nog zeggen dat je eerst je handen met zeep moet wassen voordat je ze afdroogt. Je moeder werkt zich een ongeluk om de boel hier schoon te houden (o, alsjeblieft, gebruik me niet als excuus) en wat doe jij? Ik heb het je al honderd keer gezegd! Vooruit, ga je handen wassen! Drie dagen geen ijsjes!'

'Je hebt al voor de komende vier dagen een ijsverbod ingesteld, Anthony, zal ik er zeven van maken op de kalender?" Sarcastisch, maar hij hoorde het niet.

De maaltijden: Niet die vork! Ellebogen van tafel! Breng je vork naar je mond, niet je mond naar je vork! Veeg je mond af met je servet als je gaat drinken! JE MORST MET DE MELK! ZET NEER! ZET NEER! VAN TAFEL JIJ!

Er ging geen Kerstmis, Thanksgiving of vakantie voorbij of de kinderen werden van tafel gestuurd. Altijd weer. Anthony speelde de dood aan het hoofd van de tafel en alle vrolijkheid was uit den boze.

Eet die artisjokken op! Je eet ze *nu* op of je krijgt ze voor het ontbijt, de lunch, het avondeten, alleen maar artisjokken, tot je ze ophebt, begrijp je dat? En geen toetje! Je blijft net zolang aan tafel tot je ze ophebt.

Anthony, ik ga de tafel afruimen. Mag hij alsjeblieft naar beneden?

Hij blijft hier totdat hij ze opheeft.

Anthony, ik moet nog werken.

Nou, ga je gang. Ik blijf hier wel zitten met hem.

En dat deed hij totdat ze hem zei dat het bedtijd was. En dan stond hij vroeg op en gaf zijn zoon artisjokken voor het ontbijt.

Hou je boterham niet in je hand als je er boter opsmeert. En breek er eerst een klein stukje af! En smeer geen boter over de hele boterham! Hoor je me! Geen koek, geen snoep, geen ijs, honderdvijfendertig dagen niet, begrijp je dat!

Dolores stond op en liep de kamer door naar haar aktentas. Zij haalde haar aantekeningen te voorschijn en legde ze op het bed neer, de enige plek waar zij ze kwijt kon. Ze had een brok in haar keel en haar ogen waren wazig, ze probeerde het waas weg te vegen. De matras was heel zacht en toen zij op het bed ging zitten, gleden alle papieren haar kant op. Wat gaf het, ze kon toch geen woord lezen.

En hoe konden de kinderen weten, toen zij met de jaren steeds kwader werd en tegen Anthony schreeuwde, dat haar kwaadheid tegen hem gericht was en niet tegen hen? Zij waren uiteindelijk de oorzaak, dat moeten zij gevoeld hebben. Maar zij wist wel beter. Alleen kun je geesten niet voor het gerecht slepen en in de beklaagdenbank zetten. Bovendien konden die er ook niets aan doen.

O.

Ze wreef in haar ogen, ze brandden, hief daarna haar hoofd op alsof zij betere lucht, die in hoger sferen te vinden was, probeerde in te ademen. Maar haar keel voelde aan alsof zij opgezette klieren had. Zij stond op en deed Victors tas open, haalde de fles drank te voorschijn en schonk zichzelf een whisky in die zij aanlengde met water uit de kraan. Zij ging weer in de stoel bij het raam zitten en keek naar de regen, de supermarkt.

Brief van Tony gekregen vanmorgen. Hij was uit Berkeley vertrokken, een meisje achterna naar Omaha. Gooiden ze in Omaha ook dubbeltjes en kwartjes in je gitaarkoffer toen je onder poortjes stond te spelen? Het zou wel eens koud kunnen zijn in Omaha, zijn arme blote voeten zouden schoenen nodig kunnen hebben. Had hij schoenen? Tweeëntwintig en nog steeds barrevoets door het leven. Zachtaardig, vriendelijk, altijd zichzelf wegcijferend, lachte hij je zijn mislukkingen toe. Hij bestond uit mislukkingen. Zelfs zijn gitaarspel, waar hij heel erg goed in was, zou alleen in zijn slaapkamer grote hoogtes bereiken: voor een publiek zou hij dodelijk verlegen zijn, ineens zijn briljantie kwijt zijn, en zich verontschuldigen. Altijd die faalangst: en daarom altijd falend.

NIET MET JE HANDEN AAN DIE MUUR! DAT IS DE HONDERDSTE KEER!

Ja, je hebt dat op zijn minst honderd keer gezegd, in ieder geval vaak genoeg om het tot Tony te laten doordringen: je bent een nul. Tony heeft zijn vader nooit laten merken dat hij dat had begrepen; hij was, zoals Anthony opmerkte, een stijfkop. Maar hij kwam nooit in opstand, vocht nooit terug. Het was tot hem doorgedrongen. Maar het Grote Opperhoofd geloofde dat niet en bleef hem met zijn neus erop wrijven, totdat Elspeth groot genoeg was en hij zich op haar kon richten. Ja.

Het hele huis was vergiftigd, zelfs de muren waren ervan doortrokken. Ik haatte het om daar 's avonds na mijn werk in terug te komen, hoe graag ik de kinderen ook wilde zien. Mijn maag begon op te spelen rond de tijd dat hij binnen kon komen. Tenslotte had ik een maagzweer. Maar Anthony niet, die kreeg geen maagzweer. De vrijdagavond-blues: een heel weekend met hem in het huis in het huis in het huis. Ging nooit eens alleen uit.

En ik ook niet. Ik ook niet. Ik bleef thuis en probeerde het kind uit de verhalen te vinden, waarom? Om mijn dromen te verwezenlijken? Waarom? Kun je dat liefde noemen? Haat zou ook kunnen. We waren wilden in onze gevoelens, Anthony en ik. We peilden elke diepte, hij van woede, ik van verdriet.

En onze harten werden verteerd.

En de kinderen gingen eraan kapot.

Nee, je mag ze niet laten stikken, zij hebben nog steeds een schittering om zich heen, Sydney, Tony. Ja.

En Elspeth?

Er zijn mensen die het anders doen. Die een vuilnisbak voor hun gevoelens gebruiken. Tina en Ralph, dertig jaar getrouwd, en goed in hun slappe was, zijn nog steeds aan het krakelen over dubbeltjes en kwartjes. Gaan op een cruise de wereld rond, komen terug en hebben een maand lang knallende ruzie omdat zij een nieuwe wasmachine wil. Terwijl zij een eigen inkomen heeft van dertigduizend dollar per jaar en zijn toestemming helemaal niet nodig heeft. Maar zij wil er een. Zij vraagt er een. Waarom? Of hij schreeuwt iets over *haar* vuilnis, alsof zij die zelf heeft geproduceerd. En zij schreeuwt iets over *zijn* garage. Maar men zegt dat zij een goed huwelijk hebben.

Amerika en Rusland, dertig jaar tegenover elkaar met het geweer in de aanslag, bajonetten, klaar voor de strijd, tanks gereed om uit te rijden, opgestelde raketten. Terwijl in een gouden zaal de diplomaten elkaar onder de kroonluchters ontmoeten, champagne drinken, verdragen tekenen.

Vrede heet dat. Of binnenlandse rust.

Victor zegt dat macht alle deuren opent.

Zij stond op, liep de kamer door en schonk nog een whisky in. Het zou een heel lange dag worden als Victor niet kwam eten. Een heel lange dag als zij niet kon werken. Vreselijke gedachte, leven zonder werk. Leegheid, dagen achtereen. Hoe moest je je dagen vullen? Anthony in die rolstoel.

Anthony op de bank voor de tv, krabbend in zijn kruis. Ik aan het werk in mijn werkkamer. Kinderen zijn zich aan het uitkle·den, kibbelend. Altijd gekibbel. De gewoonste zaak van de wereld, maar was het in ons huis niet erger? Als dat zo was, was er een goede reden voor. Maar Anthony verbood het gekibbel. Hij was de enige die boos mocht worden in het huis. Hij sprong op en liep schreeuwend met grote stappen de hal in. Toen gilde hij het uit.

Dolores sprong op en rende naar hem toe. Hij lag op de grond. *Weer* een zogenaamde hartaanval? Maar die had hij alleen maar als *wij* ruzie hadden, de kinderen had hij daar nog niet mee gechanteerd. Nog niet.

'Anthony.' Streng.

'Ik heb mijn poot gebroken, trut!'

Zei dat hij op de gladde pasgewreven vloer was uitgegleden en zijn been had gebroken. Probeerde net te doen of dat mijn schuld was, onmogelijk, met mijn huishouden met de losse hand. De vloer was al maanden niet meer in de was gezet. Ben het pas vorig jaar te weten gekomen: hij had Tony een schop voor zijn achterste willen geven. En hij had daarover gelogen. Gelogen.

Tony voelde zich natuurlijk (hoe kan het ook anders) schuldig. Hij had behendigheid gekregen in het ontwijken van de schoppen van zijn vader, was opzij gesprongen, had het bot horen kraken, was gaan giechelen.

Ik keek naar hem zoals hij daar op de vloer lag, scheldend tegen mij omdat hij zijn been had gebroken, terwijl hij steeds maar zei dat hij op zou staan en zelf wel naar het ziekenhuis zou rijden, scheldend toen ik een ambulance belde, maanden later nog steeds vloekend en tierend als zijn been pijn doet, als het verlegd moet worden en ik dat moet doen. Ik was er voorzichtiger mee dan met mijn baby's, maar hij krijste altijd als een speenvarken.

Ik keek naar hem zoals hij daar op de vloer lag, met zijn gebroken been, het been dat hij in het vuur had gehouden, en luisterde zonder te horen naar zijn gescheld, zijn gecommandeer, ik zag het allemaal al voor me, wist precies hoe het zou gaan, mijn leven zou de komende maanden een nog grotere hel worden dan het al was en alles kwam weer op losse schroeven te staan. Ik wist dat hij zijn been wilde breken, iets wilde breken, omdat hij wist, hoe eigenlijk? dat ik de dag daarvoor naar een advocaat was gestapt om over een scheiding te praten.

Hoe kun je scheiden van een man in een rolstoel?

Ook al is hij de hele dag thuis, begint hij 's ochtends om tien uur al cocktails te hijsen, brengt hij zijn dag door met het luisteren naar radioprogramma's waarin luisteraars kunnen bellen en bespiedt hij de buren met zijn verrekijker. Een man die rond de tijd dat de kinderen uit school komen, zeer agressief dronken is geworden en hen het huis uitjaagt. Ze zitten een groot deel van de tijd bij hun vriendjes in huis. Als ik thuiskom, heeft hij honger, kankert een tijdje en stelt jaloerse vragen. Maar ik negeer ze, ik negeer hem. Ik maak het eten klaar en houd me in, terwijl ik bedenk dat ik nog drie maanden, nog twee maanden, nog één maand voor de boeg heb.

Het huis is leeg zonder de kinderen. Ik mis hen, maar ik ben blij dat ze er niet zijn. Hij zoekt genegenheid, hij rolt naar me toe, strekt zijn armen naar me uit, noemt me 'schatje'. Ik deins huiverend terug.

O God.

Dolores stond op om nog een whisky in te schenken. Haar rug deed pijn: ze had een hele tijd krom gezeten. Ze maakt haar schouders los, maar de pijn blijft. Ze schenkt een dubbele whisky in.

Gaat zitten. Op het bed dit keer. Gaat languit liggen. Kreukelt haar aantekeningen, geeft niks, veegt ze onverschillig bij elkaar. Hoofd in de kussens, haar nek gestrekt, wachtend tot iemand haar keel komt doorsnijden.

Als je er dan toch last van moest hebben, en iedereen had dat, die pijn waar je niets van kan leren, die niets verandert, als je dan toch zoveel energie aan lijden kwijt was, moest het toch ergens voor dienen. Je kon er dynamo's mee opladen, met al die

198

energie. Je kon er de wereld mee voeden. Als je met die pijn nu maar een goede aantekening kon krijgen in een of ander register, zodat je niet hoefde terug te komen en het allemaal in een volgend leven weer overdoen.

Maar je moet wel, je moet wel. Het ging van ouders op kinderen, elke generatie ging door precies dezelfde dingen heen, niets geleerd, niets veranderd.

Het was onverdraaglijk.

Sydneys nieuwste gedicht, dat ze vorige week had opgestuurd, ging eigenlijk over haat. Sydney was van mening dat het over liefde ging, over de pijn van de liefde. Nou, misschien wel, maar het ging ook over de pijn van de haat.

Dolores drinkt gulzig.

Ja, en als alle beroering voorbij is, het stof is neergeslagen, de motor van de auto is afgezet en het lichaam onder een laken is weggevoerd en de politieauto's hun schrikwekkende rode zwaailichten hebben weggereden naar een donkere garage, waar geen motoren mogen draaien en je je koude lichaam op een bed neervlijt en probeert te slapen, kijk je uit je raam en de maan is vol, er schieten wolken voor langs en een zeemeeuw krijst over het strand. De oceaan beukt, je kunt het vanuit je raam horen. Vergeten. Niets is eeuwig. Hutje verzwolgen door de golven.

Je moest ergens voor staan, voor een zaak: Christus of het communisme of Israël. Iets waar je met hart en ziel, maar vooral ook met je verstand, achter kon staan. Iets dat waard was om voor te lijden. Je kon alles verdragen als je een zaak te dienen had. Het was niet de pijn die ondraaglijk was: het was de zinloosheid ervan.

Het wordt donker buiten. Ze strekt haar nek en staart naar de regen. De straatlantaarns zijn aan. Het zal wel laat zijn. Zij kijkt op haar horloge. Geen horloge.

Hij komt niet eten. Nee.

Alweer.

Zij zat ineens kaarsrecht overeind. Dat was het! Daarom vond zij hem niet aardig toen hij wegging. Ze leunde weer achterover in de kussens, terwijl ze langzaam tot haar positieven kwam. Ze zette het glas op het nachtkastje neer. Haar hart was koud en hard als steen en gloeiend heet tegelijk. Ja! Hij praat en praat, hij zeurt, hij wordt kwaad, hij dwingt haar om hem te vergezellen op deze tochtjes, en wat doet hij dan? Hij laat haar alleen achter in een hotelkamer, een hele dag en een hele avond. Laat haar alleen eten in een grote lege eetzaal, alleen over straat lopen in een onbekende, oninteressante stad. Dit was de derde keer al. In Leeds had hij het haar geflikt, in Birmingham en nu ook weer.

Natuurlijk. Hij nam haar op sleeptouw zodat hij niet alleen hoefde te slapen en hij Engeland met een auto kon bekijken zonder alleen te hoeven rijden. Gezelschap als hij dat wenste, en geen gezelschap als hij daar niet van gediend was. Wat kwam dat goed uit! Nam haar mee als een fles whisky, als hij er trek in had was het aanwezig.

En het kwam niet in zijn hoofd op om aan haar te denken. Hij deed niet zijn best om egoïstisch te zijn. Dat hoefde niet, hij was het van nature al. Hij had het druk met mensen, met afspraken en vergaderingen, rondleidingen door het bedrijf, een ontmoeting met een nieuwe topman met wie hij wat moest gaan drinken, eten, kijken wat voor vlees hij in de kuip had, leuk, dynamisch. Ja. Hij had zijn leven zo prettig mogelijk ingericht: werk, dan whisky, dan zij.

Ze hing er maar zo'n beetje bij. Net als Edith.

De mooiste naam van de wereld.

Marsh, die 's avonds laat uit Californië belde: 'Ik moet je zien, liefje, kun je naar New York komen, ik ben daar de twintigste, god, wat een tijd geleden!'

Ze reed pijlsnel naar New York met het leren pak van driehonderd dollar aan dat zij maanden geleden bij Saks had gekocht, alvast voor de volgende ontmoeting. Ging haar budget ver te boven, dat pak, maar dat kon haar niets schelen. Het was prachtig, wit met zwarte biezen.

Ze had de auto laten wassen voordat ze naar het vliegveld reed. Daar komen we, brandschoon en spiksplinternieuw. Zij duwde zich een weg door de menigte op het vliegveld als een blinde vrouw, buiten adem. Maar herkende hem niet toen hij aan kwam lopen. Hij liep haar voorbij, terwijl zij nog de menigte afzocht. Hij was dik, hij was dertig pond aangekomen.

Ze dacht: Hij is aan het vreten geslagen. Omdat hij me mist. En dat beviel haar wel.

Hij vond haar pak niet mooi, het was hard en het kraakte. Hij bleef er maar over doorzeuren. Niets kon zijn goedkeuring wegdragen. Hij had kritiek op de schilderijen in het Museum voor moderne kunst ('een hoop rotzooi'), het hotel ('ik heb je toch uitdrukkelijk gezegd dat je één kamer moest reserveren! Ze wilden me twee kamers aansmeren.' 'Dat heb ik ook gedaan. Zij zijn fout.'). Ze ruzieden nog wat verder maar besloten toen de zaak maar te laten rusten. Hij geloofde haar nooit. Dacht dat zij hem kapot probeerde te maken, onbewust natuurlijk. Hij mocht absoluut niet in opspraak komen. Waar zij werkelijk op uit is, is dat ik van mijn vrouw ga scheiden en met haar ga trouwen. O, zij ontkent dat ten stelligste, maar alle vrouwen willen trouwen. Onbewust natuurlijk, ze bedoelt het niet slecht. Maar ik moet op mijn hoede blijven.

Dolores kon zijn gedachten raden. En wist dat zij hem op geen enkele manier van het tegendeel zou kunnen overtuigen. Zij had er speciaal op gelet dat er één kamer gereserveerd werd, hij had haar heel precies geïnstrueerd wat dat betreft. Maar dat ging er bij hem niet in. Het ging er bij hem niet in dat zij niet wilde trouwen, niet met hem, met niemand niet (hij wist niet wat het huwelijk voor haar betekende), maar zeker niet met Marsh, een politicus, wat een leven voor een vrouw!

Maar toch had zij er een vreemd gevoel over dat hij haar niet geloofde, haar nooit zou geloven. Alsof zij voor hem een andere Dolores was, iemand anders, iemand die met haar gevoelens geen raad wist, iemand die een man nodig had om een gevoel van eigenwaarde te krijgen.

Toen zij die avond aan de cocktails zaten (ze had het leren pak uitgetrokken en had een diep uitgesneden zwarte jurk aan), vroeg hij: 'Wat is de mooiste naam van de wereld?'

Zij keek hem aan: was dat een serieuze vraag?

'Edith,' sprak hij met een zelfvoldane glimlach.

Dat was de naam van zijn vrouw.

Zij zat in de hotelkamer, in een gelaten stilzwijgen gehuld, terwijl hij zijn verhaal afstak. Waarom had hij me opgebeld? Waarom zei hij niet: Ik kan het niet aan, mijn vrouw aan de westkust en jij aan de oostkust. Dat zou eerlijk zijn geweest en dat zou ze begrepen hebben. Waarom zei hij niet: Mijn schuldgevoelens zijn zo groot, ik kan hier niet mee doorgaan. Waarom zei hij niet: Mijn politieke carrière...

O God, wat een lafaard was het! Hij kon niet toegeven dat hij ook maar een mens was, dus maakte hij haar minder dan een mens. Had kritiek op alles wat ze deed, alles wat ze zei, alles wat ze verdomme aanhad. Haalde, lint voor lint, de versieringen van mijn liefdeskleed af, kleedde me tot op mijn huid uit en vond niets van binnen. En ik liet dat toe omdat ik van hem hield, onderging dat gelaten en gaf mijzelf over aan het naakte, lege gevoel, voelde me als het niets dat hij wilde vinden.

Maar die nacht was hij heel liefdevol, zoals hij vroeger was geweest. Hij ging de volgende dag naar Princeton, wilde zij hem daar naartoe brengen? Dat betekende nog een dag wegblijven voor haar, maar ze zouden morgenavond in het Forum gaan eten en wat tijd samen kunnen doorbrengen. Zij dacht: Misschien wordt hij zo paranoïde van New York, misschien is hij terecht zo opgefokt, met al die mensen die hem zouden kunnen herkennen. Misschien werkt New York op zijn zenuwen.

Dus belde zij Carol en legde de kinderen de situatie uit en vroeg Carol of zij het erg vond om hen nog een dag bij zich te houden. Daarna belde zij iemand om haar colleges op donderdag over te nemen. En stond woensdagmorgen vroeg op en reed, nerveus, over de onbekende wegen. Zij kwamen voor twaalf uur 's middags in Princeton aan. Toen zei hij haar dat er een lunch was gepland voor zijn lezing en dat zij maar ergens een hapje moest gaan eten en hem om een uur of drie, half vier weer op moest komen halen. En dat zij op veilige afstand van het gebouw moest parkeren. Hij wilde niet dat iemand haar zou zien.

Chauffeurs krijgen een betere behandeling dan dat: zij krijgen tenminste *betaald*.

Hij kwam in opperbeste stemming terug, zijn lezing was heel goed gegaan, er hadden belangrijke mensen in zijn gehoor gezeten. Hij praatte aan een stuk door, waarbij hij geen detail oversloeg, in de veronderstelling dat zij geboeid naar hem zat te luisteren. Hij merkte haar zwijgzaamheid niet op. Toen zei hij dat hij het erg jammer vond, maar hij moest de volgende dag heel vroeg op, zijn vliegtuig vertrok om acht uur al, hij zou haar morgenochtend dus niet zien, tenzij zij hem natuurlijk naar het vliegveld wilde brengen als zij terugging naar New England...

Het vliegveld? Als zij *terug*ging naar New England? Zij glimlachte.

Hij zag haar glimlach en het was een brede glimlach, geen greintje droefheid erin. Hij leunde voldaan achterover in zijn stoel en lachte haar welwillend toe. 'Weet je, Dolores, ik geloof dat je het begint te leren. Dat je de dingen leert accepteren zoals ze zijn, zoals ze moeten zijn.'

'Ja, ik begin het te leren,' zei zij.

Toen zij bij het hotel aankwam, zei hij: 'Zal ik aan de bediende vragen of hij je auto even wegzet?'

'Ik zet hem niet weg,' zei ze, terwijl zij uit de auto sprong. Ze kreeg de sleutel van de receptionist (verboden!) en liep naar de kamer en pakte snel haar spullen bij elkaar.

Toen zij bij de auto terugkwam, zat hij nog steeds voorin met een verbaasde blik in zijn ogen. 'Waar wil je naartoe?' vroeg hij, terwijl hij schichtig naar de koffer in haar hand keek.

'Ik ga terug naar Boston.'

'Boston? Nu nog? Ik dacht dat we in het Forum gingen eten.'

'Ga jij maar eten. Met je ijdelheid, je superioriteit en je stomheid.'

Hij bleef haar aanstaren. Zij kon voelen hoe er langzaam een vuur in hem omhoogkwam, het vuur dat hij haar in het begin had getoond toen zij nog niet zo volgzaam was.

'Stap maar uit.'

Hij opende het portier. 'Weet je zeker dat je niet op je beslissing terugkomt? Het is te donker om nu nog naar Boston te rijden.'

'Eruit!' commandeerde zij en zodra hij zijn hand van het portier had gehaald maar het nog steeds openstond, gaf zij gas en spoot tussen de auto's de weg op. Dat gaf een goed gevoel, zoiets: actie.

Daarna tijdens het rijden opzijbuigen en het portier dichtslaan. Een goed gevoel.

Voor een minuut of twee. Want de rest van de avond en maanden daarna voelde zij zich rauw en schrijnend, voelde zich alsof zij een prop had ingeslikt, die nu klem zat in haar slokdarm. Dat was liefde.

God houdt van je, Hij zal je verzadigen, op dieet voor Jezus.

Dolores had tranen in haar ogen. Zij stond op, een beetje wankelend, en schonk nog een whisky in.

Zij wist nooit wat zij met dit soort gevoelens aanmoest, voelde zich opgevreten door haar eigen emoties, voelde dat haar maag zichzelf opvrat. Fysiek geweld was niets voor haar. Jack gooide altijd meubels omver, vazen, smeet met dingen. Het was een goede manier en zij had het best gevonden als het niet *haar* meubels, *haar* vazen waren geweest. Als zij dat hier gedaan had, was zij naar het gekkengesticht afgevoerd. Een man kon dat soort dingen wel maken in een dronken bui. Ze zouden hem kalmeren en het op de rekening zetten.

Goed, Victor kwam niet eten. Het was nu pikdonker buiten, moest een uur of acht, negen zijn. Hij zei dat hij zou bellen. Misschien was hij dat ook vergeten, met mij erbij. Nou, ik denk dat ik maar eens terugga naar Boston.

Misschien gaat er nog een late trein. Kan niet met de auto. Te veel gedronken. Zullen nog wel late treinen zijn, ergens naartoe. Doet er niet toe waarheen, ze kon naar Glasgow gaan, naar Wales, overal naartoe. Gewoon weg, weg uit die pompoen. Weggaan. Het hem onder zijn neus wrijven. Hij kan me niet zo behandelen, de kinderen zijn volwassen en ik hoef hier niet meer te blijven. Zo maar het huis uitlopen en dagen wegblijven? Wat maak je nou, Martin? Pappie, waar ga je naartoe, Papa? Mag ik mee, Papa? Mag ik nu mee? Mag ik de *volgende* keer mee? Papa? Komt vuil en ongeschoren terug, Mama staat naar hem te kijken met een verachtende blik in haar ogen. Ik hou van je, Papa, klein stemmetje, handje door de zijne, hij streelt mijn hoofd, verlegen, ga naar je kamer, Dolores, zegt Mama, niet onvriendelijk. Lig op het bed en vraag me af waarom Papa altijd weggaat waarom Mama altijd boos op hem is...

Ze liet het laatste slokje whisky in haar keel glijden, stond op om meer te halen. Ze had het licht in de kamer uitgelaten omdat ze de spiegels niet kon verdragen en stommelde rond in het spaarzame licht van de straatlantaarns. De telefoon rinkelde, tenminste ze dacht dat het de telefoon was en niet haar oren, struikelde, viel op de vloer, kroop naar het gerinkel toe, ring, ring, ring, en vond hem, nam op en een mannenstem zei: 'Lorie?' en zij zei: 'Nee' en toen zei hij iets anders, wat ze niet verstond en toen kwam er een vreemd geluid, een zoemend geluid, misschien was de verbinding slecht met Californië, maar als Marsh dacht dat zij hem weer wilde zien, na wat hij had gedaan, had hij een geheugen als een zeef, vergeetachtig, ja, vergetelheid...

Nou, ze kotste van zijn driftbuien! Doodziek was ze ervan! Zoals hij de hoorn op de haak smeet. Haar opbelde om te controleren of zij wel thuis was, het was volkomen belachelijk, hij belde haar overal, iedereen wist ervan.

Controleerde haar, terwijl hij daar zijn ego zat te strelen en haar vertelde om de auto op veilige afstand te parkeren of in de kamer te blijven, veilig opgeborgen, Rosamond. Zijn vrouw van hetzelfde laken een pak, had haar in haar pompoen geduwd en hield haar daar. Hield haar er*onder*.

Jack, Jack, pompoeneter
Kon zijn vrouw niet onderhouden,
Stopte haar toen in een holle pompoen
Daar kon hij haar eronder houden.

Na het bal, na de luister, verandert de koets van Assepoester terug in een pompoen. Ja, daar ging het over.

Zij stond op en stommelde naar de badkamer en deed het licht aan. Zij liep naar de slaapkamer terug, kon nu beter zien bij het licht van de badkamer en liep wat heen en weer, zachtjes neuriënd, terwijl zij haar aantekeningen, haar sweater, de schoenen die zij uren geleden had uitgeschopt, bij elkaar pakte. Maakte een kniebuiging en kwam omhoog en zag een vrouw met een bleek gezicht en verwarde haren en een vreemde uitdrukking. Ze liep langzaam van de spiegel weg en bleef stokstijf staan. Er was iets mis met haar. Ze kon het voelen. Het was iets ernstigs. Ze moest oppassen. Het zou niet makkelijk zijn om zo verder te leven, ze moest heel voorzichtig lopen, een beetje scheef. Het kon, als zij heel erg haar best deed. Ze zou het wel redden. Het moest, want als ze het in de gaten kregen deden ze gruwelijke dingen met je, ze grepen je vast en staken naalden in je en zetten je achter slot en grendel en gaven je elektrische schokken.

Eerst zorgen dat zij naar buiten kwam. Maar als zij met een koffer in haar hand het hotel uitliep, zouden ze haar tegen kunnen houden. Wilt u de rekening betalen, zouden ze zeggen. Ze had niet genoeg geld om de rekening te betalen en een treinkaartje te kopen. Waar was zij eigenlijk? Ze stommelde naar het raam en keek naar buiten. Melbourne, natuurlijk. Of was het Sydney? Nee, Sydney was in New Hampshire, studeerde voor dichteres, kweekte alfalfa. Ze giechelde om haar briljante woordspeling. Sydney, die met schitterogen over het gras naar haar toe kwam rennen: 'Je bent gekomen, mam! Te gek, hoor!'

Lachend sprong zij in haar armen, alsof ze nog maar zes jaar was. Sydney met eelthanden van het werk op de boerderij. 'Ik vind het zalig, echt! Wil je mijn nieuwste gedicht horen?' Verlegen, blozend, probeerde zij onverschillig te zijn, maar dat was ze niet. Ja, het ging goed met Sydney. En Tony, die was in Omaha. Zou het daar koud zijn? Heeft hij wel een jas? Hij zal nu zo langzamerhand wel weten hoe je aan een jas moet komen. Het ging goed met hem, hij was ergens. En Elspeth ook. Zij was dood, daar was ze.

Dolores propt haar spullen in haar grote linnen tas. Alles kan erin, behalve een sweater en een kamerjas. Ze moet de kamerjas achterlaten, maar ze is eraan gehecht, het was een cadeau van haar kinderen. Hij past er niet in. Oplossing: aantrekken! Ze trekt hem over haar schouders, over haar kleren en kijkt in de spiegel. (Vreselijk, in de spiegel kijken.) Nee, niet goed. Zo kwam ze niet weg. Ze zouden haar grijpen. Ze is slim, ze weet dat ze je voor de kleinste afwijking oppakken. Doet de kamerjas uit, doet haar jas uit, doet de kamerjas weer aan en haar jas eroverheen. Nee. Hoewel het mode is om allerlei kleren over elkaar heen te dragen.

Als zij het onderstuk van de kamerjas nu eens omhoogtrok, zodat het net een tuniek lijkt die ze over broeken heen dragen, dat zou de oplossing zijn. In haar broek proppen, dan de jas eroverheen. Wat een slimme meid is ze toch! Ze haalt de kamerjas omhoog, propt de stof tussen de tailleband van haar broek. Kost tijd, inspanning. Er is een hoop stof en nog van die dikke ook. Zij kijkt in de spiegel. Ze knoopt haar jas dicht, maar de twee onderste knopen gaan niet meer dicht. Ze ziet er raar uit. Ze is dik voor Jezus. Maar zo komt ze er wel uit.

Alles is klaar. Behalve de sweater. Die hangt ze over haar arm. Ze kijkt naar de whisky. Lekker voor in de trein. Maar er is nog maar een bodempje over. Mag hij hebben. Maar hij drinkt geen scotch, Marsh drinkt bourbon. Anthony is zo langzamerhand een alcoholist, hij drinkt vanaf 's morgens tien uur. Als zij *hem* nu eens in een pompoen kon stoppen als hij weer een driftbui heeft, hem opsluiten en hem met zijn vuisten op de deur laten bonken en huilen tot hij moe was, tot hij op de drempel neervalt, in slaap gevallen. Ja, dan zou de rest van hen gelukkig kunnen zijn. Ze zouden kunnen glimlachen en zelfs hardop lachen. Spelen. De kinderen spelen met een bal in de achtertuin, vrolijke stemmetjes in de zomerlucht, Tony en Elspeth proberen om beurten Sydney te leren hoe zij een slaghout vast moet houden, nee, niet zo, Sydneybeestje, lacht Elspeth, Tony slaat haar de bal heel zachtjes toe om haar niet bang te maken, rent dan een rondje, slaghouten vallen op de grond (raap ze op voordat Anthony komt!), lachend, schreeuwend, roze wangen, haar voor hun ogen, Elspeth springt omhoog, huizenhoog! Klein Elfje, mijn Elfje, haar haar als een langzaam omkrullende golf tegen de groene bladeren, goudkleurig.

Ik weet niet welke treinen er gaan.

Telefoon. Nee. Het maakt niet uit. Het geeft niet welke trein je neemt, ze gaan allemaal naar dezelfde plaats. Alle treinen leiden naar de dood, alle kinderen worden met kanker geboren, worden stervende geboren, de ronde, zachte gezichtjes, de ernstige, heldere, wijdopen oogjes.

De ogen van een kind kijken je recht aan. Er is niets tussen hen en jou. Geen sluiers. En als ze lachen! Kinderen in Fiji, zwemmend in de rivier, die je met water natspatten als je boot langs hen vaart, hun ogen zwart glanzend, als onyx, grote pretogen over hun stoute gedrag, pretogen om zichzelf, om jou. Dikke pret.

Kleine Johnny, de vriend van Tony, die niet meer in de huizen in de buurt mocht komen omdat hij had gestolen. Maar het was geen stelen. Hij nam gewoon mee wat hij mooi vond – een mooi lucifersdoosje, een glanzend tijdschrift, een handje lange dunne zilverglanzende spijkers. Maar gaf ook weg wat hij bezat: snoep, geld. Hij gaf Tony een keer zijn fiets. Dezelfde zwarte pretogen. Waarschijnlijk zit hij nu in de gevangenis. De gevangenis: zit en toon berouw. Je hebt gezondigd. Je bent in zonde geboren en zult in zonde sterven. Alle kinderen zijn anarchisten: *Anarchisme verboten hier*. Zit en toon berouw. Zeg twaalf Onze Vaders en ga naar buiten en knip de tien are gras met een schaar. Pret is uit den boze. Pret bestaat hier niet.

Wij maken de kinderen kapot.

Zij greep naar haar maag omdat zij een kramp voelde en zag tijdens het vooroverbuigen een persoon in de spiegel. Daar stond een zwangere vrouw die in elkaar kromp alsof zij weeën had. Een beetje oude kop, hè? Aha! Het is de nu-of-nooit baby! Ze liep naar de spiegel toe, raakte hem aan. *Zij* was het, *zij* was de zwangere vrouw!

'O!' riep zij uit, een brok van geluk in haar keel, 'Elspeth, je bent teruggekomen! Je komt weer terug! Ik heb altijd gehoopt, erop gewacht dat je terug zou komen!'

Zij vond de krampen niet erg, ze kwamen met steeds snellere tussenpozen, maar het was blijdschap, blijdschap, blijdschap – Elspeth zou opnieuw geboren worden, opnieuw! En deze keer zou zij het beter doen, zou zij het beter weten, zou zij iets doen wat dan ook, het zal nu niet meer gebeuren Elspeth, dat beloof ik je, dit keer zal ik beter mijn best doen, en zij schreeuwde het uit, schreeuwde van blijdschap, terwijl de krampen sneller kwamen, lager in haar buik, en het was bijna zo ver, haar baby zou weer aan haar worden teruggegeven, zoals zij vroeger was voordat zij noodgedwongen een beetje scheef was gaan zwemmen, voordat zij geknakt was, zoals zij was in het allereerste begin, rond en roze en krijsend en hongerig, toen zij haar oogjes opendeed en begon te kijken en te grijpen en op een dag haar mondje opendeed en lachte, ah! wat een gorgelend lachje, het was voor haar, voor Mama. Zeg eens mama.

'Ik heb een heleboel geleerd, Elspeth, je zult het zien! Dit keer zal het anders zijn!'

Toen was er ineens nog iets in de spiegel en zij fronste haar voorhoofd, het was een van Hen, ja, dat pak en overhemd en die das, ze herkende het uniform, ze kende Hen, Zij kwamen haar kind kapot maken, Zij vraten hun kinderen op, en ze draaide zich met een ruk om, ze schreeuwde zo hard als ze kon: 'RAAK ME NIET AAN! SODEMIETER OP!'

7

De man liep naar haar toe en raakte haar aan en zij schreeuwde en hij deinsde achteruit, staarde haar aan, zei iets dat ze niet verstond. Ze keek weer in de spiegel.

'Ik zal wel zorgen dat hij je niets kan doen, Elspeth, ik weet nu hoe ik je moet beschermen, ik zal ervoor zorgen dat niemand van Hen in je buurt komt, ik beloof het, niet weggaan, Elfje, deze keer zal ik beter opletten.'

Hij stond bij de deur naar haar te kijken en toen klonk er een geluid, geklop, en de man ging weg. Nee, hij ging niet weg, hij stond bij de deur, misschien zou hij toch weggaan.

Zij draaide zich weer naar de spiegel; ze hijgde terwijl de

baby naar beneden kwam. Ze voelde aan haar buik om te controleren of alles goed ging.

Er was iets niet in orde.

Het voelde niet alsof de baby *in* haar was: het voelde alsof zij buiten haar was.

En het voelde niet als Elspeth, het voelde aan als bont. Elspeth had geen bont. Elspeth was mooi en broos. Zij had de slanke fijne botten van haar moeder, en de grote violette ogen van haar vader, alleen waren die van hem blauw. Haar lach was als de tonen van een piccolo, die 's morgens vroeg in een laantje in de stad opklinken.

En zij kromp in elkaar en straalde alle felheid en agressie van de laatste jaren uit, zij was spookachtig blauw licht in een donkere hoek, elektrisch, angstaanjagend, een laserstraal van haat.

'Je mag me niet meer zo haten,' fluisterde Dolores tegen de spiegel. 'Niet zoveel als toen, tenminste.'

Zij kneep het vel van haar buik tussen haar vingers. Er was iets helemaal mis. Zij begon te huilen. 'Elspeth? Elspeth?' En herinnerde zich hoe zij elke nacht in bed lag te roepen en te wachten tot Elspeth zou komen, huilde omdat Elspeth was gestorven. Elspeth was gestorven.

Maar zij geloofde dat de geest van Elspeth zou terugkomen, terug bij haar moeder die zo verschrikkelijk veel van haar hield, die zo haar best had gedaan en die zo moe was, terug zou komen en haar zachte koele handje op het voorhoofd van haar moeder zou leggen en zeggen: Mama, maak je geen zorgen, het is goed met me

had ze nooit gedaan, naar kind.

Laat me gewoon stikken, terwijl ze weet hoe moeilijk ik het heb. Had ze niet één keertje kunnen komen, me even heel zachtjes aanraken, een zuchtje wind, waarvan ik wist dat zij het was, alleen een zucht bij mijn wang, zodat ik wist dat zij mij vergeven had

nooit.

Dolores begon onbeheerst aan de valse baby te trekken, een namaak-baby, dat was het, alleen maar om haar te kwellen. Zij trok en trok en het kwam allemaal naar buiten, het was niets, het verdween als zij eraan trok, het loste gewoon op.

Geen baby.

Dolores viel snikkend op de grond. Geen baby. Geen Elspeth. Een truc, een illusie. Elspeth dood.

Die persoon was er weer, hij stond naast haar, zijn benen doemden voor haar op en zij strekte haar handen uit en gromde en leek hem te willen bijten en de benen liepen achteruit. Ze lachte. Ze was heel slim. Ze had hem toch maar mooi afgeschrikt.

Niet dat hij nog veel schade kon aanrichten. Alleen zij was er maar, Dolores. Geen baby die hij kon doden, mishandelen, verminken, slaan, waar hij tegen kon schreeuwen, die hij in zijn handen kon draaien als een kippeboutje. Inslikken: smak, smak. Zij zat heen en weer te wiegen en huilde nu heel zachtjes, terwijl zij zwakjes: 'Elspeth, Elspeth' riep, zij voelde zich verlaten, waarom was zij zo dichtbij gekomen maar niet verder? 'Je haat me nog steeds,' kreunde Dolores, 'je geeft mij nog steeds de schuld.'

Een stem antwoordde haar, maar het was de verkeerde, het was Elspeth niet, het was een lage stem, een van Hen.

'Jij bent Elspeth niet!' wierp ze de stem beschuldigend toe, en probeerde wat scherper te zien. Er zat een man op de vloer. Hij had zijn uniform uitgetrokken, had alleen een overhemd en een broek aan. Hij zat op de vloer aan de andere kant van de kamer. Hij huilde.

Een van *Hen* die huilde?

O, hij was natuurlijk zijn baan kwijt. Of zijn vrouw was van hem weggelopen. Vrouwen deden niet anders tegenwoordig. Ja, Anthony huilde nooit, niet eens toen zijn vader stierf, huilde nooit totdat zij van hem wegging.

'Ik wil je problemen niet horen,' zei Dolores. 'Je kan de pot op.'

'Liefje,' zei de stem. Dat was Anthony niet, die noemde haar nooit *liefje*. Nee, schatje, dotje. Of andere dingen...

De persoon schoof naderbij. Zij hief snel haar hand omhoog. 'Nee! Daar blijven!' beval ze en het hield stil.

'Dolores,' smeekte het.

'Wat moet je?' Ongeduldig. 'Je moet altijd wat! Ik ben bezig, zie je dat dan niet. Ik ben met mijn dochter aan het praten. Ik ga niet voor je koken, ik ga niet over je hoofd aaien, ik ga niet naar je problemen luisteren, ik ga niet om je mopjes lachen, ik ga niet met je neuken. Dus je kunt maar beter weggaan.'

'Laat me iets voor je doen,' drong het aan.

Zij zat recht overeind, zonder te bewegen en keek het aan. 'Wat zou jij in godsnaam voor mij kunnen doen? Ik heb allang geleerd om alles zelf te doen.'

'Laat me iets voor je klaarmaken.'

'Eten. Eten! Uitgerekend *nu*! Nou, ik ben toevallig in gesprek met mijn dochter, die eindelijk is teruggekomen!'

De man steunde zijn hoofd in zijn handen.

'Je hoeft niet te huilen!' beet zij hem toe. 'Er zijn hordes vrouwen die je graag willen geven wat je vraagt. Ga er maar een zoeken!'

Hij kromp in elkaar. Ze werd moe van hem. Ze wilde niet ook nog eens met zijn pijn worden opgescheept, het was te veel, zij had zelf al te veel pijn.

'Anthony,' zei ze met een vlakke stem, 'ga weg.' Haar hart brak, ze voelde het, het was altijd al gebroken geweest, maar zij had het met ei en meel en lijm weer aan elkaar geplakt, net als een hamburger, het leek één geheel tot je er met een vork inprikte en hij in stukken uit elkaar viel. Onherstelbaar beschadigd.

Anthony zat nog steeds te huilen. Het ontroerde haar dat hij kon huilen, dat hij kon lijden. Zij wilde naar hem toekruipen en hem tegen zich aandrukken, zijn hoofd tegen haar borst aan, en over zijn rug aaien en hem zeggen dat zij van hem hield en dat alles weer goed zou komen. Maar hij had te lang gewacht. Als hij nu maar eerder had gehuild, dan had alles misschien nog hersteld kunnen worden. Maar hij had gewacht tot haar hart voor de helft tot een hamburger was geworden, de helft die van hem was. Hij had net zo lang gewacht tot zij alleen nog maar een automaat op krukken zag met een paars gezicht dat met open mond schreeuwde en tierde.

En het zou nooit meer goed komen.

Ja, ja, jongetje, wilde ze zeggen. Ja, je bent mijn kleine jongen, maar je groeit niet zo hard als de anderen, je blijft klein en je bent zo luidruchtig en bovendien maak je de andere kinderen het leven zuur. En zij zijn kleiner dan jij, zij hebben mij meer nodig. En zij hebben meer toekomst.

'Dolores,' zei de stem scherp, kwaad, 'ik ben Anthony niet. Ik ben Victor.'

'Wie?' Zij tuurde naar hem vanonder haar regenkapje. Het goot van de regen.

Hij schoof een stukje dichterbij, maar zij kon niet verstaan wat hij zei, de regen maakte zo'n lawaai, misschien was het de wind. Toen was hij naast haar, hij legde zijn hand op haar arm, zij deinsde huiverend terug, raak me niet aan, maar toen klonk er een donderslag en zij was doodsbang, het sloeg vlakbij in en hij sloeg zijn arm om haar heen. Dacht hij soms dat dat de oplossing was, dat hij haar naar zich toe kon trekken en die ander dan weg zou gaan, de regen en de wind en de donder? Dacht hij soms dat als hij zijn arm om haar heen sloeg, zij niet bang meer was voor de regen, de wind en de donder? Hoe kon hij haar daartegen beschermen? Dat kon hij niet. Als de donder kwam, als de bliksem insloeg, zouden zij allebei getroffen worden en zou zijn arm geen enkele bescherming bieden.

Hij leek er niets van te begrijpen, want hij deed het, hij sloeg zijn armen om haar heen en hield haar vast en hij rook anders dan Anthony, hij rook naar de regen, misschien was hij de regen, en zij keek hem aan en er biggelden tranen over zijn gezicht, wat een huilebalk, huilt om een doodgewoon onweersbuitje. Zij was doodsbang voor onweer, maar *zij* huilde niet.

Zes

1

Toen zij wakker werd, scheen er licht in haar ooghoeken. Zij bleef als een dier in de val liggen, roerloos, maar elk zintuig op scherp, doodstil.

Een vloer. Ja, ze lag op een vloer. Ze lag ingepakt in al haar kleren en had een kussen onder haar hoofd en een deken over zich heen. Op de vloer. Ergens op de vloer. Zij draaide haar hoofd een beetje opzij. Victor lag naast haar, zijn arm lag over haar lichaam (daarom voelde zij zich gevangen). Zijn mond stond half open, hij sliep. Hij had ook een kussen onder zijn hoofd, maar de deken lag alleen over haar heen.

Zij bewoog even en zijn ogen gingen open en hij keek haar aan. De ogen van een vreemde. Hij glimlachte niet, zei niets. Zij ook niet. Waarom had zij het gevoel dat er een kloof tussen hen was? Hij ging op zijn rug liggen en haalde zijn arm van haar lichaam.

Zij stond op en liep naar de badkamer om te plassen. Vreemd genoeg droeg zij haar kamerjas onder haar jas, over haar broek heen. En zij had een honger als een paard. Zij keek in de spiegel. Goeie God. Zij deed haar jas uit, haar kamerjas, haar broek. Met kleren aan geslapen! Ze waren stroef en roken muffig, net als zij. Zij liep de slaapkamer weer in.

Victor stond zijn broek dicht te knopen. Hij keek haar niet aan. Hij liep naar de badkamer en deed de deur dicht. Deed de deur dicht! Zij ging in de stoel bij het raam zitten. Ze voelde zich rillerig. Victor kwam de badkamer uit en liep naar haar toe. Hij vond haar niet aardig, dat zag zij zo al. Hij ging tegenover haar zitten en keek haar aan.

'Hoe voel je je?'

Ze keek hem suffig aan. 'Gaat wel,' zei ze, hoewel ze het ijskoud had, haar gezicht was bevroren en haar stem klonk ook bevroren. Kon je stem bevriezen?

'Weet je wie ik ben?' Lage, maar dwingende stem. O, wat was hij kwaad!

Zij aarzelde. Waarom zou ze niet weten wie hij was? Er was

213

iets vreemds gaande. Terugtrekken of aanvallen? In twijfelge-
vallen: altijd aanvallen. 'Natuurlijk weet ik wie je bent. Hoezo?'

'Gisteravond dacht je dat ik Anthony was.'

Aha. Gisteravond. Ja, zij herinnerde het zich. Anthony was
teruggekomen, was haar territorium binnengedrongen, huilend. Anthony was hier gisteravond geweest, maar – Victor
niet!

'Jij was gisteravond helemaal niet hier! Je bent hem gesmeerd zonder mij! Je wringt je in allerlei bochten om mij zover
te krijgen dat ik met je meega op die kuttripjes van je en dan
smeer je 'm en laat mij in mijn dooie eentje in deze walgelijke
hotelkamer achter en ik kan nog in mijn eentje gaan eten ook!
Wat zie je eigenlijk in me! Ik ben er alleen maar voor jouw gemak, voor als je me nodig hebt. Je denkt nooit aan mij! Nooit
meer, dat nooit meer, Victor!'

Zijn gezicht zei ook *nooit meer* tegen haar. 'Gisteravond
schreeuwde je het hele hotel bij elkaar alsof ik je aan het vermoorden was. Er kwamen mensen naar boven, ik moest een
smoes verzinnen dat jij last had van nachtmerries. Ze wilden
binnenkomen en je naar het gekkenhuis brengen.'

'Misschien dachten ze echt wel dat ik vermoord werd. Misschien had je dat ook gedaan.' Zo ging het. Ze klopten aan, jij
deed open, je was blij hen te zien, je liet hen binnen en ze kwamen schoorvoetend je huis in, maar binnen tien minuten zaten
ze met hun laarzen op je tafel en binnen een halfuur zaten ze in
je ijskast. Binnen een uur lagen ze in je bed en daarna ZOEF!
hadden ze je territorium veroverd, je leven. Net zo makkelijk.
Omdat zij dachten dat ze recht op jou hadden, omdat je een
vrouw bent. Wat je ook zei of hoe je ook tegenstribbelde, zij
gingen er gewoon van uit dat je als vrouw gelaten zit te wachten tot zij jouw leven in handen nemen, je in hun zak steken,
waar jij, denken ze, je heel erg gelukkig voelt. Zij zijn dat in
ieder geval wel, omdat zij weten dat je veilig in hun zak opgeborgen zit.

Het ging in fasen: eerst vermorzelen ze je ego: strepen op de
muur, krakend leren pak; dan krijg je druppeltje voor druppeltje het gedrag toegediend dat zij het juiste vinden: parkeer de
auto op veilige afstand, Dolores. Dan, als je dat onder de knie
had, waren ze tevreden: je was een verlengstuk. Maar vervolgens kregen ze er de balen van dat je zo saai en slaafs was, dus

moesten zij erop uit om iemand te vinden wier ego nog intact was en begonnen zij weer van voren af aan.

'Dolores?' Hij hield zijn hoofd schuin om haar ogen te vangen, haar aandacht. 'Gaat het echt wel?'

Zij keek hem met toegeknepen ogen aan. Het had geregend, herinnerde zij zich, het had in de kamer geregend.

'Elspeth zou terugkomen,' zei zij met een hoog meisjesstemmetje.

Hij sprong op en hurkte voor haar neer. Hij pakte haar handen. 'Dolores?'

'Ik heb honger.'

Hij stond op en liep naar de telefoon. Hij zei iets in de hoorn. Zij bleef ineengezakt in haar onderbroekje zitten. Hij gaf haar haar kamerjas aan en hielp haar die aantrekken. 'Je zult het wel koud hebben,' zei hij. Toen raapte hij het kussen en de deken van de vloer en gooide ze op het bed.

'Victor,' zei ze onvast en hij snelde haar te hulp. Ze keek naar hem op en hij hurkte weer bij haar, pakte weer haar handen. Ze maakte één hand los en streelde zijn gezicht.

'Je hebt me alleen gelaten,' zei ze met hetzelfde meisjesstemmetje. 'Dat doe je steeds.'

Hij boog zich voorover en kuste haar hand. 'Het spijt me,' zei hij met verstikte stem. 'Het spijt me echt.'

Er werd op de deur geklopt en Victor stond op en deed de deur open. Het was een man met een rijdend dienblad met daarop een heleboel dingen, geur van koffie. De man verdween.

'O!' zei Dolores en sprong overeind. Zij ging op het bed zitten, maar Victor zette de stoel bij haar neer en zei haar dat zij daarop moest gaan zitten. Hij ging op het bed zitten. Ze maakten de met aluminiumfolie afgedekte bakjes open. Er waren eieren en worstjes en gegrilde tomaten en gebakken aardappels en koffie en geroosterd brood en sinaasappelsap uit een blikje. Dolores at alsof zij uitgehongerd was. Het was een vette hap, maar het kon haar niets schelen. Ze dronk vier koppen koffie. Toen ging zij met een zucht onderuit zitten.

'Opgeknapt?'

Ze knikte.

Ze nam de sigaret aan die hij haar aanbood. Ze blies de rook uit en keek hem aan. 'Ik was gek gisteravond, hè?'

'Je was gisteravond,' het kwam er langzaam uit, '*in de war*. Je had voor zover ik kon nagaan, geen lunch en geen avondeten gehad en je had bijna een vijfde liter whisky naar binnen geslagen. Je was heel terecht kwaad op me. En je hebt over Anthony gepraat en oude koeien uit de sloot gehaald, hele droevige oude koeien.' Hij sprak de woorden heel duidelijk gearticuleerd uit.

O, hij zal het wel even voor mij uitleggen.

'Nee, ik was gek. Word jij dat nooit? Ik meestal ook niet. Alleen soms, als ik drink. Daarom drink ik nooit. Maar toch was ik niet *echt* gek. Ik heb me misschien als een gek gedragen, maar de dingen die ik voelde waren niet gek.'

'Dat weet ik,' zei hij somber.

'Ik ben net als Anthony, zie je,' zei ze, terwijl ze treurig naar de as van haar sigaret staarde, 'ik leef met geesten.'

'Misschien doen we dat allemaal wel.'

'Weet je wie ik ben?' vroeg ze plotseling.

'Natuurlijk.'

'Nee, dat weet je niet. Je kent iemand die Lorie heet. Maar dat ben ik niet.'

Hij keek naar de grond.

'Je hebt gehuild,' herinnerde zij zich, vaag.

Zijn gezicht had een gekwelde uitdrukking toen het naar haar opkeek. Zij stond op en ging naast hem op het bed zitten en trok zijn gezicht naar haar schouder toe. Hij begroef het daar, drukte haar tegen zich aan, zuchtend. Ze wiegden een tijdje heen en weer. Toen ging hij overeind zitten.

'Ik begrijp het... dat je mij met Anthony verwarde. En met iemand anders, ik weet niet...'

'Marsh?'

'Kan wel. In ieder geval begrijp ik het.'

'Ja.' Vlakke stem.

'Ik breng je naar huis. We gaan weg.'

'Ja.'

Hij stond op en liep naar de telefoon. Hij telefoneerde met mensen, hij zei *sorry, sorry, sorry*.

Ze waren terug in Oxford; Victor zette de ramen een eindje open om de muffe lucht uit de kamer te laten en deed daarna de elektrische kachel aan. Hij installeerde haar op de bank met haar benen omhoog, stopte haar in met een deken, ging naar de keuken en kwam terug met een kop thee.

Dolores dacht: Mama. Het was prettig om een mama te hebben. Iedereen had een mama nodig van tijd tot tijd.

Ja, dat had hij gedaan, ze was er nu achter, hij had al zijn afspraken in Manchester afgezegd. Om haar. Omdat ze gek was.

Ze durfde hem niet aan te kijken. Ze had zijn hand willen pakken toen hij haar de thee bracht, willen zeggen: O, het spijt me zo, Victor, dat ik je dit aandoe terwijl het niet jouw schuld is, echt niet. Maar je hebt wel een verlengstuk van me gemaakt. En al die andere dingen, me weggestopt, al die boze gevoelens die ik diep had weggeborgen en probeerde te vergeten. Toen je zus zei en zo deed en ik besloot om te vergeten. Ja. Ja, maar het is niet jouw schuld dat mijn leven een klerezooi is.

Maar ze durfde dat niet te zeggen. Daar was zij veel te verlegen voor.

Hij kwam naast haar op de bank zitten, hij draaide haar hoofd om, hij dwong haar om hem aan te kijken. 'Ik ga naar de markt. We hebben niets meer in huis. Blijf jij maar rustig hier, goed?'

Ze knikte. Ze hoorde de deur achter hem in het slot vallen.

Het huis was muisstil.

Zij realiseerde zich opeens dat zijn gezicht littekens vertoonde, dat het overdekt was met schrammen. Haar schrammen. Zij had zijn gezicht helemaal opengekrabt.

Nee. Zij had Anthony gedood.

Ja, dat had ze gedaan. Hij was dood, hij lag op de voorbank van haar auto, dood, en Elspeth stond te snotteren. *Zijn* geest zou ook nooit vergeven. Hij ijsbeerde in de gangen van haar hoofd rond, vroeg alsmaar waarom, waarom. 'Ik hield zoveel van je,' huilde hij. 'Jij hebt nooit zo van mij gehouden als ik van jou.' Hij had haar nooit gehaat, zei hij. Hij was nooit kwaad op *haar* geweest, zei hij. Hij zei dat hij van de kinderen hield: hoe kon ze daaraan twijfelen?

Ze probeerde hem in zijn kamer op te sluiten, maar hij zette zijn voet tussen de deur, hij was zo groot, ze kon de deur niet dichtkrijgen. Hij kwam naar buiten, hij stormde de woonkamer in. Zijn ogen waren grote zwarte gaten die haar verslonden, die haar probeerden te vermoorden. Zijn gezicht was paars en zijn

217

mond stond open, het was een donkere schotel, open en er kwam een geluid uit als een luchtalarm. Ze probeerde te ontsnappen, de voordeur uit te rennen, maar hij was haar te vlug af, hij trok haar terug, hij liet grote blauwe plakken achter op haar arm, hij kwakte haar tegen de muur en haar oorbel schoot los en zeilde door de kamer heen en ze vond hem pas weer terug toen ze gingen verhuizen en de kamer werd leeggehaald. En ze zei: Ik ga weg, ik ga weg, je kunt me niet tegenhouden, en ze rende de keuken in en pakte een mes en zwaaide ermee voor zijn ogen en hij stond haar aan te kijken en lachte, lachte, hij lachte zo hard dat de tranen over zijn gezicht rolden en zij gooide het mes tegen de muur en beende met grote passen de deur uit en hij kwam achter haar aan, hij sloeg een arm om haar heen, hij zei: *Schatje*.

Natuurlijk had ze hem nooit gestoken, maar ze wilde dat hij haar bedreiging serieus nam. Hij lachte. Hoe kun je iemand bedreigen die je staat uit te lachen?

Maar uiteindelijk heb ik hem toch gedood. Dat dacht Elspeth in ieder geval. Dat heeft ze gezegd. Eén keer maar.

Dolores leunde met haar hoofd achterover in het kussen, haar keel deed weer zeer, ze wachtte op het mes, totdat haar keel zou worden opengereten. Doe het, alsjeblieft.

De deur sloeg dicht, Victor was terug. Hij hing zijn jas op in de gang, hij zette de boodschappen in de keuken neer. Ze was bang om hem te zien. Hij deed de deur open en kwam de woonkamer in. Ze wilde hem niet aankijken.

'Alles goed?'

Zij wendde haar hoofd af. 'Heb ik je erg gekrabd?'

'Gekrabd?'

Hij liep naar haar toe, stond in het licht van de lamp. 'Wanneer dan?'

'Gisteravond.'

Hij ging naast haar zitten. 'Je hebt me niet gekrabd, liefje.'

Zij draaide haar hoofd om en keek hem aan. Nee, hij had geen schrammen. Maar de lijnen waren duidelijk te zien als hij aan de andere kant van de kamer was, in het duister.

Zijn ogen brandden in de hare. Net als die van Anthony, als hij jaloers was en hij in een kamer vol mensen naar haar zat te kijken; ze voelde zijn ogen in haar achterhoofd priemen, en als zij zich omdraaide, zag zij die woedende blik van hem, die meer uitdrukte dan woede, ogen die brandden van haat.

Net als Elspeth, later.

Was zij zo'n monster? Wat had zij gedaan dat zij zich zo voelden?

'Ben ik zo'n monster?'

Hij drukte haar tegen zich aan, haar hoofd op zijn schouder, haar wang tegen de zijne. 'O ja, je bent een monster. Net als wij allemaal. O, lieve Dolores, rechtvaardigheid bestaat niet, alleen maar liefde.'

2

Die nacht hield hij haar alleen maar tegen zich aan. Ze was uitgeput, ze was dankbaar dat er een warm en zacht lichaam tegen het hare aanlag, dankbaar dat zij zijn armen om haar heen voelde, die haar niet gevangen hielden, nee, het verschil was altijd te merken. Dineren op het instituut, Edmund Lows hand op de knie van zijn vrouw, en zij zat daar rustig, Naomi, haar eigen handen rustig in haar schoot gevouwen. Mooie Naomi, rustig, beheerst. Ze verachtte hem, dat was voelbaar, het beïnvloedde de sfeer als hij in de buurt was, maar hij voelde het niet. Zijn zachte, vlezige bankiershand lag op haar knie, als een slavenband. Ja, zij zat daar met kalme berusting, accepteerde de slavenband, waarom? Haar handen lagen in haar schoot, in diamanten ketenen.

Alles had met macht te maken, zei Victor.

Maar nu straalde hij liefde uit. En hield haar met liefde vast, hield haar vast omdat zij dat wilde, omdat hij dat wilde, uit liefde, niet uit bezitterigheid. Je kon het verschil merken, zelfs aan de andere kant van de kamer, zelfs op straat, bij het zien van de bezitterige handen van de jonge mannen, die als klauwen op de schouder van hun vrouwen lagen. Dachten de vrouwen soms dat dat liefde was? Anthonys arm op haar rug op feestjes: niet nadrukkelijk, maar duidelijk aanwezig. Niemand vroeg haar ten dans. Maar als zij alleen waren, raakte hij haar nooit aan.

Victor en zij ademden in een harmonieus ritme. Hij streelde haar lichaam, liet zijn hand over haar lendenen, haar dijen, haar billen, haar borsten glijden en zij had haar armen om hem heen, en na een poosje begon zij hem te strelen, zijn dijen, zijn

219

lendenen, zijn billen, zijn borst, hij voelde lekker aan – zacht en koel en zilverglad. O, het was zacht en ontspannend, ze waren samen, ze troostten hun lichaam bij gebrek aan troost in hun geest, en het was goed, het hielp.

Misschien was het mogelijk om je een keertje te laten gaan. Misschien kon je je laten gaan zonder dat de wereld verging. Al die jaren dat zij zich had ingehouden (omdat er anders rampen gebeurden) als Anthony een aanval van blinde woede kreeg, al die jaren dat zij zich beheerst had toen Elspeth, toen Papa, toen Marsh haar de mooiste naam van de wereld vertelde, toen ja, en nu had zij het gedaan, voor het eerst in haar leven, zij had zich laten gaan en zich als een waanzinnige gedragen. Maar er was niets rampzaligs gebeurd. Hier lag ze, in haar bed. En Victor was er en streelde haar, maakte haar rustig, hield van haar.

Vertrouwen, daar ging het om. Ja, in slaap kunnen vallen in zijn armen met de wetenschap dat hij er de volgende morgen nog zou zijn, dat hij je niet in je slaap zou proberen te vermoorden, en dat hij je 's ochtends niet zou aankijken alsof je grote wallen onder je ogen en een slechte adem had (al was dat wel zo) en je daarom niet meer aantrekkelijk was. Zoals Phil, die haar 's ochtends aankeek alsof hij plotseling ontdekt had dat zij een oude heks was. Het omgekeerde van het sprookje: naar bed gaan met de prinses en wakker worden met de kikvors. Kikvorstin.

Zij liet zich er langzaam inzakken, een warm bad. Zij ging er helemaal in, o, heerlijk, warm, kabbelend, geurend naar verse kruiden en sandelhout, een koestering voor haar hele lichaam, het gladde warme water, op en neer deinend. Zij leunde achterover, wentelde zich rond, rolde om en om als in de branding, het rollen een genot, het bewegen in water, met water mee, tegen water in. Zij zwom nu in een rechte lijn, de afwijking was verdwenen. Het water stroomde terug, golfde naar voren. Het omspoelde, omringde, omarmde haar. Zij schoot omhoog, haar hoofd boven de golf, zonk dan weer naar beneden, gaf zich eraan over. Even liet zij zich drijven, dan zette zij zich met haar benen af en sprong op. Verrukking, in de beweging, in de kracht van haar benen, in het gevoel van het water dat zich aan haar kracht gewonnen moest geven.

Zij dreef in volle zee met Victor in een ongekende, totale

overgave, alsof haar lichaam eindelijk zichzelf had gevonden, het ontmoetingspunt der dingen, de zin van alles, het punt waar je je gedachten kunt laten varen. Net als het vinden van de houding die je lichaam moet aannemen tijdens een afdaling op ski's, iets dat zij nooit goed onder de knie had gekregen. De knieën gebogen, ontspannen; met gebogen knieën, maar niet te diep. Dan naar beneden: de sneeuw vliegt langs je haar, gezicht, jack, sneeuw stuift omhoog achter de ski's, tegen de wind in, met de wind mee, lichaam tegen de wind in, met de wind mee, tegelijkertijd, het berglandschap suist voorbij, een vallei der verrukking, o, laat het voortduren, laat het voortduren!

En het duurde voort en zij besefte dat zij toch lagen te vrijen. Het was prettig, het was wat zij op dit moment wilde, steeds sneller afdalen, voorbij suizende lucht, het water likte haar, zij vloog, zij wentelde.

En toen, voordat zij er klaar voor was, was hij ineens op haar, hij was in haar, hij was net een paal, zij raakte in paniek. Nee, nee, nee! Niet doen! Nog niet! Haar snelle afdaling werd wreed onderbroken en zij schreeuwde het uit van de pijn. Hij was hard en snel, hij neukte haar driftig, zij vond het vreselijk, ze riep tegen hem dat hij rustig aan moest doen. Dat probeerde hij. Hij deed het iets langzamer, maar bij vlagen versnelde hij zijn tempo, met plotselinge, wilde, driftige uitvallen stortte hij zich op haar, keer op keer, alsof zij een vijand was, alsof zijn penis een hand was die ongeduldig, hongerig, in vreemde aarde wroette op zoek naar een wortel, uit een schreeuwende behoefte naar voedsel voedsel voedsel. Hij kwam klaar met krampachtige bewegingen, met gekwelde kreten, hij viel neer tegen haar schouder, zijn gezicht was nat.

'Sorry, sorry,' huilde hij.

Sorry. Hij had de hele dag al sorry gezegd. Dat was de ellende. Je kunt niet de hele dag sorry zeggen zonder je schade daarvoor in te halen. Hij moest haar pijn doen omdat zij hem ook pijn had gedaan. Kon zich niet inhouden. Moest bezitten, zijn voorsprong terugkrijgen, zichzelf geruststellen.

'Sorry,' fluisterde hij en probeerde haar te strelen, probeerde haar met zijn hand weer op te warmen. Maar zij draaide zich om.

'Nee,' zei ze.

Alleen met een god, dacht ze, toen zij de volgende morgen met een kop koffie de woonkamer inliep en zich in de schommelstoel bij het raam nestelde. Ze was eerder wakker geworden dan hij. Het was een sombere parelgrijze dag, geen zon te zien, maar de leien daken aan de overkant glommen alsof zij nat van het licht waren. Maar zelfs dan niet als je de goden die de laatste paar duizend jaar de revue zijn gepasseerd, in aanmerking neemt.

Haar vagina schrijnde.

Ja, het was me een mooi dilemma: je moet vertrouwen hebben om niet tot op het bot te verstenen, maar je kunt geen vertrouwen hebben. Nooit.

Was dat iets tussen mannen en vrouwen, of ging dat voor iedereen op?

Het had duidelijk met macht te maken. Daar had Victor in ieder geval gelijk in.

Zij stond op om nog een kop koffie in te schenken, schonk de pot leeg, dacht erover om nog meer te zetten maar zag ervan af. Laat hem zijn eigen koffie maar maken.

Dat deed hij, een uur later; ze hoorde hem in de keuken rommelen, hoorde hem de elektrische ketel opzetten, rook de verse koffie. Hij verscheen in de deuropening. 'Wil jij nog koffie?'

Ze knikte en stond op, liep met hem mee naar de keuken, waar hij haar kopje inschonk. Hij liep achter haar aan naar de woonkamer, hij had zijn Viyella kamerjas aan. Ze zeiden geen woord tegen elkaar.

'Baal je?'

Zij keek hem ernstig aan. 'Wat een manier om je schade in te halen, zeg. Waarom heb je niet tegen me geschreeuwd, dat had ik liever gehad. Ik had zelfs liever gehad als je me geslagen had. Dan had ik tenminste terug kunnen slaan.'

Hij boog zich naar voren, stak een sigaret op, keek naar de grond. 'Ik kon het niet helpen. Ik had het niet in de hand, Dolores.'

Zij zuchtte. 'Dat zal best.'

'Het spijt me echt heel erg.'

'Ik wou dat je daar eens mee ophield. Iedere keer dat je sorry zegt, voel ik dat ik daarvoor moet opdraaien.'

Er kwam een flauwe, ironische glimlach op zijn gezicht. 'Dat is eigenlijk wel zo.' Hij zat in elkaar gedoken aan de lage tafel, dronk zijn koffie, rookte, staarde naar de grond.

Zij stond op en liep naar hem toe, ging naast hem zitten, raakte zijn schouder aan. 'Luister, Victor, *zo* kwaad ben ik nou ook weer niet.'

Hij leed onder haar aanraking. 'Mmm.'

'Wat is er? Je doet alsof je kwaad bent op *mij*.'

Hij hief zijn hoofd op, zuchtte, leunde achterover op de bank, waarbij haar hand van zijn schouder afgleed. Zij legde haar handen in haar schoot. Zij keek hem aan.

'Ik weet niet,' zuchtte hij, 'er klopt ineens geen moer meer van.'

Haar hart kromp ineen. Haar aanval van waanzin had dus toch schade aangericht.

'Met *mij* klopt er iets niet,' besloot hij met een wanhopig gezicht.

Haar ogen lichtten op. 'Heb je dat gevoel wel eens eerder van jezelf gehad?'

'Eén keer maar. Maar dat was in een grijs verleden. Of nee, misschien twee keer.'

'Wil je het vertellen?'

'Nee. Ja. Ja en nee.' Hij ontweek haar blik. Ze stond op en liep naar de keuken. Zij zette verse koffie, roosterde wat brood en bracht het op een blad naar binnen, boter en kaas erbij, en zette het op het tafeltje voor hem neer. Hij rookte de ene sigaret na de andere.

'Je bereidt je voor op een lange belegering, hè?' zei hij, terwijl hij haar voor het eerst op die dag breed toelachte.

'Die heb je verdiend, vind ik,' lachte zij terug, belegde het brood met kaas en ging weer in de schommelstoel zitten.

Hij smeerde boter op een paar boterhammen, schonk verse koffie in zijn kopje, stak weer een sigaret op. 'Het punt is dat ik niet weet hoe ik ben geworden tot wat ik nu ben. Ik denk dat ik vroeger anders was. Het lijkt net alsof ik eigenlijk op een zijspoor had moeten rijden, maar op een gegeven moment op het hoofdspoor ben gezet en sindsdien vrolijk en onbezorgd tussen New York en Washington heen en weer heb getuft. Zonder me te herinneren...' Terwijl hij praatte had hij zijn ogen strak op een donkere vlek op de muur tegenover hem gericht; hij keek haar bewust niet aan.

'Ik herinner me toen ik vijftien of zestien was, één dag in het bijzonder, het was in de zomer na mijn tweede jaar op high school...'

Lang, mager, te mager, zei iedereen. Tante Gladys lachte als hij struikelend – altijd struikelend – het trappetje naar haar veranda opkwam en met uitgestrekte armen, zijn hoofd vooruit, binnen kwam vallen.

'Een geraamte met vleugels!' kondigde zij aan en lachte en iedereen lachte mee. Na een tijdje lachte hij ook mee. Dat was beter dan blozen.

Zijn lange, magere, te magere lichaam lag lui languit in de hangmat, zijn benen bungelden erbuiten. Om hem heen was een dal, omsloten door de groene heuvels van Ohio. Kilometers groen.

Stralende dag, baby-blauwe lucht van het Midden-Westen, poederwolkjes, warme zon, schaduwrijke bomen, groen gras, tuin in bloei. Hij probeerde aan iets goeds te denken. Maar dat lukte niet. Hij had een hekel aan dat rotboek, het sloeg nergens op. Het ijs in zijn limonade was gesmolten. En daarbij kriebelde zijn kin, o nee, o nee, en hij voelde eraan met zijn vinger en verdomme! het was een hele krentenbaard.

'Niet aanzitten, dan wordt het alleen maar erger,' zei Moeder.

Kon het nog erger dan dit? Alles was tegen hem. Het boek gleed van zijn schoot en viel in het gras, stootte de limonade om, die langzaam over de bladzijden van het boek kroop. Verdomme! Maar hij liet het liggen. Het was toch een kutboek. Shakespeare, *Antonius en Cleopatra*. Reus die het tegen de wereld opneemt, die gevechten wint met zijn eigen zwaard, niet met bommen en vliegtuigen en tanks maar met zijn eigen hand en arm, zijn eigen zwaard. Hij trok ten strijde in ijltempo, een mars van dagen achtereen, sliep 's nachts op de grond. Als er geen water was, was er altijd nog de urine van de paarden. Hij was de grootste soldaat van de wereld, zoals Alexander dat in zijn tijd was geweest. Zoals Nelson de grootste zeeman van de wereld was geweest. Deze mannen waren echt, geen verzinsels, zoals Superman of Batman. Ze bestonden niet alleen in verhalen, maar zij hadden echt op deze wereld rondgelopen. En vrouwen vielen voor hen bij bosjes, Cleopatra, Emma Hamilton, de schoonheden op deze aarde. Zij hielden van hun helden, zij offerden hun leven aan hen op.

En daar lag hij, Victor Morrissey, vijftien en een half, mager en met puistjes. Hij kon even goed een zwaard hanteren als een strijdbijl. Ze hadden niet eens een schermteam op die provinciale rotschool van hem. Hij deed zijn ogen dicht en stelde zichzelf voor in een nauwsluitend schermpak, met net zo'n lichaam als Victor Mature, terwijl hij met elegante bewegingen over een spiegelende vloer danste, uitviel, pareerde en: 'Touché!' riep. In het kleine gezelschap hovelingen dat in een kring naar hem zat te kijken, bevond zich Dorita Haas met haar donkere ogen en lange zwarte haar. Zij droeg een roos in haar haar en toen hij het duel had gewonnen en buigend het applaus in ontvangst nam, wierp zij de roos voor zijn voeten. Hij bukte zich om hem op te rapen, maakte een buiging voor haar en schreed vervolgens trots weg, als een god, onaantastbaar. Tot het uiterste doorgevoerde elegantie: niemand kon zijn emoties zien. Misschien had hij die wel niet. Misschien was hij net als Clark Gable, die naar vrouwen keek alsof hij wist wat voor kleur slipje zij aanhadden en precies aanvoelde hoe zij het liefst... aangeraakt wilden worden. Hij had hen in zijn macht, hij hoefde niet bang voor hen te zijn. Dat zag je aan zijn ogen.

Op school keek Victor alleen verholen naar Dorita als zij niet in zijn richting keek.

Nee, er was geen enkel goed ding te bedenken. Je had hamburgers, maar hij voelde zich zo lamlendig dat hij niet eens de energie kon opbrengen om naar binnen te gaan en een hamburger klaar te maken. Hij herhaalde steeds bij zichzelf de woorden van Antonius: een Romein, door een Romein eervol verslagen. Dat moest hij doen: zelfmoord plegen. Een edel briefje achterlaten waarin hij de verdorvenheden in deze wereld veroordeelde. Net als Brutus, de edelste Romein van allemaal. Maar hoe kwam hij aan een zwaard? Of hij kon vluchten en bij de koopvaardij aanmonsteren. In het leger zou niemand geloven dat hij achttien was, dat wist hij, maar hij had gehoord dat ze bij de koopvaardij niet zo nauw keken, dat iedereen werd aangenomen.

Hij kon gewoon geen kant op in dit gat. Zijn vader had het hier wel naar zijn zin, zijn moeder ook, maar zij waren heel burgerlijk, dat was duidelijk. Je had de mafkezen die buiten schooltijd – of daarbinnen – hun tijd doorbrachten met pils zuipen in cafés en soms een oudere jongen omlulden dat hij een bourbon voor hen bestelde. En ze praatten alleen maar over drank en opgevoerde motors en honkbal en wijven en tieten en konten, stomme kuttekoppen waren het. Ze gingen met de plaatselijke dellen om en zaten er niet mee dat zij met zijn tienen of twaalven waren tegen drie of vier meisjes. Ze zagen de meisjes in het café en boden hun een biertje aan en de meisjes dansten met elkaar de polka op de krakende houten vloer, terwijl zij de grote jongen zaten uit te hangen maar vanuit hun ooghoeken de meisjes bekeken.

Dan had je een klein groepje bollebozen, de meeste uit de hogere klassen, een paar uit de lagere. Hij had verleden jaar een paar keer bij hen mogen zitten en soms was het best interessant, zij praatten over boeken en gedichten en door hen was hij *Het menselijk tekort* van André Malraux gaan lezen en *Darkness at Noon* van Arthur Koestler, en dat waren heel goede boeken, maar hij voelde zich bij hen niet op zijn gemak. Want ze deden alsof zij de wijsheid in pacht hadden en hij, Victor, wist heus wel dat zij niet alles konden weten, maar toch *gedroegen* zij zich alsof dat wel zo was en op de een of andere manier was het effect hetzelfde. En het was niet een kwestie van weten, maar weten waar je alles moest *plaatsen*. Want het was duidelijk dat er ergens, op een veel mysterieuzere en spirituelere plek dan de openbare bibliotheek, een allesomvattende catalogus bestond waarin de dingen op hun juiste plaats gerangschikt stonden. En sommigen wisten dat, maar de meesten wisten dat niet, en degenen die het wisten, wisten ook dat de rest het niet wist en dat maakte hen arrogant. Victor wilde graag zoveel weten dat hij arrogant kon zijn. Zelfs zijn moeder kon hem met zijn mond vol tanden laten staan omdat zij zo belezen was. Maar zijn moeder wist vast niet dat Proust met kop en schouders boven John Steinbeck uitstak. Misschien had zijn moeder Proust niet eens gelezen. Hij moest zelf ook bekennen dat hij Proust nooit had gelezen. Eigenlijk wist hij niet zo goed wat die vogel geschreven had, behalve iets over een zwaan. Maar goed, Proust was oké en Steinbeck niet, al had Victor genoten van *Cannery Row*, meer nog dan van *Het menselijk tekort*. Maar dat zou hij nooit in het bijzijn van de bollebozen zeggen. Hij had zijn lesje geleerd, hij had er een keer uitgeflapt dat hij van Tsjaikovski

226

hield en er was een dodelijke stilte gevallen. Toen had Leonard Masari gezegd dat er na Brahms geen componisten van betekenis waren geweest en de anderen waren het met hem eens. En aangezien Victor niet zo goed wist of Tsjaikovski voor of na Brahms kwam, maar uit de sfeer proefde dat het erna moest zijn, had hij zijn mond gehouden. Victors voorkeur voor George Orwell had hem één vriend bezorgd, Bill Colt, maar die was toch minder gecultiveerd dan de anderen, hij wilde journalist worden en was redacteur van de schoolkrant, en de anderen lachten en zeiden dat zoiets prima was voor de Ruwe Bonk, zoals zij Colt noemden, maar dat Victor beter zijn tijd kon besteden aan het lezen van Yeats, Eliot, Pound, Williams en vooral Wallace Stevens. Hij had van een van hen een dichtbundel gekregen van die vogel, waarin één gedicht was aangekruist, iets over een jongen die de ijskoning was of zoiets, Victor had er geen bal van begrepen. Hij zocht die jongens steeds minder op.

Colt was oké, al moest hij constant zonodig de blitskikker uithangen, in de gang lopen met een peuk bungelend in zijn mondhoek, waar de leraren niet eens kwaad om werden maar alleen zeiden: 'Oké, Bill, doe hem even uit,' maar hij deed op een gegeven moment eindexamen en slaagde en nu zat hij in dienst.

Dan had je de braveriken. Niemand noemde hen zo, maar zo dacht iedereen erover. Zij telden helemaal niet mee. Victor had daar heel lang over nagedacht. Want men was niet zo tuk op de mafkezen, maar de mafkezen dachten dat zij helemaal de blits maakten en gedroegen zich navenant, waardoor sommige mensen smalend hun lip optrokken als zij het over hen hadden, maar zij hadden een eigen status, vooral de twee die een brommer hadden. Zij hadden als het ware hun eigen wereld gemaakt en waren daarin koning, en zij werden getolereerd door de anderen. En datzelfde gold voor de bollebozen. Iedereen had de pik op ze, maar zij voelden zich zo boven alles verheven dat zij onaantastbaar waren en daarmee dongen zij een zeker respect af bij de anderen, hoe die verder ook over hen dachten. En de sportievelingen waren natuurlijk bij iedereen getapt.

Maar niemand had respect voor de braveriken, niet eens zijzelf.

De meesten van hen waren goed op school maar geen uitblinkers zoals de bollebozen. En zij rookten niet en gingen niet met meisjes uit en gingen 's zondags met hun familie naar de kerk en waren nooit dwars. Daar had je Bob Evans, die missionaris in China wilde worden net als zijn ouders, en die roze en blank en aardig en vriendelijk was en op onderzoek uitging om uit te vinden hoeveel zwarte mensen – kleurlingen heetten die toen – er in onze streek woonden en hoe hun levensomstandigheden waren. Er waren er maar drieëntwintig, maar Bob kreeg een acht voor zijn onderzoek. En dan had je kleine, dikke Joe Santorro, die giechelde als een kikker en die door iedereen aardig werd gevonden omdat hij door iedereen werd uitgelachen. En er waren andere, minder opvallende, bleke braveriken, die het op school aardig deden maar niet bij de meisjes. Dat waren de jongens met wie Victor zich het meest verwant voelde, maar zij waren wat al te braaf naar zijn zin en bovendien weigerde hij met hen om te gaan, geen sprake van, zo diep zou hij niet zinken.

Tenslotte had je de sportievelingen. Sommigen van hen waren ook braaf en eentje was zelfs een mafkees, maar zij vormden een aparte groep en Victor had daar zijn zinnen op gezet. Maar ondanks alle inspanning was hij geen goede sportman; hij was redelijk, zijn slaggemiddelde was hoog genoeg om openbaar bekend te zijn en hij maakte zijn team niet te schande toen hij als verrevelder, als reserve let wel, werd ingezet. Maar hij was te mager, te licht om echt goed te zijn. Zijn moeder zei dat zijn lichaam nog niet volgroeid was, dat hij geduld moest hebben, hij zou vast heel goed worden. Maar het zou te laat zijn, dat wist hij zeker. Hij was nog het beste in basketball, maar zelfs daarin was hij geen uitblinker. In gezelschap van de sportievelingen voelde hij zich minderwaardig en voelde bovendien dat zij hem als zodanig behandelden.

Dus was hij meestal alleen. Hij had graag een vriend willen hebben, iemand bij wie hij dingen kwijt kon, aan wie hij dingen kon vragen. Hij vroeg zich af of de andere jongens dezelfde gevoelens hadden als hij. Uit hun manier van praten bleek dat in ieder geval niet. Dus hield hij zijn mond. Kneep zijn lippen op elkaar en lachte om de grappen. Toen hij pas op school zat lachte hij om alles, ook als hij niet begreep wat er te lachen viel, maar nu begreep hij de grapjes wel, al begreep hij nog steeds niet wat er te lachen viel. Het waren altijd dezelfde grappen.

En meestal gingen ze over meisjes. En in zijn eenzaamheid

228

dacht hij aan meisjes. Je hoefde nooit bang te zijn dat een meisje op jou zou neerkijken, zoals de sportievelingen en de bollebozen, want meisjes keken altijd op tegen jongens. Maar het probleem was dat hij zelfs door de *meisjes* werd geïntimideerd.

Dus daarom lag hij nu in die hangmat en kon niet één goed ding bedenken.

Hij was die morgen in het meer gaan zwemmen met een stelletje jongens (braveriken over het algemeen). Hij voelde zich altijd een beetje superieur ten opzichte van hen, aangezien hij ook in het gezelschap werd gesignaleerd van de sportievelingen en de bollebozen (per slot van rekening wist niemand wat hij werkelijk voelde). Maar nu hadden de braveriken hem in de maling zitten nemen. Er was een deken vol met meisjes naast hen en stukje bij beetje waren de jongens met hen in gesprek geraakt. Alleen Victor en een kleine jongen met een haakneus, Heinz genaamd, waren veel te verlegen om hun mond open te doen. Uiteindelijk zaten de jongens allemaal op de deken van de meisjes, behalve Victor en Heinz, die elkaar aankeken en naar huis besloten te gaan. Zij stonden op en Victor zei verveeld, stoer, dat hij een afspraakje had en Heinz keek hem even schichtig aan en Victor kon zien dat Heinz er niet zeker van was of Victor de waarheid sprak of een toer bouwde en dus wierp Victor de meisjes op de deken een verachtelijke blik toe, alsof zij niet meer dan hondjes waren waar hij zich niet mee wenste in te laten, en schreed weg, gevolgd door Heinz. Zwijgend liepen zij de vijf kilometer naar het stadje terug, strak voor zich uitkijkend. Victor had graag iets tegen Heinz gezegd, hem willen vragen of Heinz misschien net zulke gevoelens had als hij, maar hij kon het niet, niet na zijn stoere optreden. Hij gedroeg zich superieur, zoals hij dat anderen had zien doen en Heinz werd erdoor ingepakt.

(Heinz werd later astronoom, een heel beroemde bovendien. Ondanks het frustrerende feit dat hij dezelfde lengte bleef houden die hij op zijn zestiende ook al had, werd hij de meest bejubelde leerling op Cardon High.)

En Victor sloop stilletjes naar huis en haatte zichzelf, haatte de wereld en boven alles de krentenbaard op zijn kin. En dronk limonade (zonder ijs en nu op de grond gemorst) en las *Antonius en Cleopatra* (stom) en lag in zijn hangmat te overdenken dat het hele universum één grote grap was ten koste van hem.

Hij lag toe te kijken hoe het boek verpest werd door de lekkende limonade, hoe er mieren over de bladzijden krioelden, en zag zijn moeder naar buiten komen. Het was zondag, haar vrije dag. Ze moet aan de manier waarop hij daar lag, aan zijn gedrag toen hij thuiskwam, gezien, geweten hebben dat er iets mis was. Zij slenterde de tuin in, het was een hele grote tuin, zonder hekken, alleen maar kilometers gras, slenterde langs de bloemen, daarna naar mij, rustig, gewoon, en gaf me een klapje op mijn achterste en ik schoof op en zij ging naast me zitten in de hangmat en ik wilde iets tegen haar schreeuwen, omdat ik wist dat zij me probeerde op te beuren en ik wist dat zij dat niet kon en ik het niet kon uitstaan dat zij het probeerde. Omdat het haar kon schelen en daardoor leek het alsof het allemaal haar schuld was.

En zij begon te vertellen over hoe mooi het daar was en hoe zalig zij het daar vond en dat de meeste mensen nooit de kans kregen om zo te wonen en dat we dankbaar mochten zijn. En ik ging bijna over mijn nek, ze klonk zo zalverig, zoetsappig, god, ze wist niets, helemaal niets van het leven zoals het werkelijk was. En toen vroeg zij aan me wat ik voor mijn verjaardag wilde hebben, mijn god, dacht ze soms dat ik negen was en me uit een pestbui liet lijmen door een verjaardagscadeautje, nou dit was geen pestbui, het was wanhoop, iets waar zij geen weet van had, met haar opgewekte gezang in huis en haar gemier over die stomme bloemetjes en die stomme bibliotheek. Dus zei ik dat dat pas over een paar maanden was en wist ik veel. Toen zei zij dat ik erover na moest denken, omdat zij ervoor wilde gaan sparen, dus zei ik *een auto. Ik wil een auto.* Sarcastisch. Al hadden zij het geld gehad, er waren nauwelijks auto's te krijgen, midden in oorlogstijd.

En zij keek me aan en zei: 'Denk je dat dat helpt?'

Ik draaide snel mijn hoofd opzij omdat ik op het punt stond te gaan gillen. Ik kon het niet uitstaan dat zij het wist, dat zij het kon *zien*. Het was vernederend.

Toen begon zij te praten, ze had een kronkelige manier van praten, ze maakte ontelbare bochten en je wist nooit waar ze naartoe ging, maar ze kwam altijd uit waar zij wilde zijn, en zij streelde mijn rug, terwijl zij over vroeger vertelde, ze zei: 'God, ik herinner me dat ik zestien was, het was de ellendigste periode in mijn leven. Mijn moeder vond me zo zielig dat ze een tienerfeestje bij ons thuis organiseerde, terwijl zij het eigenlijk niet kon betalen. En ik nodigde alle kinderen uit mijn klas uit, twintig in totaal, maar wat gebeurde er? Er kwamen er maar zeven. We telden niet mee, omdat we zo arm waren. En Mam had al dat eten in huis gehaald en drie dagen staan koken. Ik was er kapot van, zo vernederd te worden waar zij bij was, maar vooral omdat zij zoveel geld had uitgegeven dat zij niet had, dat wist ik.

Ik denk dat het voor de meeste kinderen een rottijd is,' zei ze. 'O, natuurlijk heb je altijd van die branieschoppers zoals je vader, die zijn niet kapot te krijgen!' lachte ze. 'Maar ik zou graag willen weten welke pillen je moet slikken om zo te worden.' Ze strekte haar hand naar me uit en aaide zachtjes over mijn gezicht, en keek me recht aan, haar gezicht was heel teder, heel liefdevol, en ik wilde haar tegen me aandrukken maar durfde niet omdat dat kinderachtig zou zijn, maar jezus wat hield ik veel van haar, en ze zei: 'Weet je schat, het enige goede van zestien zijn is dat je erdoorheen komt.' En ze lachte en Shandy kwam door de gaasdeur naar buiten gesprongen en zij veerde overeind en rende een tijdje met hem rond, zigzaggend langs de struiken en bomen, en Shandy blafte en ik keek toe, haar haar wipte op en neer en ze had een mooie volle kont en prachtige borsten, ze was toen nog niet plomp en log, en zij liep te lachen om de hond en terwijl ik naar haar keek voelde ik een begeerte, zo heftig als ik nog nooit had gevoeld. Ik ging achteroverliggen in de hangmat, luisterend naar het geblaf van Shandy, haar gegiechel, dan de klap van de gaasdeur. Mijn kruis was heet en schrijnend. Shandy kwam naar me toe rennen, hij likte mijn hand en ik lag daar met dat hete, gezwollen gevoel en o god, ik weet niet, ziek, mismaakt, vies – onbeschrijflijk.

4

'Het is koud hier,' zei Dolores en Victor stond op en deed de kachel aan. Ze kwam uit de stoel overeind en bracht het blad naar de keuken, terwijl Victor een flesje bier opentrok en met het flesje en twee glazen de woonkamer weer inging. Ze zeiden niets. Dolores zette de vuile borden en kopjes in de gootsteen en deed de stop erin en draaide de warme kraan open, zette het roomkannetje in de ijskast en liep naar de woonkamer terug.

Zij ging weer met haar benen onder zich in de schommelstoel zitten, een punt van haar kamerjas over haar knieën geslagen. Victor ging weer op de bank zitten. Zij zaten zwijgend in hun kamerjas bij elkaar.

'Het was niet iets Oedipus-achtigs: daar was ik al veel te oud voor. Of misschien ook niet, ik weet het niet. Op dat moment was ik ervan overtuigd dat ik de enige persoon op de wereld was die zoiets walgelijks en vies voelde. Sinds dat moment, totdat ze oud was geworden, draaide ik mijn hoofd om als ik mijn vader haar zag zoenen.

Het kwam denk ik omdat ik mijn moeder nooit eerder betrokken had in de wulpse, koortsachtige beelden uit mijn fantasiewereld. Ik had een half baantje als bediende in een supermarkt en elke avond als ik naar huis liep, zweefden zij voor mijn ogen, vrouwen, meisjes, of nee, ik zag eigenlijk alleen lichaamsdelen voor me, tieten en kutten en billen en benen, de hele drie kilometer naar huis zaten zij in mijn hoofd en kon ik ze niet kwijtraken. En ik wist dat het verkeerd was – niet in puriteinse zin, maar menselijkerwijs gezien – om mensen zo te bekijken, als afzonderlijk aan elkaar geplakte delen, of niet eens aan elkaar geplakt, alleen maar als afzonderlijke delen. Maar tijdens het lopen kreeg ik altijd een stijve.

En plotseling zag ik mijn moeder op dezelfde manier. Nou, dat kon ik niet verwerken. En vreemd genoeg was dat het moment waarop ik me van haar ging distantiëren, hoeveel ik op dat moment ook van haar hield. Ik voelde me heel erg schuldig. Ik probeerde niet aan *haar* te denken, maar aan *Moeder*, een beeld van het moederschap of zoiets. Waarin zij zuiver en a-seksueel en heilig was en een nietszeggende hartelijkheid ten toon spreidde. Begrijp je? Ik maakte haar onschadelijk. Ik kon tegelijkertijd naar haar opkijken en op haar neerkijken, maar hoefde haar nooit recht in de ogen te zien.

Zoiets begrijp je pas achteraf. Maar die middag was heel belangrijk voor me, het begin van een nieuw leven of zo. Want toen ik daar in die hangmat lag met een gevoel van walging en viesheid en machteloosheid, van eenzaamheid en verachtelijkheid, nam ik het besluit om mijn leven te veranderen. Ik lag te bedenken hoe ik dat zou aanpakken: ik zou een ander mens worden. Ik besloot net zo te doen als de kleine groepjes, de mafkezen en de bollebozen en de sportievelingen, namelijk om *mij-*

zelf tot ongekroonde koning uit te roepen en anderen door mijn overtuigingskracht te dwingen mij op die manier te zien. De rest van de zomer werd daaraan besteed. Ik trommelde een paar jongens op en trainde elke dag op het basketballterrein. Ik ging de *Kenyon Review* lezen en de schrijvers die daarin werden aanbevolen. Ik ging die herfst terug naar school, vastbesloten om een grotere snob dan de snobs te worden en om in het basketballteam mee te draaien, en dat lukte allebei. Ik leerde hoe ik met mijn neus in de wind moest lopen (zoals de bollebozen) en hoe ik mensen moest intimideren. Het werkte perfect. Ik werd dan misschien niet aardig gevonden, maar er werd wel tegen mij opgekeken. Toen ik voor mijn examen was geslaagd, werd ik tot 'Renaissance Man' van de klas uitgeroepen, de 'all-rounder' bij uitstek. Meisjes zochten schuchter toenadering, begonnen met *mij* te flirten: ik hoefde me alleen maar te verwaardigen hen te antwoorden. Ik had niet kunnen voorspellen dat het zo makkelijk zou zijn!

En in de daaropvolgende twee jaren groeide mijn lichaam inderdaad uit, zoals mijn moeder voorspeld had, en de puistjes verdwenen en er kwam haar voor in de plaats. Misschien was ik ergens, diep in mijn hart, niet tevreden met hoe ik mij ontwikkelde, maar mijn leven was zo veel beter dan eerst dat ik mijn nieuwe stijl alleen maar als positief ervoer. In die tijd ontwikkelde ik een sterke drang om koste wat kost te winnen, en nooit meer terug te vallen tot de gevoelens van twijfel en schaamte tijdens mijn puberteit.

En ik bleef zo doorgaan, in het leger, op de universiteit. O, ongetwijfeld werden de scherpste kantjes van mijn superieure arrogantie bij elke fase wat verder afgesleten: in dienst had ik niet kunnen maken wat ik op highschool maakte. Maar het werd een houding van mij. Ik was een carrièremaker, ik was egoïstisch, zelfverzekerd en stabiel. Ik keek neer op mensen die dat niet waren. En ik had meisjes voor het uitzoeken, altijd.

Ik moet een ongelooflijke etterbuil zijn geweest, maar dat kon me niets schelen; ik was ervan overtuigd geraakt dat dit de beste weg was voor een man als hij niet aan schaamte en machteloosheid ten onder wilde gaan. Soms keek mijn moeder me met een bepaalde blik aan waaruit sprak dat zij niet zo op haar geliefde zoontje gesteld was. Maar daar zat ik ook niet mee. Ik had haar zo langzamerhand helemaal de grond in geboord.

Haar onbenullige prietpraat – overschoenen en jasjes, het vlees voor het avondeten, de staf van de bibliotheek: "Moet je nou horen wat ze me weer geflikt hebben! Ze hebben *Lolita* uit de kast gehaald! Ik ben er meteen op afgegaan, ik zeg tegen Sam Hart, ik zeg, Sam Hart, wil jij Cordon County soms tot het lachertje van de staat maken?" En toen trouwde mijn zusje en had meteen klabam een stel kinderen en zij zat dan uren, letterlijk urenlang, tegen haar kleinkinderen aan te kirren en te kraaien, te praten en te lachen en liet hen op haar knie wippen, terwijl zij in mijn ogen niet meer dan een klompje gevoelloos vlees waren.

Ze was in mijn ogen niet meer – *serieus.* Zij was niet meer iemand die ik moest behagen. Zij deed in de mannenwereld, de wereld waarin ik leefde, niet ter zake. Ze was aardig, ze was lief, ze kon fantastisch rollades braden, maar daar hield het ook mee op. Begrijp je?"

Victor veegde met zijn hand over zijn gezicht.

'Toen ik naar de universiteit ging was ik een jongen met een gouden toekomst. Ben je dat type wel eens tegengekomen?'

'Ik zie niet anders, ik ben hun raadsvrouw. Ze komen heel ernstig mijn kamer binnen, het ontzag staat op hun gezicht te lezen. Ze praten serieus, bijna eerbiedig, over "mijn carrière". Ze praten erover met een geaffecteerde, bekakte stem, alsof deze woorden bij hen thuis in gouden letters boven de porseleinen wc-pot staan, en die kans is groot. Ze komen binnen met een voorlopig rooster, dat uit alleen maar zware kost bestaat: natuurkunde, wiskunde en oud Urdu.

En aangezien ik vind dat leren leuk en geestverruimend moet zijn, adviseer ik hun een college literatuur, kunst of muziek erbij te nemen. Zij reageren geschokt: "Ik weet niet of dat *mijn carrière* ten goede zal komen." Ik begrijp dat zijn carrière al een tijdje beschouwd wordt als eigendom van de gemeenschap – van ouders, leraren, allerlei andere raadgevers. Hij kijkt je aan, deze melkmuil, die nog steeds in zijn neus peutert als niemand kijkt en zichzelf in slaap masturbeert, en geeft hem uit handen, *mijn carrière*, in de stellige overtuiging dat jij deze heilige koe met de juiste eerbied zult behandelen.

Maar ik hoor de holle frasen van iemand die niet leeft en zich daar niet eens van bewust is. Hij denkt dat *hij* zijn leven zelf kan uitstippelen.'

234

Victor ging op het puntje van zijn stoel zitten. 'Ja, maar wie kan dat echt? Wie? Niemand. Het leven is een trein die stuurloos op een spoor rijdt en alleen maar dat spoor kan volgen dat heel lang geleden, niemand weet door wie, is aangelegd.'

Hij schoof naar achteren. 'Ik dacht dat ik mijn leven in eigen hand had. Ik stond er toen niet bij stil dat ik precies deed wat de maatschappij van mij verwachtte, dat ik mij liet sturen in plaats van de dingen in eigen hand te nemen.'

'Wat voor dingen dan?'

Hij haalde zijn schouders op. 'Ach, weet ik veel. Misschien alleen verdriet, het leven dat ik eerst leidde, het voelen en observeren. Tot het moment dat dat vanzelf was gegaan, van binnenuit, dat ik de kracht had gekregen om met mijn gevoelens en observaties iets te doen. Wat een langzaam en hard en vernederend proces geweest zou zijn. Maar ik was dan een ander mens geworden dan ik nu ben...'

Hij veegde zijn gezicht weer af.

'Hoe ben je nu dan?' vroeg zij hem met een niet-begrijpende blik in haar ogen. Zij vond hem geen monster en wat monsters betreft was zij toch overgevoelig.

'Nou, een carrièremaker, weet je wel? Een streber. Nadat ik was afgestudeerd kreeg ik een luizebaantje en schoot tot verbazing van iedereen, ook van mijzelf, als een komeet omhoog. Ik stevende op de top af en ik wist: ik zou de volgende Mach zijn.'

'Mach? De baas van Blanchard Oil?'

'Ja. Hoezo?'

'O, die ken ik. Min of meer.'

Hij keek haar verbaasd aan. 'Hoe ken jij die in hemelsnaam?'

'Ik word geregeld gevraagd voor panels. Ik heb Mach een paar keer ontmoet – of, liever gezegd, ik ben aan hem voorgesteld, want hij heeft me bij die gelegenheden met geen blik verwaardigt... Op conferenties was dat, die tot doel hadden een *dialoog* op gang te brengen tussen academici en humanisten enerzijds en mensen uit de zakenwereld en de industrie anderzijds,' lachte ze, 'je weet wel.'

Hij knikte.

'Je *bewondert* hem toch niet, hoop ik,' zei Dolores.

'Niet als mens. Maar hij is geen mens, snap je: hij is Mach. Hij is de vleesgeworden macht, degene die de touwtjes in handen heeft, de man die met nog een paar anderen OPEC-pionnen over het schaakbord van de wereld schuift. Hij bepaalt de toekomst van landen, niet van één industrie of een enkel land.'

Dolores huiverde. 'God helpe ons.'

'Nou, zo wilde ik ook zijn. Toen.' Hij stak nog een sigaret op, hoewel er twee in de asbak lagen te smeulen. Zijn handen beefden.

'En wat gebeurde er toen?'

'Nou,' hij probeerde te lachen maar zijn gezicht was een grimas, 'toen kwam er een meisje dat Edith heette.' Hij blies de rook krachtig uit. 'Ik heb haar aan het eind van mijn studie ontmoet op Long Island op een feestje van een rijk meisje dat verkering had met een vriend van mij. Ze had stijl, Edith. Ze had een kort, blond pagehoofd en grote blauwe ogen en ze droeg plooirokken en kasjmier truitjes en een enkele parelketting. Het bijzondere aan Edith was dat de parels echt waren.

En ik denk dat het zo gegaan is dat Edith verliefd werd op mij. Ik weet dat niet zeker. Wat ik toen voelde, meende te voelen – dat is opgelost in de mist van de jaren. Ik voelde geen hartstocht voor Edith. Ik heb nooit hartstocht gevoeld totdat...' Hij keek haar aan en ging toen verder: 'Dus ik had geen vergelijkingsmateriaal en zag daar de noodzaak ook niet van in. Ik dacht dat ik van haar hield... Ze zat altijd naar me te luisteren – alsof ik een soort godheid was. En het was oprecht – dat *ontzag* van haar, dat denk ik tenminste.

En ik dacht dat het leven met haar goed zou zijn, gewoon goed. Ze was *dol* op bloemen, ze was *dol* op baby's, ze was *dol* op honden, katten en spaghetti in Italiaanse restaurantjes. En poezelige speelgoedbeestjes en de veerboot van Staten Island en Kahlil Gibran.

Haar vader was vice-president bij Burton-Trilby, het reclamebureau, ze was gewend aan een zekere luxe, ze had stijl. Die was haar aangeboren, wat bij mij zeker niet het geval was, en zij kon mij daarin opvoeden. En zij keek tegen mij op vanwege mijn superieure intelligentie, kracht en praktisch inzicht. Waarom mag Joost weten. Toen leek het ideaal.

En dat leek het een hele tijd daarna nog steeds. Ze was in het begin zo verliefd dat in ons seksuele leven de vonken ervan afspatten. Ik wist toen niet... ik wist niet dat zij half-bewusteloos van extase was zonder ook maar een keer een orgasme te krijgen. Hoe moest ik dat weten? Want ze lag echt helemaal in zwijm. En het ging mij voor de wind, mijn baan, we hadden geen geldzorgen, zij zorgde voor het huis, kreeg een baby: het leek de verwezenlijking van de Amerikaanse droom. Ik had een luizeleventje – door haar. Zij vond mij het einde. 'Weet je,' hij boog zich naar haar toe, 'dat er mannen op deze aarde rondlopen die nooit iets anders hebben gehoord?'

'Of nooit hebben willen horen,' lachte ze. 'Natuurlijk, de Daniel Moynihans van de wereld.'

'Ik weet niet wanneer het begon te veranderen. Misschien meteen al, misschien na een paar jaar. Het is allemaal heel geleidelijk gegaan. Jaren later zat ik naar haar te kijken – we waren op een feestje en ze was met iemand in gesprek – en merkte ineens dat als zij lachte alleen haar onderlip en haar mondhoeken bewogen: zij hield haar bovenlip stijf. En dat deed ze niet toen ik haar ontmoette en ik wist niet wanneer ze daarmee begonnen was, maar het was een feit. Ze deed het toen al jaren.

We hadden twee kinderen waar Edith haar handen aan vol had in die jaren in Dallas. Voor mij waren het enerverende jaren: bevorderd, machtsstrijd, meer verantwoordelijke baan. Het was steeds hetzelfde spelletje, maar ik was er zo langzamerhand heel bedreven in geworden. Maar zelfs bedrevenheid is niet alles, je kunt altijd verstrikt raken in interne conflicten. Maar daarin leer je jezelf het beste kennen.

Ik herinner me één conflict in het bijzonder, het was waarschijnlijk het eerste ernstige conflict in de Highland Company, waar ik bij betrokken raakte. Ik zat toen net zo'n beetje onder de topgroep. Er waren twee strijdende partijen. Ik had sympathie voor een daarvan – ik vond de mensen aardig, hun... nou, laten we zeggen, hun *waarden* stonden me aan. Maar het waren allemaal verliezers, in de politieke arena, zoniet in het leven. En het waren verliezers omdat zij geloofden dat de wereld verdeeld was in zwart en wit en dat als je goede waarden had, je altijd aan het kortste eind trok: braveriken gaan altijd als laatsten over de eindstreep. Dus stelden zij zich daar volledig op in, berustten erin. En konden daarom geen afdoende strategie uitdenken om te winnen: het beste wat zij konden verzinnen was proberen de zaak zo lang mogelijk te rekken. Zij konden niet aanvallen, alleen maar verdedigen.'

'Au.'

Hij negeerde haar. 'De andere groep was de Reilly-groep – zo noemde ik die. De leider daarvan was namelijk ene Reilly, een ongelooflijke blaaskaak die geloofde dat hij de linke jongen was die precies wist welke kont hij moest likken en die totaal geen scrupules had. Ik wist dat hij een onbekwame windbuil was, maar ik dacht tegelijkertijd dat hij zou winnen, juist omdat hij zo'n gladjanus was.

Het lukte me om een hele tijd partijloos te blijven, mijn eigen koers uit te stippelen en niet te kiezen voor de een of de ander. Maar weet je, dat kun je niet tot in het oneindige volhouden: er komt een moment dat je wel partij moet kiezen. En het hield me dag en nacht bezig, ik volgde de ontwikkelingen op de voet en probeerde voor mezelf te beslissen bij wie ik me moest aansluiten – probeerde voor mezelf te beslissen wat de redenen waren voor die beslissing. En middenin dat gevecht besluit Edith om last te krijgen van buien. Ze is chagrijnig, ik tref haar huilend in haar kamer aan, ze wil niet met me naar bed. 's Morgens bij het ontbijt zegt ze geen stom woord tegen me. Ik weet niet waarom ze zo verdrietig is en ik heb er geen geduld voor, ik was veel te druk bezig met een vreselijk belangrijke zaak op mijn werk.

Ach, we hadden wel eens meer van die, zoals dat dan heet, kibbelarijtjes gehad. Als ze eens een keer chagrijnig was en ik haar vroeg wat er aan de hand was, zei ze: "Niets." Of: "Ik heb hoofdpijn," of: "Ik moet ongesteld worden." Ze was dan een beetje kribbig, dat was alles. En een paar keer – of misschien vaker – had ik vergaderingen tot laat in de avond en was ik vergeten te bellen, en ik kwam om tien uur thuis en daar zat ze, verbeten mondje in een badjas op de bank in de woonkamer, naar de tv te kijken en op mij te wachten. En ik realiseerde me dat ik niet gebeld had en ik zei sorry en zij zei, heel pinnig: "Als je wilt eten, het staat in de oven." En natuurlijk was het helemaal verpieterd, maar ik had altijd al gegeten. En daarna stond ze op en zette de tv uit en ging naar bed.

Gewoonlijk ging ze tegelijk met mij naar bed – of ik nu vroeg of laat ging slapen. Maar op die avonden dat ik niet gebeld had, deed zij haar eigen zin. Mij maakte het niet uit. Op zulke avonden wilde ik niets liever dan met een glaasje in mijn hand gaan zitten en de gebeurtenissen van die dag nog eens de revue laten passeren. Ik vond het heerlijk om in alle rust alleen te zijn, en geen verplichte conversatie te hoeven voeren over de kinderen of het huis of de buren. Dat waren de enige momenten dat ik alleen kon zijn, de avonden dat Edith kwaad op me was.

Maar ja, de volgende dag was ze altijd weer het zonnetje in huis. Ze leek het vergeten te zijn. Ik dacht dat zij een opgewekte aard had.

Maar deze keer, het was een maandagmorgen herinner ik me, stond zij 's ochtends op met een frons op haar voorhoofd. Ik had geen idee waarom. We hadden een rustig weekend gehad, ik had, uitgeput als ik was, als een zoutzak bij het zwembad gezeten en de kranten doorgenomen en het grootste deel van de tijd geslapen. Ik maakte me klaar om naar mijn werk te gaan en zij wierp me steeds hele vuile blikken toe. Ik had geen zin om erop in te gaan. Ik had een zware dag voor de boeg. Dus negeerde ik ze, haar. Maar toen ik bijna de deur uit was, barstte ze in tranen uit. Met alle rotzooi waar ik op mijn werk mee te maken zou krijgen, had ik hier geen behoefte aan. Ik viel tegen haar uit: "Wat is er nu weer?" Alsof zij altijd aan het zeuren was. Maar eerlijk waar, Dolores, zo *voelde* ik het: het was niet zo, maar ik *voelde* het zo. Als ik thuiskwam *voelde* ik een spanning in het huis, op de rand van een hysterische uitbarsting. En toen ik zo tegen haar schreeuwde, bleef zij maar staan snotteren, en ik zei: "In godsnaam, Edith, kan het niet wachten tot vanavond?" En zij opende haar mond en ze schreeuwde terug! Wat een schok! Ze schreeuwde: "Ga dan maar als je zo nodig moet! Ga maar naar dat geliefde kantoor van je, rot maar op! Maar je hoeft niet meer terug te komen!"

Nou, ja, dat was natuurlijk te belachelijk om waar te zijn. Ik greep mijn aktentas en holde de deur uit. Ik kwam pas laat in de avond terug, ik had niet gebeld. Met opzet, let wel, om haar een lesje te leren. Maar toen ik thuiskwam was het huis donker, en Edith en de kinderen waren verdwenen. Er lag een briefje met dat' – hij keek Dolores smekend aan – 'niet kwaad worden, hoor. Ik probeer je te vertellen hoe ik me toen voelde.'

Zij knikte.

'– met dat grote stomme vrouwelijke handschrift van haar, regelmatig en met een lange ophaal aan het eind van elk woord. Op geparfumeerd postpapier met kleine bloemetjes in de hoeken. Je weet wel. Nou, ik pakte hem op en voelde zo'n verachting voor haar, zo'n walging... ik wist niet waar dat vandaan kwam, waar ze dat aan verdiend had, dat ik zulke gevoelens voor haar had waarvan ik tot op dat moment niet eens wist dat ik die in me had...

Ze schreef dat het duidelijk was dat ik niet meer van haar hield en dat zij daarom met de kinderen naar haar vader was gegaan in Scarsdale. Ik gooide de brief op de grond, schonk een lekkere dubbele whisky in en ging in "mijn" stoel zitten. Ik pijnigde mijn hersens af hoe dit zo gekomen was, maar ik kwam er niet uit. Ik ging niet vreemd, ik dronk niet, ik zorgde goed voor haar en de kinderen. Dus er was geen excuus, geen enkel. Het was een machtsspel: zij wilde mij eronder krijgen.

Zij wist dat ik moeilijk zat op mijn werk, dat ik me zorgen maakte. Ze wist ook dat topmensen in een bedrijf in die tijd zich niet konden permitteren om te scheiden. Ze was heel slim, ze had dit moment gekozen om mij te ondermijnen. Ik moest haar haar slimheid nageven, wat ik ook verder over haar dacht. Maar ik kon met de beste wil van de wereld niet begrijpen wat zij wilde, behalve dan mij ondermijnen – castreren, zoals ik zelf zei. *Mij* in het stof laten kruipen, zoals de man van haar vriendin Phyllis Harvey. Nou, ze moest niet denken dat ze dat voor elkaar zou krijgen, ik zou wel gek zijn om zo over me te laten lopen.'

Hij stak weer een sigaret op, leunde achterover, deed zijn hand voor zijn ogen.

'Ik had een vrij duidelijk idee over wat er zou gaan gebeuren. Ze had twee baby's en niet veel geld. Ik had nooit veel geld op de giro staan en zij kon niet bij de spaarrekeningen komen omdat ik de boekjes in een kluis op mijn kantoor bewaarde. Sinds haar vader gepensioneerd was, woonden haar ouders in een vijfkamer-woning – een *luxe* vijfkamer-woning, dat zeker, maar te klein voor twee krijsende kinderen en drie volwassenen. Ze had een graad in de letteren, maar ze had nooit gewerkt. Ze was na haar studie een paar maanden naar Europa gegaan – een cadeautje van haar ouders – en toen zij terugkwam, waren we met de voorbereidingen voor ons huwelijk begonnen. Dus ze had nooit gewerkt en kon verder niets – dat wil zeggen, ze kon niet typen. En dan nog, met twee baby's...

De enige oplossing zou zijn dat haar vader geld bij zou leggen. Maar ik kende die ouwe vrij goed, wist hoe hij over vrouwen dacht – over wat hij het *gezin* noemde – terwijl hij eigenlijk de plaats van de vrouw daarin bedoelde. En ik dacht dat er weinig kans op was dat hij haar zou steunen in haar vlucht van mij, vooral omdat ik zeker wist dat Edith niet zou liegen door bijvoorbeeld te vertellen dat ik haar mishandelde of vreemd ging. Edith, daar was ik toen van overtuigd, was goudeerlijk. Ik moet bekennen dat ik dat niet op zijn juiste waarde schatte. Ik dacht niet dat ze eerlijk was uit principe, maar omdat ze naïef en kinderlijk was en te simpel om te liegen. Ja, ja!

In ieder geval vond ik dat ze zwak stond tegenover mij en dat zij elke dag die zij in het huis van haar ouders doorbracht, zwakker kwam te staan. Het kwam niet in mijn hoofd op om een vliegtuig te pakken en haar achterna te gaan naar Scarsdale, waar ik haar op één knie zou smeken om weer terug te komen. Niet alleen omdat ik dat niet voor haar overhad, maar ook omdat ik niet wilde en niet kon wegrennen van de problemen op mijn werk, waar zoiets uitgelegd zou worden als een laffe daad. Aan de andere kant kon ik ook niet maar blijven zitten wachten tot ze terugkwam, ik moest iets doen. Zelfs haar vader zou dat onbeschoft hebben gevonden. Dus draaide ik zijn nummer en hij nam op. Ik voerde een mooie act op, vroeg hoe het met haar was en toen, met een angstige, bezorgde stem – tja jezus, misschien was ik wel echt angstig en bezorgd, alleen voelde ik dat toen nog niet – vroeg ik hem of hij enig idee had waarom zij was weggegaan.

Dat was een slimme zet. Daarmee wentelde ik de schuld van mij af. Die lag trouwens toch niet bij mij. Hij zei: "Weet je dat echt niet?" en ik zei: *Geen flauw idee.* En hij zei: "Ach, je weet hoe vrouwen zijn," en misschien kon ik beter even met haar zelf praten en zij kwam aan de lijn en we babbelden een tijdje over en weer over haar vlucht en de kinderen en toen zei ik: "Edith, waarom heb je dit gedaan?" En zij barstte in tranen uit en zei: "Je houdt niet meer van me," en hing op. Jezus Christus. Eerlijk waar, ik wist nu zeker dat alle vrouwen geschift waren. Ze waren niet te volgen.

Een paar dagen later schreef ik haar een brief. Ik schreef haar dat ik van haar hield en niet begreep waarom zij gezegd had dat dat niet zo was. Ik zwoer dat er nooit iemand anders was geweest. Vreemd eigenlijk,' zei hij, terwijl hij ging verzitten en zijn hand op de leuning van de bank liet rusten, 'dat je op die manier je liefde bewees: door met seksuele trouw aan te komen. Maar goed, ik zei dat ik haar nodig had en haar miste. En dat was echt zo, weet je. Daar stond ik wel van te kijken. Ik vond haar aanwezigheid vaak zo... irritant. Maar toen zij er niet was... was het naar om in een donker huis te komen, zonder kinderlawaai, zonder kookluchtjes, niets. Ik at altijd buiten de deur en kwam laat thuis, maar het voelde... leeg. En toen bedacht ik dat zij mij dat duidelijk had willen maken – dat ik haar inderdaad nodig had en haar miste als zij er niet was. Misschien wilde ze dat ik haar meer ging waarderen. En dat schreef ik haar.

Ze schreef me niet terug. Maar een paar weken later, toen ik laat thuiskwam, zag ik Vickies driewielertje op het tuinpad staan en Leslies wagentje bij de voordeur. Het huis was stil, de kinderen sliepen. Edith zat in de woonkamer, maar ze zat niet te lezen of naar de tv te kijken. Ze keek chagrijnig. En ik dacht – *verdomme*! Ik was die avond hondsmoe en had geen zin in een knallende ruzie. En toen dacht ik: *vrouwen*. Je kon er niks mee, maar je kon ook niet zonder. Ik miste haar toen zij weg was, maar ik was niet bepaald enthousiast om haar weer terug te zien. Maar ik had er nooit bij stilgestaan dat dat aan *mij* lag: ik dacht – *vrouwen*.

De drie weken dat ze weg was waren een hel geweest maar wel heel spannend en fascinerend. Ik was een heleboel dingen van mezelf te weten gekomen. Ik was erachter gekomen dat ik goed kon manoeuvreren en ook dat ik geneigd was uit principe te handelen. Het was een goede ontdekking, ik werd erdoor gesterkt. Reilly en zijn kornuiten waren als overwinnaars uit de strijd gekomen. Ik had de tegenpartij gesteund; zij stonden nu min of meer op straat. Maar niemand van ons wist toen dat Highland aan een groter concern zou worden verkocht en dat er een nieuwe directie zou komen. Het gevolg zou zijn – toen wisten we daar natuurlijk niets van – dat Reilly met zijn kleine afdelinkje daar voor de rest van zijn leven vastzat, terwijl de andere groep verder zou gaan, overgeplaatst zou worden. Niet allemaal, maar wel de leidende figuren – mijzelf incluis.

Ik voelde me sterk. Ik voelde me... zuiver, denk ik. Ik had een partij gesteund waarvan ik zeker wist dat die zou verliezen, maar die in wezen gelijk had en uit fatsoenlijke mensen bestond. Ik wist toen niet wat er met de verliezers zou gaan gebeuren, behalve dat Reilly de afdeling kreeg in plaats van Dawes. Maar ik voelde dat ik mijn ware kracht had ontdekt – niet de opgeblazen superioriteit waar ik mijn hele leven mee had lopen pronken – sinds mijn vijftiende in ieder geval – maar ware kracht, kracht waar je van groeit. En ik wist dat niemand me kon tegenhouden. Ik had ontdekt dat je jezelf alleen leert kennen tijdens een beproeving en dat je pas achteraf inziet dat het een beproeving was en dat je *jezelf* die beproeving oplegt. Onbewust test je jezelf aan je eigen normen. En ik ontdekte ook dat het een goed gevoel was om met mensen om te gaan voor wie je respect had, ook al had je verloren. En dat ik een zekere moed had en bepaalde principes. Ik was apetrots op mezelf. Zo trots was ik dat ik geloof ik nooit meer met mijn neus in de wind heb gelopen.

Behalve tegenover Edith. Al met al was dit gebeurd tijdens haar afwezigheid en ik voelde me een ander mens en zag haar als een vreemde voor mijn "nieuwe" ik. En zij zou ook wel het een en ander hebben meegemaakt, maar ik bekommerde me alleen niet zo om *haar*. We waren vreemden voor elkaar, leek het wel.

Ze zat met een glas voor zich, wat ongewoon was, dus schonk ik zelf ook wat in en liet mij vermoeid in een stoel tegenover haar zakken, zwaar zuchtend, en vertelde haar hoe moe ik was. Ze keek me alleen maar aan. Ze had niet eens geglimlacht toen ik binnenkwam. Ik vertelde haar op een wat bittere, gekwelde toon dat de Reilly-groep gewonnen had. Ze vertoonde geen enkele reactie. Ik bleef erover doorpraten, waarbij ik wist te laten doorschemeren dat het toch in de eerste plaats haar schuld was dat ik zo moe was, dat haar blaam trof omdat ze weg was gegaan en mij in zo'n moeilijke periode in mijn leven aan mijn lot had overgelaten.'

Victors stem stokte en hij steunde zijn hoofd in zijn handen. 'O God,' zei hij schor, gekweld. Hij hief zijn hoofd weer omhoog en ademde diep in. 'Ik ging door met mijn preek over hel en verdoemenis en zei dat ik wel eens zonder werk kon komen te zitten. En de hele preek lang bleef haar gezicht onbewogen, zonder de kleine glimlachjes en fronsjes en bezorgde blikken die zij gewoonlijk vertoonde als ik praatte. Ze was net een ijsberg.

En toen begon ik een kleine tirade over de liefde af te steken. Ik had niet eens gezegd dat ik blij was dat ze terug was, maar ik wist alles over de liefde. Achteraf gezien moet het vreselijk

243

zijn geweest, mijn arrogantie en blindheid, maar op dat moment dacht ik dat ik alle gelijk van de wereld had. Ik vertelde haar dat de liefde begrijpend is, tolerant, dat de liefde niet ongeduldig wordt, niet kwaad wordt en geen wrok kent.

Wat ik haar eigenlijk vertelde was hoe zij zich moest gedragen. Ik had er nooit over nagedacht dat mijn manier van liefhebben te kort schoot en dat zij niet anders had kunnen doen dan weggaan. Ik vertelde haar dat ik me niet gewonnen zou geven, dat *ik* niet degene was die vleugellam gemaakt zou worden.'

'Maar *zij* wel.'

'Ja.'

5

Dolores' mond had een verbeten uitdrukking. 'Ze werd verslagen in een oorlog die jij had verzonnen en daarna concreet had gemaakt. Toen het eenmaal oorlog was, moest er een winnaar en een verliezer zijn. En het stond al vast wie die verliezer zou zijn.'

'Ja,' zei hij zwakjes, terwijl hij onderuit ging zitten en een sigaret pakte.

'Maar omdat je het als een oorlog zag, werd het ook echt oorlog en dat idee ben je nooit kwijtgeraakt.'

'Hou op!'

Zij zweeg.

Zijn gezicht had een gekwelde uitdrukking. 'Ik herinner me dat we lang geleden, voordat we getrouwd waren, een keer op een namiddag in Central Park liepen, de zon ging onder achter de gebouwen en de lucht was donkerroze, de bomen weelderig groen, en zij, o wat was ze toen nog jong, ze had haar dat golfde als zij haar hoofd omdraaide en ze liep uitgelaten te huppelen en zwierde in het rond en pakte mijn handen en bracht haar gezicht vlak bij het mijne en zei: "Weet je waarom ik van je houd, Victor Morrissey? Omdat je een naam hebt die klinkt als pasgewassen lakens die waaien in de wind!" En ik lachte en kuste haar, maar eerlijk gezegd vond ik dat behoorlijk stom. Maar het is me altijd bijgebleven. Ik zal het nooit vergeten...'

Ik had er nooit bij stilgestaan dat ik niet genoeg van Edith hield. Haar rol in mijn leven was iets volkomen vanzelfsprekends. Ik had Edith en de kinderen; ik had mijn werk; en ik had mijn ontspanning in het weekend, die ik steeds vaker ging zoeken op het golfveld. Ik heb inderdaad weinig tijd met haar doorgebracht. Maar 's avonds keek zij naar de televisie, wat ik slaapverwekkend vond, dus ging ik in mijn werkkamer zitten lezen. En in het weekend waren er altijd duizend en een dingen te doen met de kinderen of in het huis, dus dan ging ik gewoon weg. Edith speelde niet de belangrijkste rol in mijn leven, maar wel een constante. Misschien was ze de basis, de bodem van al het andere.

Maar goed, ik lieg niet als ik zeg dat ik echt niet wist wat ze nog meer wilde. Ik kon me niet voorstellen dat er voor haar nog iets te wensen over was. Ik citeerde altijd Freud, met quasi-kwaadheid: *Wat willen die vrouwen toch?* Ik was ervan overtuigd dat zij zelf niet wisten wat ze wilden en tegelijk een onverzadigbaar verlangen hadden.

Nou, ik hield die kleine tirade over de liefde en zij zat daar maar, koud, roerloos. Toen: 'Wat gaat er met je baan gebeuren?' Ik wilde haar niet onnodig bezorgd maken. Ikzelf had er namelijk niet zo'n hard hoofd in. Dus zei ik haar dat ik me niet al te veel zorgen maakte, dat ik dacht dat er talrijke mogelijkheden waren, al zou dat misschien betekenen dat we uit Dallas wegmoesten.

En *zij* zei: 'Dan heb je dus toch niet zo je nek uitgestoken. Je kon het je *permitteren* om principes te hebben, om te doen wat in jouw ogen goed was, waar of niet. Je had de luxe om ethisch te kunnen zijn.'

Ik was met stomheid geslagen. Iemand die ik jarenlang had beschouwd als een deel van, nee, als een verlengstuk van mijzelf, was plotseling een eigen leven gaan leiden, was van een afstand kritiek op mij aan het uitoefenen.

'Dat is een grote luxe, Victor. Dat is maar weinigen gegeven.' Haar stem was even koud en hard als haar ogen.

'Wil je dat even uitleggen?'

Zij keek me aan met een blik die ik alleen maar als verachtend kan beschrijven. Edith, die *mij* aankijkt met verachting? Ze stond op. 'Als je het niet begrijpt, Victor, heb je nog grotere oogkleppen op dan ik al dacht. Ontbijt je morgen hier?'

'Barst met je ontbijt! Waar ga je verdomme naartoe! Je bent

me verdomme een verklaring schuldig voor je gedrag! Ga zitten, Edith, en verklaar je eens even nader!'

Ze maakte aanstalten om de kamer uit te lopen, maar hield stil en draaide zich half naar mij om. Haar gezicht was spierwit. Zij legde haar handen op de leuning van de stoel en klemde haar vingers eromheen. Ze ging niet zitten.

'Ik ben bij je weggegaan omdat je meer om je werk geeft dan om mij en de kinderen. Nee!' Ze hief haar hand omhoog om mij tot zwijgen te brengen. 'Probeer me niet in de rede te vallen. Dit is misschien de laatste verklaring die ik in mijn leven zal kunnen afleggen zonder onderbroken te worden. En ontken het maar niet. De weekends hang je hier rond als een verveelde stier. Je bemoeit je nauwelijks met de kinderen of met mij. Op maandagmorgen sta je te trappelen en te snuiven als een paard dat de stal ruikt. Je doet je pak met das aan alsof het vleugels zijn,' voegde ze er bitter aan toe. Haar mondhoeken trilden. Ik wachtte tot ze zou gaan huilen, want dan kon ik opstaan en haar tegen me aandrukken en een eind maken aan dit gedoe. Maar ze huilde niet. 'Je komt niet thuis eten en je neemt niet eens de moeite om even te bellen. Het kan je geen moer schelen dat ik uren in de keuken heb gestaan voor jou – voor jou! Want de kinderen eten een muizehapje en ik heb nooit trek. Mijn tijd, mijn interesses, mijn zorgen – het zegt je allemaal... geen moer!' Haar stem werd hoger en ik verwachtte dat zij elk moment in huilen zou uitbarsten.

Zij draaide haar gezicht de andere kant op. Ik keek naar haar rug om te zien of zij stond te huilen, maar ik kon het niet goed zien. Toen draaide ze haar gezicht weer half naar mij.

'Oké. Ik ben niet stom, al denk jij van wel, en ik zie heel goed wat er aan de hand is. Jullie zijn allemaal hetzelfde, mannen. Mijn moeder zegt dat mijn vader ook zo was. Dat zal best. Ik zat altijd op internaten, ik heb geen idee. In ieder geval heb ik besloten dat de kinderen een vader nodig hebben en dat ik mijn plicht zal doen. Dus ben ik weer hier. En ik zal me aan de afspraak houden.'

Ze liep snel de kamer uit, zo snel dat ik niet eens de tijd had om: *'Barst met je kutplicht!'* te schreeuwen. Ik bleef geschokt zitten. Zie je, ze had dezelfde tirade afgestoken als ik, vanuit een ander gezichtspunt bezien. Ik had *haar* verteld wat liefde was – haar liefde, niet de mijne – en zij had *mij* verteld wat lief-

246

de was – haar liefde, niet de mijne. Wat ik toen niet wist was dat wij het over hetzelfde hadden, alleen in andere woorden. Want vanaf dat moment was Edith inderdaad begrijpend, tolerant, werd niet ongeduldig, kwaad of wrokkig. Ik beterde mijn leven wat een ding betreft – ik vergat nooit meer te bellen als ik niet thuis kwam eten. En ik deed echt mijn best om me wat meer met de kinderen, en met haar, bezig te houden.

En er was iets veranderd. De loodzware sfeer die zo vaak in huis had gehangen, verdween. Ik was opgelucht, het was niet meer zo deprimerend om thuis te komen. En Edith glimlachte altijd, ze zei weinig, ze sprak me *nooit* tegen. Ze luisterde als ik aan het woord was. Ze kroop in zichzelf, maar ik hoorde haar wel giechelen en onzin uitkramen tegen de kinderen.

En in het begin dacht ik – *goed zo*. Ik had gewonnen, ik had haar laten zien wie de baas in huis was, en zij zou dat nooit meer ter discussie stellen. Ik zag dat zij alles in het werk stelde om het mij naar de zin te maken en ik dacht *goed zo*. Alles liep op rolletjes. Maar toch was het vreemd. Het ging weer heel geleidelijk. Maar de jaren daarop – o, we verhuisden naar Minneapolis en kochten een nieuw huis en de kinderen gingen naar school en zij was nog twee keer zwanger en kreeg het druk met twee nieuwe baby's... maar in de loop der jaren bekroop mij een gevoel van... leegte. Alsof ik elke avond in een vacuüm stapte, een vacuüm dat ik alleen kon vullen. Alsof ik in nevelflarden liep, die zich als een tweede huid om me heen wikkelden. Ik kan het niet beschrijven, alleen als een gevoel van leegte.

En Edith deed haar plicht, overdag en 's nachts. Haar plicht, meer niet. Geen extatische overgave meer. We neukten steeds minder omdat ik daar ook niet veel meer aan vond. En haar gezicht begon te veranderen. Ze kreeg kleine lijntjes om haar mond toen ze nog maar pas in de dertig was, en haar stem kreeg een zeurderige klank. Ze scheen op alles en iedereen aanmerkingen te hebben. Volgens mij (voegde hij er met verstikte stem aan toe) dacht ze dat iedereen van het leven genoot behalve zij.

En intussen liepen daarbuiten allemaal mooie, levenslustige, intelligente vrouwen rond, te kust en te keur. Warme, liefdevolle vrouwen die glunderend opkeken als ik de kamer binnenkwam. Ik was een veelbelovende jongen, ik scheen aantrekkelijk te zijn, ik was een wildebras in die tijd, alles wat ik aanraakte veranderde in goud. En ik kon mijn nieuwe seksleven heel

247

makkelijk geheimhouden – ik maakte altijd overuren en vanwege mijn topfunctie moest ik op zakenreis en zelfs hele weekends van huis weg, had ik vergaderingen die werkelijk tot een of twee uur 's nachts uitliepen.

Toen we naar Scarsdale verhuisden huurde ik een flat voor als het nachtwerk werd. Dus niemand merkte dat ik met Georgia ging eten in plaats van met George. Dat wil zeggen, Edith merkte daar niets van. En ik was heel voorzichtig, heel discreet. Ik nam altijd een douche voordat ik naar huis ging.

Toen Georgia me aan mijn kop begon te zeuren dat ik van Edith moest scheiden en met haar trouwen, maakte ik een eind aan onze verhouding. Al gauw raakte ik bevriend met Lilian. Lilian kreeg er genoeg van om een getrouwde minnaar te hebben – om zaterdagnacht alleen te zijn, om alleen op vakantie te gaan – en maakte het uit. Maar er was altijd wel een ander: het zijn wat jij de meisjes van Oxford noemde, een eeuwig verwisselbare generatie. Het is eigenlijk heel zielig. Ik weet niet of er ook zulke mannen zijn. Maar er zijn honderden, misschien wel duizenden mooie, intelligente, aardige vrouwen die dankbaar zijn, echt dankbaar, voor een lekker etentje in een leuk restaurant, een beetje aandacht, een beetje seks. Soms als ik het kon regelen nam ik ze mee op 'zaken'-weekend. Edith was in die tijd erg aan huis gebonden en ze hield niet van zakenconferenties.

Maar toch verviel ik ondanks alles soms in zelfmedelijden. Ik wilde thuiskomen en lieve Lauren in mijn bed vinden in plaats van saaie Edith – want ik weet de leegte in huis aan de leegte in haar hoofd. Maar over het algemeen was ik... nou, niet gelukkig maar – nou ja, toch wel *gelukkig* in die tijd. Ja, echt.

Het leven ging zo nog een hele tijd door. Maar in 1973, in maart 1973, kwam daar plotseling een einde aan. Ik kwam een keer om twee uur 's nachts thuis en trof Edith aan in mijn werkkamer. Dat was zeer ongewoon, ten eerste omdat ze nooit meer voor me opbleef, maar ook omdat – en ik besefte dat pas toen ik licht zag branden in mijn werkkamer – niemand, maar dan ook niemand, behalve ik, in mijn werkkamer kwam. Edith had daar een heilige wet van gemaakt – de kinderen klopten niet eens aan als ik binnen was. Ik had daar niet om gevraagd, had dat niet geëist. Maar zo was het geregeld.

Maar goed, daar zat Edith als een zielig hoopje in mijn leren stoel heen en weer te wiegen. Een golf van wroeging ging door me heen: er was iets gebeurd met een van de kinderen en zij had me niet kunnen bereiken. Ik rende naar haar toe. 'Edith, wat is er?'

Zij keek me aan. Er lag een kwaadaardige uitdrukking op haar gezicht. Er stond een glas op tafel. Ik vroeg me af of ze misschien dronken was. Ik zuchtte. Dronken scène met de beschuldiging dat ik haar heb verwaarloosd. Ik wist dat ik eraan zou moeten geloven, maar ik was moe. Ik schonk een drankje in en ging vermoeid in de stoel tegenover haar zitten, klaar voor een lange, krijsende strijd.

Ze zat er vreemd bij. Edith was altijd tot in de puntjes verzorgd, geen haartje van zijn plaats. Nooit ladders in haar nylons – ze had altijd een extra paar bij zich –, je zag nooit het bandje van haar beha of iets anders uitsteken wat er niet hoorde. Ze hield haar gewicht scherp in de gaten. Ik had haar nog nooit zonder make-up gezien – ze stond 's morgens vroeg op en maakte zich op voordat ik wakker was. De enige keren dat ik haar met haren in de war heb gezien was op het strand en na de geboorte van de kinderen.

Maar die nacht zag haar gezicht er anders dan anders uit. Het leek of ze gehuild had, omdat haar gezicht was opgeblazen. En misschien had ze het gewassen zonder de moeite te nemen het weer op te maken. Ze zag er – echt uit. Alsof ik al die jaren tegen een masker had aangekeken en dit haar ware gezicht was. Haar haar zat in de war. En ze had inderdaad gedronken.

Ze glimlachte lief naar me. 'Heb je genoten van je etentje bij Hanson, handje in handje aan de tafel?'

O jee.

Blijkt dat ze me daar heeft gezien. En ik was nog wel degene die haar dat restaurant had aanbevolen. Nooit bij stilgestaan. Ik was zo overtuigd van haar – ik weet niet – van haar volslagen machteloosheid, zoiets. Haar gebrek aan wilskracht, haar slapheid. Ze was al een tijdje depressief en zij en haar vriendinnen Jean en Margaret, die ook mannen hadden die veel weg waren, hadden afgesproken dat ze één avond in de week samen uit zouden gaan. Ik wist ervan, ik vond het een prima idee. Ze bleven altijd in de buurt van Scarsdale, ze wilden niet 's nachts hele einden rijden. Maar die avond hadden ze kaartjes voor een toneelstuk en gingen met de trein naar New York. Edith had me dat waarschijnlijk wel verteld. Maar ik had zo weinig aandacht voor haar... 249

Ze besloten om bij Hanson te gaan eten omdat Edith zei dat ik dat had aanbevolen. En daar zat ik, met Alison. Jean had me gezien en had zich omgedraaid en was voor Edith gaan staan, maar Edith had om zich heen gekeken en mij in de gaten gekregen.

Ze vertelde dit niet in alle kalmte. Ze schreeuwde, ze huilde. Ik wist dat ze gekwetst was, maar ergens kon ik dat niet begrijpen. Ze kon mij toch niet seksueel voor zich opeisen, na al die jaren, na al haar onverschilligheid? Twintig jaar. Ik zag haar niet als mijn bezit. Ik had er niets op tegen gehad als zij een verhouding was begonnen, mits zij het discreet had gedaan. Dat dacht ik tenminste. Het is natuurlijk makkelijk om zo te denken als je zeker weet dat je vrouw zoiets nooit zou doen.

Hoewel ik heel goed wist dat ontrouw je alle recht van de wereld geeft om in grote woede te ontsteken, kon ik niet geloven dat de gevoelens die daar naar buiten kwamen, echt waren. Ik dacht dat het aanstellerij was, een nieuw machtsspelletje. En deze keer was haar motief duidelijk: zij had een saai seksleven, dus denk maar niet dat ik een opwindend seksleven mocht hebben. Nou, ze moest van goede huize komen als ze mij in mijn bloeijaren achter slot en grendel kon zetten. Scheiden was niet meer zo schokkend als vroeger. Ik was bereid om tot het uiterste te gaan — wat had ik tenslotte te verliezen?

Ze bleef maar hameren: 'Waar mijn vriendinnen bij zijn! Recht voor hun neus! Aan het eind van de week weet iedereen het!' Daar haakte ik op in. Terwijl ik mijn pijp stopte, duidde ik haar met onfeilbare logica uit dat zij eigenlijk niet zelf was gekwetst, maar dat zij zich vooral druk maakte om het feit dat zij in het bijzijn van haar vriendinnen was vernederd, en aangezien ik toevallig wist dat hun echtgenoten ook boter op hun hoofd hadden, hoefde zij zich niet zo vernederd te voelen. Ik voegde er nog aan toe dat ik haar motivatie nogal zwak vond.

Onnodig te zeggen dat dit niet tot de zaak bijdroeg. Ze krijste, ze werd hysterisch. Ik lurkte aan mijn pijp en wachtte tot de bui was overgedreven. Het duurde een tijdje, maar uiteindelijk kalmeerde ze en bleef zitten snotteren. 'Edith, het spijt me als je je vernederd voelt, maar je moet toch toegeven dat het hier al jaren een dooie boel is.'

'Wiens fout is dat? Bovendien, hoe kun jij dat weten, je bent er nooit.'

'Je moet beseffen dat er een reden voor is dat ik er nooit ben. Je doet niet erg je best om me hier te houden, of wel soms?'

'Hoe zou jij je voelen als ik zoiets tegen jou had gedaan?'

'Ik haalde mijn schouders op. 'Na al die jaren...'

'O, ga me geen leugens verkopen! Ik zie aan je gezicht dat je gaat liegen! Stel dat iedereen in Scarsdale wist dat ik... met Jan en alleman naar bed ging.'

Ik moest toegeven dat daar wat inzat: *dat* had ik zeker niet leuk gevonden. Maar ik gunde haar die triomf niet. 'Nou, ik zou daar in ieder geval niet hysterisch van worden.'

'O nee!' krijste ze.

Ik stond op en deed de deur van de werkkamer dicht. 'Je maakt de kinderen nog wakker.'

'Ze mogen het horen! Ze mogen het weten! Laat ze maar zien wat voor soort man hun vader is!' Ze sprong op en liep naar de bar en schonk nog een whisky in. Ze was niet zo'n drinkster, kon er niet tegen, dus liep ik naar haar toe om haar tegen te houden, maar zij gilde: 'Raak me niet aan!' Ze stond daar met haar handen om het glas geklemd. Haar gezicht was lijkbleek en haar haar hing in haar gezicht. Ze was net een furie en voor het eerst in al die jaren dat ik haar kende, zag ik de Edith die onder dat stijve glimlachje, die lieve maniertjes leefde.

Ze was niet meer te stuiten. 'Als je mij samen met een man had gezien en je vrienden waren erbij geweest, was je op mij afgestormd en had je mij bij mijn arm gegrepen en de man een klap verkocht als je gekund had. Vervolgens had je me naar huis gesleurd, terwijl je mijn armen zo hardhandig mogelijk vasthield zodat er overal blauwe plekken op kwamen. Misschien had je me geslagen. In ieder geval had je me in een stoel neergekwakt en me schreeuwend de wet gelezen. Alleen zou je *dat* geen hysterische reactie hebben genoemd. O nee! Alleen *ik* ben hysterisch!'

Ze begon op een rustiger toon te praten, wat me om de een of andere reden banger maakte dan haar gegil.

'Al die jaren! Al die jaren! *Jij* had altijd hysterische driftaanvallen: of weet je dat niet eens meer, Victor! Toen de kinderen klein waren en ik me alleen maar met hen bezig kon houden omdat het anders een pan werd. Ik was de gebeten hond als de koffie slap was, als het vlees was aangebrand, als de kinderen te veel lawaai maakten. Of ben je dat alweer vergeten, Victor!

251

En toen ze ouder waren kreeg je een beroerte als ze aan je golf-sticks hadden gezeten of aan je bureau. Natuurlijk hadden we het niet over hysterische aanvallen, o nee! We zeiden: Papa is moe, sst lieverd, of: Laat Papa met rust, lieverd, hij heeft de hele dag gewerkt, of: Niet aan Papa's bureau komen, lieverds, hij heeft hele belangrijke dingen op zijn bureau liggen. O ja, je hebt ons allemaal getrained met je hysterische buien. Je weet het niet meer omdat het zo lang geleden is dat je er een had, dat er aanleiding voor was. We hebben geleerd om stil te zijn en rekening te houden met de grote man. Ik zal je vertellen,' en zij draaide zich om met een verdrietig, gekweld gezicht, zo ver-wrongen van pijn dat ik bijna moest huilen, 'de dag dat ik bij je terug ben gekomen was het afschuwelijkste moment in mijn leven.'

Ze liep weg, ze legde haar hoofd in de hoek tussen de muur en de boekenkast en sprak naar de muur. Haar stem was laag en hij trilde.

'Ik kon nergens heen, ik kon mijzelf en de kinderen op geen enkele manier onderhouden. En ook al had jij of mijn vader geld gegeven, dan nog kon ik nergens heen; kon niets met mijn leven doen. Het was niet een kwestie van een andere man zoe-ken: ik zag jullie, jullie waren allemaal hetzelfde. *Jij* was nog niet eens de ergste, je dronk niet, je sloeg me niet.

Mijn ouders begrepen niet waarom ik van je afwilde. Mijn moeder vooral, dat zal ik nooit vergeten, nooit. Ze zei maar steeds: "Maar Victor is zo'n *goede* man, Edith!" En ik zei, als hij goed is, god helpe andere vrouwen. Het enige wat mijn va-der wilde weten was of je vreemd ging. Ik zei dat ik zeker wist van niet en toen zei hij, plechtig: "Edith, jouw plaats is naast je echtgenoot." '

Ze haalde haar neus op. 'O, ik vereerde mijn vader, ik voelde dat hij vond dat ik een heilige wet had overtreden. Als ik nu maar een paar blauwe plekken had kunnen laten zien, een paar verhalen over andere vrouwen had kunnen vertellen...' Ze draaide zich abrupt naar mij om. 'Waarom neukte je toen niet iedereen plat?' huilde ze.

Edith vloekte nooit en gebruikte zelden schuttingtaal. Ik was geschokt, niet over de taal maar over haar. Ze nam een paar haastige slokken van haar whisky en ging weer zitten. Ze keek me niet aan, ze keek naar de grond. Haar gezicht was wit, al het
252

bloed was eruit weggestroomd. Ik kan je niet zeggen hoeveel ik op dat moment van haar hield, hoeveel medelijden ik voor haar voelde.

'En zo ben ik gaan inzien,' zei ze, haar mond vertrokken tot een smalle streep, 'wat het leven voor vrouwen inhield. Vrouwen dienen met hun lichaam. De onderlinge verschillen komen voort uit het feit dat sommigen het geluk hebben gehad een rijke man te trouwen. Dat geluk heb ik gehad. Bofkont die ik ben! Puh! Dus ben ik teruggekomen. Ik had besloten dat ik een goede vrouw en moeder wilde zijn, dat ik je zou dienen zoals jij verwachtte, maar dat ik ook zoveel mogelijk van je geld zou profiteren. En dat is me aardig gelukt, vind je niet?' snierde ze. 'Dat was mijn opdracht en daar heb ik me aan gehouden. Het was een afspraak: de huwelijksvoorwaarden. Jij betaalt mij in goederen, ik betaal jou in diensten: geen van ons is vrij. Ik vond die voorwaarden vreselijk, maar ik was niet bij machte om die te veranderen. Ik accepteerde ze. Ik ben door de knieën gegaan. Maar jij, maar jij!' Ze leunde naar voren en fluisterde schor: 'Jij hebt die afspraak geschonden! Het is niet genoeg dat je al die jaren het beste voor jezelf opeiste, nee, jij wil alles! Jij hebt je niet aan de afspraak gehouden waar ik mijn leven aan heb opgeofferd! Mijn leven!'

Ze begon weer te huilen. Ik zat daar met gebogen hoofd, tranen in mijn ogen. Ik wilde naar haar toegaan en haar tegen me aandrukken, maar ik wist dat ik daar het recht niet toe had. Ik schaamde me en voelde me vernederd. Maar ik zocht ook naar een uitweg om die schaamte en vernedering kwijt te raken, dat denk ik tenminste. Want ik zei: 'Edith, het spijt me echt heel erg. Maar liefje, waarom heb je me daar nooit iets van gezegd? Niet gezegd wat je voelde, wat je vond van mijn gedrag?'

Ze keek me aan met wat ik alleen maar kan omschrijven als pure haat.

'En zou je daarnaar geluisterd hebben, denk je? Je zou gezegd hebben: "O Edith, stel je niet zo aan! Je hebt toch alles wat je hartje begeert?" Wanneer heb je voor het laatst naar me geluisterd, Victor Morrissey? Gisteravond in ieder geval niet. Ik heb je nota bene nog gezegd dat we bij Hanson gingen eten! Ik heb het je gezegd! Je hebt het niet eens gehoord!'

Dat was de druppel – ik was natuurlijk de schuldige, maar ik schoof de schuld op haar. Ik stond op, ik schreeuwde tegen haar: 'Wanneer heb je mij voor het laatst de waarheid verteld! Wie heeft dat besloten, dat alles zo moest zijn zoals *ik* dat wilde? Iedereen is egoïstisch! Waarom heb je nooit je mond opengedaan?'

Zij stond ook op, woedend. 'En constant heibel in huis hebben? De kinderen laten opgroeien in een huis waar de ouders constant met elkaar overhoop liggen? Een huis als dat van Phyllis en Harvey? Een gekkenhuis? Mijn ouders hadden nooit ruzie!'

'Nee. Maar jouw ouders waren net als wij. Zij leefden net als wij.'

'MIJN VADER HEEFT ZICH ALTIJD AAN DE AFSPRAAK GEHOUDEN!'

'O ja?'

Ze bewoog zich in mijn richting, ik dacht dat ze haar glas naar mij zou gooien, ze had me vermoord als ze gekund had.

'Mijn vader heeft zich altijd...'

'Ach Edith, doe me een lol, zeg. Iedereen wist ervan. Hij had een vrouw in een flat in de East Seventies. Jarenlang.'

Ze gilde en gooide haar glas recht in mijn gezicht, maar ik dook op tijd weg. Ze bleef gillen. Het was geen huilen, het was gekrijs, het gekrijs van zeevogels. Ze was buiten zichzelf, ze kon het niet verwerken. Het speet me wel een beetje, zei ik haar, maar ik vond dat het eens tijd werd dat zij met haar benen op de grond kwam te staan.

Maar ik had denk ik al veel te lang in de zakenwereld gezeten. Want hoe het me ook speet, ik bleef haar zien als de tegenstander in een strijd die ik moest winnen. En ik wist dat je toe moest slaan als je tegenstander zwak stond. Dus ging ik door.

'Je moeder weet het wel, wist het toen ook al. Vraag het haar maar eens. De vrouw kwam naar zijn begrafenis en je moeder vroeg mij of ik haar wilde vragen om weg te gaan. Ze vroeg me ook om het niet aan jou te vertellen.'

Het gekrijs werd hoger, dunner.

'Hoor eens, Edith, ik zeg niet dat ik geen schuld heb aan deze puinhoop. Maar jij hebt er ook aan meegewerkt. Jij hebt gelogen, in naam van de huiselijke rust. Jij hebt twintig jaar lang gelogen. Je hebt me nooit iets van jezelf laten zien, wat je voelde. Je hebt de waarheid verhuld onder het mom van de huiselijke rust: je bent laf!'

Zij hield op met huilen. Er was waanzin in haar ogen, haar gezicht was opgeblazen en bevlekt met tranen. Ik dacht erover om een dokter te bellen en hem te laten komen om haar een kalmerend middel te geven.

Maar ze praatte ineens veel rustiger. 'Je wilt de waarheid,' siste ze, 'oké, die krijg je. Ik haat je! Ik haat die pijprokende zelfgenoegzaamheid van je, die zelfvoldane superioriteit van je, je volslagen rücksichtslose egoïsme, je intellectuele pretenties, je stompzinnige botheid ten opzichte van alles wat niet direct in jouw belang is en het feit dat je mij als een aanstellerige, hysterische *vrouw* behandelde als ik jou probeerde te vertellen wat ik voelde! *Ik* laf! Jouw hele leven is één grote leugen, jij hebt jezelf nog niet één keer in je leven onder ogen durven zien! Jij baadt je in loftuitingen en kijkt in de spiegel en je ziet God! Bij *jouw* lafheid vergeleken ben *ik* een heldin!'

Ze draaide zich met een plotselinge beweging om en pakte mijn boeken uit de boekenkast en begon die links en rechts de kamer door te gooien, waarbij ze niet speciaal op mij of de lamp mikte, hoewel ze beide raakte, maar ze gewoon in het rond slingerde. Ik probeerde haar niet tegen te houden. Als zij zo haar kwaadheid wilde afreageren, mij best. Als ze ermee klaar was, zou ze op me afkomen en haar hoofd in mijn schoot leggen en ik zou haar hoofd strelen en haar zeggen dat het me heel, heel erg speet, en dat was echt zo. En dan, dacht ik, zouden we samen ergens naartoe gaan, zonder de kinderen. Acapulco, of zo, of een ander prettig oord, en weer helemaal opnieuw beginnen, een nieuw leven, leren om elkaar de waarheid te zeggen. Daar was ze, met al die verdrongen hartstocht in haar, die nooit naar buiten was gekomen. Het fascineerde me. Ik zag het helemaal voor me: ons huwelijk zou weer opnieuw beginnen.

Ik stond daaraan te denken toen ik ineens zag wat zij in haar handen had. Het was een eerste editie, 1605, van Bacons *Advancement of Learning*. En zij wist dat ik daar heel erg aan gehecht was. Dat boek was generaties lang in mijn moeders familie geweest en hoe arm zij het ook hadden, het was nooit verkocht. Zij wist dat heel goed. Het had een leren band, niet de originele, maar wel heel oud en broos met barstjes. De bladzijden waren ook heel broos, soms braken ze bij het omslaan bij de hoeken af.

En zij draaide zich om en grijnsde naar me en deed het boek

open en plotseling, met een heftig gebaar, brak ze de rug van het boek! Zo maar ineens! Er dwarrelden bladzijden uit. Ze bleef de rug dubbelvouwen en er vielen steeds meer bladzijden uit en ik stormde op haar af, ik was buiten mezelf van woede en zij smeet het door de kamer en rende weg, en ik raapte het boek op terwijl zij de deur uitrende, en happend naar adem cirkelde ik in de kamer rond om de bladzijden bij elkaar te rapen, ik was niet helemaal bij mijn positieven, maar in ieder geval hoorde ik haar niet weggaan, en op dat moment kon me dat ook geen moer schelen, het zou me een rotzorg zijn wat ze deed.

Ik zou haar nooit vergeven dat ze de rug van mijn boek had gebroken.

6

Victor zat met zijn hoofd in zijn handen, zijn handen voor zijn ogen. De asbak voor hem op tafel was vol en stonk naar sigarettepeuken. Dolores zat tegenover hem, onbeweeglijk, onder een deken, en keek hem aan. Toen hij zijn hoofd omhoogdeed, zag zij heel duidelijk de littekens, de schrammen over zijn gezicht.

Ik weet niet wat ik daarna heb gedaan. De bladzijden van mijn Bacon bij elkaar geraapt, ze op volgorde proberen te leggen. De lamp overeind gezet. Ik heb niet de scherven van de gebroken bol opgeveegd. Ik herinner me dat ik dacht: Laat zij haar eigen troep maar opvegen. Ik zal wel wat gedronken hebben en overdacht hebben wat ze gezegd had. En toen ik daar over nadacht, kon ik daar wel de rechtvaardigheid van inzien. Maar ik zag geen mogelijkheid meer om het verleden te herstellen. Dat was niet meer te herstellen, evenmin als mijn gevoelens, of mijn boek. Het kon weer opnieuw gebonden worden, maar sommige bladzijden waren gescheurd en de nieuwe band zou te dicht bij de tekst komen. Het was onherstelbaar beschadigd. En wij ook.

Het zou nooit meer goed komen, en dat zou ik haar nooit vergeven. Maar al kon ik haar wel vergeven, hoe zouden we dan na al die tijd nog kunnen veranderen? Ons gedragspatroon was vastgeroest, al twintig jaar, onwrikbaar vastgeroest. Ik wist dat ik de zonde begaan had om al die jaren plezier te maken terwijl zij haar plicht had gedaan. Maar wat kon ik daaraan doen? Ik kon dat niet meer goedmaken, ik kon dat niet uitvlakken.

Scheiden was de enige oplossing en op dat moment stond dat idee me wel aan. Ik had Alison, die in de coulissen op mij stond te wachten – niet dat ik weer zou trouwen, niet meteen in ieder geval. Ik kon in mijn pied-à-terre in Manhattan gaan wonen zolang ik niets beters had gevonden. En het was misschien wel goed voor Edith: tegenwoordig deden oudere vrouwen hele interessante dingen, ze gingen vaak weer iets leren, ze gingen weer meedraaien in het arbeidsproces. Misschien werd ze daardoor verjongd, minder rigide. Jonathan was weliswaar pas acht, maar we hadden een huishoudster voor hele dagen en die zou ik haar niet afnemen. Ik zou haar goed verzorgd achterlaten, dat had ze na al die jaren wel verdiend. Ze mocht het huis en de auto houden en ze zou een behoorlijke alimentatie krijgen. Mark was veertien, bijna volwassen, geen van de kinderen zou eronder lijden als zij zou gaan werken of zoiets. Zou goed voor haar zijn.

Bovendien voelde ik elke keer dat ik naar mijn kapotte boek keek zo'n golf van woede naar boven komen dat ik wist dat ik nooit meer hetzelfde bed met Edith zou kunnen delen. Ik kon haar wel vermoorden omdat ze zoiets in-gemeens en wreeds had gedaan. Ik had graag haar nek in mijn handen willen hebben, haar willen wurgen tot haar gezicht blauw werd, de ogen uitpuilden...

Toen ging de telefoon. Het was de politie. Edith had een ongeluk gehad, een ernstig ongeluk, zeiden ze. Ze lag in het ziekenhuis. Langzaam legde ik de hoorn op de haak, niet in staat om helder te denken. Ik had haar willen vermoorden en nu was ze dood. Misschien. Bijna dood. En een seconde maar... nee, langer dan een seconde, was ik blij toe.

Hij sloeg zijn ogen op en keek Dolores vragend aan.

'Ik begrijp het. Ik heb Anthony vaak dood gewenst. Het is de makkelijkste oplossing in onmogelijke situaties. Ik geef soms college in "creatief schrijven" aan het Emmings – als er geen beroemde schrijver voorhanden is. En in het begin eindigen de studenten, tenminste de helft daarvan, hun verhaal met de dood van de hoofdpersoon – of met de ondergang van de hele wereld. Het maakt alles veel makkelijker. Het is overzichtelijk en onherroepelijk. Zoveel eenvoudiger dan leven, problemen hebben en dingen verwerken, of tenminste ermee leren leven...'

'Nou, zo voelde ik dat ook. Maar tegelijkertijd voelde ik een hartverscheurende pijn, alsof iemand met een tuinschoffel mijn hart uit mijn borstkas aan het uitgraven was. O ja, het was schuldgevoel, zeker, maar ook verdriet, verdriet omdat zij in haar leven zo... weinig geleefd had, denk ik. Verdriet om wat we voor elkaar voelden, om hoe dit allemaal had kunnen gebeuren zonder dat we daar ene moer aan hadden kunnen doen...'

Ik stapte in mijn auto en reed naar het ziekenhuis. De dag was net begonnen, de lucht was lavendel met strepen licht erdoorheen. De takken van de bomen waren net aan het uitlopen, er zaten kleine groene knobbeltjes op, honderden op elke tak, die als een groen waas in de lucht hingen en de smalle dode wintertakken nieuw leven inbliezen. En de vogels werden wakker, maakten elkaar wakker. Het was prachtig.

En ik dacht: Edith zal de dageraad nooit meer zien. En ik herinnerde me dat ze gezegd had dat ze van mij hield, omdat mijn naam haar deed denken aan pasgewassen lakens die wapperden in de wind en ik wist dat ze hield van de lucht en het geluid daarvan en dat ze het een mooi gezicht vond. En dat zij ooit op dezelfde manier van mij had gehouden, onschuldig en zuiver en fris. Ik herinnerde me hoe zij met bittere stem gezegd had: Het is een grote luxe om in het leven te doen wat je wilt, Victor. En ik besefte dat zij heel vroeger een verlangen, een energie had gehad, misschien niet gericht op één speciaal doel, niet *ik wil advocaat worden*, maar wel ergens voor. De kinderen waren niet genoeg voor haar. Ze had een innerlijke energie die zij wilde gebruiken maar nooit had gebruikt, die nu was uitgeblust. En ik begreep toen ook waarom ze zo'n gezicht had gekregen, omdat het even pijnlijk is om ongebruikte energie, ongebruikte vermogens te hebben die elk jaar stukje bij beetje afsterven, als wanneer je voeten worden afgebonden, het bot langzaam vervormt en stopt met groeien, de huid terugkruipt, afstompt, de voet tot een stompje maakt waar zelfs het bloed niet meer kan stromen... En ik herinnerde me hoe zij daar wit en bevend had gestaan en mij mijn karakter als een hamer naar me toe had geslingerd. Ze was op dat moment heel groot in mijn ogen.

En toen zag ik ons aan de bridgetafel. We speelden om de paar weken, het was het enige wat ik nog wel leuk vond om

258

samen met haar vriendinnen en hun echtgenoten te doen. Ik kan goed bridgen, beter dan zij, hoewel zij ook best aardig speelt. Maar af en toe deed zij in mijn ogen iets stoms en als ze dat deed nam ik haar in de maling. Ik nam haar waar iedereen bijzat in de maling en zag haar ineenkrimpen en haar gezicht in bedwang houden, terwijl ze probeerde te glimlachen en het als een goede grap te beschouwen. En ik zag heus wel dat ze in-eenkromp, maar ik had alleen maar verachting voor haar laf-heid en dat werd een vicieuze cirkel, begrijp je? Ze verdiende het om in de maling genomen te worden, gekleineerd te wor-den, omdat zij zich dat liet aanleunen...

Ik zette dat, haar gedrag dat ik als laf beschouwde, tegenover haar vaste besluit dat zij lang geleden had aangekondigd, *om haar plicht te doen*. En haar plicht, zoals zij die zag, hield in dat zij zich door mij in de maling liet nemen, dat zij alles slikte van mij... Ik kon nauwelijks meer rijden, mijn ogen stonden vol tra-nen. Want daar was moed voor nodig, een grotere moed dan ik bezat, maar tegelijkertijd vond ik dat soort moed waanzinnig, ziek, gericht op een nutteloos doel...

Edith had haar auto recht in de muur van een tunneltje ge-reden. Recht erop af. De mensen in het ziekenhuis waren ach-terdochtig, ze vroegen me of zij zelfmoordneigingen had. Ze was zwaargewond, maar ze leefde. Ze lag op de operatietafel, ik heb haar de hele dag niet gezien. En dat was nog maar de eerste operatie. Ze zou er nog zeventien krijgen voordat ze met haar klaar waren. Ze vertelden me dat het geen zin had om te wachten, ze zouden me bellen als ze uit de operatiekamer kwam, maar ik *moest* wel blijven, ik kon niet anders. Ik belde naar huis en sprak met mrs. Ross, onze huishoudster, vertelde haar wat er gebeurd was en zei haar dat ze de kinderen heel voorzichtig moest inlichten.

Edith kwam pas de volgende dag weer bij. Ze lag in een zuurstoftent, verpakt in verband. Ik stak van tijd tot tijd mijn hoofd naar binnen en één keer trof ik haar aan met haar ogen open. Ze keek naar me en deed ze weer dicht. Zij kon haar hoofd niet bewegen, haar nek zat in het gips. Maar het korte ogenblik dat haar ogen mij hadden aangekeken, hadden zij ge-sproken. *Dus ik leef nog*, zeiden ze. *Prachtig*.

Daarna heb ik haar niet meer lastig gevallen. Ik bleef in de kamer zitten. Er lagen tijdschriften en boeken die had ik meegenomen, maar ik las geen letter. Ik zat daar met haar ademhaling in mijn oren, in gepeins verzonken. Ik dacht na over mijn moeder, dat ik haar nooit had verteld hoe dol ik op haar was, hoe sterk, en later, hoe slim ze was, veel slimmer dan haar eigengereide, wijsneuzige zoontje. Slim wat betreft levenszaken, over hoe je moet leven. En over Edith en onze laatste ruzie, dat ik het niet had kunnen laten om haar nog een klein duwtje in de richting van de waanzin te geven, dat ik haar koste wat kost tot het uiterste had willen kwellen. En over het feit dat winnen voor mij het belangrijkste in het leven was en dat ik nu gewonnen had. De vruchten van mijn overwinning lagen nu op dat bed, ze ademden, met een machine. En ik dacht na over de eerste keer – de enige keer – dat ze bij me was weggegaan, dat ik dat toen geïnterpreteerd had als een machtsspelletje, tegen mij gericht. Terwijl het in feite weinig met mij te maken had. Het was een poging van Edith om van mij los te komen, een poging om haar zwakke, onderontwikkelde vleugels uit te proberen, om te zien of zij zich alleen kon redden. Het had met *haar* te maken, en het feit dat zij daarin gefaald had moet iets in haar vernietigd hebben, het vernederd hebben, het bittere angst en inferioriteit hebben ingefluisterd.

Aan al die dingen zat ik te denken, en ook aan het heden, de toekomst. Soms, als Edith sliep, ging ik bij haar bed staan, schoof het gordijn opzij en keek naar haar, wat er van haar over was. En ik zag een vreemde, een arme, mishandelde vrouw, die ik niet kende en nooit gekend had. Vreemd toch. Toen we elkaar pas kenden, vertelde Edith me dat haar moeder rooms was. Ik weet niet waarom ze dat zei; ik wist dat Edith protestants was, omdat ik met haar naar de kerk was geweest. Jaren later ontdekte ik dat haar moeder helemaal niet rooms was, nooit geweest ook. En ik vroeg aan Edith hoe dat zat. En zij vertelde me dat ze had gedacht dat *ik* katholiek was – vanwege mijn naam – en bang was dat ik wel eens twee keer zou moeten denken voordat ik met een niet-katholiek zou trouwen. Dus had ze dat verhaal bedacht en ik denk dat ze haar moeder zo ver had gekregen om daarin mee te doen, als het nodig was geweest. Hoewel er in die tijd een veel sterkere anti-katholieke tendens heerste dan nu en haar vader heel goed een veto had kunnen uitspreken tegen een huwelijk met een katholiek. Maar ik denk – ze hield namelijk echt veel van me, Edith – dat zij zelfs tegen haar vader was opgestaan om met mij te kunnen trouwen.

Nou, ik stond dan zo te peinzen, maar ik kwam niet tot rust. Ik kende Edith niet, ik had Edith nooit gekend, maar of we wilden of niet, we kenden elkaar, we waren twintig jaar getrouwd en daar kwam je niet onderuit. We wisten misschien niet wat de ander voelde, maar we kenden elkaars geur, elkaars kleine gewoontes, elkaars manier van doen...

En ik zag nog steeds geen uitweg voor ons als Edith weer op zou knappen. Geen enkele.

7

Wekenlang zweefde Edith op het randje van de dood. Zij had naast uitwendige ook heel veel inwendige verwondingen. Nadat zij bewusteloos uit de operatiekamer was gekomen, keerde ik naar huis terug en ging bij de kinderen zitten en probeerde ze te vertellen wat er gebeurd was. Het ging stroef, moeizaam. Ik besefte dat ik mijn kinderen nauwelijks kende. O, natuurlijk wist ik hoe zij heetten en hoe oud ze waren en zelfs wat hun lievelingskostje was, maar ik wist niets van hun gevoelsleven – hoe zij op dingen reageerden, hoe zij de dingen verwerkten. Ik wist dat Mark als baby een huilebalk was geweest, en dat Jonathan altijd stil in zijn eentje in een hoekje zat te spelen. Ik wist dat Vickie, die toen achttien was, me altijd met zwaar geschut bestookte als het even kon, en dat Leslie me altijd bedolf onder kusjes. Tja, het was niet eenvoudig.

Eerst verbood ik hen om haar te bezoeken. Ik wilde niet dat zij zich haar, als zij stierf, zo zouden herinneren, met al dat verband om haar heen. Zoals de laatste herinnering die ik aan mijn vader heb, zwak en huilerig over de dood van mijn moeder. Zes maanden later kreeg hij een beroerte en stierf ook, maar ik herinnerde me een beverige, huilerige oude man en dat beeld haatte ik.

Natuurlijk kreeg ik later van Edith te horen dat ik een egoïst en een rotzak was. Want natuurlijk was het enige dat ze wilde, als zij dat had kunnen vragen, dat zij de kinderen kon zien. En het is waar dat zij, nadat zij hen had gezien, zienderogen opknapte. En kinderen zijn raar, weet je. Geen manieren. Zij kwamen haar kamer binnen, nadat zij de zuster met handen en voeten duidelijk had weten te maken dat zij hen wilde zien, die dat aan de dokter had doorgegeven, die het weer aan mij verteld had, en keken naar haar alsof zij een buitenaards wezen was. Zij lag niet meer in de zuurstoftent, maar zij had nog overal slangetjes en buisjes, net een computer. Ze liepen om haar bed heen terwijl zij naar de apparatuur staarden en Jonathan liep met een zeer misprijzende uitdrukking op zijn gezicht naar de verschillende apparaten te wijzen en vroeg steeds: 'Wat is dát nou weer! En dát!' Ik legde het hem uit en zij keek toe en haar ogen lachten. Zij kon nog steeds niet praten, haar kaak was gebroken, en zij kon haar armen niet zo goed bewegen omdat er overal slangetjes inzaten van het infuus en ze op plankjes waren vastgebonden. Maar de kinderen konden haar ogen lezen en Jonathan plofte op het bed naast haar neer en zei: 'Mama, vind je dat nou leuk, al die machines?' en ik wilde hem tegenhouden, van het bed afhalen, maar haar ogen schoten naar mij en zeiden nee, ze waarschuwden me, ze dreigden, en vanaf die tijd kon ik ook ogen lezen. En toen sprongen de kinderen allemaal op haar bed, machines of geen machines, en praatten met haar en zij antwoordde hen met haar ogen.

Ze konden niet allemaal tegelijk zo lang blijven, want dat was te vermoeiend voor haar, maar sindsdien gingen er elke avond een of twee kinderen mee op ziekenbezoek. Ze was blij dat zij er waren, omdat zij zich dan niet met mij hoefde te bemoeien. Want tegen *mij* zeiden haar ogen: Ik haat je. Ik ging elke avond, een uur lang. Ik weet niet waarom, het was duidelijk dat ze me kon missen als kiespijn, maar ik kon niet anders. En als ik niet in het ziekenhuis was, was ik bij de kinderen. Want ik was nu de enige ouder. Mrs. Ross was een grote steun, zij hield de zaak draaiende en zij was dol op de kinderen en kreeg daarom heel veel liefde van hen terug. Maar zij was niet hun moeder. Ik had zielsmedelijden met hen – met mijn weeskinderen, want ik was de naam vader nauwelijks waardig. Daarom stopte ik met de late vergaderingen en kwam naar huis en hielp Jon met zijn huiswerk en Mark met speciale problemen en probeerde met de meisjes te praten en Leslie ervan af te brengen dat zij op mijn schoot ging zitten, wat ze constant deed – ze was zestien en te oud daarvoor, vond ik.

Ik moest natuurlijk ook met Alison breken: ik had geen tijd meer voor haar. Ik ging met haar lunchen zodra ik weer was gaan werken en vertelde haar wat er gebeurd was.

'Tsjongejonge, ze was bereid om tot het uiterste te gaan om je weer terug te krijgen, hè?' zei Alison met een vals, ironisch lachje. Ik kon haar wel slaan omdat ze zo hatelijk deed, of omdat ze de spijker op zijn kop sloeg, dat weet ik niet. Misschien wel om allebei.

De genezing verliep heel langzaam; als Edith net weer wat op krachten was gekomen, werd zij weer in de operatiekamer gereden om nog een operatie te ondergaan. Het was dus geen gestage vooruitgang – het was drie stappen vooruit, één stap achteruit. Lange tijd wilde zij me niet aankijken. Daarna keek zij als ik binnenkwam even woedend op en draaide vervolgens haar hoofd opzij. Maar terwijl ik daar zat te peinzen en me afgewezen voelde, en af en toe even opkeek, betrapte ik haar er wel eens op dat ze naar mij zat te kijken. Maar daarna keek zij gauw weer de andere kant op.

Toen haar kaak weer heel was en zij kon praten, was ze nog heel zwak en kon niet veel zeggen. Ze vroeg een paar dingen aan de kinderen, glimlachte naar hen, en ook kon zij nu haar handen optillen en hen strelen, hoewel Edith nooit zo scheutig in haar liefdesuitingen was geweest. Maar als ik alleen kwam, zei ze niets.

Op een avond, ongeveer drie maanden na het ongeluk, ging ik weer eens alleen. Ik zei hallo en kuste haar op haar voorhoofd, zoals altijd, en zij keek me woedend aan, zoals altijd, en ik ging tegenover haar zitten aan het voeteneind. En ik begon haar de nieuwtjes van de dag te vertellen, zoals altijd. Ik voelde me net een vrouw op een koffiekransje, die de kleine wederwaardigheden vertelt die die dag net even anders maakten dan de vorige. Vickie wilde een lange jurk hebben voor een dansfeestje. Zij had haar zinnen gezet op een laag uitgesneden model met hele dunne schouderbandjes, helrood. Wat dacht Edith daarvan? Zij schudde nee met haar hoofd. De hond had het beige Perzische kleedje ondergekotst, maar mrs. Ross had het weer aardig schoon weten te krijgen. Jimmie Mehdvi, mijn oude Iraanse vriend van de universiteit, was in de stad, wist zij nog wie hij was? Haar ogen gingen even dicht, wat ja betekende. Ik had hem zondag voor het eten gevraagd, mrs. Ross zou koken. Ik dacht dat hij wel eens wat anders zou willen eten dan de hotelkost.

En plotseling deed zij haar mond open. 'Bedoel je dat je hem niet mee uit eten neemt? Hij is goed voor drie nachtjes stappen, Victor. Of heb je dat soort alibi's niet meer nodig?'

Ik zweeg. Er was niets te zeggen. Maar deze uitbarsting had haar losgemaakt en zij praatte door, zij ging verder met een lange lijst van grieven, een lijst die zij twintig jaar lang had opgekropt, die zo in haar geheugen gegrift was dat zij hem nooit had hoeven opschrijven. Haar grieven kwamen er in een langgerekte stroom uit, zij molk ze uit met het plezier van een slachtoffer dat eindelijk de kans krijgt om de stenen terug te werpen die jarenlang op haar gedrukt hadden. Ik luisterde. Ik verdedigde me niet, ook niet op die momenten dat ik vond dat een paar woorden ter mijner verdediging op hun plaats waren. Het meeste wat ze zei betrof dingen die ik me niet meer herinnerde, en die zij, voor zover ik wist, uit haar duim zoog – alleen was dat natuurlijk niet zo. Zij ging door tot zij uitgeput was, keek me toen met haar bleke geschonden gezicht afwachtend aan, klaar voor mijn weerwoord. Ik zei niets. Ik zat met mijn voorhoofd in mijn handpalm gesteund te luisteren, te denken, en probeerde te voelen. Probeerde. Maar het lukte niet. Want hoe waar of onwaar haar afzonderlijke beschuldigingen ook waren, ik wist dat zij het recht had om mij te beschuldigen. Maar ik voelde niets – geen schuld, geen schaamte en ook geen medelijden meer. Het leek alsof wij zulke gevoelens ontgroeid waren, dat het nu alleen maar een kwestie van overleven was, voor haar en misschien ook voor mij. Het enige wat ik voelde was: oké, dat hebben we gehad, je hebt je hart gelucht. Maar wat nu?

Maar zij was nog niet tevreden, zij wilde meer. Zij wilde mij zien lijden, zoals zij had geleden, zij wilde me met mijn neus in elke drol duwen die ik had neergelegd. Zo leek het tenminste, en ik ging bij mezelf te rade – misschien maakte ik er weer een machtsspelletje van terwijl het dat niet was. Ik wilde haar haar zin geven. Ik zocht naar woorden, ik probeerde haar duidelijk te maken dat ik leed zoals zij dat wilde en dat ik van dat lijden geleerd had en nu een ander mens was geworden. Maar zij wist natuurlijk wel beter: zij spotte ermee. Ze hield op met praten en ik ging weg. Maar de volgende avond kwam ik weer terug, en de daaropvolgende, en de daaropvolgende. Zij ging dagenlang door met deze litanie van mijn zonden; ik luisterde dagenlang naar haar. Het was het beste wat ik kon doen, het was het enige wat ik te bieden had – mijn aanwezigheid, mijn zwijgen. En na verloop van tijd accepteerde ze dat – dat wil zeggen, zij hield ermee op.

Ik kwam een avond binnen en zij zei: 'Ik wil geen zoen,' dus gaf ik haar geen zoen. Ik ging zitten, maar voordat ik het laatste nieuws kon gaan afratelen, zei zij, scherp: 'Waarom mochten de kinderen niet op bezoek komen van jou?' Ik legde het uit en zij zei, snierend: 'O, wat denk je toch veel aan anderen! Aan wie dacht je toen? Niet aan mij, in ieder geval!'

Daarna: 'Waarom mag mijn zuster hier niet komen?'

'Dat mag ze best!'

'Zij is hier maar één keer geweest. Eén keer in al die maanden! Waarom?'

Ik zuchtte. Wat ik ook zou antwoorden, het zou altijd het verkeerde antwoord zijn. Als ik het haar niet uitlegde, was dat omdat ik Kitty inderdaad van haar weghield. Als ik het wel uitlegde... 'Edith, je schijnt niet te beseffen dat Kitty alcoholiste is. Ze komt nauwelijks de deur meer uit.'

Zij keek me woedend aan en ik bereidde me voor op een uitbarsting zoals zij die over haar vader had gehad. Maar er gebeurde niets. Ze zweeg. Na een poosje begon ik haar te vertellen hoe het met de kinderen was. Zij hoorde het zwijgend aan. Haar gezicht had een peinzende uitdrukking.

Ik weet niet wanneer de verandering is ingetreden. Zij moest nog een speciale behandeling ondergaan en werd daarvoor naar een speciale kliniek in het westen overgebracht, waardoor ik haar zes weken niet zag. Tijdens haar verblijf daar ging ik op dezelfde voet voort; ik was bijna iedere avond en ieder weekend thuis en bracht dat samen met de kinderen door. Ik nam Vick en Les en Mark mee naar de golfbaan om ze te leren golfen. Terwijl Edith weg was nam ik mijn vakantie op en ging met de kinderen kamperen. Wat zonder hen in een ramp zou zijn geëindigd – ik wist niets van kamperen, maar zij hadden nog enige ervaring, na jaren zomerkamp. Vick wist tenminste hoe je een tent op moest zetten en Mark wist hoe je een vuurtje moest maken en Les vond uit hoe zij koffie moest zetten voor haar mopperende vader. We hadden veel pret, zo met zijn vijven. We konden prima met elkaar opschieten in dat jaar...

Vickie ging weer terug naar de universiteit en Edith kwam

terug, niet in Westchester maar in een ziekenhuis in Manhattan, waar zij een laatste behandeling zou krijgen. Ik ging elke dag na mijn werk naar haar toe en in het weekend gingen de kinderen soms mee. Ze was nu heel anders. Ze was bijna weer de oude Edith, altijd lief met een glimlach op haar mond, maar ze had nu ook iets bangigs, er vrat iets in haar. Er school paniek onder haar oude vertrouwde manier van doen. Zij daagde me nooit meer uit, kankerde nooit meer tegen me. Ze was stil als ik er was, ze glimlachte, ze zei vaak: 'Zoals je wilt, Victor.'

Het ondermijnde me volkomen. Het was zo zielig. Ze was zo zwak nu ze haar kwaadheid overboord had gegooid, dat het leek alsof er niets meer van haar over was, dat je haar zachte lichaam zonder ruggegraat in je armen moest nemen en het altijd moest dragen.

Ik sprak de dokters daarover aan. Zij zeiden dat zij daar in het westen zo in de war was geweest, vooral nadat ze had gehoord dat zij nooit meer zou kunnen lopen, ook niet met kunstbenen, dat zij haar dagelijkse dosis kalmerende middelen hadden opgevoerd. Ze had geen energie om te huilen en te protesteren, maar ze had ook geen energie voor iets anders.

Het leek alsof haar ziel gedesintegreerd was.

Na een tijdje kwam ze eindelijk thuis. Ze was nog steeds een ander persoon, maar ik had goede hoop dat ze, nu zij weer thuis was bij de kinderen, niet zo veel middelen meer nodig zou hebben en wat meer energie, wat meer kracht zou krijgen. De dokters hadden haar een cadeautje gegeven toen zij haar geschonden gezicht hadden opgelapt – ze had een face-lift gekregen. Ze leek vijftien jaar jonger. Bij een vaag licht leek ze net een klein meisje. Ze hadden dat waarschijnlijk als troost bedoeld voor de rest – de verlamming vanaf haar middel, de stompjes die haar benen waren geweest.

Ik had mijn uiterste best gedaan. Ik had mijn werkkamer helemaal opnieuw ingericht, de boekenkasten er uitgezet, nog een groot raam erin laten zetten, zodat er nu twee grote ramen waren die op de tuin uitkeken. Ik had een grote vensterbank gemaakt, die ze als tafel of als bureau kon gebruiken, zodat zij, als zij iets wilde doen, tegelijk uit het raam kon kijken. Ik had de kamer in een lichte kleur laten schilderen, ik had vrolijke nieuwe meubels gekocht en ik had van de kamer een zit-slaapkamer gemaakt. Het was zomer toen zij eindelijk thuiskwam, met haar jongemeisjesgezicht, glimlachend, tranen in haar ogen; ik duwde haar in de rolstoel naar het raam waar de pioenen en ridderspoor groeiden en de rozen die zij jaren geleden geplant had, prachtig in het gelid stonden in het bloembed ernaast, met zachtroze, zalmkleurige en roomwitte bloemen. De kamer rook naar de tuin – de ramen stonden open – en het zonlicht stroomde naar binnen.

Ik had het zwembad met glas laten overdekken en er kwam elke dag een fysiotherapeut om oefeningen met haar te doen. Ik had een volkswagenbusje gekocht en een rolplank, zodat de meisjes haar erin konden rijden als ik er niet mocht zijn, en haar overal mee naar toe konden nemen.

Dit vertelde ik haar allemaal, terwijl ik tegenover haar zat in haar nieuwe kamer en haar handen vasthield. Zij trok die niet terug. Ze waren zacht en koel, haar handen, zoals vroeger. Ze waren niet beschadigd, maar het leek alsof zij geen botten hadden, alsof haar hele lichaam botloos was geworden na het ongeluk. Het waren tedere handen, handen die meegaven. Ze waren buigzaam, zoals alles aan haar.

Ik zei: 'Je moet gaan winkelen met de meisjes. Je hebt nieuwe kleren nodig, je hebt al een jaar lang niets nieuws gehad! Dat is een record voor jou!' lachte ik. Zij lachte niet mee. 'En Leslie doet volgende week eindexamen, daar moet je naartoe, hoor, dan kunnen de mensen zien wat een prachtig nieuw gezicht je hebt gekregen!' Zij glimlachte. 'En je hebt jurken nodig om audiëntie te houden in je nieuwe salon,' zei ik, terwijl ik om me heen wees. 'Prachtige jurken. In alle kleuren.' Ik kuste haar wang. 'Dat spreken we af, goed?' Zij zei: 'Dank je wel, Victor.'

Dank je wel, Victor. Ze ging niet winkelen. Ze ging niet naar Leslies eindexamen. Ze deed niets. Ze zat in haar rolstoel met haar handen in haar schoot gevouwen. Ze zat gelaten te wachten tot de zuster kwam, die vier keer per dag haar... zakjes verschoonde. En dronk de thee en at de boterhammen op die mrs. Ross haar bracht, maar niet meer dan dat. En slikte nog steeds onverminderd pillen. Ze zat daar maar. Ze leefde niet eens op als de kinderen kwamen, zoals eerst. Zij luisterde naar hen, ze glimlachte lief, ze zei: 'Dat is fijn, lieverd.' Je had het gevoel dat het allemaal aan haar voorbij ging. Zij zat en ze glimlachte.

Ik sprak met de dokter en hij perkte haar dosis pillen een beetje in. Nadat hij haar daarvan op de hoogte had gesteld, ging ik naar haar toe en er was angst in haar ogen, paniek. Ik legde mijn hand op haar schouder, ik kroop naast haar, ik zei: 'Maak je geen zorgen, liefje, als je je niet goed voelt voert hij de dosis wel weer op. Maar probeer het tenminste.' De paniek bleef, hij zweefde rond haar ooghoeken.

Maar het werkte, in ieder geval hielp het een beetje. Ze kwam wat meer uit haar schulp, ze werd opener. Ze bemoeide zich nu met het bedenken van het wekelijkse menu, samen met mrs. Ross. Ze at meer. Ze reageerde meer op de kinderen, praatte vaker met hen. Ze zette overdag de tv aan en scheen er inderdaad naar te kijken. En op een avond, toen ik voor het eten haar kamer binnenkwam, zoals altijd, met het enige drankje dat zij mocht hebben en een voor mezelf, nam zij als eerste het woord.

'Victor, denk je dat ik de kans loop om nog een hartaanval te krijgen?'

'Hartaanval?'

'Ja, natuurlijk. Ik had een hartaanval en daarom ben ik in die tunnel verongelukt. Het was maar een lichte, maar ik ben bewusteloos geraakt en op die manier...'

Zij had geen hartaanval gehad. Aan de andere kant misschien ook wel.

'Jij krijgt geen hartaanval meer, liefje,' zei ik in de stoel tegenover haar. 'Dat beloof ik je.'

Ik begreep dat ik nu de belofte deed om mij aan de afspraak te houden.

Zij knikte. 'En misschien,' ging zij verder, 'ook al ben ik...' zij keek naar haar lichaam, 'zo, kunnen we toch een gelukkig gezinsleven hebben?'

'Natuurlijk.' Ik weet dat mijn stem hol klonk, maar Edith scheen het niet op te merken.

'Ja,' zuchtte zij zachtjes. Haar stem was met haar gezicht mee veranderd, het was een hoge meisjesstem, die zij had gehad toen zij jong was. 'Al dat geweld, al die ellende, alcoholisme, scheidingen, drugs... Misschien hebben we toch geluk gehad.'

Ik knikte. Ik kon niets zeggen.

Daarna tilde zij haar hoofd iets omhoog. 'En dat dit met mij moest gebeuren... als dit de prijs was die wij moesten betalen om in te zien hoeveel geluk we hebben... nou, misschien is het dan toch allemaal ergens goed voor geweest.'

Ik staarde haar alleen maar aan.

'De kinderen grootbrengen in een harmonieuze, ordelijke en liefderijke omgeving, dat is altijd mijn doel geweest. En *dat* heb ik bereikt,' zei ze, terwijl zij mij met een betraand gezicht aankeek, 'hoe dan ook.'

Ik huilde. Ik barstte in snikken uit. Ik legde mijn hoofd in haar schoot en griende als een kind. Ik kon niet meer ophouden.

Edith aaide mijn hoofd. Toen ik eindelijk tot bedaren was gekomen en zeer hardgrondig mijn neus had gesnoten, zei zij: 'Zeg Victor, je moet eens tegen Mark zeggen dat hij niet zo'n lawaai moet maken in de tuin als hij indiaantje aan het spelen is. Ik krijg er hoofdpijn van.'

Ik zei dat ik dat zou doen.

'En, Victor,' ze draaide haar hoofd een beetje schuin, het was bijna een verlegen, damesachtig gebaar, hoewel zij het niet zo bedoelde. 'Ik weet dat mannen niet... ik weet,' ze keek me nu recht aan, 'dat je... seks nodig hebt. En ik wil niet dat je... lijdt. Dus al voel ik daar nu niets meer, nou, als ik niets voel kan het me ook geen pijn doen, denk je niet? Je kunt krijgen wat je wilt,' besloot ze, blozend. Ik zweer je dat ze bloosde.

Victors stem stokte. Zijn gezicht was nat, van tranen of van zweet, dat was niet duidelijk, en hij zag eruit als iemand die gewurgd wordt, zijn hoofd recht overeind, zijn nek uitgestrekt alsof hij niet in de laagte kon ademen, en zijn spieren waren zichtbaar, nekspieren, spieren onder zijn kin, hard en gespannen. Hij stond op en liep de keuken in. Hij kwam terug met de fles whisky, twee glazen en een schaaltje ijsblokjes. 'Daar zul je wel behoefte aan hebben vanavond.'

Het was inderdaad al avond. Zij zaten in het schemerdonker, met als enige warmtebron de elektrische kachel. Dolores knikte en hij schonk de glazen vol. Zij bewoog zich niet. Zij zat gevangen in de schommelstoel, zonder benen (haar benen onder haar lichaam gevouwen), met een deken over haar schoot. Victor gaf haar een glas, deed daarna de lamp naast haar aan en nog een lampje naast de bank. Hij ging weer zitten en zuchtte. Zijn stem was nu anders, zijn normale geluid, sterk en beheerst.

Dat was vier jaar geleden. Sindsdien is er niet veel veranderd. Edith gaat nooit uit, bijna nooit. Mark gebruikt de bus, voor zijn eigen pleziertjes, niet voor haar. Als de meisjes vinden dat zij best eens nieuwe kleren zou mogen hebben, kopen zij die voor haar en nemen ze mee naar huis. Zij heeft nog steeds dezelfde maat als vroeger. Ze neemt alles aan wat zij – of ik – voor haar meenemen, neemt het aan met die ingebakken lieve glimlach van haar. Ze vraagt niets. Niets. De enige manier waarop mrs. Ross erachter kon komen dat zij geen lamskarbonaadjes meer lustte, was dat zij ze niet meer opat. Ze had nooit om iets anders gevraagd, nooit iets anders geëist. Ze is wel weer gaan schilderen, maar zelfs daarbij moeten de kinderen en ik erop letten dat zij genoeg materialen heeft. Anders schildert ze met maar een paar kleuren en als wij vragen of dat haar nieuwe stijl is, zegt ze, o nee hoor, ze heeft gewoon geen kobaltblauw meer of zoiets dergelijks. Of ze blijft met haar handen in haar schoot zitten, totdat we erachter komen dat zij geen aquarelpapier meer heeft.

Ze zit bij de grote vensterbank naar de tuin te staren en maakt schilderijtjes van vrolijk-dikke baby's en kleine kindertjes die onschuldig kattekwaad uithalen, zoals het natspatten van de hond of elkaar besproeien met een tuinslang, of het aantrekken van Mama's of Papa's kleren. Van die dingen. Ze maakt rustig twee keer hetzelfde. Ze maakt er elke week een paar en elke week komt Bob Minelli langs om haar nieuwste maaksels op te pikken. Hij heeft volgens zijn zeggen een kunstgalerie in de stad. Hij lijst schilderijen in, verkoopt schenkingen en het werk van een paar plaatselijke schilders. Ediths schilderijtjes gaan als broodjes de winkel uit, de mensen zijn er wild van. En waarom niet? Zij hebben dezelfde dromen. Maar goed, al het geld dat zij daarmee verdient wordt op een speciale rekening gezet en als er genoeg opstaat, schenkt ze dat aan een museum in de omgeving. Het is een armzalige bedoening, een oud huis met wat schenkingen erin, maar dank zij Edith komt daar verandering in. Men is van plan om het museum naar haar te noemen als zij jarig is, maar daar weet zij nog niets van: ze heeft er duizenden dollars ingestopt. En ze kan best goed schilderen eigenlijk. Haar schilderijen zijn goed omdat zij erin gelooft, in die mollige kindertjes en hun vrolijke, onschuldige streken...

Soms krijgt ze bezoek van een oude vriendin. Maar ze moedigt het niet aan. We hebben nooit mensen over de vloer, gaan nooit samen uit – zelden. Alleen wij zijn nog over, het gezin. Uitgedund, omdat de meisjes het huis uit zijn. En in de loop der jaren – gebeurde er nog iets. Nadat zij was bijgekomen en weer enigszins zichzelf was geworden. O, het was zeker ook mijn fout. Maar zij hielp eraan mee.

Ik had in het jaar dat zij weg was geweest een heel nauwe band met de kinderen gekregen, nauwer dan zij met hen had, omdat ik niet altijd zat te zeggen dat ze stil moesten zijn, hun vertelde dat vader moe was, of bezig was, of niet gestoord mocht worden. En ik genoot daarvan, het was te gek, het was een geschenk in mijn latere leven dat ik nooit voor mogelijk had gehouden maar dat ik nooit had willen missen...

Maar toen zij eenmaal thuis was – tja, toen bemoeide ik me weer minder met hen. Ik ging golfen met mijn oude golfvrienden, niet met de kinderen. Ik nam ze niet mee naar het strand of de film of zoiets, zoals ik gedaan had, omdat zij dan alleen thuis zat. Ik trok me terug.

En Edith – het duurde een tijdje voordat ik me realiseerde wat er gaande was, maar toen ik dat eenmaal doorhad, was er al onherstelbare schade aangericht – Edith sprak bijna nooit met mij over hen zonder over hen te klagen. Ze waren lawaaierig of ze kregen vetvlekken op hun kleren die mrs. Ross er niet uitkreeg, of ze hadden de tv zo hard aan dat zij er knettergek van werd. Of ik daar iets aan kon doen. Kon ik ze niet bestraffend toespreken? En als er iets met hen aan de hand was – als Jonathan bijvoorbeeld met een slecht rapport thuiskwam – zei ze: 'Nou, ik houd mijn hart vast wat je vader daarvan zal zeggen.' Dus al viel het reuze mee wat ik daarover zei, toch was hij er al doorheen gegaan, hij had mijn afkeuring, mijn kwaadheid al gevoeld...

Daarom raakte ik ze weer kwijt. Op een gegeven moment had ik het door en probeerde de schade te herstellen. Ik vroeg hun of ze naar de film wilden; als Edith niet mee wilde, kon ze alleen thuisblijven. Ik vroeg hun of ze zin hadden om mee naar het strand te gaan. Maar ze waren inmiddels al ouder geworden, ze hadden hun eigen vriendjes. En zij, nou, zij raakten volkomen hun vertrouwen in mij kwijt. Ik had hen twee keer verraden. De eerste keer toen zij geboren werden en de tweede keer nadat Edith was teruggekomen.

'En ik voelde,' hij steunde zijn hoofd weer in zijn hand, hij staarde naar de grond en zijn mond stond verbeten, 'ik voelde dat zij dat expres had gedaan.' Hij keek op. 'En daardoor heb ik het idee gekregen dat er overal boze opzet in het spel is. Want de kinderen worden groot. Mark zit op een school in de buurt, maar volgend jaar gaat hij studeren. Dan gaat hij ook het huis uit. En Jonathan is nog maar een paar jaar thuis. Edith heeft het er nu al over om hem op een school buiten de stad te doen, zegt dat hij op haar zenuwen werkt. En dat zal best waar zijn, hij werkt ook op mijn zenuwen, hij is zo nerveus en opgefokt en – hysterisch eigenlijk. Een aardje naar zijn vaartje op die leeftijd als je het mij vraagt.

En dan zijn we nog maar met zijn tweeën. Geen vrienden. Geen noemenswaardige familie. Mijn zus en broer wonen in Ohio, Kitty is een vaste klant in de A.A.kliniek... Dus alleen wij tweeën. Samen thuis. De kinderen op afstand, van ons allebei nu, dat is een feit. Wij tweeën, samen thuis, elkaar aanstarend, Edith met haar eeuwige lieve glimlach...'

Hij zweeg, ademde diep uit, staarde naar de vloer. Zijn stem veranderde weer, hij was rustig, melancholiek. 'Ik liep een keer naar het restaurant waar ik altijd lunch, ik was alleen, en ik loop Alison tegen het lijf. Ze was veranderd, maar ze zag er fantastisch uit. Ik nodigde haar uit voor de lunch in een spontane opwelling. Ik was niet van plan om weer iets met haar te beginnen: maar wat kan een lunch nou voor kwaad?

Nou, ze ging met me mee, maar ze was anders. Ze had zich aangesloten bij een van die vrouwengroepjes, ze vertelde me daarover alsof ik daar iets mee te maken had, alsof ze me wilde straffen. Ik weet niet. God, misschien had ik haar ook wel gekwetst. En zij vroeg naar Edith en hoe het ging en dat vertelde ik haar. Ik vertelde haar de waarheid, zonder er doekjes om te winden. Ik stelde niets rooskleuriger voor dan het was. En ik maakte mijn verhaal af – misschien een beetje gedragen, dat kan best. Maar het viel me ineens in dat zij misschien zou kunnen denken dat ik zat te klagen, dat ik haar om een beetje liefde en genegenheid vroeg, terwijl ik daar echt helemaal niet op uit was, ik had mijn woord gegeven en was van plan mij daar aan te houden –dus besloot ik met de woorden: "Ik heb haar kreupel gemaakt en nu is het mijn beurt om mijn plicht te doen."

En Alison trok een wenkbrauw op. Zij was altijd al een haaie-

baai geweest. En zei: "Goh, prima zeg! Heb je toch je zin gekregen! Een vrouw met het gezicht van een meisje en de afhankelijkheid van een kind. Je hoeft niet bang te zijn dat ze je een
loer draait, want ze is volkomen murw gemaakt, en je hoeft niet
bang te zijn dat ze ervandoor gaat, want ze heeft geen benen.
Zij is met handen en voeten aan huis gebonden, volkomen onderworpen, volkomen passief. Precies wat je wilde! Je hebt toch
maar mooi je zin gekregen. Je verdiende loon!" '

Zeven

1

'Je verdiende loon,' herhaalde hij bitter. 'Krijgt iedereen wat hij verdient? Iedereen? Daar heb ik veel over nagedacht in het jaar dat Edith in het ziekenhuis lag. En ik ben er nog steeds niet uit. Jij hebt het over mensen die door de maatschappij worden uitgebuit. En dat is zo, dat weet ik, dat geef ik toe. Maar als het erop aankomt...

Ik weet niet of je kunt zeggen dat iemand het slecht getroffen heeft. Ieder mens heeft andere verwachtingen. Een boer in Chili verwacht andere dingen van het leven dan ik: als hij iets krijgt is hij blij. Als hem iets wordt afgenomen, is hij verdrietig. Maar dat is overal hetzelfde. En rechtvaardigheid bestaat niet, nergens. Praten over rechtvaardigheid is als het bouwen van luchtkastelen.

En ik dacht: Alleen met liefde kan het gebrek aan rechtvaardigheid gecompenseerd worden. Alleen door gekoesterd te worden, en zelf te koesteren, door liefde te krijgen en te geven, kan het verlies van je erfdeel, je gemartelde broer, je dierbare moeder, die stierf toen je zes was, goedgemaakt worden. Alleen met liefde. En ik zei bij mezelf dat ik die aan Edith zou geven. Niet dat zij daarmee haar benen zou terugkrijgen, dat het haar geknakte geest weer heel zou maken. Maar dat het buiten de leegte en de bitterheid het enige positieve alternatief was.

'Maar,' zijn mond vertrok, 'dat is makkelijker gezegd dan gedaan. Je kunt niet zo maar twee liefdes bestellen, halfdoorbakken graag. Ik doe mijn best, maar...'

Hij viel terug in de kussens, uitgeput. En staarde met holle ogen naar het glas in zijn hand. Dolores zat tegenover hem in de kamer, roerloos. Na een paar minuten stond zij op en liep naar hem toe en ging naast hem zitten. Zij raakte hem niet aan, ze zat alleen maar. Hij bewoog zich niet.

De stoel schommelde nog na nadat Dolores was opgestaan. Zij keek ernaar en zag een vrouw zitten, een vrouw met blond haar en een blauw haarlint, schommelend, glimlachend, bij zichzelf berekenend hoe zij hem moest vangen, die ongrijpbare

274

man van haar, hoe zij hem voorgoed kon vastbinden met onverbrekelijke banden. Zij kende hem van binnen en buiten, o zeker. Zij had hem gezien terwijl hij haar niet zag; zij had hem gelezen terwijl zij voor hem altijd een gesloten boek was gebleven. Hulpeloosheid en passiviteit: o ja. Met kwaadheid kon hij iets doen, van kwaadheid kon hij weggaan.

Maar is dat niet juist wat hij van haar verwachtte?

Dolores probeerde het beeld uit haar hoofd te bannen. Zij raakte zijn hand aan. 'Ik ga iets heel lekkers voor je koken. Wil je helpen?'

Hij schudde zijn hoofd en zij stond op en liep naar de keuken. Zij had de helft van de aardappels geschild toen zij zich realiseerde dat zij zich vandaag nog niet had aangekleed. En Victor ook niet, nu zij erover nadacht. Zij haalde haar schouders op. Ze zette wat kaas en crackers voor hem neer, ze drong aan: je moet wat eten. Hij zat op de bank als een hoopje ellende.

Die nacht had hij haar wanhopig lief, keer op keer. Toen hij zich de volgende morgen klaarmaakte om naar Londen terug te gaan, streelde zij hem, hield hem tegen zich aan, probeerde hem met haar lichaam te troosten.

Maar toen hij eenmaal de deur uit was en zij niet meer al haar aandacht op hem hoefde te richten, niet meer bezig was hem liefde en ruimte en rust te geven om zijn open wond weer te laten genezen, had zij alle tijd aan zichzelf.

Zij ging die dag niet naar de Bodleian. Zij kleedde zich aan en maakte de flat schoon en ruimde haar paperassen op, maar ging toen in de schommelstoel zitten om daar niet meer uit te komen.

Zij bleef het beeld voor ogen houden van een vrouw met een meisjesgezicht en een blauw haarlint in haar blonde haar, die glimlachte en knikte: 'Victor zegt dat wij er economisch gezien slecht voorstaan'; 'Victor lust alleen varkensfilet, dus eten we nooit ander vlees'; 'O ja, vind je mijn jurk mooi? Die heeft Victor voor me gekocht'; 'Victor zegt dat dat een waardeloos boek is.' Vanaf het andere eind van de kamer glimlacht de vrouw naar Victor, een lieve glimlach, eindelijk zeker van zichzelf door de ontembare macht van de zwakheid.

Victor, de expert in machtszaken.

Dolores schommelde heen en weer en herinnerde zich een ruzie die zij op een regenachtig weekend hadden gehad. Het was heel rustig begonnen met een discussie over de politieke situatie, maar op een gegeven moment waren er essentiële geschilpunten naar buiten gekomen en hadden zij als vijanden tegenover elkaar gestaan. Dolores had een opmerking gemaakt over de waanzin van de internationale machthebbers en Victor had zich ontzettend zitten opfokken – zij kende de verschijnselen zo langzamerhand.

'Weet je, voor een intelligente vrouw ben jij ontzettend stom als het over macht gaat,' zei hij.

Hij had het ook anders kunnen formuleren. Hij moest zo langzamerhand toch weten, dat kon haast niet anders, dat zij meteen op de kast zat als iemand haar voor stom uitmaakte. Dus was er een vijandige toon, een persoonlijke pijl die zij in haar antwoord op hem afschoot.

'Ik pretendeer niet dat ik er iets van afweet. Ik heb er verachting voor en voor de mensen die die macht uitoefenen. Ik kan heel goed zonder, zoals al mijn vrienden. We hebben genoeg geld om van te leven, we zijn niet rijk. We hebben geen dure auto's en huizen, maar wel stapels boeken en platen en we reizen de hele wereld rond en verrijken daarmee onze geest. Wij hebben geen macht *nodig*. Alleen de geestelijke armoedzaaiers hebben macht nodig, de mensen die geestelijk en emotioneel bankroet zijn, de Nixons van de wereld, die zijn uit op macht.'

'Ach, wat fantastisch,' zei hij schamper. 'Prachtig. Je hebt geen macht en je geeft er ook niet om. Nou, in de eerste plaats heb je wél geld, besef dat goed. Jij en je vriendjes zijn misschien geen miljonair, maar je graaft geen gewassen uit de grond met je blote handen. Jullie mogen dan lagere normen hebben dan de meeste andere Amerikanen wat jullie behoeftes betreft, maar jullie hebben wel het geld voor luxe dingen – boeken, platen, concerten, toneelstukken, buitenlandse reisjes. Wat denk je dat geld en ontwikkeling anders is dan macht! Jullie zitten in jullie knusse ivoren torens het gedrag van politici en industriëlen af te kraken, en voelen je heilig omdat jullie schone handen hebben. Maar door wie wordt het mogelijk gemaakt denk je, dat jullie geen vuile handen maken?'

'Je gaat me zeker vertellen dat we dat aan jou te danken hebben.'

'Nee, dat was ik niet van plan. Maar dat had gekund. Maar dat doet even niet ter zake, ik wil niet zeggen dat jij er even hard aan meedoet als de rest van ons. Dat is niet zo, niet direct tenminste. Wat ik wil zeggen is dat jij en je soort in jullie poel der deugdzaamheid afkeuring en minachting zitten te spuien over de regering, over het "militair-industriële complex" of hoe jullie dat ook noemen tegenwoordig, alsof jullie verachting het kan laten verschrompelen. Terwijl het erop neerkomt dat jullie afkeuring alleen maar olie op het vuur is.'

'Oké, daar zit wat in. Maar vertel jij me maar eens wat het alternatief is. We sturen brieven naar de senatoren, sturen telegrammen naar het Witte Huis, we stemmen, sommigen van ons zetten zich zelfs actief in voor politieke kandidaten. We hebben gedemonstreerd waar nodig was. De brieven worden geteld en verscheurd. Stemmen is een lachertje, een keuze tussen tweelingen met verschillende namen. Je stemt op een man die belooft een einde te zullen maken aan de oorlog en hij breidt de oorlog verder uit. Je stemt op een man die belooft de defensie-uitgaven te zullen inperken en het volgend jaar gaan die met drie miljoen omhoog – of drie biljoen, weet ik veel – dollars dus. Leidinggevende figuren houden onheilspreken waarin zij ons waarschuwen dat de Russen vóórliggen in de bewapenings*wedloop*. Wedloop! Nou, wat *is* een wedloop? Volgens mij heeft een wedloop een einddoel, een winnaar en een verliezer, maar ik zie geen enkel doel in die zogenaamde wedloop en ik zie ook niemand winnen. De winnaar zal hetzelfde graf winnen als de verliezer. Overal, waar je ook kijkt, woedt de waanzin, over de hele wereld. Want de hele wereld is geïnfecteerd met die manier van denken, het geloof in winnaars en verliezers, zonder dat men zich daarbij afvraagt wat men nu eigenlijk wint of verliest. Macht op korte termijn, dat is het enige streven. Maar wat kun je daarmee doen? Wat heb je aan macht als het alleen maar een kwestie van overleven wordt? Dat kan ook zonder macht.

Wat kun je in deze krankzinnige wereld anders doen dan je afzijdig houden en proberen het zo prettig mogelijk te maken in je eigen kleine wereldje?'

'Niet verder kijken dan je neus lang is, ik weet het. Daar heb je niets aan, Lorie.' Hij noemde haar toen nog steeds zo. 'Want door je te distantiëren van de implicaties van je eigen welvaart, je eigen positie in de wereld, door je erbuiten te houden uit schuldgevoel, of omdat je de verantwoordelijkheid niet aankan, geef je hun carte blanche, laat jij een vacuüm ontstaan waar zij induiken, juist de mensen waar jij zo bang voor bent, die geestelijk, moreel en emotioneel bankroet zijn.'

Zij zweeg.

'Er is alleen maar hoop voor de wereld als er tegenover iedere macht een andere, even grote macht staat. Dat is het idee waarop ons land stoelt – een machtsevenwicht. Ik ben geen onmens – denk ik. Ik neem mensen in dienst, neem mensen aan, die mensen aannemen. Ik maak in grote mate de dienst uit in het bedrijf waar ik voor werk. Maar als je mocht denken dat, als ik volgens de wet zevenjarige kinderen mocht aannemen om twaalf uur per dag fabriekswerk te doen en hun vijf dollar per week mocht betalen, en als iedereen dat deed en ik wel daarin mee moest gaan om te kunnen blijven draaien, ik dat dan niet zou doen, dan heb je het mis. De vakbonden hebben daar een stokje voor gestoken in de tijd dat zij zich tegen de industrie opstelden. Alleen met een machtsevenwicht kan er in deze wereld eerlijkheid heersen.'

Zij staarde hem aan. 'Victor, wie zit er nu eigenlijk in een ivoren toren? Ik ben het met je eens, voor honderd procent. Maar hoe wil je dat voor elkaar krijgen?'

Hij kon het niet hebben dat hij voor idealistisch werd uitgemaakt. 'Dat kan heel goed. Maar niet voordat jij en miljoenen andere mensen zoals jij, die hun kop in het zand steken, macht gaan accepteren, het gaan zien als iets positiefs, niet als iets dat besmet en verdorven is. Macht als iets moois, iets bevrijdends gaan beschouwen! Als een creatief werktuig. Als mensen zo gaan denken, zullen er oplossingen naar boven borrelen, zullen ze als vanzelf naar buiten komen.'

'Nou,' zei zij treurig, 'ik wou dat dat waar was. Maar ik zie het niet zo optimistisch in. Zelfs in de kleinste eenheid, het gezin, is er geen machtsgelijkheid. De mannen hebben economische macht – en als dat niet zo is, hebben ze altijd nog morele macht. De macht van een traditie die hen als de baas opwerpt en iedere vrouw die dat ontkent als subversief element of als mannenvreetster bestempelt.'

'Ach, Lorie. Er is geen grotere macht dan de macht van de passieve afhankelijkheid.'

Hij had dat maanden geleden gezegd, Victor. Zij was daar op ingegaan. Passieve afhankelijkheid, had zij gezegd, heeft alleen effect als het op een door schuld verteerde tegenstander wordt toegepast. Probeer het maar eens met passieve afhankelijkheid bij generaal Trujillo. Of Marcos. Of Idi Amin.

Zij wist toen niet hoe goed hij de macht van passieve afhankelijkheid kende.

Zij kreeg opeens een beeld voor ogen: Victor, mager en holoigig, met zijn armen slap langs zijn lichaam, staand achter een vrouw met een poppegezichtje in een rolstoel, die knikte en glimlachte.

Zij probeerde het te verjagen, maar er bleven flarden hangen, net als een spinneweb dat je met een stofdoek van een gestucte muur afhaalt.

Zij zag Victor zijn boek dichtslaan, zijn leesbril afdoen, achteroverleunen en zijn pijp stoppen. Nee, hij had haar die avond gezegd dat hij met pijproken zou stoppen. Hij steekt een sigaret op in zijn met brokaat beklede stoel Franse stijl, die aan één kant van de open haard staat. Hij glimlacht naar Edith, die aan de andere kant in haar rolstoel tegenover hem zit; haar oude stoel staat schuin achter haar bij de haard. Er is geen vuur, ze hebben centrale verwarming. Edith zit aan een gepolijste houten klaptafel en legt de tarot, alsof zij haar lot niet al kent.

Nee, nee. Zij zit te borduren. Nee. Zij zit ook te lezen, een kasteelroman of een bestseller met gruwelijke apocalyptische rampen erin. Daar had zij tenslotte ervaring mee. Zij voelt zijn blik, ziet zijn gesloten boek en zij doet haar boek ook dicht, maar zij houdt haar vinger op de bladzijde waar zij gebleven is. Zij kijkt op en glimlacht. En hij vraagt haar of zij trek heeft in een slaapmutsje en zij lacht, blij verrast, alsof hij dat voor het eerst vraagt en zegt: 'O ja, heerlijk, maar een klein glaasje graag,' en hij staat op en loopt naar de huisbar om twee drankjes in te schenken, en neemt ze mee terug en reikt haar haar glaasje aan en gaat weer zitten, neemt een klein slokje, schraapt zijn keel en vraagt haar of hij een muziekje zal opzetten en zij zegt ja, doe maar en hij staat op en loopt naar de pick-up en zet Vivaldi op en gaat weer zitten en zegt: 'Mrs. Ross zei dat je vandaag een heel stuk hebt gezwommen,' en zij zegt o ja, haar armen worden al wat sterker. En hij vraagt haar of er nog meer aquarellen van haar verkocht zijn en zij zegt dat Bob Minelli gisteren had gebeld om te zeggen dat er dit weekend zes verkocht waren, had ze dat al verteld? Ja, dat had ze hem verteld.

O, nou ja. O ja, er was een brief van Vickie, dat was ze nog vergeten te vertellen, hij lag op de werktafel in haar kamer. En hij staat op en gaat hem halen en gaat zitten en zet zijn leesbril weer op en leest de brief, lacht af en toe, leest sommige passages hardop aan Edith voor, die ze al kent, maar zij glimlacht hartelijk mee, en dan doet Victor zijn bril weer af en legt die op het bijzettafeltje en neemt een slokje van zijn drankje en Edith zegt dat zij hoopt dat die nieuwe amant van Vickie wat is, zij was al drieëntwintig en nog steeds vrijgezel, ze zou moeten trouwen, drieëntwintig en nog steeds geen vaste vriend, Edith kon het niet begrijpen, Vickie was toch niet lelijk of zo. Het kwam door al die macrobiologie of hoe dat ook heette, het hield de jongens op afstand. En Victor luistert zonder haar tegen te spreken of haar te verbeteren, ook al weet hij nu dat Vickie al verscheidene verhoudingen en een abortus achter de rug heeft en kan hij tussen de regels lezen dat als zij zegt dat ze gaat verhuizen omdat een van haar huisgenotes naar Californië vertrekt en de ander gaat trouwen en het wel eens tijd werd dat zij een eigen huis krijgt, zij eigenlijk bedoelt te zeggen dat zij met die jongen gaat samenwonen. Vreemde naam, vind je niet? Edith zegt: 'Ram? Wat is dat voor naam, denk je? Misschien een afkorting van Ramsey. Ik heb vroeger een Ramsey gekend, Ramsey Hollister, uit Darien kwam die, maar zijn familie kwam oorspronkelijk uit East Hampton.' En Victor zegt niet dat hij denkt dat Ram een Indiase naam is, nee, hij laat Vickie haar eigen zaakjes opknappen.

Dus probeert hij van onderwerp te veranderen. Hij begint Edith te vertellen over een voorval op zijn werk, maar haar ogen worden glazig, niet omdat zij het niet kan begrijpen maar omdat zij er niet over wil horen. Daarover wil zij niets weten, zijn leven op kantoor. Wil het niet weten, er niet aan denken, haat de gedachte dat hij bruisend van energie zijn kantoor binnenstuift, bevelen en grappen uitdeelt, zittend achter dat grote bureau van hem, brieven dicteert, vergaderingen bijeenroept, met de directeur belt, zijn gedachten laat gaan over waar hij op dat moment zin in had, luncht in de meest sjieke restaurants waar de gerant hem buigend als een knipmes tegemoetkomt: 'Goedemiddag, meneer Morrissey,' zegt, hem persoonlijk naar zijn tafeltje brengt.

Nee.

Vergezeld van twee of drie soortgelijke heren, hetzij onder-
geschikten hetzij superieuren, die daar zitten te eten, te drinken, te plannen, te praten, overal een schepje bovenop leggend,
zich verkneukelend. Zitten te praten over alles en nog wat, alsof
het van het hoogste belang is. Vroeger dacht zij dat, dat Victors
werk van het allerhoogste belang was, in die waan liet hij haar.
Maar nu wist zij wel beter, nu wist zij dat het alleen maar een
spelletje was dat de mannen in hun egoïsme voorstelden als een
wereldschokkende, ernstige zaak, terwijl het helemaal niet zo
was, niets was ernstig behalve je benen kwijtraken, niets.

Nee.

Dus wordt haar geest even glazig als haar ogen en na een
tijdje krijgt Victor dat in de gaten en staat op en zet een andere
plaat op en vraagt haar of ze nog iets wil drinken en zij zegt
nee, dank je, schat, en hij neemt er zelf nog wel een, en terwijl
hij inschenkt doet Edith, terwijl zij angstig afwachtend naar
hem kijkt, haar boek weer open, haar vinger heeft een rode
striem van het klemzitten tussen de bladzijden en als Victor
weer terugkomt is zij weer aan het lezen en kan hij gaan zitten
en ook weer zijn boek oppakken. Vrij.

O God. Dolores sloot haar ogen. Nee, nee. Dat gunde zij hem
niet. Zij wilde hem blootshoofds in de regen zien stappen, du-
wend, wijzend, lachend, mopperend: opgetogen over wat het
leven te bieden had, verrukt over de straten van Londen, arm in
arm met haar zich staan vergapen aan de etalages van de Britse
groentewinkels, bovenin een dubbeldekker zitten en sociologische onzin verkopen over de Britse zeden en gewoonten, door de
straten struinen, bruisend van leven. In Londen. In New York.
Waar dan ook.

Maar in de nette, keurig onderhouden straten van Scarsdale
was natuurlijk niets te beleven. Alles gebeurde binnenshuis. Er
werd in stilte geleden, niet zo schreeuwen anders hoort de meid
het nog, je weet toch hoe die meisjes roddelen.

Nee. Ze wilde de Victor zoals hij op zijn werk was, de Victor
die vrijdagavond naar Oxford kwam, met zware stappen de trap
opkwam, een lading flessen onder zijn arm, en een kilometer
per minuut praatte over wat er die week gebeurd was, zijn geduld verloor nadat zij hem voor de vierde keer had onderbroken, en haar zei dat zij vijf minuten van hem kreeg om te praten. Zij wilde dat hij een even grote, tegengestelde macht was.

En dat was Edith niet.

Maar wiens schuld was dat? Had Victor haar niet net zo lang fijngedrukt tot zij onder zijn duim verpulverd was? En had hij niet een hele cultuur achter zich, terwijl zij niet eens op de steun van haar ouders kon rekenen? Zodat hij, zelfs zonder haar fijn te drukken, al een voorsprong had?

Ja: gelijkheid tussen mannen en vrouwen was niet bespreekbaar. Eens zou zij hem dat duidelijk moeten maken. Niet bespreekbaar omdat vrouwen altijd als zalmen tegen de stroom inzwommen. Dat de vrouw steeds weer geconfronteerd werd met de oude traditie, waarin de man impliciet belangrijk was en de vrouw dat niet was – in schilderijen, boeken, wetten, waarden. De vrouw was er op de wereld voor de man: met haar lichaam diende zij zijn genot en zijn woede; met haar gevoelens was zij de lijdende getuige van zijn identiteit.

Kijk maar in de krant, elke krant, wilde zij zeggen. Elke dag. Zo las ik onlangs een verslag van een vrouw die een man van verkrachting beschuldigd had. Het stond ergens in een klein kolommetje achteraf. De man werd berecht en vrijgesproken, waarop de vrouw in de rechtszaal opstond en begon te protesteren, tegen de jury uit te varen. En de rechter veroordeelde haar tot dertig dagen gevangenisstraf wegens belediging van de rechtbank. Veroordeelde *haar*!

Kijk maar in de krant, wilde zij zeggen. Je leest altijd over John Smith en *zijn* gezin, *zijn* huis, *zijn* belasting en *zijn* auto. Je leest over de gewone *man*, de *man* aan de top, over de grote *mannen* in heden en verleden. De enige keer dat het woord *man* niet valt is bij borst- en baarmoederoperaties.

En zij wilde zeggen: Heb je gelezen over dat klooster, over die monniken, die zich van de Episcopale Kerk afscheidden en zich bij de Grieks-orthodoxe Kerk aansloten omdat er in hun orde een paar vrouwelijke priesters waren ingewijd? Een handjevol vrouwelijke priesters was al genoeg om hen tot afvalligen te maken. Om hun geloof af te zweren. Wat betekende dat handjevol vrouwen voor hen? Wat zagen zij in die mensen, die een ander lichaam hadden dan zij? Bederf? Bloed? Zonde? Vlees? Wat voor gruwelijks was het dat zij in vreemde haven hun toevlucht zochten?

Ja. Je hebt bonje met je vrouw en je gaat naar je stamkroeg en zit daar wat in je glas te staren en iemand begint met je over honkballen te praten en het duurt niet lang of je begint met hem over je vrouw en hij leeft met je mee, hij schudt zijn hoofd, vertel hem niks, hij weet er alles van. Ja, allemaal één pot nat, wijven, trutten, kutten, sloeries, sletten, koeien, honden, VROUWEN. Ja, ja, knikt hij heftig. O ja, daar was hij ook geweest. Niet slecht, hè? Alle mannen in de bar knikken instemmend.

Maar ik, wilde zij zeggen, als ik ruzie heb met mijn man, durf ik niet naar de stamkroeg te gaan, want dan krijg ik vuile blikken of vuile handen, ik kan alleen maar of stil in een hoekje gaan zitten of van me afbijten. En als ik het aan mijn vriendinnen wil vertellen, kijken vijf van hen me schuin aan, knijpen hun lippen op elkaar, nemen aan dat er iets met mij niet in de haak is dat ik zo in de puree zit, *zij* hebben niet van die problemen, zeggen ze en ik denk: Wacht maar af tot volgende week. Zij schudden hun hoofd, alsof ik een vlo in hun oor ben die zij kwijt willen raken.

Maar de andere vijf vrouwen begrijpen mij godzijdank wel, en weten dat zij de enigen zijn. En wij moeten de handen ineenslaan en een kring vormen, we moeten samen blijven omdat wij de enigen zijn, er is niemand anders, wij alleen tegen de rest van de wereld.

Want kijk maar naar de wereld, wilde zij zeggen. Kijk naar de vlotte babbels, de grapjes, het gefluit, de graaiende handen, de verkrachtingen, de vonnissen, de reclames, de films, de tv, de boeken, de wetten, de tradities, de zeden, de economische statistieken, de regering, de katholieke kerk, de joodse traditie, de moslims, de leiders van socialistische landen, de leiders van fascistische landen...

Ja, wilde zij zeggen, het is overal op de wereld hetzelfde. Er bestaat een woord voor haat jegens alle mensen: misantropie. Er bestaat een woord voor haat jegens vrouwen: misogynie. Maar er bestaat geen woord voor haat jegens mannen. Blijkbaar is zoiets ondenkbaar. O ja, er was wel een oorlog, maar die is niet door vrouwen begonnen maar door mannen, duizenden jaren geleden. Zij verklaarden de vrouw onwettig en bouwden die onwettigheid in in het rechtssysteem, verwerkten die zelfs in de dromen van de mensheid. Die scheiding ligt heel diep verscholen bij de wortels van onze naar macht hongerende, industriële, milieuvervuilende, ambitieuze, gestructureerde, patriarchale, hiërarchische samenleving. Maar toen de vrouwen gingen terugvechten hieven de mannen in afschuw hun handen ten hemel en schreeuwden hun haat en angst uit over die mannenhatende vrouwen!

Dus – en nu zou zij wat zachter gaan praten, een beetje vriendelijker, omdat hij immers zo gauw gekwetst is – dus voelen mannen die niet zo'n sterke vrouwenhaat hebben als de anderen, die bereid zijn toe te geven dat vrouwen best wel 'mannen'-werk zouden kunnen doen, dat vrouwen wel kunnen denken en handelen, mannen die bereid zijn toe te geven dat mannen zich in de loop der eeuwen misschien niet zo fatsoenlijk ten opzichte van vrouwen hebben gedragen, zulke mannen voelen zich de deugdzaamheid, zuiverheid en edelmoedigheid zelve en verwachten van de vrouwen dat zij zich dankbaar voor hen in het stof werpen. Ja.

Maar een vrouw die haar stem verheft – en ze zou erop aandringen dat hij dit heel goed moest begrijpen – een vrouw die kritiek heeft op mannen of op de mannenwereld, die zit te kankeren, wordt voor gek uitgemaakt, voor een zonderling, agressief, humorloos, kleinzielig wezen, wordt uitgescholden voor heks, manwijf, haaiebaai, amazone, mannenvreetster. Ja.

En omdat zij luid moet spreken om überhaupt gehoord te worden in deze dominerende organisatie, omdat de luisterwilligen zo ver weg staan en zo weinig in aantal zijn, maakt zij een kijvende, tactloze, lompe indruk, ja. En zij moet grote woorden gebruiken, want de mensen halen hun schouders op over kleinigheden. En zij moet met luide stem spreken. Terwijl een man kan fluisteren en door de gerant naar zijn tafeltje wordt gebracht.

Mannen kunnen met hun negatieve gevoelens over vrouwen overal terecht, omdat zulke gevoelens overal aanvaard worden. Maar vrouwen moeten hun negatieve gevoelens ten aanzien van mannen in zich opkroppen, de buitenwereld wil daar niets van weten. Zij zitten in stille keukens te broeden en zich af te vragen of zij gek zijn; ze weten dat zij alleen staan. Een vrouw in zo'n wereld is net een onderdrukt land, waar de nazi's de touwtjes in handen hebben. Als vrouw in zo'n wereld ben je vogelvrij verklaard. Vanaf je geboorte.

Victor zou dat niet leuk vinden. Hij zou zeggen: Bedoel je dat alle mannen geboren nazi's zijn? Bedoel je dat echt?

En zij zou zeggen: Elke man die profiteert van de uitbuiting van de vrouw, op welke manier dan ook, is verantwoordelijk voor die uitbuiting.

En Victor zou zeggen: Wil je mij vertellen dat alle mannen nazi's zijn?

En zij, omdat zij tegen de stroom in zwom en daarom geen duimbreed kon wijken; omdat zij een strijd voerde, niet voor het behoud van haar lichaam maar voor het behoud van haar zelf-respect, en daarom geen duimbreed kon wijken, zij zou *ja* moeten zeggen. Terwijl ze dat niet precies bedoelde. Maar zij kon geen *nee* zeggen. Nee.

Victor zou des duivels zijn en nauwelijks meer luisteren als zij een nadere uitleg zou willen geven. Hij zou schreeuwen: Goed! Goed! Maar kun je geen ander woord bedenken?

En zij zou hem met een gemeen lachje antwoorden: Een ander woord zou lang niet zo effectief zijn, denk je niet?

Ja, dat wilde zij allemaal zeggen.

2

Ja, op een dag zou zij dat doen, dan zou ze hem dat allemaal vertellen. Op een dag dat hij zich niet meer zo gekwetst voelde, als het litteken dat hij had opengehaald om het haar te laten zien, weer geheeld was, als het bloed uit zijn ogen verdwenen was. Hem zeggen dat hij voor Edith niet dezelfde maatstaven kon aanleggen als voor zichzelf, omdat zij een eenzame vis was die tegen de stroom opzwom, en hij omgeven was door respect-volle, zoniet vriendelijke vissen en met de stroom meezwom. Hem zeggen dat je dingen met een verschillende context niet over één kam kon scheren en dat geen enkele man weet wat het is om als vrouw te leven. Hem zeggen dat je de macht van de passieve afhankelijkheid niet kunt vergelijken met de macht van de assertiviteit, omdat afhankelijkheid niet leuk is, niet sti-muleert en je er alleen maar mee kunt overleven. Terwijl asser-tiviteit, zoals Victor zegt, iets prachtigs is, het betekent dat je jezelf gebruikt in de wereld, dat je iets doet, bent, bereikt.

En hem tenslotte zeggen dat Ediths gedrag niet berekenend was, dat zij niet bewust probeerde hem te domineren, evenmin als hij, in de eerste jaren, haar bewust de grond in had willen boren. O, hij was wel bewust van plan geweest haar te domine-ren, ja. Maar toen wist hij nog niet wat dat inhield, wat dat voor Edith zou betekenen. De mensen denken dat als ze macht over jou uitoefenen, dat jij dan hetzelfde blijft, behalve dan het feit dat jij ontzag hebt voor hen, jouw leiders. Maar zo zit dat niet. Het feit dat je geregeerd wordt verandert je, het haalt de scherpe kantjes eraf, maakt je week van binnen en doodt de spontane, anarchistische vonk.

Nee, Edith zat niet bewust plannen te beramen tegen Victor. Zij liet zich gewoon met de stroom meedrijven, net zoals Victor dat twintig jaar geleden had gedaan, meegaand met wat de wereld voor haar in petto had, dat zij accepteerde als wat haar redelijkerwijs toekwam, omdat zij niet meer kon verwachten.

Dolores wist heel goed dat Edith zich bij de tegenstanders van deze analyse zou scharen. Met haar zachte stem en beheerste manieren, haar onzekere oordeel en haar neiging om met een zuinig mondje er het zwijgen toe te doen, zou zij praten over elkaar aanvullen, over wederzijdse steun. Hoe was zij per slot van rekening aan haar dienstmeid, haar verpleegster, haar zwembad, haar auto, haar verfmateriaal gekomen als Victor er niet was geweest?

Maar als Victor er niet was geweest, had ze nu misschien nog kunnen lopen.

Dolores zuchtte diep. Haar maag brandde, er zat een gat in, zo voelde het tenminste. Zij liep naar de keuken en schonk een glas melk in, dat zij in één teug leegdronk. Zij bleef roerloos staan, met een lege blik in haar ogen. Er was iets in haar hoofd opgekomen dat zij daar niet wilde hebben en zij drukte tegen haar slapen alsof zij het eruit wilde persen.

Zij dacht over Ediths klachten na. Het jonge vrouwtje was ontevreden geweest – o, hoeveel jaren geleden al – over de energieke werklust van haar briljante jonge echtgenoot, die zich van een slordige huisvader ontpopt had tot een onberispelijke zakenman in uniform. Ja. Je houdt niet van me, had zij zoveel jaren geleden gezegd. Je gaat naar je werk of je vleugels hebt, je vliegt fluitend de deur uit en komt terug om te slapen. Om te neuken, had zij dat erbij gezegd? Hoeveel jaar was dat al geleden? Het was nog maar een paar maanden geleden dat Dolores hetzelfde had gezegd, dezelfde klacht had geuit. In september was het, na de eerste nacht die Dolores en Victor samen hadden doorgebracht. Ja, zo kort geleden nog maar.

Je belt niet eens als je niet thuis komt eten, had Edith geklaagd. Durfde waarschijnlijk nog niet eens te klagen over de nachten dat hij wel belde maar niet thuis kwam eten. Durfde niet te zeggen – je laat me alleen, je wilt niet bij me zijn. Amerikaanse vrouwen zeiden dat niet tegen een man die carrière maakte. Maar Victor had haar vaak verwaarloosd, haar, Edith-Dolores, en had haar urenlang alleen gelaten in hotelkamers nadat hij haar eerst had moeten overhalen om met hem mee te gaan. Ja.

RAAK ME NIET AAN! had Edith geschreeuwd, net als Dolores. En Victor had gezegd: Waarom doe je zo hysterisch? tegen hen beiden.

Dolores schonk verdwaasd een dubbele whisky in, net als Victor, en liep naar de woonkamer terug. Het was een grijze dag, twee uur in de middag, maar het leek wel vijf uur, geen regen, maar de atmosfeer was klam en vochtig. Het was de eerste keer dat Dolores verzuimde naar de bibliotheek te gaan. Zij zat in de schommelstoel, haar voeten stevig op de vloer, haar lichaam naar voren, haar schouders gekromd, alsof zij haar hart wilde beschermen.

Er ontvouwde zich een tafereel voor haar ogen. Het was de conferentie van zakenlieden en humanisten, de eerste keer dat zij Mach had ontmoet. Victor had er ook bij kunnen zijn, misschien had zij hem wel gezien. En wat dan? Hoe zou hij op haar zijn overgekomen, op Dolores, de observerende academische spion?

De kamer was gevuld met tinkelende pianoklanken, zacht, onopvallend, golvend verminderende akkoorden, zonder climaxen, achtergrondmuziek die eindeloos voortkabbelde. En met mensen, keurige, sjiek geklede mensen, verspreid over de enorme ruimte met de glazen wand die op de tuin uitkeek, zij stonden voor de glazen wand of voor de gigantische schilderijen die aan de andere wanden hingen, schilderijen in geel of roze, met af en toe een zwarte streep of vlek. Er werd heel veel geglimlacht, ook door de mannen.

Daar had je Victor, lang, gebruind door het golfen, met de juiste hoeveelheid jovialiteit, de juiste mate van beheersing, geen uitbundige uitdeler van schouderklopjes, niet hij, geen billenknijper. Nee, de mannen op dit feestje zouden er niet over piekeren om in billen te knijpen of daar zachte of harde tikken op te geven (niet op dit feestje). Victor stond met een man met een geruit colbertje aan te praten, een man die minder gedistingeerd was dan hij, die dikker, lomper was. Victor weet hem, o zo subtiel, duidelijk te maken – door de manier waarop hij staat? de manier waarop hij zijn hoofd houdt? de klank in zijn stem? – weet hem duidelijk te maken dat hij zich bewust is van het verschil tussen hen, maar omdat Bitlow zoveel succes heeft geoogst met het oxɪ programma, is hij bereid om hem, Bitlow, zijn, Victors, aandacht te geven. Bitlow is gevleid, gebiologeerd. Hij zal een van Victors ferventste slippedragers worden en hem als vriend beschouwen.

Daar staat Victor met Mach te praten; hij is tweeënzeventig en nog steeds oppermachtig, dikke roodgevlekte nek, roodgevlekt gezicht, corpulent, ogen als gele plooien, mond een dunne rechte lijn. Zijn stemgeluid is monotoon; zijn lippen bewegen tijdens het praten niet meer dan nodig, hij loert naar zijn gesprekspartners, met ogen als waterig blauwe spleetjes met een koud geel licht erin. Hij luistert alsof hij een machine is en alle informatie die hij binnenkrijgt eerst langs een bepaald aantal klossen en spoelen en raderen moet gaan voordat hij kan reageren. Hij reageert *nooit* direct op iemands gezicht. Dat is een van de geheimen van zijn succes.

Mach kijkt nooit naar vrouwen. Af en toe betrap je hem op een goedkeurende blik in de richting van een kont of een paar tieten, maar het is minder leuk als de tieten aan jou toebehoren, want de ogen kijken alleen maar naar je borsten, zij gaan nooit omhoog naar je gezicht. En er spreekt geen geilheid uit, alleen maar goedkeuring. Als hij iets wil krijgt hij het, hij hoeft niet eens te betalen, zijn naam is al genoeg. Maar hij wil zelden iets hebben.

Iemand stelt Suzanne Hein aan hem voor, de beroemde natuurkundige. Mach kijkt haar niet aan, luistert niet naar wat zij zegt. Dat is maar beter ook, want zij is ergens tegen, tegen een chemisch proces dat een schadelijk effect heeft op de atmosfeer. Midden in haar betoog draait hij zich half om en mompelt iets tegen een man die vlak bij hem staat. Het is Victor. Mach wendt zich tot Victor met een vreemde draai van zijn lichaam, abrupt, zonder dat zijn middel of knieën meedraaien. Dat doet hij ook in zijn slaap. Hij draait zich niet soepel om, een beweging die door de huid en de botten rimpelt, waarbij het dromende lichaam wat mompelt, snurkt, handen vanonder de dekens onder het kussen glijden. Als Mach zich in zijn slaap omdraait, maakt zijn hele lichaam een plotselinge draai. Zijn lichaam gaat omhoog, draait en valt met een klap op de matras neer en ligt weer stijf en onbeweeglijk. Zijn gesnurk klinkt als trommelslagen.

Misschien is hij ergens bang voor, wie weet? Maar waarvoor dan? Iedereen weet dat Mach nooit een jas draagt, omdat hij er nooit een nodig heeft. Hij heeft een chauffeur die hem overal tot bij de voordeur brengt, een man die achter hem aanloopt met zijn aktentas en het geld en de cheques en Machs sigaren, een man die de rekeningen betaalt en de chauffeur orders geeft en deuren open en dicht doet: voor Mach. Deze man vertelt de chauffeur dat hij om twaalf uur dertig moet voorrijden om Mach en hem en nog een paar zenuwachtig-kruipende top-functionarissen naar het restaurant te brengen waar zij de lunch zullen gebruiken, en hen daarna weer op te pikken. De chauffeur moet een halfuur wachten tot de heren verschijnen, een halfuur tot de heren klaar zijn met hun lunch. Maar hij heeft niet te klagen, hij wordt goed betaald, hij moest eerst helemaal doorgelicht worden voordat ze hem aannamen, hij rijdt een van de belangrijkste mannen van de wereld rond en hij weet dat; op kille dagen stopt hij Mach met zo'n overdreven bezorgdheid in met een deken, dat hij wordt afgebekt. Bovendien is hij gewend aan wachten. De aide-de-camp rekent de lunch af en krabbelt het bedrag in een kasboekje of tekent de declaratie-nota. Alles wordt gedeclareerd bij het concern.

Mach heeft een luxe-appartement in Houston, waarvan Blanchard de eigenaar is, en brengt zijn vakanties door in Aspen in een huis met glazen wanden, omgeven door hekken en waakhonden, waarvan Blanchard de eigenaar is, of op een eiland in de Caraïbische Zee, rotseiland in azuurblauwe en turquoise golven die met witte schuimkoppen om het eiland heenspelen, begroeid met bomen, lianen, bananen, orchideeën, de lucht ruikt naar parfum, het huis is een vesting Spaanse stijl, wandelingen in de koelte van de stenen arcades, geklak van hakken op de plavuizen. De eigenaar van eiland en huis is Blanchard en Mach vliegt daarheen in zijn privé-vliegtuig, waarvan Blanchard de eigenaar is.

Mach hoeft nooit bang te zijn dat hij geconfronteerd wordt met iets onbekends, dat hij te maken krijgt met een onplezierig woord of gebaar, dat hij vast komt te zitten midden in de woestijn. Hij is beter beschermd dan een gewijde priester in een wereld vol vrome katholieken. Hij is beter beschermd dan Oost-Duitsland, met de rijen omheiningen en uitkijktorens, de patrouillerende soldaten met waakhonden, de mijnenvelden.

Waarom is hij dan toch zo gespannen, zo opgefokt? Waarom bekijkt hij elke man die in zijn buurt komt als een potentiële vijand? Waarom lijkt hij nooit te ontspannen, te genieten, lol te hebben? Waarom nipt hij voorzichtig aan zijn martini en stopt hij bij twee glaasjes?

Dolores kijkt naar hem. Misschien denkt hij dat iedereen over hem zit te praten, dat iedereen weet van de transactie die hij in de dertiger jaren voor Blanchard Oil heeft gesloten met IG Farben, een transactie waarmee Duitsland haar sterke positie heeft kunnen houden in de oorlog die zowel Duitsers als Amerikanen alsmede een heleboel andere mensen het leven heeft gekost, maar waaruit Farben en Blanchard als de grote overwinnaars te voorschijn zijn gekomen, zo bulkend van het geld dat zij niet wisten hoe ze dat konden verbergen. Maar de waarheid is dat iedereen het weet, of niet wil weten, of bewust is vergeten. En in kringen waar Mach zich in beweegt, wordt hij erom bewonderd. Daar hoeft hij zich geen zorgen over te maken.

Overal waar Mach zich vertoont, valt er een stilte om hem heen, iedereen wacht af tot de grote man iets zegt; er is geen geluid, net als in het centrum van een cycloon. Maar Mach is zuinig met woorden. Hij luistert, selectief. Alleen naar mannen.

En schuin achter Victor staat Edith. Dolores ziet haar ook. Zij praat met Bitlow. Victor heeft vergeten haar voor te stellen en Bitlow (een snelle leerling) heeft ook vergeten zijn vrouw voor te stellen. De twee vrouwen staan op de achtergrond, schuin achter hun mannen. Beiden zijn in mooie maar onopvallende en zeker niet sexy cocktailjurken gestoken. Hun haar is op dezelfde manier gekapt en geblondeerd. Zij drinken allebei een likeurtje uit een mooi glas met een hoge voet. Zij kijken elkaar even aan en doen een poging tot een formele, geforceerde glimlach. Zij kijken naar de mannen en doen net alsof zij de serieuze, gewichtige conversatie hoogst interessant vinden. Zij weten dat die serieus en gewichtig is omdat hun echtgenoten hun dat verteld hebben. Zij kijken naar hun mannen op – want deze mannen steken altijd een kop boven hun vrouw uit – en

290

kijken elkaar recht in de ogen. Hun glimlach zegt dat zij begrijpen hoe belangrijk en intelligent en machtig hun mannen zijn en dat zij dankbaar, o zo dankbaar zijn dat zij met zulke mannen getrouwd mogen zijn. Zij proberen te lachen als er in hun ogen wat te lachen valt (soms totaal misplaatst), maar eigenlijk kunnen zij deze conversatie niet erg goed volgen. Zij glimlachen onzeker naar elkaar. Edna, Bitlows vrouw, kent Victor Morrissey niet van naam en wordt een beetje geïntimideerd door zijn vrouw. Edith weet dat en geniet ervan.

De mannen praten over Olie. En de Pijpleiding van Alaska. De hoofden van de vrouwen gaan heftig op en neer. Zij weten dan misschien niet veel, maar zij weten wel dat de Pijpleiding van Alaska een Goed Projekt is dat Moet Worden Voortgezet. In het Belang van het Land. Anders komt er een Energiecrisis. Hun echtgenoten hebben dit Vaak in Sombere Bewoordingen aangestipt.

De vrouwen weten niet dat zulke crises beraamd worden, dat er nu een beraamd wordt waar zij bijstaan. Nee, wat een onzin. *Hun* echtgenoten? Die twee weken geleden nog op zaterdagmiddag in de tuin frisbee hebben gespeeld met hun kindertjes? Maak dat de kat wijs!

De conversatie beweegt zich nu op wat onbegrijpelijker terreinen – scheepvaart, markten, prijzen. De ogen van de vrouwen worden glazig, hoewel zij nog steeds glimlachen en knikken alsof zij alles kunnen volgen. Zij schamen zich er niet voor dat zij er niets van begrijpen. Zij weten dat het ook de bedoeling is dat zij er niets van begrijpen. Zij weten precies waarom zij daar zijn, waarom zij daar in die kamer achter hun echtgenoten verscholen staan. Zij vertegenwoordigen het Fatsoen. Zij zijn het levende, wandelende, pratende, lachende bewijs dat hun echtgenoten brave huisvaders zijn, ongeacht de avontuurtjes waar de heren zich af en toe in storten, brave huisvaders die representatief zijn voor de Amerikaanse Levensstijl. Het zijn geen mietjes, deze mannen, zij zijn betrouwbaar, geen bohémiens of artiesten of hippies of iets anders subversiefs. Men kan aan deze vrouwen meteen zien dat zij enkel en alleen het bed met hun echtgenoot delen, niet met overmatig enthousiasme weliswaar, omdat zij weten dat seksualiteit het werk van de duivel is en dat Kinderen en Huis en Gezin het werk van God zijn.

Dat weten ze heel goed, ook al zijn zij niet gelovig. Maar de meesten van hen weten niet eens of zij in God geloven of niet, want dat is een gevaarlijk onderwerp waar zij beter niet al te veel over kunnen denken.

En omdat zij weten waarom zij daar zijn, zijn zij heel erg voorzichtig. Zij weten dat zij in dit gezelschap geen wezenlijke inbreng hebben, geen indruk kunnen maken of een transactie op touw kunnen zetten, maar wel hun echtgenoot te gronde kunnen richten door iets verkeerds te zeggen of kwaad te worden en met glazen gaan gooien, of hardop vloeken of fronsen naar de verkeerde vrouw of... o, een eindeloze lijst van dingen die schade zouden kunnen aanrichten. Dus zijn zij uiterst voorzichtig. Zij durven zich niet te bewegen, zij volgen de conversatie nauwelijks en wachten gelaten af wat er zal gaan gebeuren.

Suzanne Hein en Dolores kijken samen toe.

Wat er gebeurt is dat Victor zijn arm optilt en zijn hand luchtig op Bitlows schouder legt, heel natuurlijk, uit een gebaar van vriendschap. De ogen van Edna Bitlow stralen. Voelt zij verlangen of opluchting of is zij gestreeld dat haar man vannacht in een goede bui zal zijn, mededeelzaam en wie weet zelfs vriendelijk na dit succes? Dat zij misschien een pluim van hem zal krijgen omdat zij zich vanavond zo keurig heeft gedragen? Of komt het omdat zij naar Edith Morrissey kijkt, die er kalm en koel en blond en zelfverzekerd bijstaat zonder een vetrolletje op haar superslanke lichaam en zij zich voorstelt dat zij, Edna Bitlow, eens in haar positie zal verkeren en er net zo zal uitzien als zij?

Victor draait Bitlows lichaam met zachte drang om, als een man die zijn vrouw op de dansvloer leidt, met een minieme aanraking, vingers op een middel, hand op hand. Hij bereikt daarmee dat Bitlow in het gezichtsveld van de grote man komt en Bitlows adem stokt, zijn hart stuurt impulsen naar zijn hersenen, zijn hersenen sturen golven van dankbaarheid naar zijn hart, dankbaarheid jegens Victor Morrissey, die dit voor hem doet. En daar staat hij, de grote man, Mach in eigen persoon, hij gluurt naar de twee mannen met zijn waterige blauw-gele spleetjes. De drie mannen praten met elkaar. Victor stelt Bitlow (Bitlow!) voor aan de grote Mach (Mach!), zij staan met hun rug naar de vrouwen toe. (Zag je dat, Edna? Ik, Billy Bitlow uit Nergenshuizen, Arkansas, in gesprek met hém, Mach!) Edith beweegt zich in de richting van de mannen, zij duwt ongemerkt even tegen Victor aan en werpt een starre glimlach in Machs richting. Zij blijft glimlachen terwijl zij hem recht aankijkt, wachtend op het moment van herkenning, maar die blijft uit. Zij heeft die nooit gekregen, hoewel zij al minstens vijf keer aan Mach is voorgesteld. Zij heeft het met Victor daarover gehad, maar die haalt zijn schouders op en zegt, ach Edith, hij heeft wel wat belangrijkers aan zijn hoofd, en denkt, Grote God, waar vrouwen zich al niet druk om maken.

De vrouwen worden volkomen genegeerd en voelen zich enigszins vernederd, hoewel zij dat nooit aan zichzelf of aan anderen zullen toegeven. Maar op een bepaalde manier voelen zij zich ook bevrijd. Hun lichaam en geest zijn alleen wat daas geworden door de conversatie. Zij glimlachen nu meer ontspannen naar elkaar en raken in gesprek. Wat een enig feest, ja, en zulk mooi weer voor de tijd van het jaar, ja, ze waren onlangs naar Connecticut gereden, Edna en haar man, en het was overal al prachtig groen! Om hun zoon op te zoeken, ja, brede glimlach, opborrelende trots, nou, waarom ook niet, hun zoon, ja, die eerstejaars is aan Yale University.

Edna vertelt daar natuurlijk niet bij dat de reden dat Billy tijd had vrijgemaakt voor deze tocht, bereid was om zo'n eind te rijden, was dat zoonlief een zenuwinzinking heeft gehad en nu in de Yale kliniek vertoeft en zij hem waren gaan opzoeken om te zien of hij misschien beter met zijn ouders mee kon gaan. Het is op haar gezicht te lezen, aan de trillende lijntjes om haar glimlachende mond. Edith ziet het wel of niet. Zij kent de regels en zou zeer geschokt zijn als Edna zoiets verteld had, haar geschoktheid zou zich geuit hebben in een glimlach en het antwoord: 'Hmmm' en zij zou zich daarna geëxcuseerd hebben en later tegen Victor hebben gezegd dat zij vond dat de Bitlows geen mensen waren om mee om te gaan.

Maar Victor weet dat allang en is dat ook helemaal niet van plan.

Maar Edna kent de regels ook en houdt haar mond. Ja, het koud buffet was magnifiek! Zulke grote garnalen! En die ananas-mousse! Werkelijk een enig feest!

Ja, we zijn in Connecticut geweest om Billy jr. op te zoeken, hij is pas eerstejaars, snapt u, voor het eerst van huis weg en een beetje heimwee. Lief, hè? Ik vind dat heel lief.

Edith denkt: Niet op kostschool geweest? Zij weet nu zeker

dat de Bitlows geen mensen waren om mee om te gaan.

Beide vrouwen zien uit hun ooghoeken een vrouw achter een paar mannen staan praten. Haar lichaam is half naar hen toegedraaid. Zij kijkt de mannen van tijd tot tijd aan en knikt met een bevallige glimlach, dat hoor je haar denken, *bevallig*, ik ben *bevallig*. Heel af en toe kijkt zij in de richting van Edith en Edna. En Edith en Edna hebben haar boodschap begrepen en komen heel ongemerkt dichterbij. Op een geschikt moment, als de afstand tussen hen zich daarvoor leent, draait Edith haar gezicht in de richting van de onbekende vrouw en glimlacht (zij heeft hier per slot van rekening de hoogste positie, zij is de leidende figuur) en zegt: 'Hallo, ik ben Edith Morrissey.' En het gezicht van de vrouw licht op, zij kent de naam Morrissey en zij strekt haar hand uit en legt die heel eventjes, heel luchtigjes, op Ediths arm, en Edith verstijft, maar dan zegt de vrouw: 'Prettig met u kennis te maken, ik ben Eleanor Howe, mijn man werkt bij ECG.' En Edith kent die naam maar al te goed en Edna, vol ontzag nu, ook – hun reactie zou zichtbaar gemaakt kunnen worden met een instrument dat de trillingen en intensiteit in de lucht kan opmeten – en na enkele ogenblikken klinkt er een vrolijk gelach op uit het groepje vrouwen, gelach waaruit hun vreugde en dankbaarheid spreekt over het feit dat zij zich in zulk verheven gezelschap bevinden. Ja, daar staan de drie dames in hun mooie maar niet opvallende cocktailjurken, een donkerblauwe, een lichtblauwe en een beige, met hun keurig gekapte hoofden, twee blonde (waarvan één geverfd) en één brunette, met een likeurtje in een mooi glas in de hand, staan te glimlachen en te praten en hun goedkeuring uit te spreken, ja, over het eten, de drankjes, de mannen, de bedrijven, het uitzicht, de ramen, het interieur, de schilderijen, het weer, de muziek, het gezelschap, de bossen en tuinen in de verte, de schoonheid van de hele wereld! Halleluja!

Feest is voorbij, Victor rijdt afwezig naar huis, maar met een pretlichtje in zijn ogen. Edith kijkt hem van opzij aan, vertelt hem over Edna Bitlow en dat zij niet met haar kan omgaan, over Eleanor Howe en dat zij met haar wel zou willen omgaan, hopend dat hij haar zal prijzen om haar goede opmerkingsvermogen, haar uitstekende kennis van de regels. Hij luistert nauwelijks, zegt: 'Hmmm,' en als hij toevallig iets opvangt van wat zij zegt, denkt hij: Wat zijn vrouwen toch bekrompen.

Hij heeft gelijk. De vrouwen proberen op kleine schaal te doen wat de mannen op grote schaal doen. Of wat de mannen denken dat een grote schaal is. (O, Mach) Ediths mond vertrekt, omdat er net een soortgelijk idee in haar hoofd opkomt, waar zij eigenlijk helemaal niet over wil nadenken, laat staan over wil praten. Dus glimlacht zij en zwijgt en probeert aan iets prettigs te denken om deze nare gedachte kwijt te raken en als zij de oprit naar hun huis oprijden denkt zij hoe aardig het is dat hun oprit in een cirkel is aangelegd terwijl alle andere mensen uit hun straat een rechte hebben.

3
Hoe kun je van zo iemand houden? Hoe kan dat? vraag ik je.

Hij is veranderd. Hij heeft geleden, hij heeft gezien. Lijden maakt iemand menselijker.

Inderdaad. Kun je je voorstellen dat zelfs Mach verdriet heeft gekend, dat hij ooit vier is geweest en een rond gezicht met sproetjes had met ogen die je recht aankeken? Want zo is het ongetwijfeld geweest. Niemand ontkomt aan pijn.

Zij neuriede: De man van wie ik hou, is van iemand anders. Zij stond op. Niet van Edith, nee. Van Mach en zijn organisatie. En dat was ook Victors organisatie. Edith zat in een rolstoel die Victors organisatie had uitgevonden. Hoe kun je van zo iemand houden?

Arme Anthony. Had altijd bij die organisatie willen horen, het gevoel hebben dat hij er deel aan had. Heeft het nooit helemaal gemaakt. Daarom haatte hij mij. Maar ik hield van dat deel in hem dat hem belette om erbij te horen. Omdat hij altijd op het verkeerde moment in een driftbui ontstak. Maar toch is een man mislukt als hij niet bij de organisatie hoort.

De organisatie wint altijd. Als de derde wereldoorlog voorbij is en de wereld één grote rokende puinhoop is en de mensen allemaal dood zijn, zal ergens aan de horizon met zijn rokende schoorstenen IG Farben opdoemen met de robots die daar zijn gemaakt om de menselijke arbeid die zoveel kost en zo onvoorspelbaar is over te nemen. De via computer bestuurde robots schuiven met schokkerige bewegingen over de grond en duwen met lange schoppen metaalblokken in de ovens. De robots weten niet dat iedereen dood is. Zelfs het Caraïbische eiland van

Mach of Blanchard is niet meer dan een hoopje sintels. Ook Mach is tot as verpulverd.

En de rest van ons ook.

Een tegengestelde, even grote macht, zegt Victor. Hoe?

Toch heeft hij gelijk. We doen er allemaal aan mee, zuiverheid bestaat niet, alleen bronwater en kristal zijn zuiver, mensen niet. Wat is zuiver? Honderd procent zuivere TNT, napalm, margarine.

Wie is zuiver? De boer die zijn kippen inspuit om ze sneller te laten groeien, die ze elektrische schokken geeft om ze sneller te laten leggen? De kantoorbediende die formulieren in vijfvoud stempelt waarin toestemming gegeven wordt om zenuwgas per vrachtauto door het land te vervoeren? Zij zelf, die op een universiteit les gaf die aandelen bezat in Blanchard Oil? Zij, wier boeken werden uitgegeven door Crosscut, een bedrijf dat Amerika ongezond witbrood wil aansmeren, dat adverteerde voor zenuwgas toen het legaal was, dat nog steeds in een van haar dochterondernemingen napalm produceert?

Waar kun je op deze wereld nog schone handen hebben? Op een eilandje in de Stille Zuidzee, witte stranden, koraalriffen, inlanders die leven van de taro uit hun voortuintjes, van schaaldieren uit het rif, van ananassen en broodboomvruchten? Tandeloos op hun dertigste, onwetend, verlangend. Waarnaar? Naar een tv-toestel, een wasmachine, een ijskast. Ja. En om genoeg geld te verdienen om af en toe wat kleren te kunnen kopen om je lichaam mee te bedekken moet je voor een van Hen werken, de Hollandse handelaren, de Australiërs, de Nieuw-Zeelanders, de Amerikanen, de Duitsers, de grote handelaren die de touwtjes in handen hebben, die in hun air-conditioned kantoren zitten te klagen over die luie inlanders, terwijl de thermometer buiten veertig graden aangeeft en de vochtigheidsgraad negenennegentig procent is. De inlanders sluipen slim van schaduw tot schaduw in de middagzon, terwijl op het strand een bleke bezoeker zonder één vetrolletje op zijn lichaam loopt te joggen en later met een zonnesteek in elkaar zakt.

Victor had haar een keer zijn ideeën over goed en kwaad uitgelegd, de dilemma's waar hij voor kwam te staan.

'Het concern had plannen om een mijnbedrijf te kopen dat bovengrondse werken uitvoerde en ik moest die plannen verder uitwerken. Ik liet een uitgebreide studie maken waarin elk facet onderzocht werd. Het concern maakte zich niet druk om de ethische kant van dit plan, maar ze waren wel erg bang voor protestacties van milieu-freaks en het groeiend aantal processen dat hen werd aangedaan door groepjes burgers, mensen wier boerderij volgens hun zeggen vernietigd was door deze vorm van mijnbouw. Het concern had geen zin om veel tijd en geld kwijt te raken aan rechtszaken.

En om eerlijk te zijn maakte ik me in het begin ook niet zo druk om de morele bezwaren ervan. Het was een kwestie van investeren en risico's nemen tegenover mogelijke winst en het was mijn taak om daar een analyse van te maken, om dat te evalueren. Maar of ik wilde of niet, ik raakte toch betrokken bij de ethiek van het probleem, daar viel niet aan te ontkomen.

Nou, ik las de resultaten van de studies – het had maanden geduurd voordat zij klaar waren – en ik ging naar Tennessee en West Virginia in het zuiden en naar Colorado in het westen om persoonlijk poolshoogte te nemen, ik heb daar zelfs met een paar actievoerende boeren gesproken. En het was overduidelijk dat sommige van die mijn-exploitaties een spoor van vernieling hadden achtergelaten. Dor en droog land, geen grassprietje om de erosie tegen te gaan bij de volgende regenval. Boerderijen die bijna waren begraven onder de modder die van de afgegraven helling naar beneden was gekomen. Dichtgeslibde bronnen, geen drinkwater. Plaatselijke flora en fauna onherstelbaar vernietigd. Sommige planten- en bloemensoorten in Appalachia zijn zeer oud en groeien alleen maar daar. Ik keek uit over kilometers kale zandvlakte, het was net een maanlandschap. En zag kleine boerderijtjes die ooit produktief waren geweest, de huizen van kleine zelfstandigen, nu verwoest door de bovengrondse mijnen.

Ik liet me vertellen over louche contracten en gewelddadige methodes van sommige mijnbedrijven, over het belazeren van boeren die door de knieën gingen en het onder druk zetten van degenen die dat niet deden. Het leek me afdoende bewijsmateriaal – hoewel misschien niet afdoende genoeg voor een conservatieve rechter. Ik ken de praktijken van de zakenwereld. Er werd gevogeld en politieke macht uitgeoefend om het doel te bereiken.

En toen bekeek ik de statistieken van de onderaardse mijnbouw – het aantal slachtoffers per jaar, het percentage longziekten en andere afwijkingen, de slechte omstandigheden in de mijnen – wat de gezondheid en veiligheid betrof. En hoe duur het was om een ton steenkool uit de aarde te halen.

En daarna bestudeerde ik de politieke situatie en het groeiend aantal problemen waar wij in de toekomst mee te maken zullen krijgen wat betreft de olievoorziening uit het buitenland en de toenemende kosten daarvan en de consequenties die dat zou hebben voor de Amerikaanse dollar. En wat er dan met de koopkracht van de doorsnee Amerikaan zou gebeuren, niet van mensen zoals jij, die buitenlandse reizen maken, maar van de gewone man. Wetende dat er altijd het eerst bezuinigd wordt op sociale projecten, waar jij zo voor bent, en niet op de militaire uitgaven. En toen ik dat allemaal had doorgewerkt en van alle kanten bekeken had, bracht ik advies uit op basis van risico, winst, verlies. Een andere manier was niet mogelijk.'

'Maar die prioriteiten stonden toch al bovenaan.'

'En onderaan.'

Ze maakte een grimas.

'Sommige mensen vinden dat er een eind aan de groei moet komen. Zij zeggen dat een beetje armoede beter is dan de ondergang van de wereld. Maar wat voor hen een stapje terug is, is voor de mensen die lager op de economische ladder staan een hele grote stap. Daar denken ze niet bij na. Zij denken dat armoede betekent margarine in plaats van roomboter. Zelfs die mensen die eenvoudig leven weten gewoon niet wat armoede is, omdat zij die uit eigen vrije wil hebben *gekozen*. Mijn vaders vader woonde in een krot met vijf broertjes en zusjes en zijn moeder. Iedere morgen wekte de moeder de drie oudste kinderen – mijn grootvader en twee zusjes – en stuurde hen de straat op met een zak onder hun arm. Zij woonden vlak bij de kolenmijnen en gingen dan naar de steenbergen en graaiden daarin rond op zoek naar kleine stukjes steenkool die niet door de sorteermachine waren gegaan. En het was hun geraden om met een volle zak huiswaarts te keren. Uren later kwamen ze thuis, van top tot teen onder het roet, en kregen dan soms toch nog een klap voor hun kop van hun moeder, die ten einde raad was en zichzelf niet meer helemaal in de hand had.

Zij gebruikte de steenkool die de kinderen verzameld hadden, om het krot te verwarmen. Zij ging met de jongere kinderen naar het bos om eetbare planten en dergelijke te zoeken. De kleintjes sjokten erachteraan. Een van hen is gestorven na het eten van een giftige paddestoel. Ik denk niet dat zij daar lang om gerouwd heeft. Weer een mond minder om te voeden.

Alle kinderen, behalve mijn grootvader, zijn later stomme idioten geworden. Domme, achterlijke, hypocriete nare mensen. Armoede is niet goed voor je ziel of je lichaam of je geest. Mijn grootvader is van huis weggelopen, hij heeft ergens een paar schoenen opgeduikeld, hij heeft een baantje in een fabriek genomen, hij heeft van iemand leren lezen. Hij was een autoritair baasje, hij kon ontzettend hufterig doen, tegen zijn kinderen tenminste. Maar hij werd winkelier, hij trouwde met een vrouw die een winkel had en daar stonden zij samen in en zij en hun kinderen konden daarvan leven.

En als het daarom gaat – om zelfbehoud, om louter overleven –, dan is ethiek een farce, een luxe voor de betere standen, net als witte handschoentjes en zilveren koffiekannen. Zo zie ik dat tenminste.'

'Ja,' zei Dolores, 'dat begrijp ik. Maar dat komt omdat je het over één bepaalde ethiek hebt. Een ware ethiek, een eerlijke, zou dat als basis hebben, het overleven. En met overleven bedoel ik niet de luxe om op ethische gronden te besluiten om deze week maar eens geen iceberg-sla te eten. Die ethiek zou uitgaan van de ware behoeftes en gevoelens van de mens. Als jij het over zelfbehoud hebt klinkt dat verdacht veel als het behoud van de hoogste levensstandaard in de wereld, niet puur overleven.'

'Ach, Dolores, wie weet nou wat mensen echt nodig hebben en voelen?'

Ja, wie weet dat? Antonius dronk als het moest de urine van paarden. Terwijl zij, Dolores, zich in haar bewegingsvrijheid beperkt voelde als iemand haar coupé binnenkwam in de trein van Londen naar Oxford en haar privacy verstoorde. En Victor zou een hysterische aanval krijgen (zo zou je dat wel moeten noemen) als hij geen whisky meer zou hebben.

Niemand weet wat goed of slecht is. Maar je hebt gradaties in goed en slecht. En om die te herkennen moet je weten wat goed of slecht is.

Zij streek met haar hand over haar wenkbrauw.

Hoe kon je van iemand houden die zijn vrouw zoiets had aangedaan?

Hoe kon je leven in een wereld die haar bewoners zoiets aandeed?

Was er een andere wereld om in te leven?

In een klooster gaan, de hele dag gebeden prevelen, het uitvlakken, 'Oummmm' zeggen.

En dan nog, hoe kon je met jezelf leven?

Victor belde de volgende dag op, met een zeer sombere stem. (Hoe kon hij het weten? Toen ik hem streelde, toen ik over zijn voorhoofd streek, had ik dat met een glimlach gedaan.) Hij moest naar Brussel, het zou een razend drukke trip worden en hij kon niet beloven dat hij veel met haar zou kunnen optrekken, maar had ze misschien zin om mee te gaan? Het zat er wel in dat zij vaak alleen zou moeten eten in vreemde hotels. Hij moest belangrijke mensen ontmoeten, geldschieters, hij kon het deze keer niet verknallen.

Hij wilde haar niet meehebben: ze zou hem tot last zijn. Dat voelde zij. Klonk er opluchting in zijn stem toen zij zei dat zij juist middenin een belangrijk hoofdstuk van haar boek bezig was en dat moest afmaken? Of wilde zij die opluchting graag horen?

In ieder geval drong hij niet verder aan toen zij weigerde. Hij zou haar bellen zodra hij weer terug was, zei hij.

Een week later had hij nog niet gebeld. Na twee weken nog steeds geen telefoontje. Zij kreeg uitslag op haar handen van de zenuwen en vroeg zich af wat zij zou zeggen als hij belde. Toen dat niet gebeurde, werd de uitslag erger.

Er schoten constant flarden van beelden door haar hoofd: Victor die Edith aan de bridgetafel zat uit te schelden, haar in de maling nam. Victor, die tegen Edith uitvoer omdat zij haar uitgaven niet had genoteerd, die kankerde over een rommelig kasboekje, Victor die laat thuiskwam van een rendez-vous (schoon, net vanonder de douche) en Edith lezend in bed aantreft. Zij kijkt op, glimlacht, doet haar bril af. Zij vraagt hem hoe de vergadering was en hij moet snel bedenken wat voor vergadering zij bedoelt en zegt, goed hoor, prima, kortaf, zoals hij gedaan zou hebben als er werkelijk een vergadering was geweest. Hij vindt het makkelijker om haar met een enkel woord te antwoorden, hij is moe, ik ben moe, Edith. Lange dag geweest.

Het probleem was dat als zij deze beelden voor ogen kreeg, zij zichzelf, niet Edith, in bed zag liggen, zichzelf aan de bridgetafel zag zitten, met tranen in haar ogen het kasboekje zag bestuderen. Want het was verdomd moeilijk om stand te houden en zo eenvoudig om te vervallen tot zijn manier van denken, hun manier, de overheersende manier. Om trouw te blijven aan je principes moet je jezelf stijf rechtop houden, je mag geen duimbreed wijken. Nee.

Halverwege de tweede week begon Dolores erover met Mary. Mary had niet zoveel geduld om te luisteren, zij was in alle staten, over twee weken moest zij haar mondeling doen. Terwijl haar handen rusteloos over de tafel heen en weer gingen, herhaalde zij steeds weer dezelfde dingen: 'Ja, daar is die jury van alleen maar mannen, het soort mannen dat vrouwen niet serieus neemt. Van die mannen die altijd op je neerkijken, ook al doen zij hun best om vriendelijk te zijn. En die andere maatstaven aanleggen voor vrouwen, al denken zij van niet, omdat zij vrouwen anders *zien*. Zij denken dat zij vrouwen hetzelfde behandelen als mannen, maar hoe kunnen ze dat als er in hun hoofd een knopje wordt omgedraaid zodra er een persoon met vrouwelijke lichaamsvormen de kamer binnenstapt? De laatste drie vrouwen die examen hebben gedaan, zijn gezakt.'

'Terecht?'

'Daar kom je niet achter, weet je. Ik vond het intelligente vrouwen die heel hard gewerkt hadden, dat weet ik, maar het is moeilijk te zeggen, ik bedoel, je bent er niet bij geweest, en al was dat wel zo, dan kun je nog niet de spanning, de faalangst zien, alleen maar omdat zij een vrouw zijn, waardoor zij misschien al bij voorbaat gezakt waren, zie je...'

'Kunnen ze het niet overdoen?'

'O ja, er is wel een herkansing. Maar je krijgt er zo'n klap van, weet je, als je gestraald bent. Na al die jaren van studie, al die inspanning, het gevoel dat je je uiterste best hebt gedaan... Het ondermijnt je, je krijgt het idee dat je misschien niet intelligent genoeg bent. En dan die stomme examinator, die een vriend van Roger is...'

'Hij zou zich moeten terugtrekken.'

'Ja, maar denk maar niet dat dat gebeurt. Zij zijn er heilig van overtuigd dat zij de dingen kunnen scheiden. Dat zij eerlijk, objectief zijn. Terwijl iedere vrouw meteen kan zien dat dat niet waar is. Je hoeft ze alleen maar te horen praten. Maar zij hebben de macht in handen, zij laten zich op geen enkele manier overtuigen...'

Mary keek haar aan. 'Maar wat zit ik nu te ratelen, je zult er zo langzamerhand wel doodziek van zijn. Er zit je iets dwars, dat kan ik zien. Is het Victor?'

En Dolores vertelde haar het hele verhaal.

'O jee,' zei Mary met een dun, treurig stemmetje. 'O jee.'

Dolores staarde in haar glas. Het was vrijdag, laat in de middag. Mary verwachtte helemaal niemand voor het weekend.

'Zou je willen dat hij van zijn vrouw ging scheiden en met jou trouwde?'

'Nee. Absoluut niet. Hij zou na een tijdje net zo tegen mij gaan doen. En bovendien wil ik nooit meer trouwen.'

'Ik ook niet. Gordon komt twee keer in de maand in het weekend en het gaat fantastisch. De andere weekends zit hij bij zijn kinderen. Toen hij verleden jaar een jaar studieverlof had, zat hij de hele tijd hier en kwamen zijn kinderen ook hier naartoe. Het was enig. Maar trouwen – echtgenote spelen – nee, daar moet ik niet aan denken.'

Dolores lachte. 'Datzelfde zei een jonge Duitse vrouw tegen me in een treincoupé, tijdens een lange donkere reis. We zaten vierentwintig uur in die trein. We spraken nauwelijks elkaars taal, maar daarover konden we heel goed communiceren. Misschien is het een nieuwe internationale beweging.'

'Van drie leden,' lachte Mary. 'Toch heb ik altijd wel willen trouwen. Vroeger.'

'Om het recept voor het eeuwig huwelijksgeluk uit te testen.'

'Ja. Maar wil je nu niets meer van hem weten?'

Dolores staarde naar de tafel. 'Ik weet niet. Ik kan je niet zeggen wat ik voel, daar bestaan nog geen woorden voor. Het is een mengeling. Het is alsof ik een foto van hem had, waar ik heel dol op was, die een centrale plaats had in mijn plakboek van nu, begrijp je? En hij op bezoek kwam en die foto uit het boek haalt en hem voor mijn ogen in stukjes scheurt en er een andere voor in de plaats doet die ik helemaal niet leuk vind...'

'Maar hij is de man op die eerste foto, hè?'

'Denk je? Ja, dat is zo. Maar hij is ook die andere. Mensen veranderen nooit helemaal, je zult altijd de oude persoonlijkheid blijven zien, zoals de onderlaag bij een oud schilderij. En

302

ook de nieuwe Victor moet met mannen als Mach onderhandelen.'

'Iemand zal dat moeten doen.'

'Dat had Victor ook kunnen zeggen.'

'Ja precies. Want al vind jij dat die man de duivel in eigen persoon is, toch bestaat hij. En wat kun je dan beter doen dan zo iemand aan te pakken en zoveel mogelijk staven van zijn dynamiet onschadelijk te maken?'

'Als je niet eerst door hem vervuild bent.'

Mary lachte. 'Is hij zo besmettelijk?'

'Het is niet alleen Mach. Het is het hele systeem. Het is vergiftigd. Je krijgt het gif in je lichaam zodra je het binnenstapt en je ontwikkelt een soort immuniteit zoals mensen die elke dag een beetje arsenicum nemen. Na een tijdje kan je lichaam grote hoeveelheden van het vergif verdragen zonder dat je er iets van merkt. Maar je bent wel besmet. Je weet het alleen niet.'

'Maar we leven allemaal binnen het systeem. Zelfs kluizenaars. Als die nog bestaan. Dus zijn we allemaal vergiftigd.'

'Dat is ook zo. Daarom is het van levensbelang dat we tegen de stroom ingaan, zo ver mogelijk.'

Mary zuchtte. 'Tja, nou ja, Dolores. Jij ziet die dingen veel scherper dan ik. Voor mij is alles duister. Of misschien bekijk ik alles te persoonlijk. Als de persoon Victor aardig is, zou ik hem aardig vinden. Het lijkt net alsof je... alsof je jezelf in een bepaalde hoek hebt opgesteld. En dan zegt: Ik sta hier en ik ben daar en daar tegen en daarom kan ik niet van deze man houden. Omdat dat tegen jouw politieke principes indruist. Alles wat je zegt klinkt zo logisch,' lachte ze, 'dat ik het niet kan volgen. Ik zit niet zo logisch in elkaar. Ik leef veel chaotischer.'

Dolores glimlachte treurig: 'Ja, je hebt gelijk, op één ding na. Ik sta inderdaad in mijn hoekje en ben tegen van alles en nog wat. Dat is waar. Maar ik zeg niet dat ik niet van deze man kan houden omdat ik in die hoek sta. Die twee dingen gebeuren tegelijk, het zijn dezelfde dingen. Nu ik me voor het eerst ten volle realiseer waar hij staat, is mijn liefde voor hem voorbij omdat ik sta waar ik sta.'

'Nou,' zei Mary zachtjes, 'dan is er dus geen conflict. Geen reden tot treuren.'

'Zit ik te treuren?'
Mary glimlachte tegen haar met een milde oogopslag. 'Een beetje wel.'

4

Zij liep die avond naar boven na een maaltijd van kaas en tomaten met Mary; zij voelde zich warm, gekoesterd, bemoederd, zoals zij soms met haar vriendinnen deed. Zij miste hen, haar lieve Carol en Barbara en Suzanne en Letty. Tijdens het uitkleden dacht zij eraan hoe goed het was om met hen te praten, niet alleen omdat zij hartelijk en grappig waren maar omdat zij konden *zien*, met hun heldere intelligente verstand, net zoals zij. Zij hoefde niet met hen in discussie te gaan, hun dingen uit te leggen, tegen de stroom in te zwemmen. En zij ook niet met haar.

Zelfs Mary, die niet zo scherp kon kijken, had *gezien*, had kunnen zeggen: Dolores' politieke overtuiging heeft haar verhouding kapot gemaakt. Het was waar. Het was treurig. Maar zij kon er geen ene moer aan doen. Een verhouding kon je opgeven maar niet je politieke overtuiging, die heel diep geworteld zat, die uit je levenservaring voortkwam. Als je die opgaf, zou je je integriteit verliezen. Net als Edith, die deed alsof ze katholiek was.

De daaropvolgende week werkte zij heel hard. Zij richtte al haar energie en aandacht op haar werk. Zij miste Victor niet eens en vroeg zich af of liefde ook niet weer een van die dingen was die wij als belangrijk voorstellen terwijl het even belangrijk is als een heerlijke maaltijd op zijn tijd.

Dat wil zeggen, zij ging Victor pas missen toen het weekend aanbrak. Want toen de bibliotheek dichtging en zij in haar flat rondhing, voelde zij... een soort gemis. Zij was dan ook heel dankbaar dat Mary haar zondag voor het eten had gevraagd om Gordon en de kinderen te ontmoeten.

Zij liep naar beneden met een fles wijn. Mary gooide de deur open toen zij aanklopte, boog zich over een opeenstapeling van dingen heen, haar gezicht bezweet en roze, haar haar in slierten voor haar ogen. Dolores moest over de stapel heenstappen, die uit kussens en omgekeerde stoelen bleek te bestaan.

'Ah, hallo Dolores, kom binnen, trek je niets aan van de

troep, ja, stap er maar overheen, wil je, dank je, kinderen, dit is dr. Durer, Dolores, dit is Linton en,' Mary tilde haar hoofd een eindje op en knikte in de richting van de voorkamer, 'dat is Elise.'

Linton was een knappe jongen met een fijngevoelig gezicht en grote intelligente ogen. Hij stond naast zijn moeder, die hem ergens de les over las. Toen Dolores aan hem werd voorgesteld keek hij haar even recht in de ogen en draaide vervolgens zijn hoofd weer naar zijn moeder om de discussie af te maken. Elise zat op haar hurken in een hoekje van de voorkamer. Ze had lang steil rood haar en was heel klein. Zij keek Dolores vanuit haar hoekje dreigend aan, maar zei: 'hallo' op aandringen van haar moeder.

Socialisatie in de dop. Tot man en vrouw hebben wij hen gemaakt.

Mary raapte speelgoed op van de grond en bracht dat naar de voorkamer, die het speel- en slaapdomein van de kinderen was. Zij keek Dolores even aan, buiten adem, met verwarde haren, en zei: 'Ik ruim de boel nog even op, dat vind je toch niet erg, hè, ga maar vast naar binnen, dan kun je met Gordon kennismaken, ik kom zo.'

'Waarom mag dat niet? Waarom nou niet!' zeurde Linton. 'Het was net zo'n goed fort!'

Mary zei hijgend: 'Ruim die kussens op, Linton, breng ze maar naar de woonkamer, goed zo. Elise, kom eens hier en zet die stoelen overeind en breng ze terug naar waar ze vandaan komen. Vooruit nou.'

De kinderen mopperden, zeurden, dreinden; Mary legde uit, vleide, drong aan; haar stem was rustig, maar Dolores kon haar geïrriteerdheid erdoorheen horen.

Dolores stapte de keuken in. Een grote man met een dikke zwart-grijze baard stond af te wassen. Hij draaide zich even om toen zij binnenkwam.

'Hallo, ik ben Dolores en jij bent Gordon, neem ik aan.'

'Hallo.' Koele Britse manier van doen. Hij ging verder met de afwas. Hij was wiskundige, had Mary verteld. Hij had een paar boeken geschreven over theoretische wiskunde. Hij gaf les op een universiteit aan de oostkust van Engeland. Mary vond hem een genie.

Zij zette de fles wijn op de rommelige keukentafel. De restanten van het ontbijt, zag ze later. 'Kan ik iets doen?'

'Nee, dank je, dat is niet nodig.' Toen de afwas gedaan was, droogde hij zijn handen af en ging in een stoel bij de haard zitten. Hij besteedde geen aandacht aan de vuile boel en de kruimels op de keukentafel. Hij pakte een krant en begon te lezen.

Dolores zat naar de tuin te kijken. Ze had graag de troep voor Mary willen opruimen, maar Gordon had haar duidelijk gemaakt dat zij zich er niet mee moest bemoeien. Zij stond op en liep de gang in. Mary zat op haar hurken bij de kinderen, die naast haar stonden. Zij had haar armen om hen heen en was hun op zachte toon iets aan het uitleggen, terwijl zij hen af en toe even knuffelde. Zij luisterden ernstig toe, maar Linton dook weg toen zij hem in zijn nek zoende.

'Ik heb een fles wijn meegenomen,' zei Dolores. 'Zal ik die vast opentrekken? Wil je een glaasje?'

'Heel graag,' glimlachte Mary.

'Je gaat toch geen *wijn* drinken, moeder?' zei Linton misprijzend.

'Ja, waarom niet?' antwoordde zij luchtig.

'En vind je het erg,' vervolgde Dolores, 'als ik je tafel een beetje afruim?'

Mary keek haar schuldbewust aan. 'O Dolores. Helemaal vergeten. Het zal wel een troep zijn.'

'Geeft niet, hoor. Maar zo heb ik ook wat te doen,' glimlachte Dolores.

'Lief van je, dank je wel,' glimlachte Mary dankbaar, en bemoeide zich weer met de kinderen. Elise schoof tegen haar aan, lichtjes tegen haar lichaam leunend.

Dolores liep naar de keuken terug. 'Is hier ergens een kurketrekker?'

Gordon keek op van zijn krant. 'O ja, natuurlijk.' Hij rommelde op de planken boven de kast en haalde er een te voorschijn. 'Dat doe ik wel voor je,' zei hij, terwijl hij de fles van haar overnam.

'Nee, laat maar, dat kan ik zelf ook wel,' wilde zij zeggen, maar hij had de fles al in zijn handen. Hij gaf hem aan haar terug. 'Presto!'

O, je bent een wonder.

'Dank je, heb je glazen?'

Hij keek op de oude kast en viste een paar wijnglazen vanachter een oude porseleinen kan en suikerpot vandaan. Dolores liet de wijn even ademen en begon de tafel schoon te maken. Zij zette de boter, het roomkannetje en de jam in de ijskast, hoewel zij niet zeker wist of Mary die daar bewaarde. Zij zette het brood op de kast en veegde de kruimels weg. Zij liet de suikerpot, het zout en de peper staan maar droeg de aardewerken koffiepot en het filter naar de gootsteen om ze af te wassen.

Gordon zat weer achter zijn krant.

Dolores schonk de wijn in en liep met een glas in haar hand naar hem toe. Zij keek in de gang, maar Mary was er niet. In de kinderkamer waarschijnlijk, bezig met problemen problemen. Haar hart draaide om: hoe kon je enig gezag hebben over je kinderen als zij dachten dat je gek was? Je had toch al zo weinig gezag als je niet in een schreeuwende tiran wilde veranderen. Zij zou Mary nu niet storen. Zij ging zitten en nam een slokje wijn.

'Bedankt,' zei Gordon en legde de krant op zijn schoot. Dat deed hij met tegenzin, hij had hem nog niet uit en zou hem bij de eerste de beste gelegenheid weer oppakken.

'Je bent wiskundige, begrijp ik.'

'Ja.' Verveeld. Wilde hij er niet over praten? Niet met *haar* erover praten?

'Ik doceer Engels,' kwam ze hem tegemoet.

'Ja.'

Zij nipten aan hun wijn.

'Mary heeft me verteld dat je twee briljante boeken hebt geschreven. Zijn die voor een leek te begrijpen?'

'Niet echt, nee.'

Stilte.

'Ik heb gehoord dat jij en Mary het huis zelf hebben verbouwd. Boven een keuken gemaakt en beneden een badkamer. Het is mooi geworden, hè?'

'Er was beneden al een toilet. Maar wij hebben de rest zelf gedaan, ja. Het was eigenlijk heel leuk om te doen.'

'Dat kan ik me voorstellen. Je wordt ziek van altijd maar met je hoofd bezig zijn. Het is goed om je lichaam te gebruiken.'

Stilte. Hij trok even, bijna onmerkbaar zijn wenkbrauwen op.

'Dat is met mij zo, tenminste,' voegde zij er haastig aan toe. 'Ik fiets heel graag.'

'Hmmm.' Hij keek uit het raam en draaide langzaam, met tegenzin, zijn ogen naar haar. 'Ja, wij houden ook erg van fietsen.'

Was zij een vreemde voor hem? Was hij soms verlegen? Misschien was hij een beetje mensenschuw geworden na wat er tijdens de verhoren gebeurd was. Want volgens Mary had Roger haar *vrienden* in de rechtszaal laten verschijnen om te getuigen dat zij de hele dag met haar neus in de boeken zat en een minnaar had.

'Mary heeft me over die toestand met Roger verteld. De hoorzitting. Het vonnis. De kinderen. Het is bij de beesten af.'

Zijn mond vertrok een beetje. 'Ja, zeg dat wel.'

'Ik sta versteld van Mary. Ik zou er niet zo rustig onder blijven. Ik zou bommen willen gooien op de rechters, Roger voor z'n kop willen schieten, in ieder geval stampei maken.'

Zijn hoofd ging met een ruk omhoog en zijn stem ook, een fractie maar.

'Maar ik *wil* niet dat ze kwaad wordt, zie je. Mijn ex-vrouw was altijd kwaad. Ik haat kwaadheid,' besloot hij, nog steeds met een vrij rustige stem.

'Maar ze moet toch kwaadheid *voelen*.'

Hij staarde haar aan met een koude blik in zijn ogen, toen keek hij de andere kant op.

Mary kwam binnenstormen, blozend, lachend. 'Zo, die crisis is ook weer voorbij. Ik heb de kip in de oven gezet, dus dat is geregeld. Ik hoop dat je nog niet van de honger omkomt, Dolores.'

'Nee, helemaal niet. Ik eet nooit warm overdag, dus ik heb er geen last van als het uitloopt. Maar ik wil je graag helpen.'

'Nee, nee, de keuken is veel te klein, maar kom gezellig bij me zitten praten.'

Zij rende in de keuken rond, of vloog rond leek het wel, zo licht en snel waren haar bewegingen. En hoewel zij geen gerichte handelingen scheen te verrichten, kreeg zij toch alles voor elkaar. Zij waste de broccoli en maakte die schoon en sneed hem, ze schilde de aardappelen en sneed ze door, ze keek in de oven, ze maakte een roux, ze raspte kaas, dekte de tafel, roerde de kaas door de roux, proefde de broccoli, prikte in de aardappels, sneed tomaten, haalde schotels en borden te voorschijn, een vleesassiette, wat tafelzilver, streek haar haar uit haar ogen, proefde de kip, dronk wijn, praatte, lachte, bloosde.

Gordon zat weer achter zijn krant.

'Goh, ik voel me schuldig dat je dit allemaal doet, je hebt volgende week je examen, hè?'

'Maandag over een week. Maar jeetje, we moeten toch eten, of jij er nu wel of niet bent, weet je. Het is geen moeite, Dolores!'

Maandag over een week. Kan Gordon niet voor het eten zorgen, zodat zij kan studeren?

Mary vertelde haar over een patiënt. '...en zei zij dat het door de verkrachting kwam en dat zou heel best kunnen, het moet heel erg zijn geweest, maar het was nu eenmaal al twee jaar geleden, maar aan de andere kant was zij door die verkrachting zwanger geraakt en had een abortus moeten ondergaan, en ik ken die man die dat gedaan heeft, die zou dat niet meer mogen doen, want hij haat vrouwen en hij heeft haar heel ruw behandeld, echt waar, hij is wreed, hij probeert je bewust pijn te doen, en *dat*, met die verkrachting erbij, is gewoon te veel geweest.

Maar toch, het was al een tijdje terug en het onderzoek leverde niets op. En haar man was zo aardig, Dolores, echt *sympathique*, weet je wel? Hij was heel vriendelijk en fatsoenlijk en redelijk: hij wil alleen maar zijn vrouw terug, hij wil haar weer naast zich in bed hebben. Hij houdt van haar. Het leek zo... *weinig* eisend, weet je? Ik bedoel, hij was volkomen redelijk en liefdevol en vriendelijk. Terwijl zij zo... ach, ik weet niet. Zij is *moeilijk*. Zij klaagt steen en been en beweert de vreemdste dingen. Ze is een ruziemaakster. Ze is heel mooi en vrij jong, ik begrijp waarom hij haar terugwil, maar zij is echt onmogelijk, dat meen ik.

En dat is lastig, want *zij* is tenslotte mijn patiënt, maar ik sta veel sympathieker tegenover haar man. Ik maak me een beetje zorgen over haar. Wat vind jij?' Mary keek haar aan, hield even op met haar constante bewegingen.

'Ik denk,' zei Dolores langzaam, 'dat zij na de verkrachting en de abortus een beetje geflipt is. Zij heeft waarschijnlijk nog meer slechte ervaringen in haar leven gehad en nu krijgt ze alles tegelijk en flipt ze even op mannen. Ik denk dat je door haar het advies te geven dat ze naar huis moet gaan en niet moet zeuren en zich door haar man moet laten neuken, je haar tot in elke vezel van haar ziel krenkt.'

'Ja,' zei Mary dromerig, 'maar haar man is zo'n *schat*.'

'Hij kan makkelijk aardig zijn. Hij hoeft nergens tegen te vechten. Hij voelt zich waarschijnlijk de edelmoedigheid zelve dat hij haar nog steeds wil na de verkrachting. Hij wil haar weer terug en denkt dat haar lichaam van hem is.

Terwijl zij weet dat zij iets verkeerds doet. Ik weet niets van het Engelse rechtssysteem, maar misschien is het wel wettelijk vastgelegd dat een vrouw haar man het recht op haar lichaam moet verlenen. In sommige Amerikaanse staten is dat het geval.

Dus bij al die haat en woede die zij al in zich draagt, drukt ook nog eens het gevoel op haar dat zij haar aardige, vriendelijke man onrecht aandoet. Dat is genoeg om iemand volkomen in de war te maken.'

Gordon, merkte Dolores op, sloeg geen pagina's meer om.

'Je zult wel gelijk hebben,' zei Mary peinzend. 'Ik wou alleen dat ik haar wat aardiger kon vinden...'

Zij ging weer verder met het eten.

Toen het eten klaar was riep Mary de kinderen aan tafel. Zij zag er persoonlijk op toe dat zij hun handen wasten, kwam met hen terug, als een moeder-kloek, met haar armen om hen heen geslagen, zag erop toe dat zij goed zaten. Elise had een kussen nodig, Linton kon er ook wel een gebruiken maar trok zijn neus op voor zulke kinderachtigheden. Mary sneed de kip en zette die op tafel, bracht de aardappelen, versierd met peterselie, binnen, de broccoli met de kaassaus eroverheen, gesneden tomaten. 'Gordon?' zei ze opgewekt en hij stond op en liep met zijn wijn in de hand naar de tafel. Dolores schonk de glazen nog eens vol. De kinderen keken naar de tafel. Toen keken ze naar elkaar en sloegen hun ogen neer. Mary ging zitten. Haar gezicht was rood en bezweet, haar haar in de war, alsof zij een beetje de kluts kwijt was. Zij praatte tegen de kinderen, vroeg hun welk stuk kip zij wilden, schepte groente op hun bord.

Zij staarden haar aan: 'Je hebt de servetjes vergeten,' zei Linton ijzig.

Zij keek verschrikt op. 'O ja? Ach ja, je hebt gelijk.' En sprong op en haalde papieren servetjes uit de kast en vouwde ze en legde er een bij elk bord neer, maar ze was van haar apropos, dat kon Dolores duidelijk zien.

'Wat is dat nou weer?' zei Elise met een pruilmondje terwijl zij in de schaal met broccoli keek.

'Dat is broccoli, lieverd,' zei Mary. 'Zal ik je wat opscheppen?'

'Het is geel.'

'Dat is kaassaus, schat. Dat lust je vast wel.'

Linton nam een stukje kip en kauwde er heel bedachtzaam op. 'Die kip smaakt raar.'

'Nee, hoe kom je daar bij, schat.' Haar stem had een hysterische ondertoon.

'Wel waar.' Hij spuugde het stukje op zijn bord.

'Linton!'

'Het smaakt raar.'

Zij was op de rand van tranen, Dolores wist het, maar zij liet niets merken, ze glimlachte, ze stootte een paar korte lachjes uit, ze zei: 'Ik heb een beetje dragon op de kip gedaan, Linton. Dat is een kruid. Het schijnt heel goed bij kip te passen en het smaakt heerlijk, lieverd, probeer het nou maar.'

Heeft iets aparts willen maken. Voor mij. De arme ziel.

Linton keek zijn moeder achterdochtig aan. 'Er zit een heel vreemde smaak aan.'

'Dat komt gewoon omdat je er niet aan gewend bent. Het is echt heel lekker,' lachte zij nerveus. Ze gulpte wat wijn naar binnen. 'Het is heerlijk, echt waar.'

Linton keek van haar naar zijn bord en overwoog wat zij gezegd had. Hij prikte een klein stukje kip op zijn vork, liet het langzaam in zijn mond glijden en begon er heel voorzichtig op te kauwen.

Mary glimlachte over de tafel tegen Dolores. 'Wat het kind niet kent dat vreet hij niet, hè,' zei ze en Dolores, die zelf ook op de rand van de hysterie zweefde, stortte zich in een reeks van flauwekulpraatjes over de voorliefde van haar kinderen toen die klein waren voor spaghetti uit blik en hamburgers, en over die keer dat Anthony met Tony aan tafel was blijven zitten totdat hij zijn artisjok had opgegeten (hoewel Anthony daarvoor ook nog nooit een artisjok had gegeten) en Tony het vertikt had en Anthony hem artisjok voor zijn ontbijt had gegeven maar toen naar zijn werk moest, waarop zij was opgestaan en naar Tony was toegelopen die daar aan de ontbijttafel hardnekkig vermeed om op zijn bord te kijken, en de artisjok had opgepakt en in de vuilnisbak had gegooid en bacon voor hem had uitgebakken, een boterham in het vet had gedoopt en hem een dubbele boterham met bacon had gegeven, die hij haastig naar binnen had geschrokt om daarna op een holletje naar school te gaan en en en... zij bleef midden in een zin steken, verward.

Het had geholpen. Zij had als een kip zonder kop zitten kakelen, maar haar gekakel had de aandacht van Marys verlegenheid afgeleid. De kinderen kauwden heel omslachtig met een starende blik op de tafel gericht, alsof zij bij de volgende kaakbeweging een stuk glas verwachtten te vinden. Linton liet het grootste gedeelte van zijn kip staan. Elise het grootste gedeelte van haar broccoli. Dolores kon nauwelijks een hap door haar keel krijgen, ondanks het feit dat het eten verrukkelijk was. Zij at haar bord met een zucht van verlichting leeg. Gordon schepte drie keer op.

De maaltijd was eindelijk afgelopen. Dolores zat aan tafel met een kop van Marys heerlijke koffie voor zich en zuchtte. Het was drie uur. Nog even en zij kon weer naar boven.

'Wat zullen we vanmiddag gaan doen?' vroeg Mary opgewekt.

Waar haalt zij de energie vandaan?

'Ik wil een fort bouwen,' zei Linton.

'Nee lieverd, dat is niet zo'n goed idee. Je kunt nu eenmaal niet alle meubels uit de kamer halen en de hele gang daarmee versieren. Dat is veel te lastig, schat.'

'Ik wil een fietstocht maken.'

'O Elise, lieverd, dat zou fantastisch zijn, maar de lucht ziet er zo grijs uit.'

'Het weer is goed genoeg,' zei Gordon. 'De komende twee uur blijft het nog wel droog.'

Mary draaide zich om van de gootsteen, waar zij voedselresten van de borden stond af te schrapen. 'Zou je denken?' Alsof hij een godheid was die over het weer kon beslissen.

Elise sprong van haar stoel en huppelde de kamer rond, terwijl zij in haar handen klapte. 'We gaan fietsen! We gaan fietsen!'

'Ik ga niet op zo'n stomme fiets,' zei Linton nors, terwijl hij van zijn stoel afgleed en de kamer uitliep.

'Het gaat vanavond pas regenen,' sprak Gordon.

Dolores maakte aanstalten om Mary te helpen. Mary zei haar dat zij moest blijven zitten, maar zij wilde niet luisteren.

Zij hielp zoveel mogelijk, zonder Marys normale patroon te verstoren.

'Vooruit dan maar, als we dan maar niet zo ver gaan. Elise kan nog niet zo'n eind fietsen.'

'Welles! Welles!'

Linton was verdwenen.

'We kunnen het kleine weggetje naar de rivier nemen.'

'Daar wil ik niet heen! Ik wil naar het bos, het grote bos!'

'Nou ja, we zien wel, schat.' Mary liep de kamer uit om Linton te zoeken.

Dolores nam haar werk over, schraapte de borden schoon, ruimde de tafel af, ging daarna afwassen. Gordon rookte zijn pijp. Elise en Gordon waren in een heftige discussie gewikkeld over waar ze naartoe zouden gaan. Mary kwam buiten adem, blozend, haar zoon voor zich uitduwend, de kamer weer in; hij hield koppig vol: 'Ik wil niet mee.'

'Ik zal je die truc van mij leren, Linton,' zei Gordon.

Linton keek hem even aan. Stilte. 'Nou, misschien,' zei hij, zijn negenjarig gezicht een arrogant masker van achterdocht en trots.

Elise rende op haar broertje af en sloeg haar armen om zijn middel. 'O Linton, ga nou mee, het is hardstikke leuk!'

Mary glimlachte naar Gordon, haar gezicht was zacht en roze en meegaand. Zij glimlachte naar hem, haar ogen stuurden beloftes naar hem. Dank je wel, zeiden haar ogen, haar glimlach. Haar gezicht was een kus, een geschenk, een overgave. Dank je wel, zei ze. Dank je dat je mijn kinderen wat aandacht geeft. Dank je voor je aandacht.

5

Dolores klom met zware benen de trappen op naar haar flat.

Ja. Zij, Dolores, had haar relatie kapot gemaakt vanwege haar politieke principes. Maar zo word je als je niet aan je overtuiging vasthoudt.

Nou ja. Iedereen doet wat in zijn vermogen ligt. Iedereen doet zijn best.

Ze had zielsmedelijden met Mary, maar zij had absoluut geen zin om weer zo diep in de zoutput te zinken om haar. Mary was volwassen, ze kon haar eigen keuze bepalen.

Er bestond geen goede manier om tegen de stroom op te zwemmen, er bestond nergens een goede manier voor, maar als je met de stroom meeging, kon je tenminste nog bevallig, beheerst, zelfverzekerd zijn. Deed je dat niet, dan was het grijpen wat je grijpen kan.

Zij liet zich in een stoel zakken. Haar botten waren moe en waarvan? Van een zondagse maaltijd met een paar vrienden.

Het was nu al drie weken geleden dat zij het laatst van Victor had gehoord. Zij begreep het. Hij had zijn verhaal verteld, hij had zijn ziel voor haar op tafel gelegd en zij had daar zo veel pijltjes op af kunnen gooien als ze wilde, maar verder kon hij niet gaan. Hij moest iets in haar gezicht hebben gezien, iets in haar stem hebben gehoord, dat hem aan het twijfelen had gebracht. En zij had hem ook niet gebeld, hoewel hij allang uit Brussel terug zou zijn. Hij voelde zich een immoreel monster en zag alleen maar een gedrocht als hij in de spiegel keek. Hoe kon hij haar bellen als hij zo'n beeld van zichzelf had, hoe kon hij haar om liefde vragen? Met dit beeld van zichzelf, waarvan hij wist dat zij dat ook zag, misschien een nog veel negatiever beeld, gezien haar politieke overtuiging?

Maar zij voelde zich ook een beetje een immoreel monster. Want toen zij haar pijn en woede voor hem op de grond had gegooid, was hij bij haar gebleven, was standvastig geweest, hij was wel kwaad geworden en had het haar op een rotmanier betaald gezet, maar hij was niet bang geweest. Terwijl zij er op dit ogenblik niet aan moest denken dat zij hem recht zou moeten aankijken. Het was afschuwelijk: geen rechtvaardigheid. Arme Victor.

Zij herinnerde zich dat Victor een keer op een avond had gezegd: 'Ik begrijp wat je bedoelt als je zegt dat je met Anthony eerlijker leefde dan je nu doet. Omdat je toen jong was en je toen nog niet zo gehard was als nu, zodat hij jou op de meest pijnlijke manieren kon kwetsen. Hij kneusde je ziel, vernielde je dromen, ondermijnde je hart en je geest. Nu zou niemand je dat meer kunnen aandoen. Je zou niemand meer zo dichtbij laten komen.'

Daar had hij wel gelijk in, vond ze. Maar nu had hij *haar* dichtbij laten komen, had zijn ziel blootgelegd en wat had zij gedaan? Maar het had geen zin dat zij zich verwijten ging zitten maken, want zij kon het niet helpen dat zij zich zo voelde. Als zij hem zou bellen, als zij weer bij elkaar zouden komen, zou hij haar afstandelijkheid, haar nieuwe visie op hem voelen, hij zou het aan haar ogen en haar mond zien, het in haar stem horen. Je kunt je geweten niet sussen door met alle winden mee te draaien, zij kon niet net doen alsof alles nog bij het oude was, alsof zij hem nog steeds even aardig vond. Dat was het beroerde als je een zuiver geweten had: je kon niet liegen. Je moest leven met de wetenschap dat je rot kon doen, dat je iemand kon verraden die aardig tegen je was geweest, dat je de deur voor iemands neus dicht kon slaan, die zich strikt eerlijk tegenover jou had opgesteld.

Ja, maar aan de andere kant, was hij dan zo'n heilige? Probeerde hij jou niet heel geleidelijk, heel ongemerkt, in dezelfde pompoen te stoppen waarin hij Edith uiteindelijk had opgesloten? O, in het begin was je er als de kippen bij om hem daarop te wijzen, hem te waarschuwen als zijn zakenmans-ego weer naar buiten kwam, maar toen trad de sleur in en werd de genegenheid een vast gegeven, en je werd steeds minder alert, hij kon je in die hotelkamers tot drie keer toe alleen laten, voordat jij je ongenoegen duidelijk had gemaakt en dat toen alleen maar kon uiten in een hysterische aanval. Andere irritaties, ergernissen heb je begraven en toen ben je als modder in je eigen tuin gegleden, in je eigen bron, je hebt je eigen bron laten dichtslibben. Je hebt je laten meeslepen door de overheersende kracht, je hebt je kritische afstand opgegeven. En hij was daar dik tevreden mee.

Maar Dolores wist niet zeker of haar motieven wel zuiver waren. Zij testte zichzelf, zij peilde zichzelf. Weet je zeker, vroeg zij aan zichzelf, dat een gedeelte van wat jou in hem aantrok niet een beetje, een heel klein beetje maar, iets weghad van de edele ridder? Dat zijn verlangen voor jou niet een tikkeltje aanvoelde alsof jij uit de klauwen van het celibataire, verschrompelde monster werd gerukt en weggevoerd naar eeuwig-groene speelweiden? Behouden voor een leven met seks en wederzijdse genegenheid, warm en vochtig, en tegenwoordig volkomen aanvaard, moreel gezien.

Weet je zeker, vervolgde ze, dat hij in het beeld dat hij van zichzelf schetste, niet erg leek op het beeld dat jij van Anthony had? Was het niet zo dat de adem van de kind-tiran, koud en angstaanjagend, doordrong tot in alle hoeken van de kamer als hij praatte? Het verschil tussen hen was dat Victor getrouwd was met iemand die *Ja, schat* zei, het soort vrouw waarvan zij altijd had gevonden dat dat geknipt was voor Anthony.

O God. Zij stond op en liep de keuken in, zette theewater op, zette de ontbijtboel in de gootsteen om te weken. Zij liep met een kop thee naar de woonkamer terug en begon haar aantekeningen te verwerken. Maar zij kon zich niet concentreren. Toen zij bij de dagelijkse werkelijkheid van de vrouw en het vrouwbeeld in de cultuur was aangekomen, legde zij haar pen neer.

En dat heb ik waarschijnlijk met hem gedaan. Hem verzonnen. Misschien heb ik hen allemaal wel verzonnen, Anthony en Marsh en die arme lieve Jack, met ogen die keken alsof het licht erdoorheen scheen. Had zij met Victor hetzelfde gedaan als mannen met de vrouwelijke karakters in hun boeken, hem eenzijdig gemaakt? Machtig, maar niet kwaadaardig, macht zonder akelige consequenties; iemand die vreugde bracht zonder pijn; die mooi was zonder slechte adem; vrijgevig zonder dat hij daarvoor iets terugverwachtte. Ja, had zij dat met hem gedaan? Want als dat zo was, restte haar geen andere keus dan hem aan het einde van haar boek dood te laten gaan, omdat een dergelijke romantische figuur nooit in een huwelijk zou passen. Vandaar al die dode heldinnen...

Ja, als zij een fantasiefiguur had gecreëerd, was het onvermijdelijk dat zij zich van de echte persoon zou afkeren. Terwijl hij haar in haar naaktheid – of bijna naaktheid – had geaccepteerd. Haar ware naam had leren kennen en haar daarmee had aangesproken. Hij was beter dan zij, groter, aardiger, vrijgeviger.

Dat kon hij zich permitteren. Hij was een man op het toppunt van zijn carrière, die van het leven genoot, een fantastische tijd in Londen had, terwijl zijn vrouw...

Zijn vrouw zat in haar rolstoel.

Hij had zich weer niet aan de afspraak gehouden.

Ook als hij zijn verdriet in Dolores' schoot legde, ook als hij leed om zijn verleden en heden, ook als hij om sympathie vroeg, schond hij de afspraak, die juist de reden was van zijn pleidooi.

Zij haalde diep adem.

O, Victor.

Het voorjaar was op komst, de narcissen begonnen te ontluiken,

316

er waren krokussen, viooltjes en grasklokjes. De tuinen werden weer een lust voor het oog. Dolores werkte goed en snel. Zij had drie hoofdstukken goed afgewerkt en materiaal voor nog eens twee. Zij dacht dat ze eind juni met haar onderzoek klaar zou zijn, dan zou zij nog drie weken vrij hebben. Misschien zou zij vakantie nemen en in die tijd naar Griekenland of Spanje vliegen. Als zij genoeg geld overhad. Misschien zou een van de kinderen met haar mee willen gaan. Maar die waren altijd platzak, en zij ook.

Tony was weer terug in Berkeley zonder zijn vriendin. Omaha was vervelend, schreef hij. Ook Berkeley begon eigenlijk vervelend te worden. Wat zou zij ervan vinden als hij terugging naar het oosten en probeerde een plaats te krijgen op Juillard om compositie en harmonieleer te studeren? Als hij een plaats kon krijgen, als hij aan het geld kon komen. Maar hij dacht dat hem dat wel zou lukken, een vriend van hem werkte in een kroeg in de Village en zijn combo zou binnenkort een gitarist nodig hebben, de huidige gitarist zou vertrekken.

Zij schreef meteen terug, een brief van één woord: Ga!

Sydney, trots, verlegen, je kon haar gezicht in haar woorden zien, stuurde twee gedichten van haar mee die gepubliceerd waren in een blaadje dat *Avanti* heette. Ze gingen over dieren en ze waren sober en ruig en goed. De vrouwen in haar commune stonden op het punt om te gaan planten, schreef zij, en maakten zich op voor een harde strijd. Maar dit jaar zouden zij wat machines lenen, daarom zou het misschien niet zo zwaar worden als het afgelopen jaar. Zij zouden wat graan planten dit jaar, samen met alfalfa.

Dolores ging naar een feest bij de Carriers en ontmoette een knappe jonge man die de hele avond tegen haar aanpraatte en vroeg of zij samen eens een kopje thee zouden drinken. Dat deden zij, en hun ogen speelden en flirtten een beetje. Hij had een mooi lichaam en Dolores dacht er over om hem voor een drankje in haar flat uit te nodigen. Maar hij was vreselijk saai, daarom stelde zij het uit, en dacht dat zij hem volgende week wel kon bellen. Zij was er niet zeker van of zij het wel zou kunnen verdragen om naar hem te luisteren, ook als hij een goede minnaar bleek te zijn.

Na de thee ging zij naar huis, een beetje trillerig, en eenmaal thuis probeerde zij naar boven te halen wat onder de

317

oppervlakte borrelde. Het had met de jonge man te maken, met het neuken met hem. Dansmuziek speelde in haar oren. Natuurlijk: ja. Zij was aan het dansen met een jongen, een jonge man, danste dicht tegen hem aan, leerde hem de two-step, maar hij drukte haar stevig tegen zijn lichaam, zijn lichaam en zijn ogen zeiden haar *ik verlang naar je* en hij dacht dat haar lichaam en haar ogen hem hetzelfde zeiden. Maar dat was niet zo: haar boodschap leek op die van hem maar was niet dezelfde. Dat wist zij omdat het al eerder was gebeurd. Wat zij zei, was *ik wil, ik verlang*. Het was een algemeen, geen gericht verlangen dat zij voelde, versterkt door de diepgaande seksuele begeerte in de jazz-muziek waar zij naar luisterden. En hun beider verlangen kwam bij elkaar en ontstak in een vuurwerk dat misschien één week zou duren, of twee.

Tegen die tijd zou zij een manier moeten vinden om hem weg te sturen, gekwetst maar niet te gekwetst, daarvoor zou zij heel wat energie en tijd en fijngevoeligheid moeten opbrengen. Want zij had helemaal niet naar *hem* verlangd, zij had gewoon *verlangd*. Wat goed was geweest als hij, als zij, van haar leeftijd waren geweest, of tenminste ongeveer van haar leeftijd, als zij ook wat eelt op hun ziel hadden gehad. Maar zij waren jong en gevoelig, zij waren gauw gekwetst.

Iedere keer als dit gebeurde kreeg zij een grotere hekel aan zichzelf; iedere keer vroeg zij zich af hoe zij dit beter zou kunnen hanteren. Totdat zij op een dag besloot dat dit gewoon niet te hanteren was. Het was niet het feit dat zij jonger waren, dat haar hinderde; het was dat zij seks gelijkstelden aan liefde en dachten dat zij van haar hielden, en daarom haar afwijzing als vernietigend ervoeren. En dat was dan ook prima geweest – zoals met Jack – als zij van hen had gehouden, van *hen*, en niet alleen van de seks.

De daaruit voortvloeiende verantwoordelijkheid, schuldgevoelens en afkeer van zichzelf waren te veel voor haar. Zij hield ermee op. Punt uit. En omdat zij slechts kon kiezen tussen minnaars die getrouwd waren, en die waren na Marsh onaantrekkelijker dan ooit, en heel jonge mannen, die zij uiteindelijk moest kwetsen, bleef haar niets anders over dan het vrijgezellenbestaan.

Dat was het! Zo was het gebeurd.

Zij peinsde. Zij had het gebruikelijke man-vrouw patroon

omgekeerd door met jonge mannen relaties te beginnen. Maar deze omkering had voor haar niet gewerkt. De jonge mannen waren saai, onervaren, zij beschikten niet over rijke, gekronkelde dieptes, en Dolores vond dat een goed lichaam en een goede neukpartij niet genoeg waren. Je eiste geen liefde, maar je eiste toch wel een interessant gesprek, tenminste voor zolang als het ontbijt duurde. Alhoewel haar jonge mannen de gewoonte hadden om bij haar in te trekken, om in haar flat te komen wonen, zodat zij moeite had ze weer op straat te zetten. Zij kon niet, zoals mannen dat konden, deden, iemand neuken, hem een klap op zijn achterste geven en zeggen, *ciao*, ik zie je vanavond laat weer, schatje. Zij kon het niet omdat zij zichzelf zou haten als zij hen op die manier zou vernederen.

Moreel gezien was dat waarschijnlijk beter dan wat mannen deden, maar zelf kreeg je niet wat je wou hebben, terwijl zij, dit soort mannen, precies kregen wat ze wilden en wanneer ze dat wilden.

Geen rechtvaardigheid.

Mary deed haar mondeling examen en slaagde, en het huis schudde een beetje dit weekend. Het was een weekend zonder kinderen, maar Gordon kwam langs, en alle vrienden van Mary kwamen bij elkaar om het te vieren, ook die knappe jonge man, wiens naam, interessant genoeg, Tony was. En Dolores voelde zich een beetje huilerig omdat Victor er had moeten zijn, hij zou een prima feestvierder geweest zijn, hij mocht Mary graag en hij was gek op feestjes. De jonge man hing aan haar, maar zij vroeg hem niet naar boven voor een slaapmutsje toen het feest was afgelopen, zij glimlachte en gaf hem een nachtzoen en ging moe naar boven, ze voelde zich oud en dacht dat het misschien tijd werd om te aanvaarden dat zij oud was en dat er steeds meer dingen zouden komen die zij nooit weer zou doen. Zij lag in bed en staarde naar het plafond, en vroeg zich af hoeveel jaren zij nog voor de boeg had.

Op weg naar de Bodleian deed zij haar regenkapje af en liet de fijne regen op haar haar vallen en keek om zich heen naar de tuinen die weer kleur kregen. Het gras werd weer diepgroen en de vogels kwetterden. Sinds die terug waren had ze geen wekker meer nodig: zij maakten haar 's ochtends wakker.

Zij herinnerde zich een tuinfeest bij Carol vlak voordat zij naar Mexico vertrok voor haar scheiding. Tien of twaalf mensen zaten verdeeld over Carols mooie patio, slingerpaadjes van dik grijs steen rond bloembedden en bomen. De zon ging net onder en de hemel was schitterend. De mensen praatten met zachte stemmen, over alles en nog wat; in de glazen rinkelden de ijsblokjes. Toen trad de schemering in, de zon was verdwenen, maar er waren nog strepen roze en rood en zalmkleur en lavendelblauw aan de horizon, het was nog licht. Carol stak kaarsen aan. De gezichten begonnen te vervagen, in schaduw gehuld. Het was alsof er een zwijgen in de lucht hing dat zij allemaal voelden, want het werd stil in de patio. Dolores keek naar de donkere patronen van de bladeren op het gras en dacht over relaties. Vogels begonnen naar elkaar te roepen. Harder en harder. Steeds snerpender. 'Let nu op,' zei Carol. 'Dit doen zij elke nacht.'

En plotseling was de lucht vol van vogels, zij vormden een grote donkere wolk boven de toppen van de bomen. Bij honderden vlogen zij naar binnen, zwerm na zwerm, uit het westen kwamen zij om in de grote ceders neer te dalen onderaan Carols tuin. Zij riepen naar elkaar, en nog meer stegen er op in de verte en voegden zich bij hen. Er waren er zo veel dat zij dacht dat zij ze kon horen vliegen, dat zij het klapwieken van de tere stevige vleugels tegen de tere stevige wind kon horen. Zij streken neer in de ceders bijna zonder de bladeren te raken, en verdwenen. Achterblijvers volgden, geleid door het roepen uit de bomen. Stukken van de hemel waren bezaaid met laatkomers, en daarachter vlogen enkele vogels alleen, de treuzelaars die heel laat thuiskwamen. Toen steeg er plotseling weer een grote zwerm op, tegen de wind in, en streek neer in de ceders, gevolgd door hun eigen achterblijvers en enkele vogels die wel heel erg laat waren.

Het duurde tien minuten en was voorbij. De vogels verdwenen in de stilte, in de donkere cederbladeren, in de hemel, blauw, koninklijk, die zich voorbereidde op de duisternis. Geen blad ritselde, geen tjilp was te horen. De sprinkhanen begonnen met hun gezaag, hun timbre steeg snel, zij zongen hoog, een dreun, monotoon en troostend.

'Oh god, wat zou ik graag kunnen vliegen!' zei Dolores. ' 't Liefst zou ik zo'n tank kopen zoals ze die bij het leger hebben, die je gewoon op je rug bindt, weet je wel. En dan maar opstijgen.'

'Zo vrij als een vogeltje zou je willen zijn, hè?' Bert Janes boog zich naar haar toe. 'Nou, straks ben je dat ook.'

Zij keek hem even aan. Hij gaf haar een vulgaire, vette versierdersblik. Zij keek de andere kant op.

'Zij zijn vrij en alleen, maar 's nachts komen ze allemaal bij elkaar, zij slapen allemaal samen,' zei ze.

Hij liet zijn arm over haar stoelleuning glijden. 'En dat kunnen wij ook!' lachte hij.

'Schei uit, Bert,' zei ze, en stond op en liep naar beneden naar de ceders en stond daar en keek naar boven. Zij kon niets zien, maar daarboven waren duizenden kloppende harten, duizenden kleine diertjes, zacht en teer ondanks al hun vermogens, je kon er een in je hand kapot maken als je dat wilde.

Zij stond daar totdat de muggen haar enkels aan flarden hadden gebeten. Zij hadden het voor elkaar, die vogels. Vrij, alleen, welvende luchten, zeilend met de wind, tegen de wind in. Dan samen, neerstrijken, het hoofd onder een vleugel wegstoppen, allemaal dicht bij elkaar op een tak, in volmaakt evenwicht op één dun pootje, geen angst om te vallen. Geen slapeloosheid. Geen nare dromen. Volmaakt evenwicht. Samen, vrienden, die elkaar riepen, die wisten als er een miste, die de achterblijvers riepen.

Zij draaide zich om en keek naar de mensen in de patio. Ze verzamelden de glazen en de asbakken, ze bereidden zich voor om naar binnen te gaan. Bert Janes hing in een stoel, hij zag er neerslachtig uit. Sinds Mildred bij hem weg was gegaan was hij neerslachtig. Hij had gelijk, dacht zij, ze konden allemaal samen zijn, zij waren een paar minuten samen geweest, toen de schemering viel. Het was denkbaar, mensen die net als vogels deden, die allemaal lekker bij elkaar kropen in een reuzenbed, die met hun armen om elkaar heen sliepen, over elkaar heen, een hand aanrakend.

Zij zou er geen bezwaar tegen hebben gehad om met Bert Janes in een bed te liggen, ook met hem alleen. Gewoon daar liggen en de lichaamswarmte voelen en elkaar horen ademen. Zij wist niet zeker of ze wel met hem zou willen neuken, maar dat zou kunnen. Als zij daar warm en troostend voor elkaar hadden gelegen, zat het er wel in.

Maar zij zou het nooit doen. Want Bert Janes verlangde niet naar *haar*; hij *verlangde* niet naar haar. Of misschien verlangde hij wel, maar hij wist niet dat hij dat deed, hij had lang geleden het vermogen verloren om eenvoudig verlangen uit te drukken en misschien zelfs om dat te voelen. Daarom dacht en handelde hij alsof hij alleen punten wilde scoren. Hij wilde een nummertje maken, hij wilde goede aantekeningen behalen. Hij wilde winnen. Nog een streepje verdienen.

Daarom kon zij natuurlijk niet met Bert Janes op een bed liggen. Vrouwen gingen wel eens bij zulke mannen liggen, in de hoop dat het echte verlangen zich zou laten zien, en ondertussen hielden zij de winnaar voor een minnaar. En uiteindelijk kregen zij er altijd van langs; nou ja, wat kun je anders zijn bij een winnaar dan een verliezer?

Nu tjilpten de vogels in Oxford, zo vele jaren later, en Bert Janes en Charlie Roberts, die er die avond ook bij was, waren gestorven aan leverziekte. En Binnie Walsh had te veel slaappillen ingenomen. En de mooie elegante Mina was aan kanker gestorven. Ja. Zo kort, zo kort. Ons leven is even kort als kommervol, en daarom is het maar goed dat het kort is.

Mina's schoonmoeder vegeteerde in een ziekenhuis. Mina ging haar elke dag opzoeken. Zij kwam tegen lunchtijd naar Dolores' kantoor en terwijl zij ergens naartoe liepen om te gaan lunchen, stelde Mina haar van de toestand van de zieke vrouw op de hoogte. Zij was verlamd en bijna blind en doof. De zusters hadden geen geduld met haar, ze lieten het eten voor haar neus staan maar ze kon niet zelf eten. Op de dagen dat zij geen les gaf ging Mina haar voeren, 's middags en 's avonds, en op de dagen dat zij les gaf, voerde zij haar op z'n minst het avondeten. 'Anders zou zij verhongeren,' zei Mina, en haar milde volle stem gaf een stijlvolle verontwaardiging te kennen.

'Waarom gaat je man haar niet voeren?' vroeg Dolores bot. 'Het is *zijn* moeder.'

'Oh, die heeft het zo druk. En het maakt mij niets uit. Ik kijk graag naar haar. Ik geloof dat zij een beetje licht kan waarnemen, misschien maar onduidelijk, maar ik geloof dat zij de zon kan voelen. En zij is gek op haar eten, zij geniet ervan, dat kan ik zien. En als ik haar hand pak gaat haar gezicht stralen, het is wonderbaarlijk, werkelijk.'

'Is dat alles? *Eten*, een aanraking, een beetje zon? Mijn god, ik zou liever dood zijn. Zij zou beter dood kunnen zijn dan zo te moeten leven.'

'*Zeg dat nooit!*' riep Mina uit, de milde, elegante, stijlvolle Mina. 'Nooit!' zei Mina, die baarmoederkanker had gehad en weer was hersteld. Zij ging hartstochtelijk verder. 'Toen ze mij de operatiekamer inreden, wist ik dat ik er misschien nooit meer uit zou komen. Levend, bedoel ik. En mijn hart brak terwijl ik op die brancard lag. Het klampte zich aan al die dingen vast die ik moest achterlaten. Een gedeelte, een stukje ervan, hield het zonlicht vast en de bomen daar beneden, buiten mijn raam. En een ander stukje wou mijn zuster niet loslaten, die een lieve schat was. En brokken van mijn hart grepen naar Tom, naar zijn lichaam, de geur van hem, hoe hij eruitzag, hoe hij aanvoelde. Ik zal je zeggen, Dolores, als je de zon kunt zien en haar warmte voelen, als je een lepel met eten kunt proeven, door je mond kunt laten gaan en lekker kunt vinden, als je een menselijke stem kunt horen en je erdoor kunt laten strelen, oh, het goud van geluid! Ik houd van jouw stem, weet je. Als je ook maar iets kunt vinden waar je van houdt, waar je plezier aan beleeft, dan wil je leven. Dan wil je zeker leven.

Zij hebben mijn baarmoeder eruit gehaald, ze zeiden, als de kanker terug zou komen zouden ze mijn vagina eruit moeten halen. Mijn vagina, Dolores! Maar dat zal ik niet laten gebeuren, het kan niet gebeuren. Ik wil doorgaan met neuken tot ik doodga, ik wil neukend het leven verlaten. Ik wil het leven, ik wil het helemaal!'

Zij was aan borstkanker gestorven. Stil, elegant, zonder ophef, zoals dat bij haar paste.

Ik heb niet eens een foto van haar.

Aan de westkant van Banbury Street lag een prachtige tuin, en Dolores stak de straat over om hem beter te zien. Zij bleef staan met haar fiets en staarde maar. Verschillende kleuren blauw en geel en wit, bijzondere tulpen met strepen, irissen, narcissen. Zij keek er een hele tijd naar terwijl ze aan Mina dacht, zij wou dat ze nu met Mina kon praten, gewoon de hoorn van de telefoon oppakken en naar de hemel bellen. Haar horen lachen.

Toen ging zij weer op de fiets zitten en klom in de pedalen en reed naar het Randolph, en daar stond een man, hij wachtte ergens op, een man van begin vijftig, groot en mager en met een doodse blik in zijn ogen, maar met een gezicht waar je van kon houden, een gezicht dat gevoel had.

Zij stopte abrupt. Victor zag haar niet. De auto waar hij op wachtte reed voor, er zaten twee andere mannen in, en Victor ging op de achterbank zitten en de auto reed weg.

Zij begon weer te fietsen, langzaam, terwijl zij de auto in de verte zag verdwijnen, sloeg vervolgens linksaf de Broad in, haar hoofd in een mist, op een plaats die gevoelloos en ver en stervend en huilend en verlangend en vol van verdriet was.

6

Er was niets te denken, niets te zeggen. Als zij van de bibliotheek naar huis reed, zou zij bij het Randolph stoppen en een briefje voor Victor achterlaten. Ondanks alles wat er was, wat er zou zijn.

Misschien wilde hij haar niet zien, maar zij zou hem niets verwijten als dat zo mocht zijn. Zij had haar gezicht van hem afgewend toen hij zich naakt aan haar had laten zien. Ze zou naar hem toe kunnen gaan en zijn arm aanraken en 'Victor!' zeggen, waarop hij haar koud zou kunnen aankijken en: 'Hallo, Dolores,' zou kunnen zeggen, op een rustige toon met een beheerste mond, alsof zij iemand was die vroeger voor hem gewerkt had.

Maar het kon nog erger. Stel dat zij een briefje zou achterlaten en hij haar zou ontmoeten en zij op hem af zou lopen en op het moment van hun ontmoeting zou gaan beseffen, haar lichaam haar zou vertellen dat zij hem afstotend vond, dat zij het niet zou kunnen verdragen om door hem te worden aangeraakt. O, ze zou dat kunnen verbloemen met beleefdheden – 'Ik zou willen dat we als vrienden uit elkaar gaan' – maar hij zou het weten en zij zou weten dat zij hem nog meer pijn had gedaan. En dat leek onvergeeflijk.

Maar het maakte niet uit, zij moest het doen. Moest pijn en schuld en spijt riskeren.

Toen zij aan het eind van de middag naar het hotel fietste, bedacht zij onderweg wat zij in het briefje zou zetten. 'Zag je vanmorgen bij toeval; wil je een middag met opzet ontmoeten. D.'

Nee. Te gewild.

'Heb je zin om een avondje uit te gaan? Bel me. D.'

Nee. Beloofde te veel.

'Zou je graag willen zien. Dolores.'

Ja.

Zette haar fiets neer en liep met gebogen hoofd de entree van het hotel in, peinzend over wat zij zou schrijven, duwde de deur open en botste tegen Victor op.

En het was weer hetzelfde als die dag in de trein. Zij raakten elkaar niet aan. Zij zeiden niets. Maar hun lichamen stootten kreten uit, verzonden en ontvingen boodschappen op dezelfde golflengte. Chemisch, elektrisch of romantisch; bedrog, illusie of doordringen tot de essentiële waarheid: wat het ook was, het was zo sterk dat Dolores, toen zij opzij stapte om een paar mensen door te laten, met haar lichaam voelde dat zij een krachtveld doorbrak. Er knapte iets, zij hoorde het en keek om zich heen om te zien of anderen dat ook hadden gehoord.

Zij stonden elkaar aan te kijken, met schreeuwend lichaam, sprekend gezicht. Zij wist dat haar gezicht net zo was als dat van hem, zacht van verlangen en pijn en begeerte, hard van kwaadheid en het weten en het verleden.

'Pardon, meneer, zou ik u misschien mogen oppikken? Ik wil u graag iets te drinken aanbieden.'

'Mevrouw, ik ben zeer vereerd.'

'Het is natuurlijk niet mijn gewoonte om vreemde mannen mee te nemen.'

'Nee, dat begrijp ik. Ik besef dat ik buitengewoon aantrekkelijk ben.'

Zij liepen de lounge in en hij bestelde de drankjes. 'Ik kom zo terug, Dolores, ik moet even een telefoontje plegen.'

'Was het moeilijk om uit te leggen?' vroeg zij, toen hij weer terugkwam.

Hij keek haar even verschrikt aan maar ontspande zich toen en schonk haar een brede glimlach. Zo ken ik je weer, zeiden zijn ogen. Ik heb je gemist, ouwe haaiebaai. 'Een beetje,' lachte hij.

Zij nipten aan hun glaasjes.

'Hoe is 't met je?'

'Slecht. En met jou?'

'Duf, voornamelijk.'

'En je werk?'

'Gaat heel goed. En van jou?'

'Prima, prima.'

'Heb je nog reisjes gemaakt?'

'Een paar. Brussel. En ik ben tien dagen in New York geweest.'

Stilte. Adem stokt, dan weer normaal. 'O, wat leuk. En hoe gaat het daar?'

'Goed. Hetzelfde.'

Het zal altijd hetzelfde blijven.

'Goed zo. Hoe gaat het met Vickie?'

'Goed. Best. We hebben een lang gesprek gehad, een heel goed gesprek. Zij wil verder studeren.'

'O, prima.'

'En jouw kinderen?'

'Goed, hoor.' Wil hem graag het nieuws vertellen, maar dan moet ik hem de waarheid vertellen, hem mijn kinderen, mijn baby's op blote voeten laten zien.

'Je hebt niet gebeld,' begon zij.

Hij staarde naar de tafel. 'Nee.'

Stilte.

Hij keek haar met een gekweld gezicht aan. 'Ik vond... nou, ik weet hoe je over dingen denkt... je politieke opvattingen, bedoel ik. En ik vond... ik wilde je niet onder druk zetten, je in verlegenheid brengen. Ik wist dat je me zou bellen als je me wilde zien.'

'Ja,' zuchtte zij.

'Nou,' hij hief zijn glas, 'en daar zijn we dan.'

'Daar zijn we dan,' glimlachte ze.

Zij dronken hun glazen leeg.

'Wil je nog wat?'

'Hmmm. Ik wil eigenlijk het liefst je kamer zien.'

'Mijn kamer?'

'Ja. Heb je daar geen flesje staan?'

Toen grinnikte hij en strekte zijn hand uit en trok haar overeind en zij liepen zo snel als ze konden, ervoor oppassend dat ze niet renden, naar de lift, en zij stootte haar knie tegen een stoel in de hal maar schonk er geen aandacht aan hoewel zij er een beetje van moest hinken, en zij volgde hem naar de lift en zij gingen omhoog omhoog omhoog.

En de gang door en hij deed een deur open en zij zag een roze vlek om een lamp heen, schemer in de ramen, een rozerode, zalmkleurige beddesprei. En hem, zijn lichaam, zijn ge-

326

zicht, en dat was het enige dat er op dat moment was, hij tegen haar aan, zij tegen hem aan. Elkaar vasthouden, zonder te bewegen, een hele tijd elkaar vasthouden. Toen kwam het wrijven en het voelen en de taal van hun lichamen. Zij spraken niet *over* iets, zij *spraken*, net als het rinkelen van munten. Zij hielden elkaar vast, zij voelden de fijne ruwe wol en de zijde-achtige katoen en zijden en katoenen weefsels, even zacht en koel als water, knopen als koude parels. Zij hielden elkaar vast, zij voelden, zij wreven en aaiden en streelden.

O, het was zo goed, zo goed om te liggen, bij elkaar te liggen, warm en stevig en passend. En o, de schoonheid van het goudglanzende plekje net onder de open kraag, zacht als katoen of zijde, maar rimpelend met onregelmatigheden, een gebergte van been rond een vallei, even kwetsbaar als een wond. Eromheen het kloppend landschap van het lichaam, oor ertegenaan, je hoort het kloppen, net als je het hart van de aarde kunt horen kloppen als je op de grond ligt, de andere kant van de stilte, waarin haar ritme en jouw ritme samensmelten, een worden.

Geuren: van meloen en aardbeien, verse room, geitekaas, koele citroen, steeds vermengd met zout om het niet te flauw te maken. Zachtheid van lippen, lichamen als rijpe vruchten, slechts zachtjes aangeraakt door omkrullende bladeren, vruchten die geplukt, vastgehouden willen worden, betast in de zachte stevigheid van de handpalm, tegen de wang gewreven.

Armen, het zichzelf omhelzen moe, omhelsden, streelden andere lichamen, badend in genot, genietend van de zachte plekjes, de harde plekjes, plekjes die hard en zacht tegelijk waren. Een vreemde hand, een vreemde mond, gezucht uit een vreemde keel, dat uit je eigen keel lijkt te komen. Diepe ademhaling, vanuit de hard-zachte plaats achterin de grot van de mond, warm en vochtig.

Bewegen, een genot om te bewegen, te buigen, te draaien, te omsluiten, omsloten te worden, knieën, armen, dijen, lendenen, heupen, bewegend, vastgrijpend, tegen elkaar gedrukt, verstrengeld. Wat hoort bij wie? Bij elkaar liggen, om, over, onder elkaar. Zacht strelen, buigen, soepel, warm. Levend. Koele, vochtige voeten, die ruiken naar de aarde waar zij op lopen. Handen, kunstzinnige meesters in doen, voelen en zijn tegelijk. Geven en nemen in één adem, stevig en teer, hard en zacht. Zacht strelende, gestreelde vingertoppen, huiverende huid van satijn, huid van zijde, als de fijnste, zuiverste katoen, glanzend in de zon.

Toenemende hitte in de motor van het lichaam. Via hete kanalen wordt warmte tot in de vingertoppen gepompt, terwijl de koortsachtige vochtige bron lijdt van verlangen, heet en vochtig en huilend in stilte, openend en sluitend. Picasso-mond en -tong verlangen naar elkaar, lichamen trachten haast gewelddadig op te lossen, één te worden, samen te smelten, in een verlangen om een vloeibaar mengsel te worden, te bezitten en te heersen, bezeten en beheerst te worden, totaal verlangen, totaal bezitten, door handen in extase gebracht worden, machteloos, en tegelijk in extase brengen, machtig.

Een krachtmeting tussen twee lopende motoren, twee parende adelaars in de lucht, klappend met hun vleugels om niet te vallen, frontale botsing, genietend van de kracht en de beweging, maar ook van de machteloosheid en de overgave. En opeens is het allebei, geven en nemen tegelijk, en dan stroomt alles eruit, de bevrijding, verlichting, wegvloeiende spanning, totale overgave. Alles opgelost.

Tegenstrijdigheden bestaan gelijktijdig. De paradox is de simpele waarheid. Pijn en plezier in een perfecte vermenging, onmogelijk te scheiden. Vaste stoffen worden vloeibaar, volheid is leegte. Jij bent de vrucht die geplukt en vastgehouden en betast wordt, de vrucht waar zachtjes in gebeten wordt. Jij bent de plukker die de vrucht van de tak plukt, hem vasthoudt, betast, je tanden erin zet, dan doorbijt, het sap spuit eruit en druipt langs je kin, je eet hem helemaal op, gulzig.

Geur van citroen, geur van zout, zoute vis die tegen de stroom in zwemt in onstuimig, opzwepend water. Handen die vasthouden, die het tere vochtige zijden vlees zacht maken, die de stevige zachte lichamen stevig vasthouden, verloren en gevonden, bekend en onbekend, verzadigd en onverzadigbaar.

7

Het was zaterdagavond en zij hadden besloten om voor de verandering maar eens een keer thuis te eten. Dolores kookte, maakte een *blanquette de veau.* Victor sneed uien en wortelen en champignons maar zat het grootste gedeelte van de tijd aan

328

de keukentafel naar haar te kijken en wijn te drinken.

Zij vertelde hem alles, vertelde hem dat zij in verwarring was geweest en dat nog steeds was, maar dat zij niet meer kon denken, haar gedachten niet meer op een rijtje kon zetten. En dat zij zich nu eenmaal zo voelde, daar was niets aan te doen, maar dat het haar speet. Al die verloren weken. Maar zij kon er niets aan doen.

Ja, zei hij. Ja.

De edele ridder op een wit paard, of zoiets.

Ja, zei hij, ik begrijp het.

Politieke meningsverschillen, zei zij.

Ja, zei hij, ik begrijp het.

Arme Edith, fluisterde zij en hij sloeg zijn ogen neer en fluisterde ook: Ja.

En toen: Ik wil niet dat je met haar samenleeft, want je gaat eraan kapot. Maar ik wil ook niet dat je van haar weggaat, want dan zou zij eraan kapot gaan.

Hij legde zijn hand op zijn voorhoofd: Ja.

En Mach, zei zij. Jij werkt met hem.

Mach. Ja, zei hij. 'Maar weet je, liefje, Mach is maar een mier. Je weet wel, de soldaten bij de trekmieren, die net zo'n hiërarchie hebben als de mensen. De voorhoede gaat 's ochtends vroeg op pad en verkent het terrein, komt vervolgens terug en zegt tegen de rest dat alles veilig is. En dan marcheert iedereen weg. En de voorhoede marcheert met vliegend vaandel, de rest sjokt erachteraan. En dan komen ze bij een rivier, en de voorhoede stort zich er dapper in. En verdrinkt. Alle mieren volgen hen. En verdrinken ook. Ze verdrinken bij miljoenen, totdat hun minutieuze lichaampjes een brug hebben gevormd, een mensenbrug, nee, een mierenbrug bedoel ik. Zij verdrinken, Dolores, de een na de ander, totdat er een stevige basis ligt en de miljoenen die zijn overgebleven eroverheen kunnen lopen, naar de overkant waar voedsel is, waar het ras zich zal voortzetten.

Wat ik probeer te zeggen is dat Mach niet een persoon is, hij is een voertuig van de cultuur, hij draagt de ideeën van die cultuur over, hij is haar DNA. Hij heeft geen eigen ideeën. Hij ploetert voort, hij en zijn soort, vindt napalm en penicilline uit, creëert werk en werkeloosheid, voedsel en hongersnood. Hij heeft geen morele waarden; voor hem zijn napalm en penicil-

329

line even waardevol omdat hij er geld mee kan verdienen. Hij is een robot, een machine.'

Zij staarde hem aan, het mes in haar hand. 'Ja,' zei zij. 'Precies ja. En dat is nou net het probleem.'

'Maar,' zei hij aarzelend, 'vind je niet dat je beter zo iemand als Mach kunt hebben, die geen morele normen heeft, dan een man als... Hitler bijvoorbeeld, die duidelijke bedoelingen had met het menselijk ras?'

'Of dat beter is? Ik weet het niet. Ik denk dat als Mach evenveel macht had als Hitler, hij even slecht zou zijn. Natuurlijk, de morele waarden van de ene mens kunnen de onderdrukking van de ander betekenen. Maar ik vind dat we daar overheen moeten groeien, dat we een menselijker waardensysteem moeten vinden. O god, Victor, waarom is het zo makkelijk om een onmens te zijn en zo moeilijk om mens te zijn? Als het woord menselijk, zoals ik dat gebruik, zoals anderen dat gebruiken, al bovenmenselijk betekent.'

Hij staarde in zijn glas, liet het door zijn vingers gaan.

'Ja. Ik kan me het moment herinneren waarop ik besefte dat ik onmenselijk was geworden. Het was niet die nacht met Edith, ook niet toen ik in het ziekenhuis zat te wachten tot zij uit de operatiekamer zou komen. Maar het was wel op die dag, in de namiddag.

Ik ging naar huis nadat ik Edith had gezien, met de wetenschap dat zij buiten bewustzijn was en dat nog wel even zou blijven. Ik wist dat ik met een verhaal bij de kinderen aan moest komen. Ik vond eigenlijk dat ik hun de waarheid moest vertellen. Maar ik had geen flauw idee hoe ik dat moest doen. Ik had er uren over nagedacht toen ik daar in die wachtkamer had gezeten, niet wetend of zij de operatie zou overleven. Ik wilde hun de waarheid vertellen omdat ik genoeg had van al dat bedrog, maar wilde hen niet de stuipen op het lijf jagen, wilde geen onherstelbare schade aanrichten.

Ik kwam even voor het avondeten thuis. Mrs. Ross was in de keuken, het huis was gevuld met warme kookluchtjes. Toen ik binnenkwam, kwam zij naar me toegerend, zij legde haar handen op mijn armen, ze huilde: "O mr. Morrissey, hoe is het met die arme mrs. Morrissey?" Zo echt, zo bezorgd, dat ik haar niet kon antwoorden, niet eens kon slikken.'

Hij slikte bij de herinnering. 'Ik zei haar dat ik dat niet wist, dat we moesten afwachten, maar dat zij er slecht aan toe was. En mrs. Ross begon te huilen, zachtjes, ingehouden, als een mild lentebuitje. "Ach, het arme schaap," zei zij.'

Ze zei me dat de kinderen in de woonkamer waren en ik ging naar binnen. De kinderen zaten verspreid over de kamer. Het was een grote ruimte met lambrizeringen, een open haard en een televisie, banken en tafels en openslaande deuren naar de tuin. De kinderen zaten nooit allemaal bij elkaar in de woonkamer. Meestal zaten ze in hun eigen kamer, of keken een paar van hen tv, maar het kwam nooit voor dat ze daar allemaal tegelijk rondhingen. Maar die dag waren ze samen en daar kon ik uit opmaken hoe bang ze waren.

Vickie zat ineengedoken in een stoel een blaadje te lezen. Leslie zat tv te kijken, terwijl zij haar nagels vijlde. Mark vouwde papieren vliegtuigjes en liet die door de kamer heen zeilen. Er lagen er tientallen over de vloer verspreid. En Jonathan lag op zijn buik op de grond en keek samen met Leslie naar de tv. Zij keken op toen ik binnenkwam, ze zwegen. Leslie stond op en zette de televisie uit. 'Hoe is het met Mam?' zei Vickie.

Er brandde een mager vuurtje in de haard. Dat hadden ze waarschijnlijk zelf gemaakt. Ik kreeg het steeds benauwder, mijn keel voelde aan alsof die elk moment kon barsten. Ik liep naar de open haard en begon kranten op te rollen en te versnipperen en in het vuur te gooien.

'We weten nog niet hoe het met haar is,' zei ik.

Ik legde aanmaakhoutjes op de krantesnippers.

'Gaat zij dood?' zei Mark met een dun, hoog stemmetje.

Ik porde het vuur op met de pook en ging in een leunstoel zitten. 'Ik weet het niet. Daar is nog niets van te zeggen.'

Mrs. Ross kwam binnen met een dienblad met een fles whisky, een glas en een schaaltje ijsblokjes. Ze maakte bijna een buiging, zo graag wilde zij het mij naar de zin maken, zo graag wilde zij mij troosten. Zij aaide Vickie over haar wang toen zij de deur uitging. 'Ach, arme schapen,' zei ze.

En Jonathan stond op en begon te blèren. Hij was toen acht jaar en hij jankte maar door, ontroostbaar. Hij holde de kamer uit en ik sprong op en probeerde hem te pakken, hem vast te houden, maar hij wrong zich los, hij vocht met me, hij sloeg me op mijn armen, beukte erop los en rende toen de kamer uit. Ik

333

was als verdwaasd. Ik had tranen op mijn gezicht. Wat een woede, wat een angst had hij in zich!

Ik keek naar de andere kinderen. Zij lagen of zaten nog net zo als eerst. Hun gezichten waren onbewogen. Ik ging weer zitten.

'Hoe is het gebeurd?' zei Vickie.

'Zij is tegen de muur van een tunnel aangereden. Op de boulevard.'

'Wanneer?'

'Vanmorgen vroeg. Gisteravond laat.'

'Wat deed ze vanmorgen vroeg, gisteravond laat buiten?'

'We hadden ruzie gehad. Ze was kwaad, ze is het huis uitgerend en weggereden.'

Stilte.

Toen vroeg Leslie weer: 'Waarom hadden jullie ruzie?'

'Ach, Les, het is zo ingewikkeld. We hadden ruzie omdat we samenleven en samenleven moeilijk is.'

Vickies stem kwam er hard en koud tussen. 'Met andere woorden, ze heeft je eindelijk je verdiende loon gegeven.'

Mijn hoofd veerde op. 'Wat?'

'Omdat je er nooit bent, omdat je nooit echt aardig tegen haar bent, omdat je nooit aandacht voor ons hebt.'

'O, Vick, Vick!' huilde ik toen, het was een lange dag geweest, ik kon het niet helpen. En zij bleven staan of zitten waar ze waren, ik kon hen niet zien maar ik kon de stilte in die kamer voelen. Toen stond Vickie op, ze liep naar me toe, ze stond een eindje van me vandaan, ze keek naar me. Zij moet zich ellendig hebben gevoeld, het was waarschijnlijk nooit in haar opgekomen dat ik ergens door geraakt kon worden, dat ik kon huilen, dat ik verslagen kon worden. Ze kwam een stapje dichterbij.

Ze legde haar hand op mijn arm. Ze raakte mijn arm even aan, trok daarna haar hand terug, alsof ik zou opvliegen en haar zou slaan.

'Het spijt me, Papa,' zei ze met een dun stemmetje.

Het moment waarop zij pas echt haar onschuld verliet: zij besefte haar macht, besefte dat zij kon kwetsen, dat zij mij aan het huilen kon brengen.

''t Is wel goed, Vick,' zei ik, terwijl ik mijn tranen wegveegde. 'Waar is Jonathan?'

'In zijn kamer denk ik,' zei Mark. Mark en Leslie zaten rechtop op de grond, als twee bevende katjes.

Ik stond op, wankelde overeind. Die borrel was behoorlijk hard aangekomen, ik was uitgeput. Ik liep de woonkamer uit en ging naar Jonathans kamer. De kinderen liepen achter me aan. Hij was er niet. We doorzochten het huis. Hij was nergens te vinden. De kinderen gingen naar buiten, ze keken overal. Jonathan was spoorloos. Ik liep naar de woonkamer terug en schonk nog een borrel in. Ik dacht: Dat moest er nog bijkomen, een weggelopen kind. Ik wilde net naar de auto lopen om hem te gaan zoeken, toen Vickie de kamer inkwam.

'Het is oké,' zei ze. 'Hij zat te snotteren in de kast. Ik hoorde hem. Hij is in zijn kamer.'

We liepen naar Jonathans kamer. Hij lag opgerold op de vloer in de kast, in een hoekje, te snikken. Ik trok hem overeind, haalde hem naar buiten, droeg hem naar het bed, ik ging zitten met hem op mijn schoot, hield hem vast, hij legde zijn hoofd op mijn schouder, griende. Ik bleef zitten met hem tegen me aangedrukt, streelde zijn rug, zijn hoofd, zoende hem op zijn haar, zei: 'Het is goed, schatje, het komt wel goed,' en terwijl ik dat deed, voelde ik hem, zijn kleine lichaampje, voelde zijn ruggegraat, zijn wervels onder zijn hemd, de kleine botten, breekbaar. En ik rook hem, hij rook naar zweet en vuil en lamskoteletjes, kindergeur, geur van vlees, kindervlees, maïs-zoete zweethaartjes. Zijn lichaam was warm en zijn hart klopte heel snel en zijn snikken kwamen in een trager tempo, namen af. En ik voelde zijn lichaam, de broze ribben, de tere wervels, en dacht eraan hoe breekbaar hij was, hoe breekbaar wij allemaal zijn, Edith in het ziekenhuis met haar breekbare lichaam in gruzelementen, kapot, kapot, wij allemaal kapot, en ik wiegde hem, ik legde mijn hoofd tegen het zijne en liet de tranen komen, de tweede keer die dag, een record, maar ik was moe, het kon me niets schelen, ze mochten het zien. Ik liet de tranen over mijn wangen stromen, ik wist dat de kinderen daar met open mond stonden te kijken, het kon me niets schelen.

En hij viel in slaap met zijn armpjes stijf om mijn nek geklemd, viel in slaap van pure emotionele uitputting, en ik keek op naar de kinderen en zei dat we hem beter konden uitkleden en hem in bed stoppen en zijn bad maar moesten vergeten, en toen zag ik Vickies gezicht, zij staarde me aan, ze keek naar me alsof zij haar ogen niet kon geloven.

En ik wist, nou ja, we waren niet zo dik met elkaar, Vick en ik, als zij zich verwaardigde om met me te praten kreeg ik altijd de een of andere rotopmerking naar mijn hoofd geslingerd, wat me danig dwarszat, en ik zei Edith dat ze daar iets aan moest doen, maar zoveel aandacht had ik nou ook niet voor haar. Maar nu stond ze me aan te kijken alsof ik een vreemde was, alsof zij er nooit bij had stilgestaan dat ik zoiets kon, een baby troosten. Alsof mannen dat nooit deden. Alsof mannen – dat gevoel heb je soms – de bezetters waren die rondmarcheerden en *Achtung!* schreeuwden. Opgelet! En hun geweren van hun schouder haalden en de loop op de billetjes van een kind richtten en die ertegen aandrukten. Maar nooit van hun leven een baby zouden kunnen wiegen.

Zij wist niet dat ik dat vaak genoeg met haar had gedaan toen zij een baby was. Zo ver ging haar herinnering niet terug. Want in de loop der jaren was ik daarmee opgehouden, ik had Leslie weinig gewiegd, Mark een paar keer, Jonathan nooit, denk ik.

Maar goed, ik zag hoe zij naar me keek en ik begreep dat ik in haar ogen al een hele tijd onmenselijk was en zij niet geheel kon vatten wat er zich nu voor haar ogen afspeelde. En ik dacht hoe prettig het was om Jonathans kleine lijfje vast te houden, om te voelen dat hij mij nodig had, dat ik hem nodig had, dat wij samen verbonden waren door vlees en bloed en het kloppen van ons hart en het levensritme. Liefde. Op dat moment begreep ik wat het was. Voor het eerst in mijn leven.

En ik zei tegen Vickie: 'Waar ligt zijn pyjama?' en zij pakte die en we kleedden hem uit, voorzichtig, haalden zijn kleine lichaampje uit zijn broek en hemd en trokken hem zijn pyjama aan en gaven hem allemaal een zoen, slaperig als hij was, en streelden zijn hoofd en liepen op onze tenen de deur uit en deden het licht uit.

En Vickie herinnerde zich niet met haar verstand dat ik haar vroeger ook zo had gewiegd, maar misschien herinnerde zij het zich met haar lichaam. Want toen wij de deur hadden dichtgedaan, draaide zij zich om en sloeg haar armen om me heen, drukte me tegen zich aan en zei: 'Het spijt me, Papa.'

Dolores zweeg toen hij zijn verhaal had beëindigd. Zij stond met het mes in haar hand, zwetende stukken kalfsvlees op de snijplank voor haar. Nee, hij was geen Mach als hij Mach kon zien; was geen Mach als hij dit kon vertellen, als hij kon zeggen *hij had mij nodig en ik hem.*

'En dan te bedenken dat ik je op een wit paard wilde zetten,' zei ze.

Hij draaide abrupt zijn hoofd om, opschrikkend uit zijn gepeins. En zij liep naar hem toe en drukte zijn hoofd tegen zich aan, omhelsde hem en zei: 'Terwijl je er veel beter niet op kunt zitten, veel beter.'

En zette bewust uit haar hoofd wat Edith had moeten doen om hem zo te maken, wat Edith had moeten inleveren.

Acht

Dolores was niet meer met Victor op zakenreis gegaan sinds die vreselijke nacht in Manchester, maar toen hij aankondigde dat hij in april naar Parijs moest, riep zij: 'April in Parijs! Ik heb nog nooit april in Parijs gezien!' Hij zei grinnikend dat hij daar een week werk had, dus als zij het weekend daarvoor en erna zouden blijven, zouden zij negen dagen Parijs in april kunnen zien.

April in Parijs bleek grotendeels vochtig en kil te zijn, met af en toe een regenbui en geen kastanjebloesem te zien. Maar het maakte niets uit. Dolores hield van Parijs en wist haar weg in het centrum zonder kaart, iets wat ze in Londen nooit had gekund. Zij liep aan een stuk door, raakte nooit uitgekeken op de Parijse straten. Zij verkende alle steegjes en straatjes van buurtjes die zij niet kende en vond altijd wel ergens een klein cafeetje waar zij kon uitpuffen en naar de mensen kijken. Zij bezocht gedeeltes van het Louvre waar zij nog nooit geweest was, keek met open mond naar het verbazingwekkende nieuwe Centre Beaubourg en snuffelde rond in de kleine kunstwinkeltjes aan de linkeroever van de rivier.

's Avonds liepen zij en Victor in regenjassen op de kaden langs de Seine, iets wat zij altijd al met een minnaar had willen doen. Zij liepen dicht tegen elkaar aan, hand in hand, meestal zwijgend. Zij gebruikten al hun energie om hun omgeving in zich op te zuigen, om op te kunnen teren in slechte tijden. Zij gingen naar een café op het Île tegenover de Notre Dame en staarden omhoog naar de steeds veranderende kathedraal in de schijnwerpers – sober, somber, spookachtig en hoekig, van een overweldigende pracht. Het was onmenselijk, dacht Dolores, terwijl zij tegelijk bedacht dat het door mensenhanden gemaakt was, net als mensen een gedrag konden vertonen dat onmenselijk was, hadden mensen dit gebouwd met het doel de mens nietig te maken, hem ontzag in te boezemen. Zij zaten ernaar te kijken terwijl zij café filtre dronken, elkaars hand vasthielden, de omgeving in zich opnamen, in zich opsloegen, net als kamelen om in de woestijn te kunnen overleven.

De eerste zaterdag gingen zij met de trein naar Chartres en stonden urenlang bij de deuren en ramen, Victor in vervoering bij de blauwe madonna, Dolores als altijd bij de waterspuwers. En het toeval wilde dat daar een organist aan het oefenen was voor een concert dat de volgende avond in de kerk zou worden gehouden, en Victor en Dolores namen de kans waar en gingen naar hem zitten luisteren, met op de achtergrond het gefluister en geschuifel van voeten, geklak van hakken op de marmeren vloer, gedempte gesprekken, plotselinge scherpe bevelen naar kinderen. En zij keken naar de oprijzende bogen en het licht dat door de lichtbeuk naar binnen stroomde, gedempt licht dat in stralen om het gebrandschilderde glas danste. En hoorden de muziek van Bach, die alles in zich verenigde, die meerommelde met de vermoeide voeten, de geur verscherpte van bezwete, vuile, afgeleefde lichamen, die van de vloer omhoogzweefde en galmde, met de vingertoppen het hoogste punt bespeelde waar de bogen samenkwamen, tegen het glas tinkelde, dat vibreerde en zong.

Verzadigd in lichaam en geest namen zij de laatste trein terug naar Parijs, tegenover elkaar zittend, zodat zij elkaar konden aankijken; ogen en monden spraken zonder woorden, zeiden niets nieuws, niets wereldschokkends, gaven alleen uiting aan dezelfde volmaaktheid, de emotionele totaliteit van hun verbondenheid. Zij konden hun blikken met moeite van elkaar losmaken, maar toch deden zij het, draaiden hun ogen weg om naar een droefgeestig figuur te staren, om te luisteren hoe een man zijn vrouw zat af te kammen, om te kijken naar een echtpaar van oudere leeftijd, gehuld in de stilte van een jarenlang huwelijk. En zij gaven voortdurend commentaar op deze gebeurtenissen, met kleine bewegingen van hun mond of wenkbrauw, met oogbewegingen die als flikkerlichtjes over hun gezicht schoten. Hun subtiele communicatie strekte zich uit van geamuseerdheid en leedvermaak tot medelijden of verachting of gewoon belangstelling. Het was onbezorgde pret, deze stilzwijgende communicatie, hij hing in de trillende lucht tussen hen in en nam alle ruimte om hen heen in beslag. En onderwijl bestudeerden zij elkaars gezicht zoals een portretschilder dat zou doen, tekenden het uit in hun hoofd, griften het op hun netvlies om het voor altijd bij zich te hebben.

Dolores stond erop dat Victor meeging op een boottochtje langs de Seine (veel te toeristisch, zei hij). 'Ik doe dat altijd als ik in Parijs ben en ik vind het altijd weer leuk en dat zal jij ook vinden,' zei ze. Het was een zonnige dag en samen met de Duitsers, Italianen, Scandinaviërs en Amerikanen en de krakerige luidspreker waar in vele talen onverstaanbare dingen uitkwamen, voeren zij de rivier af, onder de bruggen door, langs de Îles, langs de heroïsche gebouwen van het oude Frankrijk.

Victor stond erop dat Dolores met hem meeging naar de Eiffeltoren (en jij vindt die boottocht te toeristisch?), omdat hij daar nog nooit op was geweest, ondanks al die reisjes naar Parijs, omdat hij dan met zaken bezig was en weinig tijd had om dit soort pleziertochtjes te maken. De rijen waren niet zo lang als in de zomer en zij hadden binnen een uur een kaartje. Maar het uitzicht was teleurstellend omdat het een bewolkte dag was en het zicht beperkt. Dolores trok Victor daarom mee naar de Arc de Triomphe en zij beklommen die en stonden toen in de magische cirkel in het hartje van de oude stad, keken met verbaasde ogen naar de brede, met bomen afgezette avenues, die als spaken in een wiel uitstaken en zich vertakten; toen zij zich omdraaiden zagen zij het Bois de Boulogne, een groot woud in het midden van deze hoogbeschaafde, mooiste stad van de westerse wereld.

Ze wilden allebei Sainte-Chapelle zien, de kleine kapel die Lodewijk de Heilige aan zijn paleis had laten bouwen. De ruimte schitterde van het dansende licht van de gebrandschilderde ramen en Victor zei dat het leek alsof dit een combinatie was van godsdienst en toverkunst, en dat dit een sprookjesland was. Dolores vroeg zich af hoe de wereld eruit had gezien in de ogen van Lodewijk de Heilige, hoe de wereld buiten zijn paleis was geweest dat hij *zoiets* had kunnen bouwen.

Victor wilde naar Versailles, maar Dolores was daar sterk op tegen. Hij was onverbiddelijk, hij zei dat je het één keer in je leven gezien moest hebben, dat zij het tenslotte al had gezien, en zij was gedwongen om ja te zeggen. Hij vond het mooi, indrukwekkend. Maar Dolores zei tussen haar tanden: 'Geen wonder dat er een revolutie uitbrak.' Hij wees op een vergulde lijst, een schilderij, een vaas: *Bah*, zei Dolores. Het enige dat ze mooi vond waren de tapijten.

Victor begon te filosoferen. De monarchie mocht dan zelfzuchtig zijn geweest, maar kijk eens wat zij hadden achtergelaten! *Bah*, herhaalde Dolores. De kunst, vervolgde Victor, niet op haar reagerend, bloeit altijd in een cultuur waarin een elite bestaat, een aristocratie, een klasse met de vrije tijd en het geld om haar te waarderen en te koesteren. 'Sinds we gekozen regeringen hebben, moet je eens kijken wat voor rotzooi er gemaakt wordt, neem nou de kunst in de Sovjetunie bijvoorbeeld.'

'Als dit de kunst is die de aristocratie koestert, dan ben ik voor de anarchie,' zei Dolores. 'En ik vind Amerikaanse kunst mooi. Zij leeft, zij heeft een visie.'

'Vind jij geheel gele schilderijen mooi?'

'Dat is maar een deel van de Amerikaanse kunst...'

'De moeilijkheid met de Amerikaanse schilders is dat zij te veel denken,' zei Victor. 'En de kunstenaars zijn geen ambachtslieden meer. Kijk maar eens naar die gouden handspiegel: er is waarschijnlijk niemand meer die dat kan.'

'En waarom zouden we? Dit hoort bij een andere levensvisie, toen de mensen zichzelf tot god verklaarden en het eten van hun medemensen opaten. Onze kunstenaars hebben een ander doel voor ogen.'

'Dat is zo. Zij zijn uit op kunst zonder inhoud.'

Hun opvattingen lagen hemelsbreed uit elkaar: op esthetisch, moreel en politiek gebied. Maar zij genoten ervan. Zij hielden allebei van discussiëren en waren allebei gewend om gelijk te krijgen. Het was een prettige verandering om met iemand te debatteren die sterk reageerde en voet bij stuk hield, prettig om in een gesloten cirkel te redeneren, met de wetenschap dat je nooit kon winnen. Het gaf de discussie een speels element, en dat werkte bevrijdend en geestverruimend.

'Victor,' zei Dolores met een hatelijke glimlach, 'soms denk ik wel eens dat jouw kennis van de geschiedenis ophoudt bij wat je op school hebt geleerd.'

'Dolores,' zei hij boosaardig glimlachend terug, 'soms wou ik dat ik in jouw hoofd kon gaan zitten en dat losse schroefje kon zien waardoor een intelligente vrouw als jij zo'n onzin uitkraamt.'

'Ik ben het zo langzamerhand goed zat om in mijn eigen hoofd te zitten,' gaf zij toe. 'Het is zo eigenwijs, zo meedogenloos, zo streng.'

'Goed, laten we ruilen,' zei Victor toen zij de Spiegelzaal inliepen en Dolores voor de vijftigste keer *Bah* had gezegd. 'Jij gebruikt mijn hoofd en ik het jouwe. Het mijne zit vol met feiten en cijfertjes, namen en data. En op de plaatsen waar het bij jou streng is, is het bij mij oningevuld.'

'Goed idee,' zei Dolores. 'Voor een uurtje per dag of zo. Net als het luchten van de kamer.'

'We beginnen nu,' kondigde hij energiek aan en keek op zijn horloge. 'Tien over drie.' Hij keek om zich heen, deed zijn mond wijd open en stak zijn tong uit. Hij zei: 'BAAAAHHH!'

Zij begon te giechelen. 'Niet hier!'

'BBUUUUHHH!' ging Victor verder. Sommige mensen draaiden zich naar hem om.

Dolores liep van hem weg en probeerde net te doen alsof zij niet bij hem hoorde, maar zij was zo hard aan het giechelen dat zij evenveel aandacht trok als hij.

'Nee, nee, hier blijven.' Hij liep haar achterna en greep haar bij de arm. 'Bah! Wat een potsierlijke ruimte!'

Dolores maakte haar arm vrij en spreidde haar armen uit, terwijl zij op de bespiegelde muren wees. 'Dames en heren! Voor u ziet u vijftigduizend spiegels waar vijf miljard ton zand voor nodig was plus een paar duizend mensenlevens. De arbeiders stikten namelijk in al dat zand. Maar de koning zag het als een edele daad om je leven voor het vaderland te geven, vooral voor zo'n schitterende zaak. De Spiegelzaal, dames en heren! De zaal is zes meter breed en dertig meter lang en elke dag lopen er vijfduizend vierhonderdvijfendertig toeristen langs...'

Een Amerikaan met spijkerbroek en baard applaudiseerde. Een groepje Duitse toeristen keek haar bevreemd aan, terwijl hun Franse gids haar dodelijke blikken toewierp. Victor greep haar bij de arm en trok haar ruw met zich mee. 'Dat zit niet in mijn hoofd,' zei hij, *zeer* streng.

Zij kon niet meer ophouden met lachen. Haar ogen traanden, haar gezicht was nat. Zij rukte zich weer los en spreidde opnieuw haar armen uit: 'O! Wat een fantastisch oord! Zo behoort een koning te wonen! Dit is het juweel in de kroon van de monarchie! Lang leve de koning!'

En tot verbazing van de omstanders nam Victor haar in zijn armen en zoende haar natte gezicht. En ook toen bleef zij doorgiechelen.

Onderweg naar het vliegveld keken zij uit verschillende taxi-raampjes; zij zaten ver uit elkaar maar hielden elkaars hand vast over de bank heen. Zij keken ieder uit een ander raampje, zagen ieder iets anders maar toch hetzelfde, een andere stad maar toch dezelfde. Dolores probeerde de stad in zich op te zuigen, erin op te gaan, deze stad waar zij zo van hield en in terug zou keren, maar zonder Victor. Zij wilde de stad in zich opnemen met hem erbij. Het was anders met hem erbij, de lucht scheen anders gezoet of gezouten, bewegingen geschieden in een ander tempo. Allebei wilden zij het zich op deze manier herinneren, de indrukken vasthouden, niet alleen van de stad maar ook van elkaar. Zij keken naar buiten met een hongerige blik, alsof zij de stad konden eten, lardeerden hun gedachten met de ervaringen van de afgelopen dagen, van dit moment, samen, om op terug te kunnen vallen als de hongerwinter kwam.

2

Maar hun harmonieus samenzijn kon niet al te lang voortduren. Alles heeft een bepaald ritme, en zelfs harmonie heeft een verstoring, een nieuwe impuls nodig om een relatie levendig te houden.

Zij waren weer terug in Oxford, later in die maand. Ze hadden samen thuis gegeten; Victor had aangekondigd dat hij moussaka wilde maken en was daar de hele dag mee bezig geweest, zodat de keuken tot een afwashel was geworden. En omdat hij gekookt had, moest Dolores de afwas doen. Knarsetandend beloofde zij hem dat zij, als het haar beurt was om te koken, cannelloni zou maken. '*Drie* sauzen! Maak je borst maar nat!'

Maar het afwassen werd uiteindelijk toch geklaard, Victor hielp zelfs een handje mee en zij zaten rustig met een cognacje in de woonkamer, toen Dolores ineens weer werd herinnerd aan haar verhaal dat vrouwen altijd tegen de stroom in moeten zwemmen en daar verder op doorging. Victor luisterde steeds ongemakkelijker toe en toen zij aan het nazi-gedeelte toekwam, had hij een gezicht als een oorwurm. Maar hij zei niets.

'Je vindt het niet leuk wat ik zeg, hè?'

'Je mag van mij alles zeggen wat je wilt.' Kortaf.

'Waarom vind je het niet leuk?'

'Dat heb ik niet gezegd.'

'Maar het is wel zo. Waarom geef je dat niet toe?'

Het antwoord kwam er geïrriteerd uit. 'Wat wil je nou van me? Dat ik al mijn mannelijke chefs op straat zet en vrouwen in dienst neem? Ik doe mijn best. We nemen al vrouwen aan op hoge posities, Dolores, en negen van de tien keer loopt het op niets uit! Vrouwen denken anders dan mannen! Anders. En dat klinkt misschien seksistisch, maar ik kan het ook niet helpen. Het is gewoon zo!'

Ze voelde een hard plekje in haar maag. 'Het klinkt mij helemaal niet seksistisch in de oren. Je hebt gelijk, de meeste vrouwen hebben inderdaad andere ideeën dan de meeste mannen. *Betere* ideeën. Mannen hebben het veel te druk met status en spelletjes en winnen en hebben geen oog voor andere dingen. Vrouwen denken circulair, zij overzien de totaliteit van de dingen en hebben daarom andere prioriteiten. Prima, ontsla al die mannen maar en neem vrouwen daarvoor in de plaats als je een gezond bedrijf wilt hebben.'

Een diepe, overdreven zware zucht. 'Ach, Dolores.'

'Ik meen het serieus,' loog zij. 'Het zou je bedrijf wat menselijker maken. Als je dat wilt natuurlijk.'

'Je meent het niet echt. Je probeert me alleen maar uit mijn tent te lokken.'

'Ik meen het niet echt omdat ik weet dat je het nooit zou doen. Maar als jij je vrouwelijke werknemers zou houden, zou dat betekenen dat je op de goede weg zit. Echt waar. Dat meen ik. Vrouwen zijn de graadmeter. Als zij het eens kunnen zijn met je beleid, betekent dat dat je een fatsoenlijk beleid voert.'

'Jezus, neem me niet kwalijk, Dolores, maar soms kraam je klinkklare onzin uit.'

Zij keek hem woedend aan.

'Luister, je moet realistisch blijven. Gezien het feit dat onze wereld gebaseerd is op hevige concurrentie en zucht naar winst...'

'Ons land, bedoel je,' verbeterde zij hem.

'Hou jezelf niet voor de gek. In Rusland mag je misschien geen winst maken, maar ze zijn daar even hebzuchtig als wij – iedereen is uit op status, geld en macht. Denk je dat de Chinezen anders zijn?'

Zij haalde haar schouders op. 'Nee. Die landen zijn allemaal in handen van mannen, het zijn mannenwerelden. Mannen zijn overal hetzelfde, er zijn alleen graduele verschillen.'

'Jezus!' zuchtte hij. 'Zie je dan niet hoe monomaan jij denkt? Jij ziet overal overheersing door mannen en verder kijk je niet, maar je praat er constant over en valt mij daar constant mee lastig!'

'Ik zie dat overal, omdat het overal is.'

'Dat is de dood ook, maar ik hoef niet elk lijk te zien dat onder de grond gaat.'

'O, wat een belachelijke vergelijking! In de eerste plaats is de dood iets onvermijdelijks, en mannelijke overheersing niet. In de tweede plaats zou jij, als jij elk voorbeeld van de akelige gevolgen van het seksisme zou zien, je de rest van je leven alleen al kunnen bezighouden met de mensen in je eigen straat, en dan nog maar aan één kant.'

Hij ontspande zijn schouders. 'Oké, luister, ik wil hier niet over gaan bekvechten. Het is gewoon... het wordt een beetje vermoeiend. Want je ziet het niet alleen overal, het is ook het *enige* dat je ziet. Je gaat bij Mary en haar vriend, hoe-heet-ie-ook-weer, eten en je maakt van een zondags etentje goddomme een feministisch drama! Daar baal ik van, Dolores!'

'O, je wilt niet bekvechten. Maar je vertelt me wel rustig dat je van me baalt.'

'Dat zeg ik niet! Heus niet! Maar je zit me wel voortdurend dwars!'

'Nietes!'

'En je verdiept je in de stomste dingen! Relaties! Weet je, wat mensen thuis uitspoken is hún zaak, maar daar heerst wel gelijkheid, dat besef jij niet, jij had gewoon een superslecht huwelijk, maar jij beseft niet hoeveel macht een vrouw in een gezin kan uitoefenen.'

Zij viel bijna van haar stoel. 'Daar heerst geen gelijkheid!' schreeuwde zij. 'Wat zit ik je nu allemaal te vertellen! Er is daar geen gelijkheid, want er is nergens gelijkheid! Man en vrouw zijn onderworpen aan verschillende voorwaarden...'

'Oké! Rustig een beetje! Het punt is in ieder geval dat dat onbelangrijke dingen zijn, dat zij jouw aandacht niet waard zijn. Jij bent te intelligent om bezig te zijn met wat Mary tegen John zei en wat John toen terugzei. Wat kan het jou verdommen!'

343

'Ooo!' schreeuwde ze en stond op met haar handen tegen haar slapen. Zij liep naar de muur, bonkte er met haar hoofd tegen aan. 'Ooo! Ooo! Ooo!'

'Dolores, alsjeblieft zeg!'

Zij viel tegen hem uit: 'Onbelangrijk, zei je? Niet het overwegen waard? Het is godverdomme de toekomst van ons bestaan, druiloor! Alles draait om de relatie tussen mannen en vrouwen: het welzijn van de kinderen, het karakter van de kinderen, het karakter van de maatschappij, van onze hele beschaving! Het is toevallig het meest gewichtige onderwerp dat er is, Victor Morrissey! Jij denkt zeker dat pijpleidingen belangrijker zijn! Nou, dat komt omdat je een *man* bent!' De manier waarop zij *man* uitsprak maakte het op zijn zachtst gezegd synoniem met *stom*.

Hij keek haar woedend aan en trok heftig aan zijn sigaret. Toen vermande hij zich en begon een tegenaanval. Hij leunde naar voren en gebaarde naar haar met zijn hand, waardoor de as van zijn sigaret op het kleed viel. 'En *dat* vind ik nou zo lullig van jou. Eerst word je hysterisch en dan verval je in dat stomme gepreek! Je geeft me voortdurend een preek, je wilt me voortdurend bekeren! Nou, daar heb ik geen boodschap aan! Ik leef al eenenvijftig jaar zonder en dat bevalt me best! Het lijkt wel alsof je mij uitdaagt om mijn denkwijze driehonderdzestig graden om te keren, mijn levensvisie godverdomme! Je zit constant tegen me te zeuren dat ik mijn morele waarden moet opfrissen, moet reorganiseren of zelfs opgeven en er nieuwe voor in de plaats nemen.'

Ze was stijf en koud. Het harde plekje in haar maag was nu een stijf, samengebald klompje geworden. Zij ging zitten, gekwetst. Het *zeuren* had haar getroffen. Alleen de machtelozen zeuren. Alleen de machtelozen *moeten* zeuren. De machtigen bevelen.

'Ik kan mijn manier van denken niet veranderen, maar al zou ik dat wel kunnen, dan zou ik het nog niet doen. Dat wil ik niet. Mijn manier van denken bevalt me best. Ik ben tevreden met mijn werk. Ik ben tevreden met mezelf.'

'Soms,' beet zij hem venijnig toe en hij keek haar kwaad aan.

'Nou, *dat* is wederzijds,' beet hij terug en nu was het haar beurt om kwaad te kijken.

'Jij verwacht van mij dat ik jouw visie, jouw ideeën, jouw
344

manier van leven overneem, punt uit. Ik moet mezelf helemaal veranderen. Ik moet mijn baan opgeven...'

'Dat heb ik nooit gezegd.'

'Nee. Je maakt anders wel constant sarcastische opmerkingen over bedrijven, kapitalisme, managers.'

Zij zweeg. Dat was waar.

'Je ziet alleen maar de slechte dingen ervan, niet de goede dingen.'

'Die zijn er ook niet.'

'Dat is nonsens! Dolores, Christus nog aan toe! Ik begrijp niet dat je zo blind kunt zijn! Geen systeem is perfect, waar of niet! Maar in een kapitalistisch systeem is er meer vrijheid voor een groter aantal mensen dan in elk ander systeem...'

'En is er een slavenklasse nodig om het systeem goed te laten werken.'

'...en bedrijven zijn structuren waarin gestreefd wordt naar de hoogst mogelijke efficiëntie, en dank zij die bedrijven is er in de Verenigde Staten een hogere levensstandaard dan in andere landen...'

'Dat komt door de industrialisatie en de rijkdom aan delfstoffen. De bedrijven werken alleen maar gelegaliseerde plundering en uitbuiting in de hand...'

'GGGGRRRR!' gromde hij. Hij stond op, tot het uiterste getergd. Hij begon te ijsberen.

'Zie je wel!' Zijn stem had een schrille klank. 'Je wilt het niet zien, je wilt geen duimbreed wijken. Je verwacht van mij dat ik centimeters, meters, kilometers wijk, je wilt dat ik bij alles wat ik doe of zeg me afvraag of het wel zuiver genoeg is voor die puriteinse Dolores, wat niet alleen verdomd *egoïstisch* is, het is ziek! Ziek!'

'Ik heb niet de macht om jou tot iets te dwingen,' zei zij koeltjes. 'Als jij iets doet, doe je dat voor jezelf. Maar schuif dat dan niet op mij af.'

Hij draaide zich abrupt om. 'Luister, ik red me best in deze wereld. Beter dan jij, als je de waarheid wilt weten. Ik heb jouw hulp niet nodig!'

'Je redt je best omdat je net zo denkt en voelt als de rest van de wereld. Moet *jij* zeggen dat Mach een mier is! Jij bent zelf niet meer dan een robot. Trouwens, in je persoonlijke leven doe je het helemaal niet zo best.'

345

'En dat zeg jij?!' Heftig.

Elspeth.

Zo bedoelde hij het niet, hij weet daar niets van.

Zij huiverde toen zij het koude, harde klompje in haar buik voelde.

Hij liep de kamer op en neer, hij zag er verhit uit, hij zweette. Zijn geijsbeer irriteerde haar. Zij kneep haar handen samen in haar schoot.

'Je zou je wat beter redden in deze wereld als je je wat meer zou aanpassen,' zei hij. 'Jullie vrouwen klagen steen en been dat jullie worden buitengesloten. Jullie hoeven je alleen maar aan te sluiten. Als je daar intelligent genoeg voor bent tenminste.'

Zij maakte een grimas. 'Dat was een goedkope, stomme opmerking. Geef me maar eens één reden waarom wij ons bij jullie zouden aansluiten. Om net zulke holle vaten als jullie te worden, uniformen te gaan dragen, nooit een idee hebben dat niet het systeem ten goede komt? Ik kijk wel mooi uit!'

'Wat *wil* je dan verdomme?!'

'Ach,' zei zij spottend met een gemaakt stemmetje, *'was das Weib will*? Wat ik wil, Victor, is de wereld veranderen, wat anders? Haar zo veranderen dat de wijze waarop vrouwen zien, denken, voelen, even waardevol is als die van de mannen. Dat de mannen zich misschien zelfs bij de vrouwen gaan aansluiten omdat zij gaan inzien dat de vrouwelijke manier van denken fatsoenlijker en menselijker is en, Victor, op de lange termijn meer tot het behoud van het menselijk ras zal bijdragen.'

'Nou, *ik* wil de wereld niet veranderen! Geen haar op mijn hoofd die eraan denkt dat ik dat zou kunnen, *ik* lijd niet aan grootheidswaanzin! En dat is precies wat ik op jou tegen heb, dat je voortdurend probeert de wereld te veranderen. En omdat je dat niet kunt, besteed je al je energie om mij te veranderen!'

'Je schijnt een heleboel dingen op me *tegen* te hebben,' zei zij bitter, gekwetst dit keer, moe.

Wat ik zo lullig van je vind, had hij gezegd.

Zijn stem werd milder, hij voelde dat hij haar had gekwetst. 'Ik heb alleen maar op je tegen dat je mij voortdurend probeert te veranderen.'

'En jij dan? Wat doe jij? Wat ben je nu aan het doen? Je

346

probeert me tot zwijgen te brengen, me in te tomen. Je hebt me al voor hysterisch uitgemaakt terwijl dat woord op jou natuurlijk niet van toepassing is. Als vrouwen kwaad worden heet dat hysterisch. Daar kwam je bij Edith ook mee aanzetten. En nu, wat doe je nu anders dan proberen mij te temmen, mij eronder te krijgen, zodat ik niet als een wilde merrie *jouw* tuintje overhoop trap. Je probeert godverdomme een Edith van me te maken!'

Stilte. Alleen het wit van zijn ogen glansde in de schemerige kamer. Zijn armen hingen roerloos langs zijn lichaam. Hij wilde haar slaan, dat wist ze. De kamer was ijskoud. Er waren geen lampen aan, er brandden alleen een paar kaarsen; de elektrische kachel was koud en zwart.

Hij liep naar zijn stoel en ging zitten met zijn hand stijf om het cognacglas geklemd, alsof het een reddingsboei was. Hij sprak met een lage stem, tussen zijn tanden. 'Misschien heb je gelijk. Misschien is dat zo. Maar jij probeert mij uit te vlakken, zoals je met Anthony en je dochter Elspeth hebt gedaan. Je wilt mij uitwissen. Nou, dat zal je niet lukken.'

Zij haalde geluidloos adem.

'Ik zal je zeggen, dame, ik ga mezelf niet doden voor jou en ik ga me niet aan jou aanpassen. Nooit!'

Stem van ijs: 'Nee, jij hebt liever zo iemand als Edith.'

Aan de andere kant van de kamer klonk het geluid van brekend glas.

'Ik zou dingen moeten gaan breken,' zei zij nasaal, haar hoofd vol tranen, 'omdat jij mij meer pijn hebt gedaan dan ik jou. Maar vrouwen blijven altijd met de rotzooi zitten,' voegde zij er bitter aan toe, 'en daarom kijk je wel twee keer uit voordat je iets doet.'

'Ik ruim godverdomme zelf wel op!' zei hij heftig, en hij stond op, een donkere beweging in de duistere kamer. De kaarsen flikkerden, ze waren bijna opgebrand. De lucht was koud en klam. Hij beende met grote passen langs haar naar de keuken en zij wilde hem vastpakken, hem op de grond gooien en hem stompen, hem bont en blauw slaan, hem aan het huilen maken zoals zij van binnen huilde.

En daarna wilde zij hem strelen, de tranen laten stromen, zeggen *Waarom doen we dit toch?* Hij had haar niet vergeven dat zij hem had verlaten.

347

Hij had haar bestreden met alle beschikbare middelen: atoomwapens, neutronenbommen, zenuwgas: alles was toegestaan.

Jij kunt er anders ook wat van.

Hij was erger.

Dus niet toegeven. Voet bij stuk houden. In ieder geval niet als eerste toegeven, je weet hoe mannen zijn, alles is een wedstrijd. Degene die het eerst voor de bijl gaat, krijgt een strafpunt op het grote scorebord in de hersenen en de volgende keer zal hij nog onverbiddelijker zijn omdat hij verwacht dat jij zult toegeven, en daarna nog meer en nog meer: ben je Anthony vergeten? Wil je eraan meedoen om nog zo'n monster te creëren? Want als jij toegeeft, zal hij je achteraf zeker beschuldigen van medeplichtigheid.

Zij hoorde hem in de keuken rommelen, hoorde iets omvallen.

'Waarom doe je dat kutlicht niet aan?!' gilde zij schel en sprong uit haar stoel en deed de lampen aan, blies de stompjes kaars uit en draaide zich met een woedende blik naar hem om toen hij de kamer inkwam met een stoffer en blik en een stomme dweil in zijn handen.

3

Hij had zich gesneden. Hij had het glas niet kapotgegooid, zoals zij dacht, maar hij had het in zijn hand verbrijzeld, en had nu een diepe snee bovenop zijn duim en er staken glassplinters in zijn handpalm.

Hij liep zwijgend langs haar en hurkte neer en veegde stukjes glas in het blik. Zij deed de elektrische kachel aan en liep de badkamer in om een pincet en jodium en gaas en leukoplast te halen. Daarna trok zij hem in het licht van de lamp en knielde naast hem neer, en begon met het pincet de splinters eruit te halen. Zij keek hem met een gekweld gezicht aan, terwijl zij zijn hand verbond.

'Snap je wat ik bedoel? De vrouwen moeten altijd de boel opruimen.'

'Ik heb al opgeruimd,' zei hij mat.

'Ja, maar morgen? Met zo'n hand kun je dat voorlopig wel vergeten. Jullie mannen gaan tot het uiterste om je snor te

348

drukken!' probeerde zij op schertsende toon, probeerde te lachen, maar plotseling stortte zij in elkaar, lag huilend op de vloer, met haar vuisten op de grond beukend. 'Zie je wel! Zie je wel! Ik heb het altijd al geweten! Je hebt me net zo willen kwetsen als Anthony en verwacht van me, net als Anthony, dat ik nog steeds van je hou. Nou, je hebt je zin. Ben je nou tevreden?'

Hij staarde haar aan en hurkte toen naast haar neer. Hij hield de pols van haar beukende arm vast, trok die naar zich toe. 'Sla me maar,' zei hij. Zij trok haar hand terug, schoof haar lichaam van hem weg en bleef als een wanhopig snikkend meisje op de grond zitten. Hij zat naast haar maar raakte haar niet aan.

'O, Dolores, het spijt me. Maar je bent ook zo'n stijfkop. Je was even gemeen als ik.'

'Nietes,' snikte zij. 'Ik heb jou er niet van beschuldigd dat je Edith in een rolstoel hebt geholpen, alleen maar dat je probeert om mij net zo te maken als zij. Maar van jou krijg ik naar mijn hoofd gegooid dat ik niet alleen Anthony kapot heb gemaakt, maar ook Elspeth. Elspeth!'

Zijn mond vertrok, hij staarde somber naar de grond.

'Ik heb Anthony niet gedood. Anthony heeft Anthony gedood. En Anthony heeft Elspeth gedood!'

Hij keek haar kalm aan. 'Anthony was al dood toen zij stierf.'

'Nou én? Soms kunnen er handen uit het graf omhoogsteken en je naar beneden trekken. Dat doet zij nog steeds. Ik weet dat ze het niet expres doet. Het komt omdat ik zoveel van haar hield...'

'Wie?' Zijn gezicht had een niet-begrijpende, fronsende uitdrukking.

'Elspeth. Elspeth.' Zij verslikte zich in de naam, als een oester die in je keel blijft steken.

Hij sloot zijn ogen. Zij huilde met schorre snikken, ze liet haar hoofd hangen en legde het op haar gekruiste armen op de grond, ze lag op haar knieën, alsof zij in het stof kroop voor een oosters despoot.

'O Dolores, ik wil je geen pijn doen. Echt niet. Ik wil alleen... ik wil dat je minder kritiek op me hebt. Ik heb het gevoel alsof je constant over mij zit te oordelen en daar word ik heel ongelukkig van.'

349

Dolores ging overeind zitten en snoot haar neus. 'En wat wilt gij dan van mij, o afgevaardigde van het meesterras?'

'Ik wil dat je van me houdt, dat in de eerste plaats. Onvoorwaardelijk.'

'Jij wilt dat onze persoonlijkheden perfect op elkaar zijn afgestemd. Je wilt mij in *jouw* leven opsluiten, in *jouw* holle pompoen?

'Onvoorwaardelijke liefde bestaat echt.'

'Ja, het soort dat Edith heeft.'

Hij zuchtte. 'Waarom leg ik altijd het loodje in discussies met jou?'

'Dat is niet zo. Je kunt gewoon niet tegen je verlies. En jij stelt alles in het werk om te winnen. Maar dat lukt je niet altijd,' zij hief haar hoofd op en gaf hem een superieure, hooghartige blik, 'met Anthony kun je me niet meer kwetsen. Daar ben ik allang overheen.'

Haatte die hooghartige blik, die stem. 'Maar met Elspeth wel.' Gemeen.

'Grote lul,' fluisterde zij.

'O, was dat maar waar,' kreunde hij en opeens moesten ze allebei lachen.

Toen sloeg hij zijn arm om haar heen en zij bleven samen op de harde vloer zitten; en hij speelde met haar zoals je met een kind speelt, hij liet zijn vingers over haar neus, haar wang, haar lippen, haar oren gaan. Zij leunde achterover in de holte van zijn lichaam en drukte haar lippen op de zijne, zachtjes, geen erotische maar een liefdevolle kus. Zij pakte zijn hand en speelde ermee als met een kinderhandje, liet haar vingers over de aderen, de knokkels, de nagels gaan.

'Kom maar,' zei hij en trok haar omhoog en bracht haar naar de bank en zette haar neer, stopte kussens achter haar rug en een deken over haar knieën. Hij ging naar de keuken en kwam met twee glaasjes brandy en een sigaartje voor haar terug.

'Ik voel me net een invalide. Doe je dit soort dingen voor Edith ook?'

'Soms.'

'Ik hou van je.'

Hij pakte het blik op en liep ermee naar de keuken om het te legen. Hij kwam terug met een natte doek en dweilde de glassplinters van de vloer. Toen liep hij naar de badkamer om een schoon gaasje om zijn hand te binden – het bloed was door het eerste gaasje heengekomen. Daarna ging hij naast haar op de bank zitten en keek haar aan, terwijl hij aan zijn brandy nipte.

Zij aaide over zijn wang. 'Lief. Je bent lief.'

'Vertel eens over Elspeth,' zei hij.

'Dat kan ik niet. Kan het niet,' fluisterde zij.

'Natuurlijk kun je dat. En volgens mij wil je het ook. We hebben nu toch geen geheimen meer voor elkaar? Dat kan nu toch niet meer?'

Zij staarde de kamer in. 'Zij heeft hem gevonden. Anthony. Zij vond hem in de auto. En dát heeft hij gedaan, snap je. Hij heeft niet alleen zichzelf gedood, maar haar ook. En zij was zijn lievelingetje. Vroeger tenminste.'

Zij liep de garage in om haar fiets te pakken. En rook de uitlaatgassen en zette de motor af en zag hem. Maar ze gilde niet. Ze kwam niet het huis ingestormd om mij te halen. Ze was tenslotte pas twaalf. Maar nee, ze kwam binnen en liep naar haar kamer, bleef bij haar deur staan snotteren. Ik was mijn haar aan het kammen in mijn kamer, maar ik hoorde het. En herkende het.

Ik had haar ooit een keer eerder zo horen snotteren. Het was een paar jaar daarvoor, de kleintjes waren in een zomerkamp en ik was aan het uitslapen. Ik werd wakker door een geluid, een heel zacht geluid. Dat is iets voor moeders, denk ik. Ik herinner me dat ik altijd midden in de nacht wakker werd toen Elf nog een baby was. Elspeth, bedoel ik. Ik noemde haar Elfje. Heb mijn lesje geleerd. Ik heb Sydney of Tony nooit met zo'n verkleinwoord aangesproken. Maar goed, ik word wakker omdat de kamer onnatuurlijk stil is. Elf sliep in een kinderbedje naast mijn bed en meestal hoorde ik haar ademhalen. Maar soms was haar ademhaling zo geluidloos dat ik hem niet kon horen. Als ik dan mijn oor tegen haar gezicht legde, wat ik soms deed, en nog niets hoorde, maakte ik haar wakker om te zien of ze nog leefde. Maar goed, ik hoorde gesnotter en ik sprong mijn bed uit omdat ik wist dat er iets mis was. Ik rende de gang door naar de badkamer waar het geluid vandaan kwam, als je het een geluid kunt noemen. En daar stond Elspeth, ze hield haar hand onder de koude kraan en snotterde.

Ze sloeg haar ogen neer toen ik binnenkwam en zei: 'Mama? Ik wilde je niet wakker maken.'

'Wat is er, lieverd? Wat heb je?'

'Ik heb mijn hand verbrand.'

Het was een gemene rode plek, over de helft van haar hand. Ze had worstjes willen eten voor het ontbijt en had ze in de pan gedaan, zoals ze van mij had geleerd, om het meeste vet eruit te laten druipen. Toen zij klaar waren, had ze, braaf als zij was, het vet in een kom gegoten die ik in de ijskast bewaar. De kom was bijna vol en met het vet van de worstjes werd hij tot de rand toe gevuld, dus had zij de kom opgepakt om hem in de ijskast te zetten, zodat het vet kon stollen en ik het weg kon gooien. Maar de kom was heet van het kokend hete vet en zij had een plotselinge beweging met haar hand gemaakt, waardoor het vet over de rand was gemorst en haar hand had verbrand.

Elf was een braaf meisje, een heel braaf meisje. Zij had geen druppel vet op de vloer gemorst, of de kom schreeuwend van pijn laten vallen. Zij had de kom heel voorzichtig op het aanrecht neergezet en was met haar pijnlijk gloeiende hand naar de badkamer gelopen om hem onder de koude kraan te houden. Het enige waarmee zij liet merken dat ze mij nodig had, was dat zij daarvoor naar de badkamer was gelopen. Mijn kamer was daarnaast. Ze had het ook in de keuken kunnen doen. En terwijl ze het koude water over haar hand liet stromen, snotterde ze.

Dat geluid vergeet ik nooit meer, het zit in mijn hoofd gebrand. Want ik was heel erg overstuur van dit voorval. Niet van de brandwond. We reden pijlsnel naar de eerste hulp, waar ze haar vijfenveertig minuten lieten wachten, ik was razend, maar ze hebben haar uiteindelijk behandeld en na een paar dagen was de pijn verdwenen en de wond genas goed. Nee, dat was het niet.

Ik maakte me heel erge zorgen om Elspeth. Ze was zo braaf. Ik vond dat niet normaal. Braaf en lief en hulpvaardig en gehoorzaam. Ik hield mijn hart vast hoe dat later met haar moest als ze zo allejezus *braaf* was. Ik dacht dat ze kapot zou gaan als zij zo bleef. En ik vroeg me af waarom ze zo was. Dat baarde me misschien nog wel meer zorgen. Ik wilde haar oppakken en weer in mijn lichaam terugstoppen, zodat ze veilig was.

Dus dat hoorde ik toen ook. Dat gesnotter. Terwijl Elf in de tussenliggende jaren heel sterk veranderd was, ze was een dwarse puber geworden, niet bepaald meer een engeltje. Ze was chagrijnig, ze was brutaal, ze vergat te doen wat haar gezegd werd, sommige dingen vertikte ze gewoon. Met andere woorden, ze was een normaal kind geworden.

Maar sinds de dag dat Anthony was weggegaan, was ze als bij toverslag weer in het brave meisje veranderd. Het was een beetje eng. Sinds Anthony was vertrokken gedroeg zij zich engelachtig, behalve als hij kwam eten of op zaterdag met de kinderen ging lunchen. Dan was ze dwars, maakte nare rotopmerkingen, meestal tegen mij.

Maar nu stond ze weer te snotteren. Ik legde mijn kam neer, ik rende de kamer uit en daar stond ze, in de gang. Ze was mager, had een spijkerbroek aan. Haar rood-blonde haar hing stijl over haar rug naar beneden en haar ogen waren wijd opengesperd, bijna op steeltjes. Ze stond daar met een wezenloze uitdrukking op haar gezicht. En snotterde.

Ik liep naar haar toe en pakte haar handen. Ze waren smal en gevoelloos in mijn handen. 'Elf, liefje, wat is er?'

Gesnotter.

'Elspeth?'

'Niet naar de garage gaan, Mama.'

Ik dacht dat ze misschien een rat had gezien. Er was een vijver in de buurt en soms kwamen er waterratten in de garage. Maar nee. Dat kon het niet zijn. Mijn handen werden even koud als die van haar.

'Waarom niet, lieverd?'

'Papa is in de garage, Mam,' zei ze met trillende stem en haar lippen beefden en haar ogen schoten vol tranen, maar ze huilde niet. Ze bleef roerloos staan.

En ik bleef ook roerloos staan, want ik wist het. Niet hoe hij het gedaan had, ik zag hem in de garage op de grond liggen met een kogelgat in zijn slaap, hoewel ik had kunnen bedenken dat hij een makkelijker weg zou kiezen. En ik voelde hoe mijn gezicht veranderde terwijl ik daar stond, voelde hoe mijn mondhoeken naar beneden dropen, zoals ze nu nog doen, hoe er een bittere lijn om mijn mond werd gegroefd, een lijn die nooit meer weg zou gaan.

'Niet waar. Je hebt geen bittere lijn om je mond.'

'Maar ík zie die wel. Net als ik de schrammen op jouw gezicht kan zien.'

'Ik heb geen schrammen op mijn gezicht,' glimlachte hij.

'Tja,' zuchtte ze, 'als je niet kunt *zien*...'

'Ga door.'

Ik bleef als versteend staan, veranderd in een soort pilaar. Maar ik voelde eerder haat dan verdriet. Hij moet geweten hebben dat de kans groot was dat zij hem zouden vinden. Zij stonden altijd eerder op dan ik en gingen altijd als eerste het huis uit. Zij gingen altijd op de fiets, die in de garage stond. En plotseling kwam alle kwaadheid die ik al die jaren voor hem had gevoeld, alle woede die ik had opgekropt over zijn wreedheid ten opzichte van Tony, zijn manier van doen tegenover de meisjes, zijn jaloezie en bezitterigheid, zijn houding tegenover mij — het kwam allemaal samen en werd een grote, samengepakte bal, die steeds groter werd, groter dan ikzelf, groter dan de aarde misschien. Hij had geen middel geschuwd om hen kapot te maken, zolang hij mij daarmee kapot kon maken. Mijn god! Hoe ver kan je haat wel niet gaan! Het maakte hem niet uit waar zijn napalm terechtkwam, wie erdoor getroffen werd, al waren het zijn eigen kinderen, zolang hij mij ook maar zou treffen! Net als Roger Jenkins en Mary.

Wij bleven met z'n tweeën daar staan, Elspeth en ik, met verdwaasde ogen. En Sydney en Tony kwamen vanuit de keuken de gang ingestormd, schreeuwend, met witte gezichten en met monden als gebroken schoteltjes. Ik ging met hen mee, zij trokken aan me, gillend, wijzend, roepend dat ik een dokter moest halen, en ik keek naar zijn dode lichaam en wilde een bijl pakken om het in mootjes te hakken. Ik heb nog nooit zo'n haat gevoeld, daarvoor niet en daarna niet.

Elspeth bleef in de gang staan. Toen ik terugkwam om de politie te bellen, was zij in haar kamer met de deur dicht. Toen ik het een en ander geregeld had, ben ik naar haar toe gegaan. Zij lag op bed met starende ogen. Zij draaide haar hoofd opzij, ze wilde me niet zien of met me praten.

Ik geloof niet dat ze een traan heeft gelaten.

Anthony was dol op Elf. Toen ze nog een baby was, speelde hij zelfs af en toe met haar. Hij tilde haar dan op en liet haar door de lucht zweven. Totdat het op een zondag in mei in zijn rug schoot en hij dagen plat moest liggen. Daarna heeft hij haar nooit meer opgetild. Hij besteedde toch al niet meer zo veel aandacht aan haar, behalve als hij foto's nam. Hij vond het leuk om haar te fotograferen, want, nou ja, ze was heel mooi. Toen Tony en Sydney allang waren geboren, maakte hij nog steeds alleen maar foto's van haar. Als de andere kinderen al op de foto staan, is dat aan de zijkant, zoals hij zelf toen hij klein was. En Tony heeft hetzelfde treurige gezichtje als Anthony had. Anthony maakte ook films en dat Tony en Sydney ook wel eens op het doek verschijnen berust op zuiver toeval. Elspeth is de ster. Maar op een gegeven moment hield hij op met foto's maken, en omdat ik niet zelf fotografeerde, heb ik geen foto meer van Elspeth na haar elfde jaar.

Ik besefte pas hoe *tolerant* Anthony ten opzichte van Elspeth was, toen Tony begon te lopen. Toen pas besefte ik hoe vrij hij haar had gelaten, hoe zij had rond kunnen waggelen en dingen aanraken, in haar mond stoppen, op tafels had kunnen beuken, huilen, dreinen, haar eten weigeren: allemaal dingen waar Tony voor op zijn lazer kreeg. Tony kreeg altijd voor alles op zijn lazer. De enige keer dat Anthony Elspeth uitschold was aan tafel, vooral in vakantietijd, maar dan schreeuwde hij tegen hen allebei, stuurde hen allebei van tafel. Hij had dan gewoon een pesthumeur.

Aan de andere kant concentreerde Anthony al zijn aandacht op Tony, toen die was geboren. Hij had totaal geen interesse voor Syd. En dat betekende dat hij niet alleen al zijn *angsten* op Tony projecteerde, maar ook dat hij meer om Tony gaf dan om de meisjes. Hen negeerde hij meestal, hoewel zij soms ook werden betrokken in zijn paarse driftbuien.

We waren zo'n tien jaar getrouwd toen ik me geleidelijk aan ging realiseren dat er met Anthony iets niet in de haak was, iets dat verder ging dan alleen maar een driftige aard. In die tijd begon ik voor het eerst aan scheiden te denken. Tony was toen acht en ik kon zien dat het alleen maar erger zou worden met Anthony en dat hij Tonys puberteit tot een hel zou maken. En ik werd er ook niet gelukkiger op. Maar scheiden was slechts een gedachte, ik kon dit nog niet uitvoeren. Ik dacht toen nog, idioot die ik was, dat het beter zou worden als we met elkaar bleven *praten*, als ik tot hem door kon dringen. Maar in die tijd veranderde er ook het een en ander. Zo ging ik bijvoorbeeld doceren, wat betekende dat Anthony niet meer elke minuut van de dag wist waar ik was, en daar werd hij heel erg opgefokt van.

En omdat ik behoorlijk zou gaan verdienen, kocht Anthony een sportauto voor zichzelf. Die konden we ons eigenlijk niet permitteren en ik was er heel verbolgen over; we hadden twee jaar lang geen rooie cent, en dat had weer een zeer slechte invloed op Anthonys humeur.

En toen stierf zijn vader. Anthony bleef er heel rustig onder, onder de ziekte, de dood en de begrafenis van zijn vader. Maar over één ding wond hij zich vreselijk op. Hij riep steeds maar dat de dokter die Aldrich had behandeld, verantwoordelijk was voor zijn dood. De dokter was een ouderwetse, uiterst vriendelijke man, die Aldrich naar huis had laten gaan nadat hij enigszins van zijn trombose hersteld was. Hij had dat gedaan in de veronderstelling dat Aldrich zich thuis veel prettiger zou voelen, veel rustiger, zodat hij sneller zou genezen. Toen Aldrich thuis een hartaanval kreeg, was hij al gestorven toen de ambulance arriveerde. Hij was op slag dood, maar Anthony geloofde dat zijn leven nog gered had kunnen worden. Dus liep hij overal rond te bazuinen dat die dokter onverantwoordelijk was en dat hij hem wel eens even onder handen zou nemen. Maar na een paar weken werd hij weer wat rustiger.

En toen – ik heb het nu over een tijdsbestek van een paar jaar – werd Elspeth voor het eerst ongesteld. Ze was nog jong, pas elf; ze was vroeg rijp. Ik wilde dat niet ongemerkt voorbij laten gaan en gaf voor de gelegenheid een feestje, waar ik de familie voor uitnodigde. Jessie was diep geschokt, maar zei er niets over. Zij woonde toen bij ons in en Anthony was nog minder te genieten dan anders. Hij stond meteen van tafel op zodra iedereen zijn bord leeg had. Hij wilde niet met zijn moeder praten. Maar goed, ik wilde dat Elf haar lichaam, haar vrouw-zijn, als iets positiefs ervoer en in het begin leek dat te lukken. Ze had nooit kramp, ze had er nooit enige last van.

Anthony zweeg erover maar ging zich anders gedragen. Het duurt doorgaans een hele tijd voordat je beseft dat bepaalde dingen steeds weer gebeuren of niet meer gebeuren. Maar zijn verandering in gedrag was zo opvallend dat ik het meteen zag. Letterlijk van de ene dag op de andere hield Anthony op met kankeren op Tony en begon een campagne tegen Elspeth. Ik herinner me dat Tony die dag wat limonade op het tafelkleed had gemorst – hij morste altijd, dat was te begrijpen – en zijn maag kromp ineen in afwachting van Anthonys uitval, maar hij zei niets, helemaal niets. Tien minuten later valt hij tegen Elspeth uit omdat ze met het zout knoeit.

Het was verbijsterend, en het bleef doorgaan. Vanaf het feestje tot de dag dat hij uit huis ging, zat Anthony Elspeth constant af te kammen en liet Tony meestal met rust. Soms deed hij zelfs aardig tegen hem. Toen ik hem daarop wees, zei hij dat ik gek was. Dat zei hij altijd. Ik liet me ontvallen dat Laura op haar elfde was doodgegaan en hij zei dat ik gek was. Ik wees hem erop dat Elspeth nu een van *ons* was, een vrouw, en hij werd woest. Hij zei dat ik gek was.

Hoe het ook zij, het was een combinatie van factoren: geldzorgen, de aanwezigheid van zijn moeder, mijn afwezigheid vanwege mijn baan, Elspeth... Hij scheen constant ziedend van woede te zijn. Iedereen dacht dat hij het niet vol zou houden, dat hij zou instorten, maar dat gebeurde niet. Hij kreeg steeds vaker driftbuien. Ik weet niet waar zijn grens lag. Zijn gezicht had permanent een paarse kleur, we hadden elke avond hoog oplopende ruzies, elke keer als we ergens geweest waren ging hij razend van jaloezie naar huis. En de weekends waren helemaal een hel.

Maar Elspeth begreep natuurlijk niets van de spanningen die hij in zich had, wist niets van de geesten die in zijn hoofd rondspookten. Zij hield van Anthony, zoals ieder kind automatisch houdt van de mensen die bij hem wonen, die zijn schoenveter vastmaken of hem vertellen hoe laat het is, die de lepel oprapen die de baby in zijn hoge kinderstoel van zijn bord op de grond smijt. Het soort liefde dat nooit vergaat, wat er later ook gebeurt. Liefde die je zo maar krijgt, zonder dat je daar iets voor hoeft te doen. Ook al ben je rot en wreed tegen ze, je kinderen zullen van je blijven houden. Maar ze worden ziek als zij even sterke haat als liefde voor je voelen. Zelfs bij kinderen die een slechte jeugd hebben gehad en van huis zijn weggelopen, is de hartstochtelijke haat die zij voor hun ouders voelen vermengd

357

met liefde, de onverwoestbare liefde van een kind.

Het is het meest essentiële op aarde, denk ik, die liefde. Ondanks Anthonys wreedheid in al die jaren, hield Tony van hem en Sydney ook, ondanks al zijn onverschilligheid. En zij hielden evenveel van mij, ondanks ons verschil in gedrag. Syd en Tony vertellen me nu dat zij het moeilijk vinden om achteraf een onderscheid te maken tussen Anthony en mij. Zij herinneren zich niet dat een van ons hen kwelde en de ander hen beschermde. Zij herinneren zich de kwelling en de bescherming, maar niet waar ze vandaan kwamen. En ergens hielden ze misschien nog meer van Anthony. Hij was mysterieus, hij verzweeg veel. Hij was superieur, een rechter.

Maar Elspeth was de enige van hen die een speciale relatie met Anthony had. Zij wist dat zij naar hem toe kon gaan als hij zijn krant zat te lezen en hij tegen haar zou glimlachen. Zij wist dat als zij de kamer in kwam stormen om hem iets moois te laten zien – een kiezelsteentje, een schelp, een haarlint – dat hij zou glimlachen en o, *wat mooi* zeggen. Hij zou niet meteen beginnen te schelden en te schreeuwen zoals hij bij Tony altijd deed – die daarom nooit met iets kwam binnenstormen.

Elspeth kon hem *vertrouwen* in sommige dingen. Toen de hond van de kinderen door een vuilnisauto was overreden, stond Anthony erop dat hij het aan Elspeth zou vertellen. Hij zei dat zij het van hem beter zou accepteren en ik denk dat hij gelijk had. 'O Papa,' huilde zij en wierp zich snikkend in zijn armen. Zij heeft zich nooit in *mijn* armen geworpen.

Nou, en ineens zit daar die man, die van haar hield, dacht zij, zo maar tegen haar te schreeuwen omdat zij aan tafel was verschenen met vuile nagels, omdat zij even met haar ellebogen op de tafel had gesteund, vergeten had om haar fiets weg te zetten, haar erwten te langzaam opat, haar kamer niet had opgeruimd, omdat ze een luie sloddervos was, ja, hij gebruikte nu dezelfde scheldwoorden tegen haar als tegen mij – ze was een slet, een trut. Hoer heeft hij geloof ik nooit tegen *haar* gezegd.

Het lag er zo dik bovenop dat ik niet begrijp dat Anthony zelf niet zag wat hij aan het doen was. Maar wat ik ook zei, hoe kwaad ik ook werd, hij zag het niet en bleef ermee doorgaan. Ik was gek, punt uit.

Zaterdagmiddag: Anthony zit in de woonkamer naar de televisie te kijken en ziet Elf langslopen op weg naar haar kamer.

'Elspeth!' Man springt overeind, gooit krant neer. 'Kom onmiddellijk hier!'

Halverwege de gang staat zij stil, draait zich met tegenzin om, kijkt hem onbewogen aan.

'Jij gaat nu naar je kamer, jongedame, en blijft daar voor de rest van de dag! Zonder eten naar bed en geen tv-kijken vanavond.'

Tranen. 'Maar Papa...'

'Geen gemaar! Naar je kamer!'

Opwellende hysterie. 'Maar, Papa, de kinderen gaan vanmiddag allemaal naar de film. Het is *Goldfinger*, Pap!'

'Voor mijn part is het het mannetje in de maan!'

'Anthony, wat heeft ze gedaan?'

Draait zich abrupt om. 'Ik heb vanmorgen gezegd dat ze de kattebak moest verschonen en dat is nog steeds niet gebeurd. Zij wilde zonodig die rotkat hebben, jij hebt haar gezegd dat zij er zelf voor moest zorgen en ik loop godverdomme de hele morgen met een strontlucht in mijn neus!'

'Elspeth, ga die kattebak schoonmaken.'

Duikt langs ons, in de richting van de keuken.

'Nee, nu is het te laat. Toen ze het moest doen, heeft ze het niet gedaan. Ze moet het maar leren, wat denkt ze wel dat het hier is, een nikkerhut?'

'*Anthony!*'

Blijft met zijn handen in de zij naar haar staan kijken, wachtend op een foutje, klaar om toe te slaan als zij ook maar een korreltje kattegrint op de grond morst.

'Anthony, ze bedoelt het niet slecht. Ze heeft het vergeten.'

'Schatje, hou jij je erbuiten, alsjeblieft. Vergeten. Maak dat de kat wijs. Ze doet het om mij te pesten, die stomme trut!'

'IK WIL NIET DAT JE ZO OVER HAAR PRAAT! IK WIL HET NIET HEBBEN!'

'DAT MAAK IK VERDOMME ZELF WEL UIT!'

Dan had je de poppen aan het dansen: ik woedend, hij woedend, geschreeuw, slaan met deuren.

Hij stormde het huis uit en ging buiten het gras maaien. Hij ging altijd in de tuin werken als hij razend was. Ik wist dat zijn dreigementen loos waren. Hij had al die jaren gedreigd met zonder-eten-naar-bed, maar het was er nooit van gekomen. Daar had ik een stokje voor gestoken. Al die jaren schreeuwen

359

van geen koek, geen snoep, terwijl hij het tien minuten later alweer vergeten was, moest ik daar dan wel de hand aan houden? Ik dankte God op mijn blote knieën dat Anthony geen moeder was.

En de kinderen moesten dat toch zo langzamerhand ook wel weten. Volgens mij was dat ook zo, maar dat lieten ze in ieder geval nooit *merken*. Ik weet niet (Dolores' stem stokte), misschien wilden ze het niet weten...

Want nadat zij het schoonmaakklusje had gedaan, ging ik naar haar toe en sloeg mijn arm om haar heen en zei: 'Zo is het keurig schoon, lieverd. Ik denk dat je nu gerust naar de film kunt gaan.'

Maar Elspeth kijkt me stuurs aan, met haat in haar ogen, sloft naar haar kamer en smijt de deur dicht. Later hoor ik haar door de telefoon zeggen: 'Nee, ik kan niet, ik mag niet van mijn vader.'

Ik ga naar buiten om met Anthony te praten. Ik smeek hem om haar te zeggen dat ze weg mag. 'Jij zegt maar tegen haar wat je wilt, het zal mij een rotzorg zijn,' zegt hij en gaat verder met maaien.

Ik ga weer naar Elspeth en zeg haar dat Papa het goed vindt dat ze gaat. Ik zeg tegen haar: 'Papa is een beetje opvliegend, maar hij meent nog niet half van wat hij zegt. Hij is het nu al helemaal vergeten, ga maar lekker plezier maken. Bel Nancy maar terug om te zeggen dat je wel gaat.'

Stuurse, wrokkige blik, kijkt me kwaad aan, stormt haar kamer weer in.

Verschijnt niet aan tafel. Ik roep haar drie keer en moet haar tenslotte in haar kamer gaan halen. Anthony negeert haar, totdat het toetje op tafel komt, citroentaart, haar lievelingstoetje. Plotseling merkt hij op dat haar nagels vuil zijn, dat het ongehoord is, een schande zoals zij eruitziet, een walgelijk wezen, ze heeft vast kattestront onder haar nagels, ze moet linea recta naar de badkamer om haar nagels te gaan schoonmaken en dan moet ze naar haar kamer verdwijnen en daar blijven. Zij springt op, bijna in tranen, rent naar haar kamer, de deur achter zich dichtsmijtend.

Ik huil zelf ook bijna. Ik heb uren in de keuken gestaan voor die taart, grotendeels voor haar, omdat zij niet met haar vriendjes naar de film had gemogen. Ik pak de taart op, ik kan Anthony niet meer zien, ik smijt de taart in zijn gezicht.

Als hij van de schrik is bekomen en zich weer toonbaar heeft gemaakt, begint hij te lachen. Ik kreun, ik huil, ik kan er niet meer tegen. Tony en Sydney lopen met grote schrikogen rond. Zij hebben ook hun toetje gemist en hun moeder is gek.

Later ga ik naar Elspeths kamer. Ik ga bij haar op bed zitten en probeer met haar te praten. Zij ligt op haar buik, haar zachte roze kinderwang op het kussen. Zij huilt niet. Maar als ik binnenkom, kijkt zij mij met haat in haar ogen aan, zij wendt haar gezicht af.

'Laat me maar alleen,' zegt ze met een koude, volwassen stem.

5

Niets is eenvoudig, op zichzelf staand. Ik weet dat nu, maar ik wist dat toen ook al. Elspeth was altijd zo braaf geweest – dat heb ik al eerder gezegd – dat ik me zorgen maakte om haar. Maar toen zij het mikpunt werd van Anthonys driftbuien, werd zij nors en mokkend en haatdragend – zoals je van een elfjarige mag verwachten. Maar ik kon er niet tegen, ik kon er absoluut niet tegen. Dus ging ik mij met hun problemen bemoeien, zoals ik met Anthony en Tony had gedaan. Ik voelde dat ik dat moest doen. Anthony kende geen grenzen. Dat had ik me gerealiseerd toen hij Tony op zijn billen sloeg omdat hij een la niet had dichtgedaan. Dat had hij al eens eerder gedaan, toen Tony zijn autootje buiten had laten staan en hij hem van Anthony in de garage moest zetten. Hij wist niet van ophouden. Hij hield nooit op. Ik was bang voor mijn kinderen. En dus kwam ik tussenbeide. Maar dat werd een patroon: zijn woedeuitbarsting, mijn tussenkomst, woede uitgeraasd, maar zonder schadelijke gevolgen. Ik bedoel dat *ik* in de loop der jaren Anthonys rem werd. En dat betekende dat ik er moest zijn, altijd. En ook dat ik het hem onmogelijk maakte om een directe relatie met mijn kinderen te hebben.

Maar misschien waren mijn motieven niet zo onbaatzuchtig als ik dacht. Misschien kon ik het niet verdragen dat zij van hem hielden en wilde ik daar ook tussen gaan staan. En misschien wist Elspeth dat en haatte zij mij daarom. Misschien wilde ze het echt, hun relatie, hoe slecht die ook was. Misschien wilde ze dat met hem meemaken, hoe afgrijselijk het ook was. Afgrijselijk, maar wel met hartstocht, van beide kanten. En dit mag idioot klinken, maar misschien was Anthony ergens een betere ouder dan ik. Door zijn gedrag hadden zij geen andere keus dan kwaad op hem te worden, een brutale mond op te zetten, of dingen stiekum te doen... wat toch als normaal geldt, waar of niet? Terwijl zij door mijn ingehouden liefde misschien niets anders konden zijn dan gedweeë lammetjes. Want als ik met hen alleen was, waren ze altijd gehoorzaam en gedwee. Ik vroeg niet veel van hen, maar wat ik vroeg, dat deden ze ook.

'Ik weet het niet. Ik zal het nooit weten.' Haar stem stierf weg. 'Maar die dag, toen Anthony Elf verbood om naar de film te gaan, was het moment waarop ik besloot om van hem weg te gaan. Hij maakte me kapot, een deel van mij. Ik haatte hem zo erg dat ik constant last van mijn maag had. En ik haatte mijzelf omdat ik bij hem bleef.

De week daarop begon ik te bellen, sprak met vrienden die advocaten hadden, kreeg een naam op. Kon geen vrouwelijke advocaat vinden, niemand kende er een. Ik ging naar hem toe, het was een kleffe engerd. Het enige waar hij in geïnteresseerd was, was of ik vreemd ging en of ik met hem vreemd zou gaan. Maar hij had de reputatie dat hij een hele harde was in scheidingszaken en zo iemand moest ik hebben, vond ik. Ik zag Anthony er wel voor aan dat hij mijn advocaat zou bedreigen.

Ik wilde geld voor de kinderen van Anthony: mijn inkomen was te laag om voor ons allemaal te kunnen zorgen. Maar dat was het enige dat ik wilde, en bovendien wilde ik dat hij genoeg zou overhouden om zelf redelijk van te kunnen leven, dus vroeg ik het minimum. Maar die advocaat stond erop dat ik alimentatie zou eisen, dat dat zeer essentieel was. Ik zei dat ik werkte, dus waar had ik die alimentatie voor nodig? Dat ik bovendien niet zo van Anthony afhankelijk wilde zijn, dat ik ons contact tot het hoognodige wilde beperken.

"Stel dat u niet kunt werken," zei hij. "Stel dat u een been breekt. Ik neem u niet als cliënt als u geen alimentatie eist."

Ik ging naar huis om erover na te denken. Anthony kon op geen enkele manier weten wat ik aan het doen was. Maar in dat weekend brak *Anthony* zijn been.'

Elspeth was stil, beangstigend stil, in de chaotische periode na Anthonys zelfmoord. Zij was het grootste deel van de tijd een engel, maar zij zat heel veel alleen in haar kamer. Zij behandelde haar jongere broertje en zusje – let wel, Tony was maar één jaar jonger, dus zij was niet bepaald een oudere zuster – als een surrogaat-moeder: zij was lief en vriendelijk en hulpvaardig en alles wat wij onze kinderen – onze meisjes in ieder geval – proberen bij te brengen.

De begrafenis was afschuwelijk, omdat Jessie mij de schuld gaf van het gebeuren. Zij was tegelijk met Anthony uit huis gegaan. Zij kon weten hoe de situatie bij ons was geweest, zij moet toch zeker de ruzies gehoord hebben. Maar zij kon niet vergeven dat ik hem had verlaten, waarbij zij niet het verband legde met het feit dat hij jaren geleden pas echt was verlaten, en wel door háár. Zij scheen zich zelfs tegen de kinderen te keren. Ik denk dat dat kwam omdat zij geen moment van mijn zijde weken, het waren net – lijfwachten eigenlijk. Zij verdrongen zich om me heen alsof zij mij wilden beschermen, en met zijn vieren vormden we een hechte eenheid. Het was zoiets als wij vieren tegen de rest van de wereld. Een gesloten front.

We stonden voor een paar belangrijke beslissingen. Ik kon het huis in Newton niet aanhouden met mijn salaris, we moesten verhuizen. Ik had geen cent omdat Anthonys levensverzekering een zelfmoordclausule bevatte waarin stond dat er bij zo'n dood niets werd uitbetaald. Ik moest zijn begrafenis van mijn spaarcenten betalen. Ik ging er bijna aan onderdoor.

We moesten in alles een stap terugdoen om van mijn inkomen te kunnen leven. Het was niet eenvoudig, maar toch hadden we een goed jaar. De kinderen hadden geen frisdrank of snoep of chips, maar zij hadden een zekere mate van vrijheid. Ze konden springen en lachen en kibbelen. Soms waren Tony en Sydney wat al te lawaaierig of maakten wat al te veel ruzie en moesten dan met luide stem tot de orde geroepen worden. Zij gedroegen zich als kinderen. Maar Elspeth niet. Zij gedroeg zich als een engel. Ik kwam thuis met de boodschappen en zij stond te strijken.

'O, schat, dat is heel lief van je, maar de lakens hoeven niet gestreken te worden, hoor.'

'Maar je vindt het toch prettig om gestreken lakens te hebben, Mam?'

'Jawel, maar ik heb liever dat jij met je vrienden uitgaat dan dat ik gestreken lakens heb.'

'Het geeft niet hoor. Ik vind het leuk om te doen, Mama.'

Soms voelde ik me alsof ik bedekt was met een laag honing: ik zat altijd te wachten tot de mieren kwamen.

Af en toe ging ik met iemand uit – mannen van mijn leeftijd, of ouder. Maar zij waren een probleem. Ik weet niet hoe het komt, maar zodra een man over de vloer komt bij een vrouw met kinderen, begint hij meteen de kinderen te commanderen. Alsof zij daar het recht toe hebben! Het lijkt wel alsof zij ervan uitgaan dat een huis zonder een man een schreeuwende behoefte heeft aan een sterke heersershand. Ik werd altijd ontzettend kwaad over hun arrogantie. Als zoiets gebeurde, keken de kinderen en ik elkaar aan. De kinderen besteedden gewoon geen aandacht aan de man, wie het ook was. Zij wisten dat zij *hem* nooit meer in huis zouden zien. Ze hadden gelijk.

Maar in de zomer ontmoette ik een jonge man, Jack Napoli, die intern assistent was op Mass General. Hij was een vriend van een van mijn vroegere studenten die een feestje gaf waarvoor ik was uitgenodigd. Jack was een stuk jonger dan ik, maar we raakten bevriend en hadden binnen niet al te lange tijd een verhouding. Jack was een mengeling van liefheid en woestheid, maar ik hield het meest van zijn intelligentie, die uit zijn ogen straalde als een innerlijk licht. Hij had weinig vrije tijd en geen cent te makken, dus waren we meestal thuis. Ik vond dat best omdat ik de kinderen niet te vaak alleen wilde laten; ik wilde hun een gevoel van stabiliteit geven, van een *thuis*. We zaten thuis en lazen en deden spelletjes en aten een heleboel en soms gingen we zingen bij de piano. We hadden lol met elkaar. Hij kon goed met de kinderen overweg omdat hij pas zesentwintig was en meer als een broer dan als een vader tegen hen deed.

De kinderen vonden hem aardig, hoewel Tony wel eens de pest aan hem had, geloof ik. Maar over het algemeen kon hij goed met hem opschieten. Sydney adoreerde hem als een grotere broer. Maar Elspeth hield van hem. Ik was altijd ontroerd als we met zijn vijven aan het ontbijt of aan het avondeten zaten te praten en te lachen. Dat was iets dat mijn kinderen nog nooit gekend hadden en ik vond dat heel belangrijk. Echt waar. Dat had ik Anthony altijd het meeste kwalijk genomen, dat hij

364

de kinderen niet gewoon liet eten, praten, lachen – dat soort dingen. Wat ik met *thuis* bedoel.

Als Jack er niet was, was het ook gezellig – ontspannen, rustig. Tony ging meer de hort op, hij had nieuwe vrienden gevonden. Sydney werd... volwassener, denk ik, verantwoordelijker. Vaak bleven Elf en ik na het eten nog aan tafel zitten praten, en lieten de afwas de afwas. Ze was twaalf en probeerde te leren hoe je volwassen moest worden. Ze wilde van alles het naadje van de kous weten en ik antwoordde haar naar mijn beste kunnen. We praatten over seks, liefde, religie, populariteit, lichamen: al die dingen waar een teenager zich mee bezighoudt. Maar ze had het nooit over Anthony. Nooit.

In de weekends maakte ik urenlange tochtjes langs de stadjes en dorpjes in de omgeving van het moeras, waar ik toen lesgaf, op zoek naar een geschikte woonplaats. Waar zij laaiend enthousiast over waren, en ik niet minder, was Cambridge. We hebben uiteindelijk een huisje gekocht in een of andere achterbuurt en hebben dat zelf met vereende krachten opgeknapt. Het was een oud huis, het enige dat betaalbaar was in die stad. Het was een beetje verkrot. Maar we hebben er met plezier aan gewerkt, gepleisterd, geschuurd, afgekrabd, geverfd. We maakten een boekenrek en hingen planten op, we huurden een schuurmachine om de houten vloer te schuren. We waren voor het eerst in ons leven een gezin en we genoten daarvan.

Aan het eind van de zomer, het jaar waarin Elspeth dertien werd, verhuisden we. En toen begon de ellende.

Cambridge en Newton liggen qua afstand niet ver uit elkaar, maar qua cultuur is er een hemelsbreed verschil; mijn kinderen ervoeren voor het eerst een cultuurschok. Newton is een keurig voorstadje met goede scholen en bevoorrechte jongeren en er heerst een rustig sociaal klimaat van het type blank en respectabel. In Cambridge zijn rassen en standen veel meer vermengd. In de omgeving van Harvard en MIT heb je rijkeluiskinderen, die voor een kwartje een appel kopen bij Nini, in exotische restaurants gaan eten, hun kleren kopen in de dure boutiques rond Holyoke Center. Waar wij woonden had je arbeiders, Ieren, Italianen, en een paar negers, voornamelijk katholieken en niet bepaald verfijnde types. Ik maakte me er niet al te druk om, omdat ik dit al eens eerder had meegemaakt, toen mijn moeder van mijn vader wegliep. We woonden eerst in een keurige buitenwijk, maar verhuisden na de scheiding naar een achterbuurt bij Boston. En ik hield van die buurt, hij bruiste van leven en daar leerde ik een boel van. Ik nam gewoon aan dat dat met mijn kinderen ook zo zou gaan.

Wat gekund had, als ze niet de tijd tegen hadden gehad – het was aan het eind van de jaren zestig, 1968 om precies te zijn. De school was verdeeld door rassenstrijd, zestigerjaren-retoriek, zelfs door bommeldingen. En vergeven van allerlei soorten drugs. De hypocriete schoolleiding liet oogluikend toe dat zwarte kinderen door blanke werden aangevallen en het was moeilijk daar neutraal onder te blijven. Binnen een week nadat de school was begonnen, was Elspeth veranderd. Zij was niet meer het brave meisje, ze had een groepje vrienden gevonden, ze was altijd de hort op. Binnen een maand was ze een ander persoon geworden, die ik niet meer kende.

Zij had zich aangesloten bij een groepje jongelui die ik heel aardig vond – het was een gemengd gezelschap, intelligente kinderen met hun hart op de goede plaats. Maar ze waren ook ongelukkig en opstandig en gebruikten drugs. En hun opstandigheid ging zich ook nog op andere manieren uiten – ze spijbelden, stalen in winkels en rookten en slikten alles wat er te krijgen was.

Elspeths beste vriendin heette Selene, een bloedmooi kind van Aziatische afkomst, die in Zwitserland en Engeland op school had gezeten en de hele wereld had afgereisd met haar vader, een professor. Ze was heel intelligent maar uiterst achterdochtig tegenover volwassenen. Zij keek me altijd aan op een manier alsof zij geen aandacht besteedde aan wat ik zei maar alleen aan de houding die ik daarbij aannam, alsof zij zelf naar een positie zocht om mij klem te kunnen zetten of te manipuleren. Maar ik zei nooit iets belangrijks tegen haar, vroeg alleen maar over school of de film of wat ze gedaan hadden. Maar volgens mij dacht ze dat ik altijd zat te vissen waar zij geweest waren.

Want daar was alle reden voor. Elspeth deed helemaal niets meer in huis. Ze weigerde zelfs haar kamer schoon te maken en op een weekend, toen ik het niet meer kon aanzien, ben ik zelf de boel gaan opruimen. En toen vond ik... dingen. Onder het bed gepropt, achter haar tafel, verstopt in bureauladen:

366

onbruikbare dingen, dure dingen. Tientallen panties, beha's in maten die zij niet kon dragen, lipsticks, doosjes rouge, ongebruikte mascararollers, en bladen, tientallen bladen met glimmende omslagen, zoals *Vogue*, die Elf nooit van haar zakgeld van twee dollar zou kunnen betalen. Er was één panty uit het zakje gehaald. En vervolgens weer in het plastic teruggepropt, omdat hij extra-large was, een maat die Els niet paste.

Ik had het erover met Elspeth, dat spreekt vanzelf. Zij ontkende de winkeldiefstallen niet, maar ze wilde ook niet beloven dat zij ermee zou ophouden. Zij haalde haar schouders op toen ik haar voor ogen hield dat zij hierdoor in moeilijkheden zou kunnen raken. Het was leuk, zei ze, en Selene deed het al jaren en die was nog nooit gesnapt. Als je het een beetje handig deed, werd je nooit gesnapt, zei ze.

Het was duidelijk dat zij niet dingen pikte om ze te gebruiken, het leek er bijna op dat zij zich met opzet onbruikbare dingen toeëigende. Op die manier, zo had zij het misschien uitgedacht, was zij niet aan het *stelen*, maar ging zij door een puberteitsritueel heen dat gevaar en risico in zich droeg. Zij luisterde met grote ogen naar mijn vermanende woorden, maar haar gezicht vertoonde geen enkele reactie. Zij begon net zo'n wezenloze blik te krijgen als Selene.

Bovendien ging het slecht op school. Els had een IQ van honderdvijftig, ze kon die school op haar sloffen doen, maar toch bleef zij zitten. Haar hoogste cijfer was een zeven op haar eindrapport, maar er waren ook heel wat drieën en vieren bij. En weer praatte ik met haar. En weer kreeg ik geen enkele tegenspraak maar ook geen begrip. Ik vertelde haar dat zij misschien ooit naar de universiteit zou willen gaan, een goede opleiding zou willen krijgen, maar dat ze dat wel kon vergeten als zij zo doorging. Zij keek me alleen maar aan.

In de lente werd ze van school gestuurd maar vertelde me dat pas na een week. Haar vriend Connie had naar school gebeld en net gedaan alsof hij haar vader was, maar daar trapte de schoolleiding niet in. Het was Connie – Constantine – die haar er tenslotte van overtuigde dat ze het aan mij moest vertellen. Waarom verborg ze dat voor me? Dacht ze dat ik haar zou slaan? Dat had ik nog nooit gedaan. Ik had bijna nooit tegen haar geschreeuwd zelfs. Ik had haar vaak op het matje geroepen en was streng tegen haar geweest en vooral bezorgd over

367

haar, maar ik had haar nog nooit geslagen.

Ik vroeg het aan haar. Zij wist het niet, zei ze. En ik geloofde haar. Ik geloof niet dat ze toen wist wat ze aan het doen was. Ik ging naar de school. Elspeth had tijdens de gymnastiekles hardop 'Jezus!' geroepen en de lerares had dat gehoord. Dat was de reden dat zij weggestuurd was. Els moest haar excuses aanbieden waar ik bij was, voordat zij weer op school mocht terugkomen. De gymnastieklerares, miss Fahey, een roodharige vrouw van in de vijftig, ging zachter praten toen zij het over haar vergrijpen had. Er zaten twee zwarte meisjes in de hoek van haar kamer en zij knikte even in hun richting. 'Zulk soort taal verwachten we van *sommige* mensen,' zei ze, 'maar niet van *aardige* meisjes als Elspeth.' Elspeth keek haar met koude haat aan, zei het vereiste: 'Het spijt me' als een robot, draaide zich snel om en verdween uit de kamer.

Die zomer nam ik de kinderen mee op vakantie naar het huis van mijn moeder op de Cape. Ik vond dat ik Els weg moest halen uit haar omgeving, waarin zij zichzelf vernietigde.

Ze was de hele zomer lusteloos, maar hield zich verder heel rustig. Ze las heel veel. Ze schreef elke dag naar Connie en liet me aan het eind van de zomer de stapel brieven zien die zij van hem had gekregen. 'Dus je ziet, je hebt ons niet uit elkaar kunnen halen,' zei ze met een felle uitdagende blik op haar gezicht.

'Wat?'

'Connie en mij. Ik weet heus wel dat je me daarom hier mee naartoe hebt genomen.'

'Els. Connie eet tenminste twee keer in de week bij ons. Waarom denk je dat ik jullie probeerde te scheiden?'

'Je wilde niet dat Connie hier kwam.'

'Je weet best waarom.'

Mijn moeder was doodsbang voor zwarte mannen en zou al hysterisch zijn geweest als Connie alleen maar op bezoek was gekomen. Ook al was het nog maar een jongen. Ze had geen bezwaar tegen vrouwen en kinderen van welke kleur dan ook, alleen tegen mannen.

'Nou én?' zei Els scherp. 'Dat komt toch op hetzelfde neer?'

'Als ik niet wilde dat je met Connie omging, zou ik je dat zeggen, Elspeth. Dat moet je toch weten.'

Ze vertrok haar gezicht en rende weg.

We gingen naar Cambridge terug.

368

Maar Elspeth voelde zich nog steeds ongelukkig. Tijdens de zomermaanden had Connie met een ander meisje aangepapt en hoewel hij haar beste vriend bleef, was hij niet meer altijd voor haar beschikbaar. Dat was natuurlijk mijn fout. Ze was ruim dertien en ging nu avonden uit dansen. Ze moest van mij uiterlijk om één uur thuis zijn, waar zij zich de eerste keer aan hield, de tweede keer niet en daarna nooit meer. De eerste keer dat ze te laat thuiskwam, was ze om half vier nog niet binnen en ik was helemaal over mijn toeren. Ik belde Selene, die wel thuis was. Haar ouders waren kwaad over mijn late telefoontje, maar Selene zei dat ze niet wist waar Els was, dat zij al uren geleden was thuisgekomen en dat Els naar huis zou lopen. Ik werd helemaal hysterisch. Ik zag haar ergens verkracht en vermoord in de bosjes liggen. Jack was die avond bij mij en samen hebben we de stad afgezocht, zijn naar de YMCA gereden waar de dansavond had plaatsgevonden, sloegen elke straat in die zij op weg naar huis had kunnen nemen.

We kwamen om een uur of half vijf weer binnen. Elspeth zat in de keuken. 'Waar was jij!' gilde ik en ik kon in die tijd behoorlijk gillen. Doodkalm en bedaard zei zij dat ze de hele tijd in de tuin had liggen vrijen. 'Met wie?' Zijn naam was Walter, geloofde zij. Geloofde zij.

Ik zei haar dat ze een maand lang niet meer uit mocht. En daar hield ze zich aan. Toen wel. Maar de volgende keer dat ze uitging, kwam ze weer te laat thuis. Ik draaide het hele verhaal nog eens af: ze was te jong, ze kende die jongens niet, ze wist niet wat zij met haar zouden kunnen doen, er waren gevaren, ziektes, en bovendien maakte ik me doodongerust, ik had zo'n last van mijn maag dat ik bijna een liter melk per dag dronk, ik kon er helemaal niet tegen.

Zij keek me aan zonder een spier te vertrekken en zei: 'Ik zie niet in waarom ik niet aan seks zou mogen doen. Jij hebt Jack.'

Ik wist dat Els een zwak had voor Jack. Zij leefde altijd op als hij er was, ze liep te giechelen en te zingen. Ze zat altijd uren met hem te praten en naar hem te luisteren alsof hij het evangelie preekte, of het nu over geneeskunst, politiek of God ging.

Wat zij gezegd had zette mij aan het denken en ik begon erop te letten en in de daaropvolgende maanden zag ik dat zij zich altijd het slechtst gedroeg als Jack er was. En ik dacht erover om het met hem uit te maken. Niet omdat hij verantwoordelijk was voor haar gedrag, maar omdat zij zich zo gedroeg *voor hem*, of *tegen* mij vanwege hem. Om te laten zien dat ze volwassen was, of om het mij betaald te zetten dat ik een verhouding met hem had. Zoiets.

Maar ik besloot om het niet te doen. In de eerste plaats hield ik van hem en vond het prettig als hij er was. In de tweede plaats vond ik dat Els niet voor mij de dienst moest uitmaken. Niet dat zij er bewust op aanstuurde dat ik het uit zou maken, maar als ik het gedaan had, was voor haar de weg vrij geweest om hem zelf te bellen. Ik had het gevoel dat als ik, voor haar, iets deed wat ik niet wilde, absoluut niet wilde, dat ik haar dan veel meer macht zou geven dan goed is voor een kind, en ook dat ik het haar kwalijk zou nemen en dat ik het haar op de een of andere manier betaald zou zetten. Ik wilde van haar niet net zo'n dictator maken als Anthony was geweest.

Want Els deed me aan Anthony denken. Zoals ze me onbevangen aankeek, met die prachtige violette kijkers die zo op zijn blauwe ogen leken, en schijnbaar luisterde maar in feite alles langs haar heen liet gaan. Zij was nog maar een kind, maar ik had over haar niet meer controle dan ik over hem had gehad. Ik kon haar niet in haar kamer opsluiten. Ik was doodsbang.

Ze deed het zo slecht op school dat ze een klas was teruggezet, wat natuurlijk belachelijk was. Ik ging met de leraren praten, legde uit dat zij emotionele problemen had, vroeg hun om haar in haar eigen klas te handhaven. Zij waren uiterst onvriendelijk en wilden niet helpen. Ze begon steeds vaker te spijbelen. Op dat moment wist ik dat niet, maar ik had het wel kunnen voorspellen. En toen werd ze weer van school gestuurd.

Een groepje meisjes was betrapt terwijl ze in de wc zaten te roken. Zij werden naar de directeur gestuurd, die hun vroeg wie er gerookt had. Alleen Elspeth stak haar vinger op. Alleen Elspeth werd van school gestuurd. Op die manier brengen wij onze kinderen echte waarden bij.

Ik vond dat heel goed van haar, maar ik kon haar niets meer vertellen. Ik kon haar moeilijk prijzen dat ze van school was gestuurd, of haar aanmoedigen om te roken. Ik had zo langzamerhand de moed vrijwel opgegeven. Ik ging met haar praten; ik zei haar vermoeid dat zij de toekomst die zij waar-

370

schijnlijk wel wilde, aan het weggooien was. Ik begon weer van voren af aan. Ik gaf haar een aantal toekomstmogelijkheden en vroeg haar een keus te maken. Zij hoorde het koeltjes aan en zei toen: 'Ben je nu klaar, MOEDER?' Zoals zij *moeder* zei was het een scheldwoord.

Ik was aan het eind van mijn Latijn: ik wist gewoon niet meer wat ik moest doen. Jack zei: 'Geef haar een pak slaag.' Zo was hij opgevoed en hij liet zich nog steeds intimideren door optreden met de harde hand. Maar ik had het zeker gedaan als ik gedacht had dat het zou helpen. Maar dat was natuurlijk niet zo. Je kan een veertienjarig kind niet ineens gaan slaan. Je moet een kind oefenen in angst; je moet er van jongs af aan mee beginnen.'

6

Dolores keek naar Victors gezicht. Het had een intense uitdrukking en zijn blik had iets vreemds: hij was geschokt. Zij vertelde hem een verhaal uit een andere wereld: zulke dingen kwamen niet voor in keurige, blanke burgermilieus. Zoiets gebeurde niet in gezinnen met een echte vader en moeder, een volledig gezin, zoals dat officieel heet. Nee. Nou, hij kan de pot op, dacht ze, maar haar hart deed pijn. Het is zo makkelijk om laatdunkend neer te kijken op de rotzooi en de problemen van iemand anders; zo makkelijk om iemand aansprakelijk te stellen voor zijn leven. Maar jij, jij schudt je uit als een natte hond en spat de hele kamer onder, waarbij je het water afschudt waarin anderen verdronken zijn. Ik niet. Zo ben ik niet. Zij wendde haar gezicht van hem af en ging rustig, onverbiddelijk verder.

Het werd steeds erger. Ik bleef nog steeds 's nachts voor haar op. Op een nacht kwam ze heel laat thuis, het was zaterdag; ik was aan het strijken en wachtte tot ze terugkwam. Ze kwam de keuken in en ging zitten en ik keek haar aan: haar ogen stonden heel vreemd.
'Wat heb je gebruikt?'
'Wat bedoel je?'
'Je hebt iets gebruikt, ik zie het aan je ogen.' Ze zei ja, ze had stuff gerookt.

De moed zonk me in de schoenen. De laatste paar weken was er een zekere stabiliteit geweest – dat gebeurde van tijd tot tijd en ik dacht dan altijd dat het voorbij was, dat ze over de crisis heen was en weer normaal zou worden. Normaal volgens mijn maatstaven. Maar ze kreeg het steeds weer voor elkaar om iets nieuws uit te proberen.

Ik maakte me zorgen over het roken, omdat ze nog zo jong was, en omdat ik wist dat kinderen die maar een paar jaar ouder waren dan zij, hard drugs gebruikten en ik dacht dat zij door de omgang met verslaafde kinderen ook aan de heroïne zou raken.

Ik gaf haar mijn gebruikelijke begrip en vermanende woorden en legde haar een paar gevaren en risico's uit. Zij liet me begaan, maar ik had net zo goed tegen de muur kunnen praten. Na een poosje liep ze kwaad de kamer uit en ging naar bed.

Ik kon geen enkele controle op haar uitoefenen. Ik werkte, ik gaf drie dagen per week college en spreekuur en ik zat in een commissie die me nog eens een hele dag tijd en energie kostte. Het was mijn eerste jaar aan het Emmings en ik vond dat ik mezelf moest bewijzen.

Maar al was ik wel thuisgeweest, wat had ik dan kunnen doen? Haar naar school brengen en haar elke middag weer ophalen? En al had ik dat gedaan, dan had ze rustig door de achterdeur weer naar buiten kunnen gaan, zodra ik weg was. Ik kon haar niet opsluiten en aangezien ik verbaal geen gezag over haar kon uitoefenen, had ik haar op geen enkele manier in de hand.

Wat nog niet erg was geweest als zij *zichzelf* maar in de hand had gehad; maar dat had ze niet.

Soms ging het heel goed, soms hadden we best plezier en zaten we samen te praten. Jack praatte ook veel met haar. Maar het gaf allemaal niets. Ik moet altijd lachen als ik weer zo'n zalvend artikel in een krant of tijdschrift zie waarin de een of andere psycholoog of psychiater weer eens het belang van *communicatie* benadrukt. Communicatie, laat me niet lachen! Laten we eens samenkomen en een goed gesprek opzetten en elkaar onze diepste gevoelens vertellen en werkelijk *communiceren* met elkaar, zodat we tot de kern van de dingen komen en laten we een goede *relatie* met elkaar opbouwen om een *volwaardig* en *rijp* mens te worden. Jezus!

En naast Els had ik natuurlijk de andere kinderen nog, die nu op de lagere en de middelbare school zaten en met wie het ook niet zo te gek ging. Tony was een echte binnenvetter geworden en zat buiten schooltijd de hele tijd thuis voor de televisie. Sydney was nog een kind, maar ze was nooit thuis, nooit. Ze zat elke middag bij vriendinnetjes, om huiswerk te maken, zei ze. Ze at daar, ze sliep daar, ze kwam alleen nog maar thuis om andere kleren aan te trekken. Ik voelde me zo langzamerhand een soort monster, maar waarom? Ik was altijd lief voor de kinderen geweest, altijd bezorgd over hen geweest. Maar ik leed zwaar onder de problemen met Els en mijn depressiviteit hing waarschijnlijk als een soort zweetlucht om me heen. Ik heb hen waarschijnlijk verwaarloosd, in ieder geval had ik niet veel aandacht voor hen. Ik ging er volkomen aan onderdoor.

Het was net als met Anthony, van a tot z. Als ik vrienden op bezoek had en de kinderen waren erbij omdat ik het leuk vond als zij erbij waren (als zij daar zin in hadden) kwam Els de kamer in en ging verongelijkt in een hoekje zitten kijken, ik voelde haar haat over mijn huid kruipen. Net als Anthony altijd deed als hij jaloers was. Of ze kwam in een stralend humeur thuis om vervolgens een beetje schutterig en verdwaasd de kamer in te komen en ineengedoken in een stoel te gaan zitten terwijl om haar heen iedereen praatte en lachte. En als ik dan op haar toeliep om te vragen wat er was, rolde ze met haar ogen en gaf me nauwelijks antwoord, alsof ze aan catalepsie leed.

Ik ging met haar naar een kliniek, waar ik werd doorverwezen naar een psychiater die, zo zei men daar, gespecialiseerd was in stoornissen bij adolescenten. Zij ging trouw elke week naar hem toe, steeds weer dezelfde lange reis naar Brookline, met twee keer overstappen. Hij deed niets. Ik vroeg haar steeds hoe hij was omdat ik geen vooruitgang bespeurde, maar ze wilde er niet over praten. Ze zei dat ze hem aardig vond, meer niet. Dus liet ik haar met rust. Hij vroeg me één keer of ik met hem kwam praten en dat heb ik gedaan. Hij vertelde me op plechtige toon, de lul, dat het probleem was dat ik niet met haar communiceerde.

Terwijl het zo was dat we op avonden dat ze toeschietelijker was dan anders, of een vaag vermoeden had dat ze misschien een beetje raar leefde, we nog steeds gesprekken hadden. En die duurden de hele nacht, tot vijf uur in de morgen, terwijl ik de volgende dag moest lesgeven. Het was waarschijnlijk stom van me, ik had veel strenger moeten zijn en niet zo aan haar toegeven. Maar ik was ten einde raad, ik greep elke kans aan om met haar in contact te komen. Niets, niets ter wereld ging mij in die tijd zo ter harte als Elspeth. Zelfs niet mijn andere kinderen, hoewel die ook niet erg gelukkig waren, maar zij waren niet uit op zelfvernietiging en Elspeth wel.

Ze zei altijd dat ze de pest had aan deze materialistische, kapitalistische maatschappij. Ze begreep niet waarom we zoveel aten, we zouden alleen van noten en vruchten moeten leven. Ze kon niet tegen blabla en zat er niet mee dat ze niet zou gaan studeren. Het enige waar ze van hield waren haar zwarte vrienden. Zij hadden de juiste levensstijl. Er was liefde tussen hen en zij gingen met elkaar om op een natuurlijke, warme manier, die blanke mensen vreemd was of in ieder geval niet lieten zien.

Relaxed, zonder valse schijn, pretenties, snobisme; leven en laten leven, dat was hun principe. Zij hoefden zich niet te laten gelden: ze waren gewoon een stelletje negers. Zij wilde ook zo leven.

Ze wilde met Connie naar bed en samen met hem door het leven zweven. Het maakte haar niet uit dat er nog een andere vrouw in zijn leven was. Ik waarschuwde haar voor zwangerschap, ik zei dat ze daar te jong voor was. Ze nam mijn woorden ter harte, voor een tijdje. Maar toen vertelde ze me dat ze met Connie naar bed was geweest, of bijna tenminste, want toen was zijn moeder binnengekomen. Ik heb haar daarna naar de dokter gestuurd voor de pil.

O, ik was natuurlijk het prototype van de ouder die een vrije opvoeding voorstaat en het daarna op haar boterham krijgt. Maar ik had hen mijn hele leven al vrijgelaten. Ik weet niet zeker of ik zo progressief was geweest als ik niet altijd een tegenwicht had moeten vormen voor Anthonys invloed. Als ik de enige ouder was geweest, was ik denk ik wat minder vaak *op hun hand* geweest. Maar je kunt een patroon dat zich over tien jaar heeft ontwikkeld, niet meer veranderen, en dat wilde ik ook eigenlijk niet. Ik probeerde steeds strenger te worden tegen Elspeth, maar het hielp allemaal niets. Als ik streng optrad, ging zij meteen in de aanval; als ik soepel was, buitte zij die soepelheid uit. Wat ik ook deed, ze was me altijd de baas, en ze scheen niet te beseffen dat zij helemaal niet de baas over mij hoorde te zijn, dat ik het voor háár deed, niet voor mezelf.

Tja, dat ging zo nog een tijdje door. Het is verbazend hoe het leven gewoon door kan gaan, hoe je kunt leven op een vulkaan en je dat bewust bent maar toch, dag na dag, doorleeft en kunt blijven glimlachen, kunt blijven lachen. Ik had Jack, die lief en geduldig naar me luisterde en me probeerde op te vrolijken. Tony en Sydney bekeken Elspeth met walging, zoals jonge kinderen kunnen doen met een familielid dat zich in hun ogen idioot gedraagt, terwijl zij – veel duidelijker dan het probleemkind zelf – de angst en pijn zien die het met zich meebrengt.

En ondanks alles bleef ik doceren. Dat heeft me in die jaren waarschijnlijk op de been gehouden. Ik deed mijn werk goed, misschien omdat het een enorme opluchting was om eens met iets anders bezig te zijn dan met Elspeth. Ik publiceerde mijn eerste boek en begon materiaal te verzamelen voor een tweede. Het doceren was leuk en bovendien kwam ik daardoor uit mijn huis. Ons huis was net zo geworden als het huis in Newton, het was doordrongen van vergiftigde lucht, de muren trilden van de steeds weer terugkerende scènes. Er hingen stemmen in de gangen, een koffiekopje op een tafel doet je aan haar denken, aan wat ze zei en wat ze deed...

Elspeth werd steeds magerder. Ze liep als een geest langs me, met die prachtige violette ogen die nu een lege, starende blik hadden. Connie kwam vaak eten en ze zat dan stilletjes naar hem te kijken, stond op en ging op zijn schoot zitten. Op een gegeven moment zei ik dat ik dat soort gedrag niet meer aan tafel wilde hebben. Ze zei heel weinig als hij er was. Ze ging helemaal in hem op. Dat was niet zijn schuld, hij was een aardige, intelligente jongen, helemaal niet overheersend. Zo voelde zij zich – zij wilde zichzelf ergens in verliezen, in iemand. In drugs, liefde, zij zocht vergetelheid.

Toen ze vijftien was werd ze voorgoed van school gestuurd omdat ze constant onvoldoende stond. Maar ik wist daar niets van, ze had het niet aan mij verteld. Ze zwierf over straat met de andere kinderen die net zo waren als zij, bijna allemaal jongens, de meeste zwart. Ze slikte nu allerlei pillen. Ze had meestal een glazige uitdrukking op haar gezicht. Het had geen zin om haar de les te lezen: haar geest was buiten bedrijf.

Op een dag kwam ze niet thuis. Ik was gek van angst, ik

belde al haar vrienden maar niemand wist waar ze was. Ik ging de volgende dag naar haar school en zo kwam ik te weten dat ze geschorst was. Ik liet al mijn lesuren vervallen en zocht heel Cambridge af. Ik ging naar al die tenten waarvan ik wist dat ze daar wel eens heenging. Ze was spoorloos. Die dag ontdekte ik grijze haren op mijn hoofd en dacht eraan dat het oude gezegde waar was: je kunt inderdaad in één nacht grijs worden. Met mij was dat zo.

Na twee dagen kwam ze 's avonds laat weer boven water, ze zei dat ze midden op Prospect Street was gaan liggen tot ze overreden zou worden door een auto. Ze had een wilde blik in haar ogen en ze was heel erg vies. Misschien was het waar wat ze zei. Ze had in een leegstaande winkel geslapen, op de grond, in haar eentje.

Ik zei: Zie je wat je me aandoet. Zie je dat ik in de war ben, bijna gek ben geworden van angst om jou. Je zegt dat de toekomst je niets kan schelen, maar geef je ook niets om mij? Ik weet niet wat ik moet doen, Elspeth, zeg me alsjeblieft wat ik moet doen.

Ze gaf wel om me, dat wist ik. Waarom zou ze anders al mijn spullen gebruiken? Ze 'leende' allerlei dingen van me – een nagelvijl, een bloes, een paar handschoenen. Terwijl ze zelf heel mooie dingen had die ze nooit droeg. Ze deed mijn kleren aan, die vervolgens op de hoop onder haar bed verdwenen of diep in haar kast werden weggestopt. Ik dacht wel eens dat zij mij probeerde te stelen, dat zij door middel van diefstal probeerde net zo te worden als ik.

En andere keren dacht ik dat ze mij wilde vermoorden, mij kapot wilde maken. Dat we in een echte oorlog verwikkeld waren, waarin zij bereid was te sterven als ik ook maar stierf. Net als Anthony. Maar ik dacht dat zij deze oorlog zou winnen omdat ze sterker was dan ik: zij gaf niks om ons en ik wel.

Ze bleef steeds vaker 's nachts weg. Achteraf vertelde ze me altijd waar ze geweest was, maar ze zei nooit van tevoren dat ze niet thuis zou komen. Soms bleef ze twee dagen weg.

Ze kwam een keer binnen toen ik ziek was, krom liep van de maagpijn, ziek omdat zij al twee dagen niet thuis was geweest en ik niet wist waar ze was. Ik schreeuwde tegen haar, gilde dat ze naar haar kamer moest gaan en dat ze niet meer uitmocht. Zij zei iets hatelijks op spottende toon, in de trant van: 'Wat ga je daaraan doen, moeder, me opsluiten of zo?' en ik gaf haar een klap in haar gezicht. 'Hou op daarmee! Hou op!' krijste ze en ze had doodsangst in haar ogen, de angst van een klein meisje. Ze deinsde achteruit, ze kromp in elkaar met een angstig gezicht, als een kind dat gewend is om klappen te krijgen. Ik moest bijna huilen maar ging in plaats daarvan zitten. Ik was uitgeput. Ze rende naar de badkamer en smeet de deur achter zich dicht.

Een tijdje later liep ik naar de badkamer en deed de deur open. Ze keek verschrikt, betrapt op, ze slikte iets door. Ik bleef in de deuropening staan.

'Elspeth, wat denk je dat ik zou doen als je doodging?'

Haar grote ogen keken me angstig aan. 'Ik weet niet.'

'Jij denkt dat ik dan ook dood zou gaan, hè? Nou, laat ik je dan vertellen dat dat niet zo is. Ik zou verdriet hebben. Ik zou lijden. Het zou me heel erg veel pijn doen. Maar ik zou niet doodgaan. Dus als je denkt dat je mij kapot kunt maken door jezelf kapot te maken, dan heb je het mis.'

Ik liep weg. Ze was tijdens deze woorden blijven staan, met opgetrokken schouders en grote schrikogen, maar ze zei niets. Ik dacht dat ik misschien iets in haar had losgemaakt, dat ik tot haar was doorgedrongen. Maar er veranderde niets. Ze was niet veel thuis. Als ze thuis was, hing ze verveeld in het huis rond. Ze pakte een blaadje op, bestudeerde die belachelijk opgeverfde skeletten van modellen en legde het weer neer. Ze speelde volkomen mechanisch op de piano. Ze zat uren voor de spiegel terwijl ze dode haarpunten afknipte. Het leek alsof ze ergens op wachtte, alsof ze pas op de plaats maakte. Maar ik wist niet waarop ze wachtte en zij wist dat ook niet, denk ik. Ze liep net zoals mannequins in de reclames, zwevend, alsof ze niet uit vlees en bloed bestaan, geen spieren en botten hebben, alleen maar uit lucht bestaan, voortgedreven bladeren, stof, zand, distels...

Op een zaterdagavond, toen Jack er was en Elspeth thuis was, kregen we ergens ruzie over. Ze was weer terug op school en ik probeerde haar te overhoren. Maar hoe weet je nu of een kind haar huiswerk heeft gedaan als je niet weet wat ze als huiswerk moest doen? We kregen daar ruzie over en op een gegeven moment loopt ze weg en gaat naar haar kamer. Een uur later komt ze beneden en zegt dat ik me geen zorgen meer over haar hoef te maken, omdat ze net een paar buisjes aspirine heeft geslikt.

Ik had moeten afgaan op mijn intuïtie. Ik wist zo goed als zeker dat ze helemaal geen buisjes aspirine had geslikt en mijn eerste reactie was om 'o ja?' te zeggen en weer door te gaan met waar ik mee bezig was. Maar omdat ik zo vaak zo ontzettend kwaad op haar was, vertrouwde ik mijn reacties op haar niet zo erg. Ik zei: 'O, ja?' en liep naar mijn kamer, deed de deur dicht en belde haar psychiater. Hij zei dat ik haar naar het ziekenhuis moest brengen om haar maag leeg te laten pompen. Ik zei dat ik dacht dat ze de boel voor de gek hield en daar ook naar moest handelen. Toen werd hij heel hoogdravend, heel dreigend: zij was onder zijn behandeling geweest, zei hij, en hij moest me waarschuwen dat hij niet verantwoordelijk was als ik zijn advies niet opvolgde. Alsof ik me daar soms druk over maakte, of hij zich verantwoordelijk voelde of niet. Het ging me om haar leven, niet om het vinden van een zondebok. Maar hij maakte me bang: ik dacht dat hij meer over haar geestesgesteldheid wist dan ik.

Jack en ik reden met haar naar de eerste hulp. Godzijdank pompten ze niet haar maag leeg maar gaven haar een middel om over te geven. Ik keek vanuit een andere kamer toe. Ze leek zo klein, zo breekbaar, zoals ze daar in zo'n kort ziekenhuishemdje zat over te geven in een spuugbak, met haar lange haar voor haar gezicht, haar dunne lichaam voorovergebogen.

Achteraf vertelde ze me dat ze in feite maar vijf aspirines had ingenomen. Een maand later stond er een sociaal werker van de gemeente op de stoep, en een paar maanden later weer, om met haar te praten, om met mij te praten. Het was belachelijk. Ze deden hun best, maar waarom eigenlijk? Dan komt daar zo'n goedbedoelend maar volkomen onervaren, pas afgestudeerd googje in je huis, met één bloknoot en één pen, die wel eens even de vloed zal keren, een vulkaan van emoties zal onderdrukken. Alsof je met statistieken, met een rapport in vijfvoud, dat later op microfilm zal worden gezet en in ondergrondse grafkelders vol papier en schuifelende bewakers bewaard wordt, hulp zou kunnen bieden, een vloed van menselijke ellende, van diepe misère zou kunnen tegenhouden.

Want er was geen twijfel over mogelijk, Elspeth was diep

ongelukkig. Waarom zou ze anders zulke dingen doen? Maar ze wilde het niet toegeven. Het ging best met haar, zei ze. Als ik me zorgen maakte om haar, dan was dat mijn zaak, daar kon zij niets aan doen. Want met haar ging het best.

7

En dus gaf ik haar op.

Ik dacht: Ik mag geen controle over haar uitoefenen, terwijl zij geen controle heeft over zichzelf. Dat hoeft zij niet te hebben, omdat ik haar laat denken dat zij zichzelf wel onder controle heeft. Zij heeft altijd een huis, eten, liefde tot haar beschikking, wat ze ook doet. Ik gaf haar nog steeds zakgeld, voor zover ik dat kon betalen. Ze zat op school (dacht ik), maar voerde niets uit. Ze bleef soms twee dagen van huis weg.

Ze kwam op een zaterdagmorgen binnenschuifelen toen ik werkstukken zat na te kijken. Haar haar was lang en ongewassen en ongekamd en ze had weer die zweverige blik die me zei dat ze iets gebruikt had. Het was lente, vlak voor haar zestiende verjaardag. Ze kwam binnenslenteren en bleef in de deuropening staan. Ze was niet bang dat ik haar de les zou lezen. Ik was daarmee opgehouden: het was verspilde moeite.

Ze had een vuile gescheurde spijkerbroek aan, afgetrapte laarzen en een legerjack. Ik wist meestal niet waar zij haar kleren vandaan had. Als ik dat vroeg zei ze dat ze met iemand geruild had. Of dat iemand haar een jack of een hoed had gegeven. Waarschijnlijk was dat wel zo – ze had nauwelijks meer kleren van haarzelf, al die mooie dingen die ik haar voor haar verjaardag of met Kerstmis had gegeven. Maar ze had net zo goed haar kleren gestolen kunnen hebben – zulke vodden werden in die tijd in Cambridge verkocht.

Ik draaide me om toen ze hallo zei. Ik zei haar dat ze binnen moest komen, moest gaan zitten, dat ik met haar wilde praten. Ze kwam zuchtend naar binnen, plofte in een stoel neer met haar benen over de armleuning, stak een sigaret op en keek ongedurig naar het plafond: weer een preek. 'Ik dacht dat je niet meer zou schreeuwen, moeder,' zei ze.

'Dat is ook zo,' antwoordde ik, terwijl ik tegenover haar ging zitten. Ik zat te trillen, maar ik bleef volkomen beheerst. Daar was ik overheen, dat ik ging huilen waar zij bij was.

Ik somde de gebeurtenissen van de afgelopen drie jaar voor haar op Zij keek me aan met een gezicht van *nou én* (maar wie weet wat er zich binnen in haar afspeelde). Ik gaf haar een overzicht van haar toekomstmogelijkheden. Die waren zeer beperkt: haar school afmaken en gaan werken, van school af-gaan en gaan werken, of de zeer kleine mogelijkheid dat zij hogere cijfers zou halen en zou kunnen gaan studeren. Ik had het niet over de andere mogelijkheden, zwangerschap, drugs-verslaving, volkomen flippen.

'Je zult wel weten, Elspeth, dat ik je kan laten opsluiten.'

Ze was geschokt en ging recht overeind zitten. Ze had zich niet gerealiseerd dat ik nog een klein beetje macht over haar had. 'Waarvoor?'

'Voor je gedrag. Het zou kunnen.'

'Voor druggebruik, bedoel je. Ik ben niet verslaafd, MOEDER.'

Ik kan je niet vertellen hoe ze dat zei, *Moeder*. Het deed pijn aan mijn oren.

'Ik kan je laten opsluiten, Elspeth. Het hoeft niet om drug-gebruik te zijn. Maar dat zal ik niet doen. Dat is vreselijk, dus dat doe ik niet.'

Ze keek me heel vuil aan, maar ik kon zien dat ze opgelucht was. Ze ging even verzitten en wiebelde met haar been. Zij drukte haar sigaret uit en stak de volgende aan. Ze keek weer naar het plafond met een blik van 'wanneer-houdt-dat-mens-er-nu-eindelijk-eens-mee-op?'

'Wat ik wel ga doen, Elspeth, is me terugtrekken. Ik kap ermee. Van nu af aan houd ik op met *moeder* te zijn.'

Ze keek me met spottende minachting aan, alsof ze wou zeg-gen: Er is niets dat je beter van me af kunt pakken dan dat.

'Ik ga me geen zorgen meer om jou maken, ik ga geen nach-ten meer opzitten, ik ga geen maaltijden meer koken die je toch niet komt opeten, of tegen de schoolleiding liegen, of je kleren wassen, of je kamer opruimen, of je op je kop geven of de les lezen. En ik ga je ook niet meer onderhouden.

Je bent nu op jezelf. Je kunt gaan en staan waar je wilt. Maar hier kun je niet meer komen, niet meer wonen, tenzij je je aanpast aan de regels van het huis. Dat wil zeggen, naar school gaan, je huiswerk doen, op tijd komen voor het eten en meehelpen in de huishouding, jezelf en je kamer netjes houden en elke nacht hier slapen.

Als je dat niet kunt, zul je een andere plek moeten vinden – dat was het.'

Ze wiebelde al een tijdje niet meer met haar been, maar ze blies nog steeds grote rookwolken naar het plafond. Toen ik klaar was, gaapte ze hartgrondig. Ze stond op. 'Hmmm. Nou, Connie en ik gaan toch naar Californië.' En liep demonstratief de kamer uit.

Ik bleef een tijdje zitten en zat zo erg te trillen dat ik bang was om op te staan. Ik wist dat, nu ik het gezegd had, ik ook de daad bij het woord moest voegen. Het moest. Of ze zou me nooit meer respecteren. Maar het was natuurlijk krankzinnig. Wie heeft er ooit van gehoord dat iemand zijn moederschap opzegt? Dat is net zoiets als een jood die ophoudt met joods te zijn, dat is onmogelijk.

Ik hees mezelf overeind en liep naar de gang. De badkamerdeur was dicht en ik hoorde de douche stromen. Ik liep terug naar mijn bureau en probeerde me weer op het werkstuk te concentreren dat ik aan het lezen was, maar de letters dansten voor mijn ogen. Ik was tot het uiterste gespannen. Ik wist dat ik me moest voorbereiden op een lange belegering. Ze zou kunnen denken dat zij nu de grenzen van haar macht bereikt had en beter op mijn voorwaarden zou kunnen ingaan, om zich daar vervolgens weer niet aan te houden. Ze zou ook weg kunnen gaan, en wie weet wat er dan zou gebeuren? Het zweet brak me uit toen ik deze mogelijkheden overdacht.

Na een uur of zo verscheen Elspeth weer in de deuropening. Ze zei niets, maar ik voelde haar aanwezigheid en draaide me om. En mijn adem stokte. Zij was een geestverschijning. Haar gezicht was roze en het glom en haar haar was gewassen en gekamd en lang en steil en rood-goud en het glansde. Ze had een lange, witte katoenen jurk aan, die ik een jaar geleden ter gelegenheid van het huwelijk van haar neef had gekocht. Daarna had ik hem gewassen en gestreken en opgeborgen met lavendel, omdat ik wist dat zij hem niet meer zou dragen. Hij was nu fris en schoon en rook naar lavendel. Hij had een lage ronde hals en korte mouwtjes en was afgezet met borduursel. Ze had ook een hoed op. Eerst herkende ik hem niet, maar toen wist ik het weer. Het was een oude van mij, een strooien hoed met een brede rand, met een oud-roze fluwelen lint dat over haar rug naar beneden hing. Ze was dauwfris en beeldschoon als een kind op een plaatje. Ze liep alleen op blote voeten.

Toen ze zag dat ik me omdraaide, ging ze even anders staan, ze leunde met één hand tegen de deurpost en deed de andere in haar zij. Haar mond was samengeknepen tot die lelijke verongelijkte lijn die ze altijd had als ze kwaad op me was.

'Ik kom even zeggen dat ik nu wegga. Ik ga poseren voor Peter, hij denkt dat hij foto's van mij aan een blaadje kwijt kan. Ik kom niet meer terug, dus je kunt nu eindelijk ophouden met je zorgen te maken om mij.'

Zij haalde haar hand van de deurpost en liet haar armen langs haar lichaam hangen. Ze zag er gewoon en smal en heel jong uit.

'En nog iets, ik weet wat je aan het doen bent. Je probeert je van mij af te maken, net zoals je je van Papa hebt afgemaakt. Dat heb je heel handig gedaan, Mama.'

De eerste keer sinds maanden dat ze *Mama* tegen me zei.

'Je schijnt te denken dat ik *jou* kapot wil maken. Nou, ik zal je zeggen, je kan mij niet kapot maken zoals je Papa kapot hebt gemaakt.'

Ze draaide zich snel om en verdween.

Ik bleef volkomen wezenloos zitten. Ik hoorde beneden geluid. Ik liep naar het raam aan de voorkant en keek naar beneden. Er zat een groepje kinderen op haar te wachten. Haar vrienden, denk ik. In die tijd had ze elke dag andere vrienden. Connie was er niet bij. Het was een slordig stelletje, maar alle kinderen liepen er in die tijd slordig bij. Zij werd uitbundig begroet toen ze naar buiten kwam en zij draaide voor hen in het rond, waarbij haar jurk hoog opwaaide. Ze had een brede lach over haar gezicht, een kleine-meisjeslach. Toen ze met hen wegliep leek ze op een beeldschoon meisje uit een reclame, die met zwevende gang haar geliefde tegemoetloopt, met haar smetteloze katoenen jurk en een strooien hoed, haar blote voeten een symbool van haar onbevangenheid, haar onschuld.

Zij hield zich aan haar woord. Ze kwam niet terug. Twee dagen later was ze nog niet terug. Ik was ziek, ik kon niets binnenhouden. Maar ze was al eens eerder twee dagen weggebleven. Ze zou een dezer dagen weer terugkomen, want hoe moest ze anders in leven blijven? Ze zou terugkomen met een beschaamd gezicht maar met een koppige mond, en proberen met me te onderhandelen, haar eigen voorwaarden te stellen, om haar gezicht te redden. En ik zou haar enigszins tegemoetkomen, zodat ze haar gezicht kon redden.

Maar wat als ze niet zou terugkomen. Dan zou ze het in haar eentje proberen te maken. Op een bepaalde manier was ze heel intelligent en heel taai en misschien zou het haar lukken, misschien kon het, ik moest geloven dat het kon. Ik had gezegd: Hou je aan de regels of ik gooi je uit het nest in het water, het is zinken of zwemmen, dat heb je zelf in de hand, en zij had gezegd: Ik gooi mezelf er wel uit, dank je. Ze zou zwemmen. Ze moest wel.

O, ik kende genoeg verhalen van kinderen die het niet gelukt was. Er schenen er een heleboel te zijn in die tijd, kinderen die aan een overdosis overleden, kinderen die gewoon verdwenen in de grote mensenmassa op straat en van wie niemand ooit meer iets hoorde. Eén kind werd vermoord gevonden, hij was van een gebouw afgeduwd. Een ander kind had een infectie opgelopen van een vuile naald en had een paar vingers moeten missen. Ik verdrong dat soort verhalen.

Ik somde redenen op bij mezelf om de moed erin te houden. Het schone haar, de frisse jurk, de gelukzalige glimlach. Peter, foto's voor een blad: dat klonk concreet, iets om je aan vast te houden.

Vier dagen en nog was ze niet terug. Ik dacht erover om Connie te bellen, of Starr, Peter, of de andere vrienden die ik kende. Maar ik deed het niet. Ik had haar gezegd dat zij nu op zichzelf was en ik meende dat.

'O God,' kreunde Dolores en begon te snikken. Ze greep met haar vingers in haar haar, alsof zij het eruit wilde trekken. Zij huilde met gierende uithalen, die vanonder uit haar lichaam schenen te komen. Victor keek naar haar, zijn gezicht vol schrammen. Haar hoofd hing naar beneden, haar lichaam was voorovergebogen, ze zag eruit als een gevangene op een achttiende-eeuwse prent.

Hij stond op en pakte hun glazen, en na een tijdje bedaarde ze en snoot haar neus. Hij gaf haar een nieuw glas cognac en een vers sigaartje. Ze nam een klein slokje, lachte even, met bevende mondhoeken.

'Volgens mij zijn drank en tabak jouw antwoord op pijn.'

'Weet jij een beter middel?'

383

'Valium?'

'Dat is veel erger.'

Ze leunde achterover. Ze glimlachte, als een geest, als de verschijning van iemand die allang dood is en een boodschap komt brengen uit de andere wereld. Zij keek naar hem vanuit het schemerige kamertje van haar pijn. De geschoktheid op zijn gezicht was nu verhevigd tot diep afgrijzen, maar hij schermde zich niet meer van haar af. Hij leefde met haar mee, hij stopte haar niet in het hokje: mislukt als moeder.

Hij boog zich naar haar over, zijn gezicht was gehavend. Hij pakte haar hand. 'Ga door,' zei hij.

Ik zat te zwoegen op het beoordelen van de werkstukken. Ik ging naar college en liep de gangen door, terwijl ik mij verbaasde over mijn lichaam dat mij droeg, en over mijn geest die mij woorden in de mond legde. Ik gaf les, ik gaf raad. Ik ging naar huis en rookte. De ene sigaret na de andere. Mijn maag was er vreselijk aan toe.

Ik zat dan... tja, niet zozeer te *denken*... en ook niet te *voelen*: het was een beetje allebei, maar toch weer niet. Ik had een soort besef... alsof het leven een enorm ballonachtig ding was, dat opzwol en inkromp, dat steeds van vorm veranderde en dat, zodra ik zag wat het voorstelde, weer iets anders werd. En het was *mijn* leven, mijn ballon, maar het touwtje was uit mijn handen geglipt en ik rende erachteraan, het touwtje hing een klein eindje boven mijn hoofd, maar ik kon het niet te pakken krijgen. Het ding zweefde steeds verder omhoog en het werd steeds groter en lelijker, steeds wanstaltiger, en ik liep op de aarde erachteraan, schreeuwde ertegen, maar niets hielp. Het zweefde steeds verder weg en ik riep: 'Elspeth! Elspeth!'

Er zijn nog meer kinderen die op hun zestiende het huis uit zijn gegaan en die dat overleefd hebben, hield ik mijzelf voor. Die het gered hebben, terwijl zij heel wat sprongen in het diepe hadden gemaakt en heel wat klappen moesten incasseren. Maar die het overleefd hebben. Kinderen hebben dat door de eeuwen heen gedaan, hield ik mijzelf voor. Miljoenen jaren misschien al wel. Dus kan het gebeuren dat ik een week, twee weken niets van haar hoor. Een maand misschien. Een jaar, wie weet. Maar op een dag zal de telefoon gaan en ik neem op en hoor haar lieve stem, mijn meisje aan de lijn, mijn kindje, die zegt: 'Mama?' Of er wordt op de deur geklopt en daar staat ze in haar vuile gescheurde spijkerbroek met een beschaamde, onzekere glimlach en zegt: 'Mama? Kan ik weer hier komen?' En ik zal haar beetpakken, haar in mijn armen houden zoals vroeger, ik zal huilen, zij zal huilen en we zullen helemaal opnieuw beginnen, maar het dit keer beter doen.

Jack had dat weekend vrij en hij kwam heel opgewekt binnen. Hij wist wat er gebeurd was, ik had hem aan de lijn gehad, maar hij was jong, hij wist niet beter. Hij dacht dat je met lawaai en hartelijkheid elke ziekte kon genezen, dat je daardoor kon vergeten...

Hij zei dat hij een beetje geld had en me mee uit eten wilde nemen. Ik weet niet hoe hij daaraan kwam, misschien had hij het geleend. Hij probeerde me op te vrolijken, dat wist ik. Dus stemde ik toe, omdat het wreed is om een cadeautje te weigeren.

We gingen naar een goedkoop Italiaans restaurant vlak bij mijn huis en aten lasagna. Ik gaf over in de wc, maar zei niets tegen hem. We gingen naar de film, maar ik zag niets. Toen we naar buiten kwamen, liep hij hard en snel te praten en te lachen, hij probeerde het vacuüm met lawaai en energie te vullen. Ik keek naar hem en voelde me duizenden kilometers van hem verwijderd. Maar het ontroerde me dat hij zo zijn best deed om me beter te laten voelen en ik was kwaad omdat hij zo bot was om niet te begrijpen hoe ik me voelde, om niet in te zien dat ik alleen maar behoefte had aan stilte om me heen.

Hij wilde een borrel en ik had zin in koffie. Ik wilde naar huis, maar hij drong erop aan dat we nog ergens wat gingen drinken, dus gingen we naar een café in Cambridge, waar zowel koffie als whisky geschonken werd, en bleven daar een tijdje. Ik moest uiteindelijk betalen, want hij had geen geld meer. Wat me danig irriteerde: ik zat heel krap en ik haat het om geld aan drank uit te geven in cafés. Maar ik hield mijn mond. Hij deed zo ontzettend zijn best.

Dus kwamen we laat thuis.

Laat.

Het was niet anders.

Ik denk dat je achteraf altijd *als als als* zegt.

Hij reed de oprit op en begon te lachen. 'Dolores, je wordt zo langzamerhand echt een verstrooide professor,' zei hij. Hij lachte nog steeds toen hij uit de auto stapte en de garagedeur omhoog deed. Hij moet iets gezien of gehoord of geroken hebben. Ik had niets in de gaten, totdat hij de deur omhoog deed. Maar op het moment dat hij dat deed, wist ik het.

Ik stapte uit en liep naar voren, keek naar hem, wachtte. Hij draaide zich naar me om, nog steeds lachend en met zijn hoofd schuddend. Hij deed een zakdoek voor zijn neus en mond en opende het portier van mijn auto. Ik was een stuk hout. Ik was Niobe, Hecuba, de vrouw van Lot. Want ik wist het.

Ik bleef staan, mijn lichaam versteend in pijn, maar ik wist dat ik weldra van de pijn verlost zou zijn omdat ik dood zou gaan en de pijn zou verdwijnen. Omdat ik wist dat ik wel dood *moest* gaan.

Mijn botten waren al aan het afsterven. Ik dacht aan Tony en Sydney, en dacht dat zij het wel zouden redden, mijn moeder zou hen opvangen en zij waren bijna volwassen en hadden toch niets aan me.

Het leek net een film in slow-motion – Jack die zich lachend omdraaide, met zijn zakdoek voor zijn gezicht, het portier opendeed, en toen achteruit scheen te springen, zijn armen in de lucht maaiend, ik zag hem van heel ver, alsof hij op een andere planeet stond en ik naar beneden keek; want ik was dood en leefde in de ruimte. Toen boog hij zich naar voren, heel langzaam en traag leek het, en hij trok haar de auto uit, zij was een witte bloem in zijn armen en hij droeg haar de garage uit en zijn gezicht was een groot gat en hij zei iets, hij huilde of schreeuwde, maar ik kon hem niet horen.

Hij legde haar op het gras neer en ging op haar zitten en paste kunstmatige ademhaling toe en hij gilde dat ik een ambulance moest bellen en ik rende naar binnen en belde, maar ik wist het, *mijn* hart stond stil en daarom wist ik het, en ik liep weer naar buiten en keek toe hoe hij met haar bezig was terwijl de tranen over zijn wangen stroomden, hij weet het nu voor altijd, dacht ik, hij zal nooit meer denken dat je met hartelijkheid en vrolijkheid het leven kunt verslaan. Nee.

Ik keek van heel ver mee, vanaf mijn planeet waar ik koud en eenzaam voor eeuwig rondwervelde; keek toe hoe mijn kindje als een witte bloem in het gras groeide. Ik keek toe.

Na een tijdje keek hij naar me op – de ambulance deed er lang over – met ogen die alles zeiden, alles vroegen: 'Is dit het nou? Is dit leven? Zal het altijd zo zijn?'

Hij was dokter, hij had de dood gezien, maar niet Elspeth, dood.

Haar jurk was vuil en gescheurd en ze had een zwarte veeg op haar neus, een op haar wang. Ze was vuil als een baby kan zijn van het spelen, van het vallen.

Mijn kindje

was

gevallen.

'Ze kon niet zwemmen,' zei Dolores met verstikte stem, haar keel heet en gezwollen, haar gezicht nat. 'En dus is ze verdronken. En ik ook.' Ze zat stijf rechtop, met een wezenloze blik op haar natte gezicht. Ze zweeg.

Victor zat met gebogen hoofd naar de grond te staren, zijn handen tussen zijn knieën geklemd, zwijgend, terwijl ook bij hem de tranen over zijn gezicht stroomden.

Negen

1

De volgende dag sleepte Victor een zware, logge Dolores, alsof ze de vorige nacht stomdronken was geweest, mee naar buiten om wat beweging te krijgen. Terwijl zij nog sliep maakte hij zo goed en zo kwaad als dat met zijn verbonden hand ging sandwiches klaar en stopte die in een mand met een fles wijn en een fles water. Hij zei haar dat ze op moest schieten met haar koffie en vroeg in de morgen fietsten ze de stad uit, het landschap van Oxfordshire in.

Het was een mooie dag, warm en hemelsblauw, en heel Oxford was groen en stond in bloei. Dotten narcissen wuifden in de wind, het gras was gespikkeld met paarse en gele en rode wilde bloemen. De lucht was fris en helder langs de kleine weggetjes, waar weinig verkeer reed, en Victor, die na de winter niet zo'n goede conditie meer had, was aan het hijgen en blazen. Dolores wilde stoppen, maar Victor zei heel streng *nee* en ze fietsten nog een halfuur door langs de rivier, toen Dolores het wel welletjes vond en Victor haar haar zin gaf.

Allebei dachten ze natuurlijk aan elkaar en allebei wisten ze dat. Victor dacht dat Dolores, door zich fysiek uit te putten, gezuiverd zou worden van de emotionele beproeving van de vorige nacht; Dolores maakte zich zorgen om Victors wond en om zijn roze gezicht, zijn gehijg. Zij vonden een plek met gras onder een paar bomen, met uitzicht op de Cherwell, en gingen daar zitten.

Victors verband was doordrenkt van het bloed; de snee was weer opengegaan.

'Het is gekkenwerk om te gaan fietsen met zo'n wond, het is gewoon stom, ik snap niet waar je gezonde verstand is gebleven...' Ze bleef zo een tijdje doormopperen, maar hij genoot ervan. Ze haalde het verband eraf en goot er drinkwater overheen, hing het daarna aan een tak om te drogen. Het wapperde heen en weer als een langwerpige witte vlag, de bloedvlekken waren er nog niet helemaal uit. Ze goot water over de wond, zei hem streng als een moeder dat hij zijn hand niet mocht bewegen, dat hij hem met de handpalm naar boven, gestrekt moest openhouden.

Hij gehoorzaamde gedwee maar pakte haar met zijn andere arm vast en trok haar naar zich toe en kuste haar. Ze bleef een tijdje zo zitten, hun gezichten speelden met elkaar, maar toen ging ze zuchtend overeind zitten.

'Je moet en zal schade aanrichten, zelfs met één hand, hè?'

'Als je dat schade noemt: ja.'

Ze propte haar sweater tot een bal en legde hem op het gras, ging toen naast hem liggen met haar hoofd op de sweater. Ze zeiden niets, luisterden naar de geluiden van de stilte, het getsjilp en gefladder en geschuifel, het trage ritselen van de bladeren in de richting van de verschuivende zon, de zon die scheen te rijzen en te dalen.

'Op een bepaalde manier is het wel schade aanrichten,' zei Dolores na een lange stilte.

'Een schade die ik niet zou willen missen,' zei hij.

'Weet je, mijn leven is... moeilijk geweest. Afschuwelijk bij vlagen. Maar toch heb ik een heleboel mooie momenten beleefd. Idyllische momenten, zo zou je ze wel mogen noemen. Mensen die ik ontmoet heb, plaatsen waar ik ben geweest, dingen die ik heb gedaan. Ik heb heel veel vreugde en schoonheid gekend. En ik zou willen, god, ik vind het zo tragisch dat zij dat allemaal heeft gemist, dat zij alleen maar de nare kant van het leven heeft gekend, ik kan die gedachte niet verdragen...'

Hij ging op zijn zij liggen om haar te kunnen aankijken. 'Niet doen,' zei hij zachtjes. 'Je moet jezelf niet zo kwellen.'

'O, ik red me wel,' zei ze en het klonk alsof dat inderdaad zo was, het klonk alleen in en in treurig. 'Weet je, ik heb het al die jaren alleen opgeknapt. Ik heb er met niemand over gepraat. Nou ja, een paar mensen weten het wel – mijn moeder, mijn vrienden, Jack. Die hoefde ik niet veel te vertellen, ze hebben het met mij doorgemaakt. Niemand heeft het ooit over Elspeth. Het lijkt net alsof ze nooit bestaan heeft. Alleen de kinderen halen nog wel eens herinneringen aan haar op.'

'En Jack?'

'O, we zijn allang uit elkaar. We vonden dat allebei het beste: we konden elkaar niet aankijken zonder Elspeths lichaam te zien. Het was ontzettend deprimerend. We schrijven elkaar nog wel, meestal met Kerstmis. Hij is huisarts geworden in een stadje in New Hampshire. We hebben een tijdje veel aan elkaar gehad. Meer kun je niet vragen, vind ik.'

Hij legde zijn gezonde hand over een van haar handen. 'Ben je er ooit achtergekomen wat er precies is gebeurd?'

'Niet echt, nee. Ik heb je één ding nog niet verteld. Het is me ontschoten, ik weet niet waarom. Elspeth was altijd verliefd. Ze hield van Connie, hij was haar beste vriend nadat Selene was verhuisd, of daarvoor ook al eigenlijk. Maar ze voelde geen *hartstocht* voor hem. Ze had om de paar weken een nieuwe vlam. Ze kwam dan in vervoering thuis en ik wist dan precies hoe laat het was. Ze bleef een paar dagen in extase, ging met hem naar bed, voelde zich dan nog een paar dagen vaag ongelukkig, en kreeg dan ongelooflijk de pest aan hem. Dat was meestal het einde, hoewel het zich soms nog wat langer voortsleepte. Eén verliefdheid herinner ik me, die duurde een maand. Daarna kon het verscheidene maanden duren voordat er weer een nieuwe kandidaat op het toneel verscheen, en in de tussenliggende tijd was ze lusteloos, rusteloos.

Haar vrienden waren allemaal op de begrafenis en verscheidene van hen kwamen daarna wel eens langs. Niemand scheen te weten wat er gebeurd was. Connie kwam heel vaak; we zaten dan samen te huilen. Maar hij kende het groepje niet waar zij die dag mee vertrokken was, het waren geen vrienden van hem. Ze had hem de volgende dag gebeld om te zeggen dat ze het huis uit was gegaan en bij iemand logeerde, maar hij wist niet hoe die iemand heette – hij wist niet eens of het een jongen of een meisje was. Ze zou hem aan het eind van die week zien om plannen te maken voor hun reisje naar Californië, waar ze per se naar toe wilde, maar ze was niet op komen dagen. Hij had haar huis gebeld – mijn huis – maar er had niemand opgenomen. Hij had zich daar niet al te druk om gemaakt. Elspeth was altijd al grillig geweest, dit was niets bijzonders.

Peter kwam langs, ik was heel blij om hem te zien, ik dacht dat hij misschien foto's van haar zou hebben. Maar die waren nooit gemaakt, zei hij, ze waren stoned geworden en hadden een beetje rondgehangen. Peter zei dat er een jongen in het groepje was geweest waar ze wel op viel, een nieuwe jongen die Dick heette, een vriend van Felicia dacht hij, en dat hij zich vaag kon herinneren dat Els en Dick samen waren weggegaan.

Felicia zei dat Dick uit de stad kwam, hij was een vriend van Ward. Ze probeerde hem op te sporen, maar zonder resultaat. Ward zei dat hij uit Californië kwam, een vriend van een vriend, die hem gevraagd had of hij bij hem kon logeren.

Ik kan alleen maar raden naar wat er gebeurd is. Ze werd smoorverliefd en is met die Dick ergens heengegaan. Ik weet zeker dat ze allebei geen cent hadden. Misschien zijn ze naar een vriend van hem gegaan. En Els was een paar dagen in de zevende hemel, vreselijk verliefd, en toen is er iets gebeurd waardoor ze is geflipt en dat was net de druppel, ze kon er niet meer tegen, kon niet nog eens zo'n teleurstelling verwerken. Ik weet het niet. Ik kan me voorstellen dat die Dick 'm gesmeerd is toen hij hoorde wat Elspeth had gedaan. Omdat hij zich misschien... verantwoordelijk voelde. Maar hij was niet verantwoordelijk. De hoofdpersonen in Elspeths drama waren Anthony en ik en Anthonys geesten. En Elspeths ideaal van de liefde, waar ze dat ook vandaan had, in ieder geval niet van thuis.

Een van de dingen die me het meeste pijn doet,' haar stem werd onvast en Victor kneep in haar hand, 'is dat ze me haatte toen ze stierf. Dat ze me als een strenge, kijvende kenau zag. Maar dat ben ik nooit geweest, zelfs niet op mijn slechtste momenten. Maar zo zag ze mij. Ze heeft nooit ingezien,' Dolores' stem begon steeds meer te trillen, 'dat ik van haar hield. Dat heeft ze nooit gevoeld. Niet na haar dertiende in ieder geval. O, op sommige momenten misschien. Maar die werden steeds minder. En ik hield zo vreselijk veel van haar.' Haar stem brak.

'Maar dat heeft haar niet kunnen redden,' voegde zij er nasaal aan toe, terwijl zij haar neus snoot. 'Misschien is ze daardoor wel verdronken.'

Victor aaide haar over haar arm en hand, zwijgend.

'Misschien,' zei hij langzaam, na een stilte, 'heeft ze niet geprobeerd om net zoals jij te worden of je kapot te maken, maar heeft ze juist anders dan jij willen zijn.'

'Misschien.' Ze ging overeind zitten en balanceerde de wijnfles op haar hand. Victor knikte en zij ontkurkte de fles. 'Net zo worden als ik, die Anthony kon behagen, hem kon verleiden tot een goed humeur en liefdevol gedrag. Want dat deed ik vroeger, of probeerde dat tenminste. Edith en ik verschillen minder dan jij denkt. Maar het heeft nooit gewerkt.'

'Maar Elspeth wist dat niet meer. Zij herinnerde zich de vrouw die constant met hem overhoop lag.'

'Ja,' zei ze, terwijl zij de wijn in de glazen schonk. Ze reikte hem zijn glas aan. 'Kan ik je dit met een gerust hart overhandigen?'

'Zolang je maar niet vergeet dat mijn humeur heel snel kan omslaan en jij ervoor zorgt dat dat niet gebeurt.'

Ze glimlachten tegen elkaar, een wrange, treurige glimlach.

'Ja, al die modeblaadjes, het feit dat ze urenlang voor de spiegel stond, haar verliefdheden. Het zou kunnen. Maar ik heb er geen enkele bevredigende verklaring voor kunnen vinden. Al die factoren bij elkaar lossen nog niets op. Uiteindelijk haal ik mijn schouders op en blijf met het gevoel zitten dat ik gefaald heb. Desastreus gefaald.'

'Jij? Maar je geeft Anthony de schuld van Elspeth.'

Haar stem sloeg ineens over: 'Natuurlijk! Natuurlijk is hij de schuld! Zoals hij zich tegen haar heeft gekeerd. Ze was nog maar een kind, het moet haar in grote verwarring hebben gebracht. En dat ook nog eens op het moment dat ze ging menstrueren – alsof hij daarmee zei dat ze, nu ze eenmaal een "vrouw" was, geen knip voor de neus meer waard was. Alsof zij daarmee een onvergeeflijke zonde had begaan. En toen pleegde hij zelfmoord en heeft zij hem gevonden. En dat was zijn manier om afscheid van haar te nemen.

En ik geef hem ook de schuld van hoe Tony nu is. Tony, die op zijn tweeëntwintigste nog steeds rondzwerft met het idee dat hij niets kan. Ik heb een foto van hem, hij is een jaar of drie en heeft zo'n Tiroler pakje aan, korte grijze suède broek en een vest en een hoedje met veer. Hij ziet er aanbiddelijk uit, maar zijn gezichtje is van een dieptreurige bleekheid, treuriger dan Anthony op zijn jeugdfoto's, en dat kan ik hem niet vergeven, nee, nooit.

En Sydney, die zo'n gekneusd beeld heeft van mannen dat zij nooit van een man zou kunnen houden. Zij is lesbisch. Dat vind ik niet erg, maar wat ik wel erg vind is hoe zij zo geworden is. Al die pijn. Maar zij schijnt tenminste gelukkig te zijn, echt gelukkig. Als het maar met allebei goed gaat, als ze maar allebei hun draai hebben gevonden, zou ik vast wel wat milder over Anthony denken. Maar wat Elspeth betreft... dat is onvergeeflijk.

Weet je, ik hield van mijn vader. Hij was een charmeur, een heel warm persoon, een lolbroek. Maar hij dronk, hij had periodes waarin hij te veel dronk. Mijn moeder kon er niet tegen, tja, daar kan ik wel inkomen. Hij dronk niet alleen zijn eigen geld op maar ook dat van haar. Toen ik twaalf was, is ze van hem afgegaan. Hij had altijd van me gehouden, die indruk wekte hij tenminste. Ik was zijn oogappeltje, zei hij altijd. Maar toen Mama bij hem weg was, is hij niet één keer langsgeweest, heeft hij me niet één keer opgezocht. Hij belde niet eens, stuurde nooit een kaartje voor mijn verjaardag. Niets. Ik heb hem nooit meer gezien totdat hij in zijn kist lag, nadat hij gestorven was aan een leverziekte; ik was toen eenentwintig.

En dat ik in het begin van Anthony hield was onder andere omdat ik het gevoel had dat hij me nooit in de steek zou laten, zich nooit zo zou isoleren als mijn vader had gedaan. Dat hij altijd bij me zou blijven. En dat heeft hij gedaan. Puh!

Het leven is vol ironie, vind je niet?' zei zij met een hoog, dun stemmetje. 'Toen ik met Anthony getrouwd was, wilde ik niets liever dan dat hij weg zou gaan.'

Victor zweeg en staarde haar aan. Zij nipten aan hun wijn.

'Maar toch,' ging zij verder, alsof zij tegen zichzelf praatte, 'ik kan hem van alles de schuld geven, maar daarmee ben ik nog niet vrijgepleit. Want ik was niet goed genoeg. Ik kon haar niet aan, kon de situatie niet veranderen. Ik heb gefaald.'

'Je hebt gedaan wat je kon,' zei hij, terwijl hij haar streelde.

Ze zuchtte. 'Ja. Dat zeggen we allemaal. Dat is onze favoriete pleister op de wonde, van mij en mijn vrienden. De een heeft een kind in een psychiatrische inrichting; de ander een zoon die aan een overdosis is overleden.

We zeggen dat en we zuchten. De woorden zijn een lapmiddel, ze bedekken de wond maar ze genezen hem niet. Je kan zelfs zover komen dat je jezelf vergeeft dat je gefaald hebt – ik dacht tot voor kort dat dat mij gelukt was. Tot die nacht in Manchester. Maar dan nog blijft het feit dat je gefaald hebt bestaan, je leeft ermee. Het wordt een deel van je identiteit.'

'Ja,' zei hij rustig.

2

'Toen ik een jongeman was,' zei Victor, terwijl hij zijn handpalm voor het eerst weer bewoog om een sigaret aan te steken, 'toen ik pas een paar maanden getrouwd was en in de jaren daarna, toen de kinderen klein waren, had ik het gevoel – je kan het geen idee noemen omdat het niet bewust was, het was vager – dat er van mij verwacht werd dat ik alles kon repareren. Alles. Een lekkende kraan, de fietsen van de kinderen, een geschaafde knie, Ediths depressies. Maar in geen van die dingen was ik erg handig. De kraan en de knie gingen nog wel, maar niet veel meer dan dat. Ik kon een spijker in de muur slaan, maar niet recht. En ik gedroeg me in een heleboel dingen net als... Anthony, denk ik. Ik smeet schroevedraaiers en hamers op de grond, sloeg en gooide met alles om me heen. Ik blafte Edith af, omdat – en toen wist ik niet eens waarom – ik haar overal de schuld van gaf.

Ik denk dat ik onbewust geloofde dat Edith van mij verwachtte dat ik alles kon repareren, terwijl ik dat een onredelijke eis vond. Niet dat Edith dat ooit *gezegd* heeft. Misschien heeft ze het niet eens zo bedoeld. Maar ik *voelde* dat ze dat bedoelde.

En misschien voelde Anthony dat ook. En dat was dubbel zo moeilijk omdat hij met zo iemand als jij getrouwd was. Je bent zelf zo goed in alles. Je zegt dat hij aanmerkingen had op jouw rijstijl, maar je kunt heel goed rijden. Het klinkt alsof hij naar iets zocht waarin jij zijn mindere was. Misschien voelde hij dat jouw bekwaamheid hem belette een held te zijn.'

'Ik verwachtte helemaal niet van hem dat hij een held was. Ik wilde dat hij stabiel was, dat hij zich bewust was van zijn gevoelens. En dat scheen voor ons trouwen zo te zijn. Hij was gevoelig, iets wat de meeste mannen niet zijn. Ik bedoel, waar de meeste mannen niet voor uitkomen. Maar hij wel.'

'Misschien verwachtte Edith ook niet dat ik een held was, voelde zij dat ik dacht dat dat van mij verwacht werd, dus maakte ze mij tot een held. Ze zei dingen als: "Nou, je hebt die fiets dan wel niet gemaakt, maar in ieder geval weet je wat er kapot aan is. Dat zou ik *nooit* weten." Of: "O Victor, wat knap van je. Nou weet ik tenminste wat ik tegen die monteur moet zeggen zodat ik niet met m'n mond vol tanden sta. Je weet hoe ze je beduvelen in die garages, als zij denken dat je er niets van afweet." Wat allemaal gelul was, want ik weet geen bal van auto's. Ik werd altijd razend als ze zo deed en schold haar uit. En dat moet haar heel erg in de war hebben gebracht – nu deed ze iets wat zij dacht dat van haar verwacht werd, namelijk mijn ego beschermen, ze cijferde zichzelf weg voor mij, en ik blaf haar af! Ze was altijd in tranen op zo'n moment.'

'Voel jij dat je gefaald hebt tegenover Edith?'

'Ja, natuurlijk.'

Ze zweeg.

Hij keek op. 'Dat geloof je niet, hè?' zei hij.

'Jawel.' Weifelend. 'Maar ik denk dat jij dat niet zo sterk voelt als ik dat voel met Elspeth. Het is natuurlijk heel anders, een kind... maar ik ken gezinnen die een kind verloren hebben, waarin de moeder dat veel sterker voelt dan de vader. De vaders zeggen, tja, wat kun je eraan doen, we hebben ons best gedaan maar dat kind was helemaal verknipt. De moeders zeggen niet veel, zij zuchten en hun mondhoeken hangen naar beneden en hun ogen zijn vol verdriet, en dat gaat nooit weg, dat verdriet.

Mijn vrienden Carol en John hebben een stel... probleemkinderen. Kinderen op blote voeten, net als de mijne, alleen nog een graadje erger. En Carol geeft zich daarvan de schuld, ze was een kijvend wijf toen ze klein waren. Tja, haar eigen jeugd...

We zaten een keer op hun patio en ik voelde me heel gelukkig, heel tevreden, snap je? Mijn boek was net uit, de kritieken waren lovend, het ging goed met mijn kinderen. En ik voelde dat ik alles in het leven had gedaan wat ik wilde – dat gevoel heb ik soms – dat ik de wensdromen uit mijn jeugd heb verwezenlijkt. En ik vroeg hun: Als zij morgen dood zouden gaan, waar zouden zij dan het meeste spijt van hebben in hun leven.

Ik had daar helemaal geen serieuze gedachten over. Wat ik op dat moment het meest betreurde was, dat ik nooit op de walsen van *Der Rosenkavalier* had gedanst in een balzaal met kristallen kroonluchters en spiegels, gestoken in een witte japon met stroken en een hoepelrok. Maar zij gingen er serieus op in.

En John, die goeierd, zei: "O, een paar roodharigen en een blondje." Ik dacht dat hij het serieus bedoelde: dat hij het over de liefde had, de liefde die hij nooit had gehad of nooit had gegeven. Ik dacht dat hij bedoelde dat hij niet wist hoe hij moest liefhebben, trouw als hij was. En ik dacht dat hij een uitzondering was, omdat de meeste mannen spijt hebben over hun mislukte carrière: dat ze het nooit tot vice-president of president gebracht hebben, dat zij nooit veertigduizend dollar per jaar hebben verdiend – of tienduizend per jaar. Ik weet wat Anthony had gezegd: dat hij nooit in het rugby-team van Army had gespeeld. En dat had hij in alle ernst gezegd.

Maar Carol antwoordde met een dunne, vlakke stem: "Dat ik geen betere moeder ben geweest," zei ze. En iedereen bleef zwijgend zitten. Vreemd eigenlijk.'

Victor sloeg op het gras met zijn goede hand, die tot een vuist was gebald. 'Jezus, vrouwen! Geen wonder dat jullie zoveel lijden. Jullie identificeren je totaal met je kinderen en voelen jezelf verantwoordelijk voor al hun doen en laten, alles wat ze wel en niet zijn! Dat is belachelijk!'

'Dat is de schuld van de maatschappij, Victor, niet van ons. Iedereen, van de psychiaters tot de kinderen, geeft de moeder de schuld.'

'Maar dat is onzin! Je kunt niet zoveel controle over kinderen hebben! Het is niet hetzelfde als een mislukt project waar jij de verantwoordelijkheid voor hebt. Daar kun je je slecht over voelen, maar je kunt er ook onderuit en weer aan een nieuw beginnen. Met kinderen is dat anders, je kunt ze niet zo maar wegdoen als ze te ver gaan. Je kunt geen statistiekje maken, zoals ik, waar de successen en de verliezen op zijn aangegeven – geslaagde projecten, die zijn uitgevoerd, afgeketste projecten die zijn mislukt. En eruit komen met een aardige voorsprong waar je apetrots over bent. Zo werkt dat niet. Ook als de kinderen het overleven, ook als ze gezond en succesvol zijn... ik weet dat mijn moeder,' zijn stem werd hard, onverbiddelijk, koud, 'dat mijn moeder stierf met het idee dat ze een slechte moeder was geweest. Omdat ze niet meer zo veel van me hield toen ik volwassen was geworden. Dus ook als de kinderen het aardig schijnen te redden in deze wereld, maken de moeders zichzelf verwijten.

Maar op die manier geef je verdomme voortdurend aan jezelf toe, Dolores! Dat is zwelgen in je verantwoordelijkheid, in schuldgevoelens, verdriet, pijn en tenslotte – want daar gaat het toch om – in macht.'

Zij ging overeind zitten en keek hem aan. Hij bestudeerde haar gezicht.

'Ben je nou boos?'

'Nee, ik denk dat je gelijk hebt, maar dat het opvoeden van
396

kinderen de enige macht is die de maatschappij de vrouwen toestaat. Het zal best zo zijn dat we ons daar een beetje al te fanatiek op storten. Maar het punt is, Victor, dat de kinderen onze taak is. Echt waar.'

Hij zuchtte en ging weer liggen. 'Het is de taak van ons allemaal.'

'Nee, dat zou moeten, maar zo is het niet.'

'Nou, het is een onmogelijke taak,' zei hij.

Zij ging weer naast hem liggen, zwijgend, en luisterde naar het ritselen van de bladeren, het ruisen van het water, het suizen van de lucht.

'O, Victor, hoe kan ik je ooit laten gaan?'

Victor kreeg in mei te horen dat hij een paar dagen naar Plymouth moest. Als ze met hem meewilde, zou hij een tijdje vrij nemen en konden ze tien dagen door Devon en Cornwall toeren.

Ze had erge zin, maar was een beetje in paniek. De tijd was zo ongemerkt voorbijgegaan, het was bijna juni en ze moest nog veel doen en ze had nog maar twee maanden.

'Drie,' zei Victor.

'Juni, juli: twee.'

'Augustus. Je hebt augustus nog.'

'Nee. Ik ga twintig juli naar huis.'

'Een jaar!' riep hij. 'Een jaar, hadden we gezegd!'

Zij legde een hand op zijn arm. 'Victor, ik had ook een jaar. Ik ben in juli gekomen.'

'Oké. Best. Dat is geen reden om niet nog een maand te blijven, je hoeft alleen maar je ticket te verlengen. Als je geld op is, is daar wel iets aan te doen.'

'Nou, ik maakte me inderdaad zorgen om het geld. Ik wist dat ik na een jaar hier geen rooie cent meer over zou hebben, zoals meestal het geval is met mij...'

'Maar liefje, waarom heb je me dat niet gezegd? Hoeveel heb je nodig? Ben je met drieduizend uit de moeilijkheden?'

Zij lachte. 'Victor, van drieduizend dollar kan ik vier maanden leven. Maar daar gaat het niet om.'

'Nou, waarom dan?' Hij schoof van haar weg, stond op en begon in de kamer op en neer te lopen. Zijn stem had een harde klank.

397

'Ik wist dat ik geen geld zou overhouden, dus heb ik toegezegd dat ik een zomercursus zou geven aan het Emmings van eenentwintig juli tot vijfentwintig augustus. Ik moet wel terug.'

Heen en weer lopend: 'Zeg het af! Neem ontslag! Laat iemand anders het maar doen. Jezus, met al die werkeloze academici tegenwoordig zal het toch niet zo moeilijk zijn om een vervanger te vinden?' Hij richtte een dreigende vinger op haar. 'Je had iemand anders kunnen vinden als je gewild had.'

Zij keek hem met een streng gezicht aan en hij draaide zich om en liep naar het raam. Hij bleef naar buiten staan kijken, zijn handen in zijn zakken, zijn hoofd gebogen.

Ze liep naar hem toe en trok hem van het raam weg, leidde hem naar een stoel en duwde hem erin. Toen ging zij op zijn schoot zitten en kuste zijn oogleden. Ze waren vochtig.

'Twee maanden,' klaagde hij. 'Veel te kort.'

'Ja,' zei zij, terwijl ze haar wang tegen zijn wang wreef.

Hij sloeg zijn arm om haar heen. 'Ik wil niet dat je weggaat.'

'Ja,' fluisterde ze.

'Maar je moet wel,' zei hij treurig, gelaten.

'Ik moet wel.' Zij ging rechtop zitten en gaf hem een arrogante blik. 'Luister jij eens even, kereltje, ik mag dan in een klein wereldje leven, maar je moet wel beseffen dat ik in mijn kringetje een hele ster ben.'

Hij glimlachte.

'Door mijn boeken, snap je. Het Emmings heeft mijn naam gebruikt als een soort trekpleister voor de studenten die die cursus gaan volgen. Om er een slaatje uit te slaan, dat is wel duidelijk. Maar ik heb ja gezegd. Dat ik het zou doen. En nu zit ik eraan vast.'

'Maar het komt toch geregeld voor dat iemand verstek laat gaan? Zelfs in het geval van sterren.'

'Vast wel. Maar dat zou ik niet kunnen. Ik zou dat niet voor mezelf kunnen verantwoorden. Tja, als ik een hartaanval zou krijgen, of mijn been zou breken...'

'Ja, laten we dat doen!'

'Wat?'

'Je been breken. Ik zal je overal heendragen. Erewoord.'

Ze lachten, maar het beeld bleef in Dolores' hoofd hangen: breek je been, word verlamd, zodat ik je overal heen kan dragen en je nooit meer kwijtraak. Ik beloof je dat ik je elke avond met boeken en bloemen en drank in een bruine papieren zak zal komen opzoeken...

Maar ze zei er niets over. Hij kon er niet tegen als zij hem te veel attent maakte op wat hij zei, wat hij deed. Hij dacht dan dat zij hem probeerde te veranderen. Bovendien hadden ze nog maar zo kort de tijd.

'Ik ga de komende twee weken aan één stuk door werken,' zei ze. 'Ik ga zo vroeg mogelijk naar de bibliotheek en kom er pas weer uit als de deuren dichtgaan. Misschien krijg ik het dan af.'

Hij knikte stuurs en bleef de hele avond zitten mokken. Maar 's nachts vrijde hij met haar met een hongerige hartstocht, waar een wanhoop uit sprak die zo sterk was, zo aanwezig, dat zij er geen verweer tegen had en die alleen maar passief kon ondergaan. Zij was die nacht het voorwerp van zijn diepste verlangen, en dat verlangen was om haar verlangen op te wekken en te bevredigen.

En zij genoot ervan, het verzwelgen, het omsluiten, het gevoel een begeerlijk voorwerp te zijn, een muziekinstrument dat bespeeld wordt, dat lyrische tonen voortbrengt, nu eens klinkend als violen, dan weer als houtblazers en o, de bassen niet te vergeten! *Appassionato*, gevolgd door een ander tempo, de koperblazers komen opzetten, violen als een wervelstorm, met af en toe een triller van een fluit. Dan zwelt alles op tot een dissonantie, zware, jachtige slotakkoorden op zoek naar een oplossing, nog niet, nog niet, dan een enkele hoge snerpende toon op de hobo, dan het hele orkest in een donderend, daverend slotakkoord, eindigend in harmonie, terwijl de hoogste tonen aanhouden en de akkoorden langzaam zachter, zijde-achtiger worden, de zachte tonen aanhouden en de rest wegsterft, verdwijnt, maar die ene toon hoorbaar blijft, *sostenuto*, vibrerend.

Toen Victor al sliep, lag zij wakker en dacht eraan dat een volleerde courtisane dat voor haar klanten deed en dat het leuk zou zijn, nee, dat het absoluut noodzakelijk was dat er bordelen voor vrouwen kwamen.

3

De volgende weken werkte zij keihard en probeerde aan niets te denken, nee, probeerde niets te voelen over hun dreigende scheiding. Zij probeerde ook uit haar hoofd te zetten wat hij gezegd had over dat breken van haar been. En probeerde ook haar gevoelens daaromtrent opzij te zetten.

Daar had ze nog tijd genoeg voor als ze eenmaal terug was in Cambridge, met haar boeken, haar cursus, en een verzameling thema's. 'Hendrik v en het begrip koningsschap.' 'De twee hoeren van Shakespeare: Cressida en Cleopatra.' 'De natuur in *The Winter's Tale.*' Bah. Het was onmogelijk om een cijfer te geven voor een werkstuk waarin je niet alleen ideeën tegenkwam waar je het niet mee eens was, maar een complete denkwijze die jij immoreel vond. Je kon een student moeilijk onvoldoende geven, alleen omdat hun morele waarden niet met de jouwe strookten, vooral niet omdat zij de waarden voorstonden die hun omgeving óók voorstond. Maar je werd er wel moe van. Wanneer zal de mentaliteit van de mensen veranderen?

Aanvaarde ideeën waren zo vervelend en onaantastbaar.

Maar goed, als zij op die lange avonden aan haar bureau zat en haar leesbril afzette en in haar ogen wreef, kon zij aan Victor denken en naar hem verlangen, dan wel. Want dat zou ze, dat zou ze.

Want het was toch een idylle geweest, ondanks alle niet-idyllische momenten, ondanks... Maar het feit bleef dat je een idylle vergeet, dat je je alleen momenten herinnert. En daar waren er tientallen van.

Een stralende middag aan het strand in Lissadell, bij het familieverblijf van Con Markiewitsj, met een knappe charmeur, hoe heette hij nou toch weer? Een ongelooflijke charlatan, maar die dag maakte dat niets uit. Een pastelblauwe lucht, warm zand, zij lagen in een duinpan zodat zij niet zichtbaar waren vanaf de heuvel achter hen. Shane, ja. Hij had haar gevraagd om hem trouw te blijven, voor die nacht tenminste. Ze had gebulderd van het lachen. Ach, wat een lach had hij!

Ja, en twee dagen Venetië met een Italiaanse zeeman op wiens naam zij absoluut niet meer kon komen, maar ze herinnerde zich wel die dag in het Lido met hem en het diner met zijn vrienden, hij apetrots op zijn Amerikaanse verovering, trots dat zij zijn stad zo mooi vond. 's Avonds liepen zij door de smalle straatjes, hielden op de bruggetjes stil om wat te praten of te knuffelen, wandelden naar het Canal Grande en keken naar de zonsondergang en de lichtjes. Ze stapten in een gondel en voeren weg van de schemering die over de haven hing. Hij zei: 'Het is zo goed, het is als eerste keer, ja, Dolores?' Deed zijn ogen dicht en verbeeldde zich dat zij maagd was. Zij moest lachen, ze zei *ja*, ze had het maar zo gelaten.

Ach, en die middag in Zmigrod met Adam, toen zij de Poolse boerderijen, de boeren, heuse boeren, in het echt zag en niet zoals ze op films zijn. Ze waren klein van stuk en hadden allemaal, ook de jongeren, een kromme rug van het harde werken. Hun gezichten waren getekend als aardappels, bruin en vlekkerig, en ze hadden geen tanden en konden niet lezen en schrijven en als je langsliep, keken ze je aan alsof je van een ander soort was. Stank van mest in de woonkamer, hooi in de keuken. Een kruis aan de muur en een plastic maquette van het Vaticaan met ingebouwd elektrisch licht vormden de enige luxe in het sombere huis. En Adam, van een ander soort in zijn beige pak, die mooi en beheerst was en beleefd knikte en iedereen met respect en vriendelijkheid benaderde, die zelfs de conciërge van zijn huis met *Pan* en *Pane* aansprak. Ondanks het sterke klassebewustzijn van de Polen ging hij geheel voorbij aan klasseverschillen. En zij hield van zijn manier van doen, maar hij vrijde als een robot.

En die morgen in Bandelier, toen zij de zon had zien opkomen over de rotsen die deze vallei omsloten, en vervolgens omhoog was geklommen en voorzichtig over de smalle paadjes was gelopen die langs de grotwoningen voerden, de lucht sprankelend als water, kristalhelder en fris, de pueblos met de stilte en leegheid van eeuwen om zich heen. En had staan kijken over de vallei terwijl zij zich had voorgesteld hoe die mensen daar honderden jaren geleden hadden gestaan, turend over de rotsen, over de pas, op hun hoede voor vijanden. Zij had naar beneden gekeken, naar de resten van de plaatsen waar zij gewerkt hadden, waar zij de grond hadden bebouwd en gekookt hadden en bij elkaar hadden gezeten. En had zich voorgesteld hoe zij daar, bruin en gebogen, hadden gewerkt, waren opgestaan, hadden staan turen met stramme ruggen, vastberaden gezichten. En ze had zich omgedraaid en zag Morgan, die naar haar stond te kijken, en haar hart was voor hem opengegaan omdat ze wist dat hij het ook zag, dat hij kon zien zoals zij, en toen hun vrienden verderliepen waren zij als vanzelf naast elkaar gaan lopen, alsof zij oude vrienden waren.

Maar hij kon absoluut niet vrijen, nee.

En een dagje in Walden met Jack, eindelijk eens alleen, de kinderen ergens anders heen, wandelend, pratend over Thoreau, stralende dag. Ze had naakt gezwommen, wat hij fantastisch vond, en hij was haar nagedoken. Ze hadden naast de stenen gestaan, die de enige overblijfselen waren van Thoreaus hut, uitkijkend over het meer, en hadden zich afgevraagd wat hij had gezien, in de tijd dat hij daar nog alleen was. Jack liep over van enthousiasme, en zijn energie en plezier maakten alles wat hij nog niet wist goed.

Ja. Onvolmaaktheid had ook zijn prettige kanten.

En nog veel meer. Nancy en zij in Assisi, zij niet weg te slaan van de Giotto's in de kathedraal, Nancy verveeld en rusteloos, samen in hun smetteloze hotelkamer van twee dollar per nacht, Nancy, die giechelend een onelegante tap-dance voor haar had gedaan en aan het voeteneind van het bed verdwenen was, spoorloos, omdat ze uitgegleden was op de geboende vloer en zo hard moest lachen dat zij niet meer op kon staan.

En alleen in Delphi, in april, bij de overwoekerde tempel van Athene, niemand in de buurt, het gras stralend met wilde, gele bloemen, zoemende bijen om haar heen. En de eerste keer dat zij in Parijs was, lopend door de Tuilerieën naar de Orangerie, om de waterlelies van Monet te zien, alleen omdat ze daar waren, toen nog niet uit respect voor Monet. Er werd die dag muziek gemaakt in het park, Beethoven. Ze wist niet waar die vandaan kwam, maar ze liet zich erdoor leiden, volgde de opgewekte en plechtstatige ritmes, het derde deel van de *Eroica*. En was toen de Orangerie binnengegaan en had ze gezien, mijn god! Ze had zich met open mond op een bank laten zakken, mijn god, wat een schoonheid.

En die keer dat ze voor het eerst de deuren van de doopkapel in Florence had gezien, ze had zich heilig en uitverkoren gevoeld en vervuld van dankbaarheid dat zij het geluk had mogen proeven om hier te kunnen komen, om dit te kunnen zien, die deuren waar ze al jaren van gedroomd had. Dagenlang had zij ze bestudeerd, had elk detail in haar geheugen gegrift. En er was een duif op haar schouder neergestreken.

En toen de suppoost even in een andere zaal van het Bargello was, had zij even haar hand laten glijden over Donatello's David. Zij had pure lust gevoeld, de pot op met de esthetische afstandelijkheid.

En in een boot, stroomopwaarts varend over de Navua Rivier op Fiji, met aan beide kanten oprijzende heuvels, terwijl de verraderlijke, ondiepe, snelstromende rivier vol uitstekende rotspunten zich langs dorpjes kronkelde die her en der in de bergen verspreid lagen. Zwemmende kinderen, die je natspatten, een eenzame vrouw in de verte, die kleren wast op een steen, mooi en bruin en mollig in een kleurige, gebloemde pukasheela.

Meer dan genoeg momenten, ja. Van zo'n schoonheid dat haar leven al inhoud kreeg bij de herinnering, en haar deed stralen van dankbaarheid dat zij dat had mogen zien, dat haar dat gegeven was.

Soms werden die momenten overschaduwd door latere gebeurtenissen. Zoals de nacht dat zij met Marsh over het strand liep in Puerto Rico, met blote voeten in de branding, zijn blik op haar en de spanning tussen hen. Die nacht op de steiger met Anthony, de dag dat zij te paard over het Pocono pad hadden gereden en zijn paard niet verder wilde.

Wat zou er van dit jaar met Victor overblijven, van de flat in Oxford, waar zo weinig en toch zo veel was gebeurd, de flat in Londen, de fietstochtjes langs de Cherwell en de avondwandelingen langs de Seine? Zou zij zich af en toe zijn gezicht voor de geest halen, zonder op zijn naam te kunnen komen?

Vreselijk.

Maar wat was het alternatief? Ook al hadden zij elkaar mee naar huis kunnen nemen en hadden zij geprobeerd zulk exotisch voedsel te combineren met de alledaagse pot, wat dan? Laten we je been breken, Dolores, laat me jou in mijn holle pompoen stoppen. En ze zou hem inderdaad willen veranderen, hem haar levensvisie willen opdringen. Maar hij zou er niet beter van worden, dat had ze met Jack gezien. Het zou een hele klus zijn die niet zonder kleerscheuren zou verlopen.

Nee. Het was niet mogelijk.

Is de liefde altijd zo, denk je? Je geliefde vastgrijpen om hem dan af te knellen als de afgebonden voeten van een Chinees meisje? Hoe moest je het aanpakken, de verbondenheid, de afstand? Vroeger werd de vrouw tot bezit van de man gemaakt: één wil, één geest, één vlees: van hem. Maar er was geen andere weg, of wel soms?

Maar ook vroeger was het onmogelijk, alleen hadden toen enkel de vrouwen eronder te lijden. Onmogelijk. Vrouw en man. Vrouw en vrouw. Man en man. Wij noemen het liefde. Het is een grote, sappige, voedzame vijg, maar binnenin, hard en onverteerbaar, is altijd een harde pit en daaruit alleen ontstaan weer nieuwe vijgen.

4

Zij namen de snelweg naar Devon, zodat Victor er snel zou zijn en aan zijn verplichtingen kon voldoen. Ze waren van plan om de kustweg te nemen vanaf Plymouth en wat rond te trekken, tot hun tijd op was. Terwijl Victor zijn afspraken afhandelde, zwierf Dolores door de haven van Plymouth, de oude stad die een van de vertrekpunten naar Amerika was. Er was niet veel meer van over. Dolores was verbijsterd, voelde zich onwetend als een provinciaal. Want zij had altijd over de Blitzkrieg gedacht als de slag om Londen. Ze had nooit geweten dat de zuidkust, met zijn scheepsbouw, zwaar gebombardeerd was en eigenlijk met de grond gelijk was gemaakt. Plymouth, de zeehaven, eens verblijfplaats van sir Francis Drake en zijn kornuiten, vertrekplaats van de Mayflower, Plymouth was vrijwel geheel verwoest. Er waren nog een paar oude straten, een paar oude huizen over. De rest bestond uit hoge huizenblokken volgens Amerikaanse stijl. De oude huizen wáren mooi, met lage zolderingen met houten balken en geel-uitgeslagen muren van de rook. Een oude pub waar sir Francis destijds rondhing, toen ze het nog niet hadden over ergens rondhangen of uithangen of de kop laten hangen of de hoorn ophangen of blijven hangen of ergens bijhangen of iets aanhangen of naar links overhangen, maar wel spraken van ophangen aan de nek, tot de dood erop volgt. Het verleden leek zo vreemd dat je bijna zou vergeten dat menselijke wreedheid geen nieuwe uitvinding is.

De zee zag er hier koud uit, grijs-blauw van kleur en woelig. Aan de andere kant van de rotsen lagen de ruïnes van een fort. Je kon niet meer zien waar de stenen van het fort ophielden en de rotsen bij de zee begonnen. Ze verschilden eigenlijk ook niet van elkaar: ze gingen vloeiend in elkaar over, even natuurlijk als het leven overgaat in de dood. Misschien was Elspeth nu wel een ander soort steen.

Toen Victor zijn zaken had afgehandeld in Plymouth, reden zij naar Exmoor omdat Dolores de moerassen wilde zien. Ze reden uren over kronkelige wegen door de bossen. Er stond een klein kerkje en Exmoor, een dorpje dat in een of ander liedje was beschreven als een tweede Gatlinburg, maar dan typisch Engels, met een alleenstaand kerkje, zonder toeristen. Het bevatte een gedenksteen waarop melding werd gemaakt van een vreemd, hevig onweer, dat de kerk eeuwen geleden had geteisterd. De bliksem was ingeslagen in de kerk; een paar mensen waren gedood, maar anderen waren ongedeerd gebleven. Bij sommigen waren hun kleren verzengd, maar niet hun lichamen. Men dacht natuurlijk dat het een voorteken was en dientengevolge was die steen daar opgericht. Als dank, dank, o dank aan de Genadige Heer. Genadige Heer! Ja natuurlijk, want Hij had hen die de steen hadden opgericht, gered. Heb dank, o Heer.

Ze stopten in Looe, een prachtig dorpje hoog tegen de rotsen opgebouwd, uitkijkend over de zee. Het kleine gedeelte van het dorp dat op zeeniveau lag, was een wirwar van winkeltjes, cafés, blauw water, bootjes en blauwe lucht. Het leek te leven van de toeristen, maar vroeger, toen er nog geen toeristen en telefoons waren, moet het een ruige plek zijn geweest om te wonen. Ze klommen omhoog en probeerden een top te vinden vanwaar zij alles konden overzien, maar zij vonden er geen. De afdaling was bijna net zo moeilijk.

Ze gingen naar St. Michael's Mount, waar Dolores een populair sociologische verhandeling hield over de verschillen tussen de Engelsen en de Fransen. Want St. Michael's Mount, het Engelse equivalent voor Mont St. Michel, is ook een kasteel, omringd door water bij vloed en door zand bij eb. Ze liepen naar het kasteel; het was klein, netjes onderhouden, sober, en het werd bewaakt door militairen. Ze hadden er een militair museum van gemaakt. Alles was er netjes en ordelijk, er waren eindeloze lijsten van bevelhebbers, inclusief hun portretten, veel wapens, schilden, tekenen van overwinningen. Het Franse kasteel daarentegen is groot met veel uitbouwen en op de bovenste verdieping is nog altijd een religieuze monniken-orde gevestigd, die de prachtige verheven zalen en rustige tuinen onderhouden vanwaar je beangstigend diep beneden je het water schuimend kunt zien stukslaan tegen de voet van de rots.

En de benedenverdiepingen zijn aan de hongerigen gegeven, aan een eindeloze rij winkeltjes, waar je waardeloze souvenirs of pannekoeken of ansichtkaarten en zelfs hamburgers kunt kopen; het wemelt er van de mensen en het ruikt er naar honderd verschillende soorten eten.

Ze beschreef dit allemaal vol enthousiasme aan Victor, jubelend van plezier over de verschillen, de verschillen! Prachtig!

'En wat denk je dan dat die verschillen betekenen?'

'Ik vind ze gewoon leuk. Maar ik kan me voorstellen dat een Engelsman met opgetrokken wenkbrauwen schamper commentaar geeft op die ordinaire Fransen en op die verraderlijke rooms-katholieke kerk. En dat een Fransman zijn neus ophaalt en honend spreekt over die stijve, pompeuze Engelsen. Maar ik vind het allebei prachtig, ik hou van allebei!'

'Vind jij de Niagara-watervallen mooi? De Amerikaanse kant? Met al die souvenirwinkels en toeristen?'

'Nee, maar dat is verziekt. Het is al meer dan dertig jaar verziekt. Dat zie je al op een afstand.'

'Ik geloof dat mensen verschillen alleen tolereren op een afstand.'

'Maar het leven is zo saai zonder die verschillen! Het is een verarming van je ervaringswereld als je overal, ongeacht waar je bent, dezelfde Howard Johnsons of McDonalds tenten tegenkomt. Je kunt nauwelijks zien waar je bent.'

'Zelfs jij en ik kunnen verschillen alleen op een afstand verdragen.'

Dolores zweeg.

Ze reden langs de prachtige kust van Cornwall en aten mosselen en varkenspasteitjes en room uit Devon.

En Dolores praatte over beelden, en hoe we daar op de een of andere manier altijd aan vast blijven zitten. 'Zelfs *wij*, weet je dat. Als ik in mijn eigen geest kijk, dan zie ik jou als charmant, knap, sterk, intelligent en, eh, onkwetsbaar denk ik. Maar het is niet zo. Het heeft waarschijnlijk weinig te maken met hoe jij je voelt als je 's ochtends wakker wordt met een kater, stinkend omdat je de vorige avond te moe was om nog te douchen, en met pijn in je kaken.'

Hij glimlachte. 'Nou, mijn beeld van jou klopt wel.'

'Ja, ja, dat zal wel.'

'Je bent mooi, exotisch, vol mysterieuze kennis en je kunt ongemerkt een kamer binnenkomen en door gezichten en ogen heen zien. En je bent ook een priesteres van de pijn, dat ben je.'

Ze kreunde. 'Daar heb je Circe weer! Wat ik weet is helemaal niet mysterieus!'

Hij glimlachte.

'Nou ja, uiteindelijk zal je toch mijn benen willen breken,' zuchtte ze. 'En ik zou steeds de rug van je boek breken en je dan een nieuw exemplaar geven.'

'*De anatomie van de melancholie*,' zei hij. 'Dat heb je me al gegeven.'

5

Ze lagen op het strand in St. Ives en Dolores voelde zich een beetje belachelijk, omdat ze zenuwachtig was en omdat alles om haar heen opging in de lucht, die zinderde van zonlicht en hitte en dat alles alleen maar omdat zij op hetzelfde strand lag waar eens Virginia Woolf had gelopen en zij zag steeds het beeld voor zich van het rennende kleine meisje, mager, het lange donkere haar wapperend in de wind, schreeuwend dat ze iets gevonden had, de kale witte schedel van een schaap, waarna haar te verstaan werd gegeven dat jongedames niet horen te schreeuwen.

En zij vertelde Victor erover, en over Woolf, wie ze was en wat ze gedaan had.

Maar hij was somber vandaag, wie weet waarom? De zon stond hoog aan de hemel, het water kabbelde zachtjes, en overal op het strand speelden kinderen. Ook al was de tuin van de Stephens nu een geasfalteerd parkeerterrein geworden en het huis van de Stephens door hekken omgeven en het eigendom geworden van een motel-houder. Het was beter, dacht ze, als je hutje door de golven verzwolgen was. En toen dacht ze hoe on-prettig de meeste alternatieven waren, voor wat dan ook.

Zij ging op de deken liggen en staarde naar de hemel.

'Dolores,' zei Victor op plechtige toon.

Zij keek hem aan.

'Ik heb een besluit genomen.'

Ze ging overeind zitten. 'Wat voor besluit?'

Hij keek omhoog. 'Ik ga weg bij Edith.'

Ze staarde hem aan. Hij keek niet naar haar. Ze draaide zich naar hem toe. Haar schouders waren ingezakt, helemaal krom.

'Ik weet dat je per se je eigen huis wilt houden. Ik zal niet proberen bij je in te trekken. Het zou niet eens kunnen, want ik ben aan New York gebonden. Maar het is maar vijfenveertig minuten vliegen van de ene stad naar de andere en we kunnen de weekends samen doorbrengen en jij hebt lange vakanties. We kunnen evenveel bij elkaar zijn als alleen.'

Hij stak een sigaret op.

'Ik weet dat het vreselijk is. Vreselijk. Maar het leven is te kort. En ik zal haar goed verzorgen. Wat geef ik haar nu helemaal? Ze geeft niks om me, ik ben niet meer dan een symbool voor haar, een echtgenoot. Zij wil mijn aanwezigheid, maar niet mij. Ze komt er wel overheen. Het leven is te kort om dit op te geven.'

Dolores draaide zich om en keek naar de zee.

'Wat wij hebben gebeurt niet zo vaak. Voor de meeste mensen gebeurt het helemaal nooit. Ik wil niet zonder jou leven.'

Hij zweeg.

Zo maar, dacht ze. Hij vraagt het me niet, hij deelt het mee. Hij vertelt zijn beslissing, natuurlijk stem ik ermee in. Is dat een voorteken?

Zij komt er wel overheen, zegt hij. O nee, kereltje, dat komt ze niet, je kent haar nog steeds niet, ook al ben je al bijna een kwart eeuw met haar getrouwd, je hebt alle tijd gehad. Zij komt er niet overheen en jij zult nooit kunnen vergeten dat zij er niet overheen is gekomen. En jij zult er ook niet overheen komen, want er is iets met jou dat je zelf niet weet...

'Je zult eenzaam zijn,' zei ze.

Elke avond thuiskomen in een donker leeg huis, geen eten klaar, geen geluiden, geen glimlachende vrouw in een rolstoel, die je vraagt hoe het vandaag gegaan is. Een diepvries-maaltijd klaarmaken of een lamskotelet bakken, de televisie aan als gezelschap, zonder ernaar te kijken of te luisteren, maar alleen voor het geluid dat hij maakt. En al die andere dingen die ze doen, Edith en mrs. Ross, waar jij nauwelijks weet van hebt, je overhemden en kostuums naar de stomerij, je schoenen naar de schoenmaker, boodschappen doen, thuis zijn voor de boodschappenjongen, de telefoon aannemen, afspraken maken, en alleen de filet voor mr. Morrissey bestellen.

'Je zult je bediening kwijtraken.'

'Wat?'

'Je hebt er geen idee van. Je hebt nooit voor jezelf hoeven zorgen.'

Hij lachte. 'Nou, dat zal toch niet zo'n klus zijn.'

Thuiskomen van een uitgelopen faculteitsvergadering, de kinderen humeurig en hongerig, ze eten chips of cakejes; vlug iets uit de ijskast halen, besluiten om er rijst bij te eten. Elspeth! Maak jij de sla. Je herinneren dat de was nog niet gedaan is. Tony! Stop het kleine wasgoed in de machine en zet hem aan, en Sydney heeft morgen haar donkerblauwe hesje nodig want ze moet in het koor zingen. Ik zal nog een was moeten doen. Verdomme, de melk is op. Syd, wees eens lief en ga even melk halen en neem iets mee voor het toetje, ja? Verdomme, de sla-olie is op en Syd is al weg. Nou ja, Russische slasaus dan maar, mayonaise met ketchup. Elspeth ziet er zo moe uit, dek de tafel even, Elspeth, ze zou na het eten even moeten gaan liggen, we zijn gisteravond laat opgebleven, ik ben benieuwd of ze vandaag naar school is geweest. Vraag het maar niet. Ik zou nog wat moeten doen aan dat college over Daniel voor morgen, vorig jaar snapten ze er geen bal van, maar ik ben zo moe, misschien kan ik het even vluchtig doornemen.

O, had ik maar een vrouw.

Een vrouw om tot vijf uur 's morgens met Elspeth te praten, zodat ik een beetje kan slapen. Om even langs de winkel te gaan en melk te kopen. Om de was te doen. Een vrouw om al het begrip te geven dat in dit huis gegeven moet worden, begrip waar ik geen zin in heb, het maakt me depressief, het ondermijnt me. O god, stel je voor, een vrouw die mijn voorhoofd streelt en me tegen haar aandrukt en me vertelt dat alles goed is en die al die dingen allemaal voor haar rekening neemt. Een echte mama. Ja, ik wil ook een mama.

'Je zult een vrouw willen hebben, Victor,' zei ze.

'Waarom? Ik heb dan toch een minnares.' Hij streelde haar pols.

Victor: ik ben me best bewust van de eer die je me geeft, maar ik vraag me af of ik het waard ben om je vrouw te zijn.

Victor: ik ben niet zo iemand die gelooft dat de weg met de witte streep erlangs die bij de bocht lijkt te verdwijnen, ook na die bocht verder gaat.

Victor: op welk moment zal het feit dat ik weiger in jouw

holle pompoen binnen te gaan en het feit dat jij weigert je manier van denken te veranderen, onverdraaglijk voor ons worden?

'Victor, ik wil dat je bij Edith weggaat. Dat wil ik. Het is misschien egoïstisch van me, maar ik haat de gedachte van jou daar met haar, meegesleept in stilte en verlamming. Maar ik wil niet dat je bij haar weggaat voor mij. Ik wil dat je bij haar weggaat voor jezelf.'

Hij keek haar niet-begrijpend aan. 'Waarvoor zou ik in godsnaam van haar weggaan als het niet voor jou was?'

'Ja, dat weet ik. En dat is precies wat er verkeerd aan is. Ik wil daar niet de schuld van krijgen. Ik wil de verantwoordelijkheid daar niet voor hebben. En ik wil vooral niet het gevoel hebben dat ik voor jou moet zijn wat zij voor jou was omdat je voor mij bij haar bent weggegaan. Begrijp je dat dan niet?'

Dat begreep hij niet.

'Ik wil niet dat ik je iets moet beloven. Ik wil niet hoeven zeggen: *Tot de dood ons scheidt*. Ik wil dat jij aan jezelf genoeg hebt. Als dat zo is, dan kun jij accepteren dat ik aan mezelf genoeg kan hebben. Zoals dat nu het geval is. En dan kunnen we verder kijken.'

Hij ging rechtop zitten. 'Betekent dat dat je *nee* zegt?' Hij was verontwaardigd.

Zij zuchtte. 'Ga bij haar weg als je dat wilt. Ga niet bij haar weg als je dat niet wilt. Maar ik beloof je niets. Ik beloof niet dat ik er voor jou zal zijn. Ik kan niet beloven dat ik over zes maanden nog van je hou.'

O ja, dat kan ik wel. Ben je daar wel zeker van? Stel je voor dat hij je meeneemt naar een feestje van Mach?

'Je moet alleen bij haar weggaan als dat voor jezelf het beste is.'

Als je dat kunt.

Het was een rustige nacht. Ze vrijden niet.

6

Hij begreep het niet. Hij kon zichzelf niet zien zoals zij hem zag met haar geestesoog: mager, hol-ogig, een wandelend lijk, met zijn armen slap langs zijn lichaam achter een poppevrouwtje in een rolstoel.

Hij was treurig en stil toen zij over de snelweg terug naar Londen reden. Zij was ook stil.

O, ga bij haar weg! Ga van haar af! Leidt een bruisend, dynamisch leven, vol energie, je hebt geen vrouw in een rolstoel nodig!

Maar die had hij wel nodig. Dat wist ze. Ze wist dat als hij Edith verliet, hij net zolang ongelukkig zou zijn totdat hij weer een andere vrouw in een rolstoel had gevonden. Dat was de enige manier waarop hij zich veilig kon voelen.

Toen zij in de buurt van Wells waren, begon hij over zijn laatste gesprek met Vickie te vertellen. Zij had hem verteld over haar professor, haar abortus, haar wanhoop. Zij had hem ook verteld dat Leslie verleden jaar zelfmoord had proberen te plegen, dat ze slaaptabletten had ingenomen en toen Vickie had gebeld, die meteen naar haar toe was gereden en haar naar een ziekenhuis had gebracht en het stil had weten te houden. Ze had hem over Mark verteld, die het idee in zijn hoofd had gekregen dat het goed stond om te drinken, en hoe hij op een nacht de bus total-loss had gereden tegen een boom aan, en de plaats naast de bestuurder in de puin was, nadat hij gelukkig zijn vrienden al had afgezet. Was bij Edith met een smoes aangekomen. Edith wist niets van de details.

'Het lijkt er tegenwoordig op,' zei hij, 'dat de kinderen de ouders in bescherming nemen.'

Wells was een middeleeuws stadje met een markt die nog intact was, waar het wemelde van de kraampjes waar goedkope bloesjes en schoenen, groente, plastic asbakken te koop werden aangeboden. Zij bezochten de kathedraal en logeerden in een oude herberg, waar zij allebei gebukt de deur door moesten, en voorzichtig op moesten staan om niet hun hoofd aan het zadeldak te stoten. Het was een drukbezochte, levendige plaats. Hoe hadden ze dat voor elkaar gekregen?

Hij hield haar in zijn armen, hij zei: 'Misschien begrijp ik het wel.'

Ze reden naar Bath, om de grote halvemaanvormige rij huizen uit de achttiende eeuw heen, die na de bombardementen overeind waren gebleven. 'Waarom zouden ze Bath gebombardeerd hebben?' vroeg Dolores. 'Om de baden te nemen?' Ze logeerden in The Priory, een schitterend oud hotel met grote, koele kamers met antieke meubels en een tuin aan de achterkant, een grote, monumentale boom van minstens honderd jaar oud, die schaduwen wierp op het gras. Aan weerszijden waren ook tuinen, en de eetzaal met zijn schone, hoge ramen keek daarop uit. De bediening geschiedde met een glimlach en een buiging, het eten was verrukkelijk. Dolores voelde zich volmaakt tevreden.

'Doe je dat ook wel eens met Edith? Uit eten gaan in dit soort fantastische oorden? Reist ze wel eens?'

Hij verstrakte. 'Nee. Ze voelt zich opgelaten in openbare gelegenheden. Ze gaat niet zo vaak uit. We gaan wel eens op bezoek bij haar zuster, of haar zuster komt bij ons. Als ze jarig is, komen er wat mensen. Maar meestal zijn we alleen. En ze kan niet alles eten, weet je. Haar spijsvertering is slecht van al dat zitten.'

'Vind je het naar om met mij over haar te praten? Alsof je verraad pleegt tegenover haar?'

Gespannen. 'Een beetje.'

'Het spijt me. Ik zal niet meer over haar beginnen. Je moet binnenkort naar haar terug. En dan wil je natuurlijk geen schuldgevoel hebben.'

'Ik wil verdomme niet *vergelijken.*'

O Victor, Victor, ik zal je missen.

O, hij zal zich weer niet aan de afspraak houden. Hij kan zich er nu niet aan houden. Misschien gaat hij zelfs wel bij haar weg, maar dan voor een andere Edith, een jongere, met een beetje meer pit misschien, maar in wezen hetzelfde. Victor had Edith nodig en Edith wist dat. En Edith had Victor nodig. Ze waren met elkaar vergroeid.

'Ach, ik dacht *gewoon* niet na,' zei ze. 'Of misschien wel, maar niet aan jou. Ik dacht aan *mijn* jou.'

Jouw mij?'

'Ja. Mijn jij is zo vrij als een vogel, vol levenslust, mijn jij laat zich nergens door kisten, heeft geen zogenaamd toevluchtsoord nodig.'

'Laat zich niet kisten door een gebroken vleugel. Of een been.'

'Ja.'

'Zo is mijn jij ook. Kakelend van enthousiasme en analyserend en verwonderd en altijd maar praten en praten. Geen zoutpilaar.'

'Maar mijn jij is de ware jij.'
'Denk je dat? Zou jouw mij meer waar zijn dan mijn mij?'
'Zeker.'
'Nou, mijn jij is ook meer waard dan jouw jij.'
'O!'

Ze lachten zo hard dat zij een beetje luidruchtig werden en de rustige, correcte, glimlachende Engelse gezichten draaiden zich, o zo beleefd, naar hen om.

7

'Weet je, het punt is,' zei Victor, vlak voordat hij insliep, 'dat je een idealist bent.'

Hij wreef zijn neus langs haar nek en zijn ademhaling werd meteen rustiger, zwaarder, hoorbaar. Zij lag op haar zij met haar rug tegen hem aan. Hij lag op zijn zij achter haar met zijn arm om haar middel. Zijn lichaam lag ontspannen en rustig tegen haar aan.

Zij dacht bij zichzelf: de eerste zin die ik morgen zal zeggen – als ze zich die maar kon herinneren als ze wakker werd – zou zijn: 'Weet je, het punt is dat jij altijd het laatste woord moet hebben.'

Lachen voor het ontbijt betekende altijd plaagstootjes, kietelen en stoeien in de badkamer. Ze glimlachte.

Ze waren in Londen. Eind juni maakte ze keurige stapeltjes van haar boeken en stuurde ze naar Boston. Ze zei haar flat in Oxford aan het eind van de maand op, omhelsde Mary, beloofde te schrijven, haar nog eens op te zoeken, contact te houden.

Toen pakte zij haar koffers en trok de laatste twintig dagen bij Victor in, negentien eigenlijk, want haar vliegtuig ging de twintigste om twaalf uur 's middags.

Zij moest de eenentwintigste van die maand een inleidingscollege geven en had nog niets voorbereid. Ze kon een beetje schrijven in het vliegtuig, dat zou helpen, het zou haar aandacht van andere dingen afleiden.

Sydney had in juni een brief geschreven waarin ze zei dat ze Dolores een paar weken wilde komen opzoeken: kon zij overvliegen, bij Mama in Oxford logeren en met haar terugvliegen? Bovendien, schreef ze, mis ik je.

Dolores schreef terug: Ik kan je reis niet betalen en jij ook niet. En bovendien heb ik nog maar korte tijd met Victor samen. Ik ben snel weer thuis, dan kun je naar Cambridge komen en gaan we de hele nacht praten. En als we allebei hard gaan sparen dit jaar, ik stop bijvoorbeeld met roken en jij met snoepen, dan gaan we volgend jaar samen ergens naartoe, naar Italië of Griekenland of Engeland.

Victor zei een afspraak met een Belangrijk Persoon in zijn company af, zei dat hij overdag als reisgids kon fungeren maar de avonden vrij wilde houden. En nam de eerste drie weken van juli als vakantiedagen op. Riskant in zijn situatie, om zo'n verklaring af te leggen. Maar de Belangrijke Persoon had alleen zijn wenkbrauwen opgetrokken, met een veelbetekenende blik op zijn gezicht, en had zelfs bewondering voor Victors durf. Het is mensen eigen om van andere mensen te denken dat zij zich te buiten gaan aan sensuele uitspattingen, zoals witte druiven in vagina's stoppen, neuken in bad, terwijl zij zoiets nooit meemaken, zei Victor. Heb jij wel eens in bad geneukt?

Dolores kon haar verbazing niet op over hen allebei. Allebei hadden zij gehandeld zonder te denken, zonder het met elkaar te bespreken. Voor het eerst hadden zij elkaar belangrijker gevonden dan al het andere.

Maar zoiets kan niet voortduren. We hebben dat alleen maar gedaan omdat dit het einde is. Zo kostbaar, onze negentien dagen. Er zijn er nog vier over. Een autotochtje naar het Lake District, schitterend in juli, een dagje in het middeleeuwse Chester, en dan naar Haworth, het saaie, doodse stadje met de pastorie van de Brontë's en begraafplaats. En York, om een rondwandeling te maken om de oude stadsmuren, een glimp van Romeinse ruïnes op te vangen, de Minster, rijen met hout beschoten Tudor-huizen. Een stralende zondag, een tochtje naar Windsor over de Thames in een traag bootje, langs de gemoedelijke Engelse dorpjes langs de oevers van de traag stromende rivier, alles in bloei, groen, witte huisjes, sommige met rieten daken. Kleine dorpjes, wit in het zonlicht, met namen die in de herinnering worden opgeslagen.

Toen zij in het kasteel waren, scheidden zij zich van het reisgezelschap af en bepaalden met zijn tweeën hun eigen tempo. Zij dwaalden met andere toeristen over de stenen trappen, over het binnenplein, door de tuinen. Zij liepen naar beneden door straten die in kleine lieflijke paadjes overgingen, afgebakend

door stenen muren, begroeid met rozen, duizenden zachte, stoffige, willige rozen, onder groen overhangende bomen.

Dronken thee in een druk theehuis, gingen toen met de bus
naar Londen terug, genietend van de drukte en van het feit dat
zij onopvallend tussen de gewone Engelse mensen (en Amerikaanse jongeren) naar huis gingen. Dolores deed dat overal,
pakte de bus, soms zonder te weten waar die naartoe ging. In
een volle bus naar de Sint-Pieter op een paasmorgen had
iemand alle knopen van haar jurk gerukt. Het was een door-
knoopjurk en ze had in haar portemonnee naar veiligheidsspel-
den moeten zoeken om hem dicht te kunnen maken. Dat was
jouw kennismaking met Italië. Ze had in de bus gezeten in
Griekenland, Joegoslavië, op Fiji, Samoa, soms in het gezelschap van kippen of een geit. Zij keek af en toe opzij naar Victor, om te zien hoe hij dit ervoer; hij was immers alleen maar
gewend aan huurauto's en taxi's. Het was heet en druk en lawaaierig en er was iemand achterin aan het roken; de lucht was
om te stikken. Victors gezicht had een dieproze kleur, maar hij
keek haar stralend aan.

'Waarom haat ik de ondergrondse in New York en Boston?'
schreeuwde zij in zijn oor. Maar ze moest wel met de ondergrondse, elke dag weer, omdat ze geen auto had.

Ze had tegen Carol gezegd: 'Ik verkoop mijn auto. Ik koop
nooit meer een andere. Als er nog een van mijn kinderen zich
van kant wil maken, dan zoekt hij maar een andere manier.'

Ja, alles was anders op reis, als je jezelf op vreemde bodem
neerplantte en je maatstaven bereidwillig verlegde. Dingen die
thuis onaanvaardbaar waren, werden ineens wel aanvaardbaar:
geen warm water in een Grieks hotelletje, een matras als een
verzameling hobbels in Toledo; een douchecel in een pensione
in Malaga, die in het midden van een grote kamer stond, waar
een stelletje vervaarlijk uitziende mannen dag en nacht zaten te
kaarten. Knappe jonge mannen op de versiertoer, die de cafés in
Nice onveilig maakten en hun blik over je kleding lieten gaan
om in te schatten hoeveel geld je had. Ze hadden nooit met Dolores aangepapt.

Ja, in het buitenland was alles goed terwijl je er thuis een
woedeaanval van had kunnen krijgen. Het was goed in het
buitenland omdat het *interessant* was, om met Cal Taylor te
spreken. Interessant. De liefde ook. Het was makkelijker om

415

verliefd te worden in het buitenland, waar je niet eens je achternaam hoefde te zeggen, waar je je geen zorgen hoefde te maken hoe het volgende week moest, waar niet gelet werd op karakter zolang de geuren en smaken maar goed waren, de nacht vol sterren, het Parthenon witglanzend vanaf het café bovenop de heuvel.

Maar ergens was het niet echt en ergens toch weer wel. En waar zij naartoe ging was het wel echt, maar ergens weer niet. Al die verloren uren, waarin zij haar fantasie liet werken, haar geest op volle toeren liet draaien, ver weg van het appartement in Cambridge waar zij zat. Maar er waren ook echte dingen. Een rustig leven, een ideaal leven. Een goed college waar de vonken van afvlogen, waarna vier studenten haar met vragen bestookten; een niet al te overladen rooster, zodat zij tijd overhad om haar boek af te maken. Een prettig leven, bruisend, straten met kinderen en warme zon en rare winkeltjes en restaurants, concerten, films; wat kun je nog meer wensen? De rijkdommen van de aarde konden daar gekeurd, geproefd, genoten, genegeerd, afgewezen worden. Vrienden, lange discussieavonden, dolle avonden, dan stilte, lange periodes van stilte en eenzaamheid. Alles wat je maar wilde.

Behalve één ding.

Zij raakte Victors hand aan, die op haar buik lag, heel zachtjes, door haar vinger langs zijn vinger te laten gaan, en dacht: Vingers, even gevoelig als de geest. Zij dacht erover wat een vreemde dingen het waren, handen: allemaal van hetzelfde materiaal maar allemaal anders. Zij hield van handen: van sterke werkhanden met uitstekende botten, waarin de kleinste beweging een kleine verschuiving teweegbracht in het prachtige, complexe mechanisme. Sterk waren ze, de botten, de knokkels, de pezen, de aderen. Samen creëerden zij een topografie van een ongelooflijk fraaie subtiliteit en complexiteit. Heuvels en dalen, roze, blauwe, rode, crèmekleurige, bruine tinten. Bedekt met de tere huid, die gestreeld moet worden, moet strelen. Sterk en teer, stevig en zacht. Er was geen scheiding mogelijk: handen waren het allebei, zij namen als zij gaven, gaven als zij namen.

Victors handen waren lang en slank, die van haar waren klein en fijn. De zijne hadden grote, sterke botten, maar leken heel broos; de hare leken broos en licht, maar waren sterk. Vic-

416

tor had een paar weken geleden een verroeste knop van Mary Jenkins verwarming los weten te draaien; hij had Dolores' zware stapels boeken opgepakt en ze naar Marys auto gesjouwd om ze naar het postkantoor te brengen. Daar kwamen natuurlijk ook armen aan te pas. Handen gingen over in armen en armen waren ook heel mooi.

Zij had ook sterke armen, sterke handen. Zij had in haar eentje Elspeths lichaam naar binnen gedragen, terwijl Jack tegen haar schreeuwde, maar zij had niets gehoord, niets willen horen, terwijl zij haar kind tegen haar lichaam hield, het levenloze hoofd tegen haar borst, het levenloze lichaam tegen haar baarmoeder, en zo hard huilde dat Elspeths lichaam ervan schokte, alsof het nog leefde, liep, deed, sprak, snierde, al die dingen die het een week geleden, drie dagen geleden, gisteren nog, vanmiddag, een paar uur geleden, wie weet hoeveel uren, nog gedaan had.

Als we maar eerder waren thuisgekomen.

Alsof het leefde. Huilde zo hard dat zij dacht dat zij een wonder zou kunnen verrichten, dat zij met haar eigen intense energie, haar eigen verdriet en pijn, het leven weer terug kon halen. Huilend: Zeg weer iets snierends tegen me, Elspeth, haat me weer, maar leef in godsnaam! Dit lichaam, wat was elke cel ervan haar dierbaar, zacht en hard, botten en spieren, teer en kwetsbaar en taai en trots. Dit lichaam, dat uit haar lichaam was gekomen, commanderend, hongerig, huilend, zich vastklampend, verlangend, eisend, liefhebbend, hatend...

Zij voelde Victors handen, sterke tedere handen, met haar handen en zij werden wakker, zijn handen, terwijl de geest die hen bestuurde nog sliep, en vonden uit eigen beweging haar borsten en hielden ze vast.

Vier dagen.

Plotseling kreeg zij weer het beeld voor ogen van Victor die achter Edith in haar rolstoel staat, met zijn armen slap langs zijn lijf, zijn ogen leeg, het lichaam mager en inert.

Nee! Nee! schreeuwde het in haar.

Zij zag zichzelf op een podium voor een klas van vijfhonderd man, haar stem had een droge, pedante klank, haar brilleglazen balanceerden op haar neus, en zij gaf college over stijlfiguren in de Renaissance, die haar de zin van het leven deden inzien.

Nee! Nee!

Maar wat dan wel?

Ja, want ondanks alles, hoewel zij het liever niet wilde zien, had Victor wel al die dingen. Macht en geld en connecties; Edith, het huis, de kinderen. En haar. Hij had zich weer niet aan de afspraak gehouden, en dit keer zou Edith er niet achterkomen, zou er niet naar vragen, zichzelf zelfs niets afvragen. Dit keer was ze vastbesloten: als je maar meestal 's avonds thuiskomt en me er niets van vertelt en als ik het maar niet aan je ruik. Maar zij sliepen apart. Hoe zou zij het dan kunnen ruiken? Ja, hij zou teruggaan naar Alison, als die hem nog wilde, of naar Georgia, als die er nog was. Hij zou wel iemand vinden voor zijn pleziertjes, terwijl Edith hem geborgenheid gaf.

Maar niet Dolores. Omdat haar rol vaststond: zij werd verondersteld voor het plezier te zorgen. Waar zij geen zin meer in had en waar zij bovendien niet zo goed in was.

Vier dagen.

Maar ja, als het niet voorbestemd was geweest om te eindigen, zou je er dan zo van hebben kunnen genieten? Genieten van alles, van het plezier, maar ook van de pijn.

Zij sloot haar ogen. Nee, rechtvaardigheid bestond niet. De vraag was of de liefde wel bestond. Haar leven liep nu eenmaal niet langs keurige paden, was niet geordend als schaakstukken op een bord. Miranda en Ferdinand aan het schaken, akkoord over de regels: hij speelt vals en zij laat dat toe. Mannenregels, nog steeds, altijd.

Tony, die haar toen probeerde te leren schaken. Ze had uit frustratie het bord omgegooid, zodat de stukken alle kanten uitvlogen, en ze had geschreeuwd: 'O, ik kan niet tegen die kutregels!'

'*Ik* heb ze niet gemaakt, Mam,' had hij, gekwetst, gezegd.

Nou, wie heeft ze dan verdomme wel gemaakt?

Vier dagen. Een eeuwigheid, misschien. Wie weet of het vliegtuig neerstort, wanneer de droomtrein het eindstation bereikt, wanneer het hart er genoeg van heeft en besluit ermee op te houden, gewoon ermee te stoppen? Wij allemaal, dikke mollige kindertjes, lange magere kindertjes, bruine en gele, bleke en roze, rode en chocoladekleurige, wij allemaal worden met hetzelfde gezwel geboren en we rennen van kliniek naar kliniek op zoek naar de diagnose en genezing.

Ze nestelde zich tegen Victors lichaam en hij drukte zich tegen haar aan. Haar warmte en de zijne smolten samen tot hitte. Ze draaide haar hoofd om en probeerde hem te ruiken, maar zijn geur vermengde zich met de hare. Ze ging lekker tegen hem aan liggen.

Vier dagen.

Niet erg lang.

Maar nu was hij er nog, zijn huid tegen haar huid, zijn warmte en haar warmte, en zijn hart klopte tegen haar ruggegraat en het bed was warm en zijn handen op haar borsten voelden zacht en sterk aan en haar borsten waren zacht, o zo zacht, o zacht.